DE DONOR

CHRISTIAAN BARNARD

De Donor

Thriller

Uitgeverij BZZTôH
's-Gravenhage, 1996

Oorspronkelijke titel: *The donor*
© Copyright Christiaan Barnard, 1996
© Copyright Nederlandse vertaling 1996, Uitgeverij BZZTôH, 's-Gravenhage
Vertaling: Joost de Wit
Foto's omslag: Fotostock en Phototake
Foto auteur: Ulla Kimmig
Ontwerp omslag: Karel van Laar
Zetwerk: No lo sé prod.
Druk- en bindwerk: WSOY, Finland

ISBN 90 5501 286 6

Dankbetuiging

Ik wil graag mijn oprechte dank en waardering uitspreken aan de verschillende afdelingen van de Medische School van de universiteit van Cape Town die hebben geholpen met informatie en verwijzingen. In dit verband wil ik noemen de afdelingen cardiologie, hartoperaties, menselijke genetica, neurologie, biochemie en neurofysiologie, en de staf van de medische bibliotheek.

Ook wil ik mijn dank uitspreken aan professor Jannie de Villiers, dr. Tobie de Villiers, professor Peter Jacobs, professor Eugene Dowdle, professor Annette du Toit, professor E. van Rensburg, dr. David Cooper en Hamilton Naki.

Ook mijn dierbare vriend Bob Molloy, zonder wiens aanmoediging en hulp dit boek nooit zou zijn verschenen, dank ik hartelijk.

Ik draag dit boek op aan mijn vrouw Karin, die met grote toewijding en geduld het manuscript typte en de veranderingen aanbracht.

Noot van de auteur

Genetische manipulatie leek in de ogen van de gewone man gedurende lange tijd een doos van Pandora die, eenmaal geopend, de mensheid voor eeuwig zou verdoemen met de verschrikkelijke gevolgen van genetisch veranderde levensvormen. Maar Pandora had naast verdoemenis natuurlijk ook zegeningen in haar doos. De criticasters van dit soort werk hebben dat aspect sterk onderbelicht gelaten en de genetische manipulatie voornamelijk negatief benaderd, als een verschijnsel dat slechts zou leiden tot ziekte en verderf.

De universele bezorgdheid over de mogelijke gevolgen van genetische manipulatie is zo groot, dat deze in veel landen heeft geleid tot het vastleggen van ethische normen waaraan wetenschappers zich bij hun onderzoek dienen te houden. In de meeste gevallen gaat het hier om een veilige handelswijze waarmee geen enkele competente onderzoeker enige problemen heeft.

Waartoe heeft de genetische manipulatie dan geleid nadat Watson en Crick bijna twintig jaar geleden de genetische code van het DNA hadden ontdekt? Verrassend genoeg, zeker gezien de ontsteltenis die ontstond na deze ontdekking, tot alleen maar positieve resultaten. Dezer dagen beschikken we over een grote verscheidenheid aan genetisch veranderde bacteriën: olie-verwerkende micro-organismen die olielozingen oplossen, langer houdbare tomaten, aangepaste laboratoriummuizen voor kankeronderzoek en zelfs geiten die zo zijn gefokt dat ze via hun melk geneeskrachtige stoffen afscheiden.

Grote bezorgdheid ontstond over de mogelijke manipulatie van de menselijke genen, met het genetisch perfecte lichaam als doel, en de mogelijkheid embryo's met genetische afwijkingen op te sporen en te aborteren.

De speurtocht naar kennis en waarheid moet onverminderd voortgaan, maar bij de uitvoering van de bevindingen is grote waakzaamheid geboden. Zoals de barbaarsheid van het mensdom maar met een klein vernislaagje is bedekt, is de ethische scheidslijn tussen een puur wetenschappelijke ontdekking en het misbruik daarvan maar zeer dun. Dit verhaal gaat over goede bedoelingen die verkeerd aflopen en over een aantal van de ontelbare manieren waarop we onszelf voor de gek kunnen houden.

HOOFDSTUK 1

Rodney Barnes had nog nooit een echt galgentouw gezien, zeker niet om iemands nek. Het lichaam hing onder het geopende valluik van de gevangenisgalg en slingerde een beetje heen en weer.

Gruwelijk efficiënt, dacht Barnes, en hij wilde dat hij ergens anders was. Barnes wachtte samen met drie andere mannen. De dokter, de gevangenisdirecteur en de beul. Hij en Dr. Rood, de gerechtelijke geneeskundige, keken toe hoe twee bewakers de gevangene naar de plaats van de terechtstelling brachten. Vier betonnen muren, lichtgroen geverfd, het plafond ook van beton, waaruit vijf sterke ijzeren haken naar beneden hingen, met een tussenruimte van twee meter. Een licht in het midden van het plafond wierp een schaduw op de muur van een touw met een strop.

De eentonigheid van de effen betonnen vloer werd onderbroken door een houten valluik dat de hele breedte van de ruimte in beslag nam. Onder iedere haak had iemand met een macabere fantasie behulpzaam twee voetafdrukken geschilderd die de ideale positie aangaven.

Rond het valluik stond een ijzeren hekje om te voorkomen dat mensen erop zouden stappen. In die omheining zat maar één opening waardoor de veroordeelde, begeleid door de twee bewakers, naar een van de voetafdrukken kon worden geleid. Alleen de veroordeelde had het voorrecht op het valluik te mogen lopen.

Er bleef nog een voorwerp over: een hefboom, die veel weg had van een handrem uit een auto, aan de linkerkant van het luik. De veroordeelde, een gespierde jonge blanke man, de handen op de rug gebonden, maakte een zielige indruk, ongeacht de misdaad die hij had begaan. Struikelend over zijn eigen voeten werd hij voortgesleept naar het omheinde valluik, snikkend en smeekbeden mompelend tegen de bewakers. Eenmaal op het valluik, zakte hij in elkaar. De bewakers hingen aan weerszijden over het hekje heen om hem overeind te houden, en een kap over zijn hoofd te laten zakken. Daarna werd het touw om zijn nek gedaan, met de strop achter zijn rechteroor. Waarom zijn rechteroor, vroeg Barnes zich af. Wat maakte het in vredesnaam uit waar je zo'n ding aanlegde? Maar zo zouden de macabere spelregels voor het uitvoeren van executies volgens de gevangenisvoorschriften wel zijn. Hoe luidde de juridische term eigenlijk? 'U zult hiervandaan worden weggevoerd naar de plaats van uw executie, en daar aan de strop worden gehangen tot de dood erop volgt.' Was dat niet wat een rechter moest zeggen als hij uitspraak deed? De executie verliep gesmeerd. Oefenen ze dit soort dingen, vroeg Barnes zich af. Er werd niet gemorreld, niets ging verkeerd. Men liep elkaar niet voor de voeten. Binnen enkele seconden na aankomst was de gevangene gereed gemaakt voor de dood, klapte het luik onder zijn voeten weg en viel hij in de lege ruimte onder hem.

Het kraken van brekend bot was duidelijk te horen, en klonk als het knappen van een tak. Barnes voelde zich misselijk worden. Dr. Rood had hem verteld dat de val berekend was volgens het gewicht en de lengte van het lichaam, zodat er een zuivere breuk zou ontstaan, zonder al te grote verwondingen aan de hals. Een foute berekening van de lengte van de val zou gemakkelijk amputatie van het hoofd van de man tot gevolg kunnen hebben – en dat was niet wat de wet vereiste. Op deze plaats van gerechtigheid was het van groot belang dat de wet nauwkeurig werd uitgevoerd.

Op dat moment tikte de gevangenisdokter tegen Barnes' arm en wees naar de trap die naar het mortuarium leidde. Hij volgde hem blindelings, allang blij dat hij iets te doen had. Dat was fout, en hij besefte dat op het moment dat hij het slingerende lichaam zag. Kon hij deze hele procedure wel aan?

Hij wist dat onder de kap de ogen van het lijk uit hun kassen puilden door de druk van het touw. Diezelfde druk had de tong door de open mond naar buiten gedrongen en door reflexen van de zenuwen bewogen de benen nog flauwtjes.

Barnes' medische ervaring vertelde hem dat de man klinisch dood was, dat de hersenstam onder aan de nek was gebroken, maar het lichaam bleef kronkelen en schokken. De sluitspieren hadden zich bij het intreden van de dood ontspannen, waardoor de ingewanden leeg liepen en een doordringende lucht van ontlasting de kleine ruimte vulde.

'Dokter Barnes?'

Met een schok realiseerde hij zich dat hij geen woord had gehoord van wat de dokter tegen hem had gezegd. De gezette, kleine man in de witte jas, stethoscoop in de hand, glimlachte.

'Sorry dokter Rood, wat zei u...?'

Dr. Rood glimlachte opnieuw. Hij vond de teergevoeligheid van

Barnes wel grappig. Ik zie waarachtig niet in wat er te lachen valt, dacht Barnes, maar ik neem aan dat deze man niet vaak met humor wordt geconfronteerd Rood had hem verteld dat hij een kleine duizend executies had bijgewoond, en dat hij er iedere keer opnieuw weer van onder de indruk raakte.

'Het hart klopt nog steeds. Het kan nog wel vijftien minuten duren voordat het volledig stilstaat. Tot die tijd mag u het lichaam helaas niet aanraken,' zei Rood, die er geen misverstand over liet bestaan wie de baas over het lijk was.

Barnes bedwong zijn ergernis. De gevangenisstaf had nogal ouderwetse opvattingen over de klinische dood, die gebaseerd waren op het al dan niet aanwezig zijn van een hartslag. Met als gevolg dat hij moest wachten voordat hij het hart uit het lijk kon verwijderen. Ook een langdurig gesprek met de minister van Justitie had niets aan deze regels kunnen veranderen.

'Voor zoiets zal de wet moeten worden gewijzigd,' had de zwaarlijvige, kettingrokende en gestreste minister gezegd.

Ze stonden voor het raam van zijn kantoor dat uitkeek over Pretoria. Een prachtige stad, opgebouwd uit een netwerk van fraai aangelegde, door bomen omzoomde lanen en parken, en het waardige administratieve hart van het land, dat nu door kleur was overgoten omdat de jacaranda's in volle bloei stonden.

Het overvloedige blauw en groen van de bomen lichtte op in de straten, er was druk verkeer en de mensen lachten. De bewoners van Pretoria waren dol op hun stad en zeiden trots dat ze nooit ergens anders zouden willen wonen. Het was duidelijk dat de sfeer uit deze metropool nog niet was doorgedrongen in het kantoor van de minister, hoog op de heuvel boven de stad waar de regeringsgebouwen zich tegen de horizon aftekenden.

De minister stond met een somber gezicht naar buiten te kijken. Hij stamde uit een oude kolonistenfamilie die al minstens zeven generaties terugging en was behept met die typische provinciaalse welgemanierdheid die niet zo goed samen gaat met wat er wordt verlangd van iemand die de hoogste post op justitieel gebied in het land bekleedt. Het was bepaald geen aangename positie in een tijd waarin de politieke toekomst van het land wankelde, regel- en wetgeving voortdurend door pressiegroepen onder druk werden gezet en het maar de vraag was of de minister zijn greep op het departement kon blijven behouden. Wat zou iemand in een vorig leven moeten hebben misdaan om tot zo'n baan te worden veroordeeld, vroeg Barnes zich af, en dacht aan de Aziatische arts tijdens zijn studententijd, die in reïncarnatie had geloofd.

'Dokter Barnes, zelfs al zou u een mensenhart zo spoedig na de dood kunnen verwijderen zoals u voorstelt, hoe krijgt u dat dan op tijd in Kaapstad voor een transplantatie? Zelfs met een straalvliegtuig zal het u toch minstens twee uur kosten.'

Nu voelde Barnes zich beter. Dit was zijn terrein. Precies dit onderwerp had hij uitputtend met zijn studenten behandeld, hij had er geld voor los gepraat tijdens een eindeloze hoeveelheid speciale diners, en was erover geïnterviewd in de pers en op de televisie.

De minister stak weer een sigaret op, en tuurde fronsend naar de stad beneden hem: 'Ik heb altijd gedacht dat het hart tegelijk sterft met het lichaam, als het ophoudt met kloppen.'

Barnes moest zich inhouden om niet meteen met zijn standaard 'het hart is niets anders dan een pomp'- verhaal te komen. Hij gaf in plaats daarvan een korte beschrijving over de achtergronden van een harttransplantatie. Het zou zijn zaak niet ten goede komen als de minister het gevoel kreeg dat hij werd betutteld. Met een hartaanval als voorbeeld legde hij uit dat het vooral gaat om een aanhoudende bloedstroom naar de hersenen. Zelfs als het hart volledig stilstaat, kan het weer op gang worden gebracht door massage of regelmatig samendrukken waardoor het bloed weer gaat stromen. Dit kan worden gedaan door op de borstkas te duwen, of door tijdens een operatie het hart zelf te kneden.

Het hart kan weer op gang worden gebracht door een electro-shock, tenzij de hartspier te ernstig is beschadigd. Bij een normale temperatuur kunnen de hersenen drie tot vier minuten zonder bloedtoevoer, een periode die kan worden verlengd door de temperatuur te verlagen. De meest recente methode om het moment van overlijden vast te stellen, was gebaseerd op de klinische gegevens omtrent het afsterven van de hersenen. De patiënt kon klinisch dood zijn, terwijl zijn hart nog klopte.

Barnes spitste zijn voorbeeld toe op het onderwerp van gesprek: 'Laten we eens kijken naar het moment dat het hart ophoudt met kloppen na de dood. Dit gebeurt na een gerechtelijke ophanging. Aan het einde van de val wordt het lichaam abrupt gestopt door het touw rond de nek. De spieren in de nek zijn niet sterk genoeg om weerstand te bieden en een breuk of ontwrichting van de bovenste twee wervels van de wervelkolom is het gevolg. Hierdoor breekt de hersenstam en de hersenen worden letterlijk losgekoppeld van de rest van het lichaam.'

Een strak geklede vrouw van middelbare leeftijd kwam met een blad met koffie het kantoor binnen. De minister draaide zich om, bedankte haar vriendelijk en keek naar Barnes.

'Koffie, dokter?'

De vrouw schonk in en vertrok weer, maar niet zonder eerst een nieuwsgierige blik op het beroemde gezicht van de chirurg te hebben geworpen.

Barnes pakte zijn kopje en zag de minister zijn derde sigaret opsteken. Met zijn omvang en rookgewoonten was hij het klassieke voorbeeld van de toekomstige hartpatiënt. Voor de zoveelste keer vroeg Barnes zich af waarom de huidige medische wereld tegenwoordig zo veel met politiek van doen had. Waarom zat hij, thorax-chirurg uit de hoogste gelederen van het onderzoek op het gebied van de harttransplantatie, hier in het kantoor van de minister van Justitie, terwijl hij veel nuttiger werk kon doen in de operatiekamer?

Zoals alle leidende figuren in alle disciplines was ook Barnes gestuit op de onneembare drempel in de vooruitgang – het politieke gebrek aan durf om zich op onbekend terrein te begeven. Men is bang voor het onbekende en politici zijn er altijd heel gevoelig voor als mensen – lees stemgerechtigden – vinden dat dingen te snel gaan. De obstakels op het gebied van de harttransplantaties waren jaren geleden al genomen. Men had het probleem van het afstoten intussen aardig onder de knie en transplantaties waren nu aan de orde van de dag. Maar het tekort aan donororganen was een voortdurend probleem gebleven en was met name in de sfeer van het menselijke hart het schrijnendst.

Voor de leek was het hart nog steeds de bron van het leven en soms ook de ziel. Voor de meeste mensen bleef het een heel speciaal ding, het middelpunt van de liefde en de emotie. Familieleden van ongeneeslijk zieke en hersendode patiënten bleven moeite hebben met de donatie van de meest mysterieuze van alle organen.

Voor Rodney Barnes was het hart een gewone pomp. Hoe beter van kwaliteit, hoe groter de kans op een succesvolle transplantatie. Al vaak had hij patiënten hun laatste adem zien uitblazen en sterven in afwachting van een donor. Erger nog, hij had al vele keren moeten aanzien dat chirurgen harten transplanteerden die niet in optimale conditie waren, waardoor het lijden van de patiënt alleen maar werd verlengd. De meeste harten kwamen van hersendode slachtoffers van ongelukken, die al zwaar waren getraumatiseerd. Dan werd de transplantatie vaak nog vertraagd door een doolhof van bureaucratische voorschriften en formulierenwerk, opgezet door ambtelijke instellingen die alles deden wat binnen hun bereik lag om te voorkomen dat ze door verdrietige familieleden zouden worden aangeklaagd wegens nalatigheid. Geen wonder dat transplantatie-chirurgen daardoor vaak met inferieur materiaal moesten werken, waardoor de kansen op een successvol resultaat afnamen. Er was grote behoefte aan een voorraad van donorharten in goede conditie, op tijd en op afroep.

Een onmogelijke droom, totdat Barnes op een dag in de krant een artikel las waarin iemand boos stelling nam tegen de doodstraf. Hij had daar nooit zo over nagedacht en moest hoogstens terugdenken aan wat hij bij godsdienstles op school had geleerd. De bijbel, dacht hij, eist een oog voor een oog, wat hij altijd had uitgelegd als een leven voor een leven.

Maar de reden dat hij overeind veerde, zodat de rest van de krant op de grond viel, was het aantal executies dat werd uitgevoerd.

Het ministerie van Justitie liet gemiddeld drie veroordeelde moordenaars per week ophangen. De meesten daarvan waren gezonde jonge mannen in de kracht van hun leven en zonder twijfel in het bezit van even gezonde organen. Zie hier de voorraad – in goede conditie, op tijd en op afroep. Binnen enkele dagen had hij zich vriendelijk glimlachend een weg gebaand door een haag van secretaresses en een muur van bureaucratie en had hij een afspraak weten te bewerkstelligen met de minister. Zijn naam, die ook ver buiten de medische wereld grote bekendheid genoot, opende vele deuren.

Het gesprek werd een aangename verrassing. Ben Voos bleek uit het goede hout gesneden: een boer die politicus was geworden en daarna staatsman. Zelfs de oppositie was het erover eens dat hij een menselijk gezicht had gegeven aan een taak waarbij ingegrepen werd in de levens van duizenden mensen in een tijd van veel politieke en maatschappelijke beroering. 'De familieleden kunnen ze opeisen,' antwoordde hij toen Barnes vroeg wat er met de lichamen van de ter dood veroordeelden gebeurde. 'Er staat zelfs een kapelletje naast de plaats van executie, waar indien gewenst een dienst kan worden gehouden voor de overleden geliefde.'

Hij luisterde zwijgend naar Barnes' voorstel waarin het ministerie hem toestemming zou geven geschikte harten als donormateriaal in te nemen.

'Maar wat kunt u nu beginnen met een dood hart van een moordenaar?' Voos had duidelijk moeite zich te verplaatsen in de problematiek van Barnes. Daar had je het weer, de leek die dacht dat een stilstaand hart een dood orgaan was. Godzijdank is dat niet zo, dacht

Barnes. Als dat het geval was geweest zou er geen open hartchirurgie hebben bestaan. Het was al lange tijd gebruikelijk bij een operatie het hart stil te zetten, soms wel uren, als er secuur werk aan moest worden verricht. Voordat die techniek was geperfectioneerd was het blootleggen en nauwkeurige dichtnaaien van het zenuwachtig kloppende hart vrijwel onmogelijk geweest.

Het werd tijd dat de minister een en ander van de klinische kant ging bezien: 'Ik hoorde dat er bij elke ophanging een arts aanwezig is die de gevangene pas dood verklaart als het hart stilstaat.'

'Niet alleen daarom,' verklaarde de minsiter haastig, 'maar ook om er op toe te zien dat de executie op humane wijze wordt uitgevoerd.'

Jezus, dacht Barnes, hoe kan je iemand door ophanging op humane wijze het leven ontnemen? Hij liet de gedachte varen. 'Weet u dat dat helemaal niet nodig is? U heeft terecht opgemerkt dat de gevangene overleden is op het moment dat zijn val wordt tegengehouden door de strop.'

'Ja, maar zijn hart klopt dan nog wel.'

Barnes moest een vermoeide zucht onderdrukken. Een Afrikaner in een machtspositie geloofde altijd onvoorwaardelijk dat zijn handelingen werden geleid door God en Barnes besloot van deze zwakke plek van de minister gebruik te maken. 'Ik las onlangs een artikel van Dr. C. Pallace van de Royal Post Graduate Medical School in Hammersmith Hospital, waarin hij stelt dat het begrip hersendood helemaal niet nieuw is. In een groot aantal veel oudere culturen werd de dood van de mens gezien als het verlaten van de denkende ziel uit het lichaam of het verlies van de levensadem. Het woord voor ziel is in veel talen hetzelfde als voor ademtocht: *Nefesj* in het Hebreeuws, *Urach* in het Aramees, *Phenuma* in het Grieks, *Spiritus* in het Latijn, *Havas* of *Nephs* in het Arabisch en de Geest in het oude Engels. In Genesis 2:7 wordt de overeenkomst tussen de adem en het leven duidelijk gesteld: "Toen formeerde de Here God de mens van stof uit de aardbodem en blies de levensadem in zijn neus; alzo werd de mens tot een levend wezen." In geen enkel vroeg religieus geschrift staat ook maar iets te lezen over de hartslag of de pols als bepalende factoren bij leven of dood.'

'Maar het hart staat op een gegeven moment toch wel stil?' De minister gaf het nog niet op.

'Zeker meneer Voos, als we niets doen stopt het hart na een paar minuten vanzelf, omdat na de dood van de hersenstam de ademhalingsreflex ook ophoudt. Het hart krijgt steeds minder zuurstof en sterft eveneens. Als ik de persoon in kwestie op een beademingsapparaat aansloot, zou het hart blijven kloppen.'

'Voor altijd?' De minister dacht hardop, met gefronste wenkbrauwen.

'Nee, nee,' zei Barnes, vastbesloten dit punt op te helderen. 'Dat is een probleem dat we nog altijd niet hebben opgelost. We kunnen ze beademen, voeden, hun verstoorde metabolisme herstellen en alles doen wat de wetenschap op het ogenblik allemaal kan, maar na verloop van een paar uur of een paar dagen begint de bloedsomloop te weigeren en het hart te degenereren. Maar de onderzoeken gaan onafgebroken door en we leren elke dag weer een beetje bij.'

'Voor mijn gevoel weten jullie dokters nog een heleboel niet over de dood.' De minister deed het klinken alsof het een vraag was.

'Ja en nee'. Barnes wachtte niet lang met zijn antwoord. 'Het hangt er een beetje van af waar we het over hebben. In de medische en juridische wereld is men het erover eens dat het uitschakelen van de hersenfuncties gelijk staat aan de dood.'

'Als ik u goed begrijp, dokter, is de dood zoals wij leken die kennen dus meer een proces dan een gebeurtenis.' De minister leek meer op zijn hoede en het was voor het eerst tijdens dit gesprek dat hij niet rookte.

'Ik heb met de gerechtelijke geneeskundige gesproken en die zei dat ik het lichaam pas van de strop mocht losmaken als het hart stilstond.' Rodney had dit vele malen overdacht. Deze procedure zou hem heel wat waardevolle minuten kosten in zijn race om het hart van degeneratie te redden.

'Ja, dat staat in de wet,' onderbrak de minister hem.

Barnes was nu bij de essentie van zijn betoog aangekomen: 'U beseft toch hopelijk wel dat er geen enkele juridische reden is waarom het lichaam niet zou kunnen worden losgemaakt terwijl het hart nog klopt. Weet u nog – een kloppend hart in een dood menselijk lichaam?'

Geen antwoord. De minister liep weer naar het raam, waar de schaduwen aan het lengen waren. Het bleef stil.

'Misschien moeten we de regelgeving nog maar eens bekijken,' zei hij uiteindelijk.

'Het is veel beter als ik bij het hart kan voordat het stopt met kloppen. Het grootste probleem is te voorkomen dat het bloed gaat stollen en de kleine aders verstopt die de hartspier voeden. Als dat zou gebeuren, kan het hart niet meer op gang worden gebracht. Het hart moet zo snel mogelijk verwijderd worden na het stoppen van de bloedsomloop.'

'Hoe denkt u dat probleem te kunnen oplossen?'

'Door het lichaam via een ader in de arm te injecteren met een anticoagulans op het moment dat het wordt losgemaakt.'

'Een anticoagulans?'

'Ja, heparine – een anti-stollingspreparaat.'

Barnes legde zijn handen op zijn borst en begon op zijn borstbeen te drukken. 'Door het hart samen te drukken tussen het borstbeen en de ruggenwervel breng ik de bloedsomloop weer op gang,' legde hij uit, 'waardoor de heparine zich met het bloed in het hele lichaam vermengt.'

'Ah, uw "hartmassage"-methode.'

Barnes voelde dat hij aan de winnende hand was. 'U zei toch dat er ook een kleine operatiekamer naast de terechtstellingsruimte was?' vroeg hij.

'Ja, volgens zeggen eentje die behoorlijk goed is toegerust. Die stamt nog uit de tijd dat het wettelijk was toegestaan de huid, beenderen en andere lichaamsdelen te verwijderen.'

'Ik kan voor alle benodigde instrumenten zorgen, in een gesteriliseerde container. Het enige dat ik moet hebben is een tafel en goed licht,' zei Rodney, die haast niet kon geloven dat het hem zou lukken.

'Dat is er al.' De minister aarzelde nog. 'Maar waarom gaat u zelf niet eens kijken?'

Nu had hij dus toestemming een executie bij te wonen! Zoals de meeste mensen had Barnes er geen enkele behoefte aan getuige te mogen zijn van de gewelddadige dood van een gevangene, maar professioneel gezien was hij zeer geïnteresseerd. Bij de gedachte eraan begon zijn hart al sneller te kloppen.

De minister kuchte. Barnes realiseerde zich dat hij voor zich uit had zitten staren.

'Neemt u mij niet kwalijk. Ik zat net te denken dat ik het hart, nadat ik het lichaam met heparine heb ingespoten, zo gauw mogelijk moet verwijderen om de schade tot een minimum te beperken.'

'Schade?'

'De schade die ontstaat als het hart nog warm is zonder dat er bloed naar de hartspier wordt gevoerd.'

'Dus u gaat het hart niet weer op gang brengen?'

'Nee. Dat maakt de procedure alleen maar ingewikkelder. Als ik al mijn instrumenten in de operatiekamer klaarleg voor de executie plaatsvindt, mij gewassen heb en mijn werkkleding aanheb, kan het lichaam op de operatietafel worden gelegd zodra de heparine is ingespoten. Het duurt maar een paar seconden om het steriel af te dekken en ik kan dan meteen beginnen het hart te verwijderen.'

De minister was geïntrigeerd door het idee dat de regels van de steriliteit ook voor een dode van toepassing waren.

'Net zoals bij een operatie?'

'Ja. De verwijdering van het hart moet met dezelfde veiligheidsmaatregelen tegen infectie plaatsvinden als bij iedere andere operatie bij een levende patiënt.'

Barnes gaf een ruwe beschrijving van hoe de borstkas moest worden geopend, met een zaag door het borstbeen en klemmen op de ribbenkast om het hart bloot te leggen.

'De kransslagaders die de bloedstroom naar de hartspier voeren spoel ik door met een ijskoude zoutoplossing met een middel ter verlamming van de hartspier. Door het stopzetten van alle activiteiten van het hart en het af te laten koelen tot ongeveer tien graden Celsius neemt de behoefte aan stofwisseling af. De hartspier kan dan enige uren zonder zuurstof.'

'Het is bijna tweeduizend kilometer naar Kaapstad. Hoe denkt u dat hart te transporteren?' Barnes had nu de volle aandacht van de minister. Deze besefte dat het onderwerp van hun gesprek niet door iedereen zou worden toegejuicht, maar het menselijk drama achter het vervoer van een levend hart van de ene kant van het land naar het andere sprak hem zeer aan.

'Als het hart eenmaal gekoeld en verlamd is, wordt het uit het lichaam verwijderd, in een steriele plastic zak gedaan en geplaatst in een steriele container gevuld met ijs. Het vervoer geschiedt door een vliegtuig dat klaarstaat. Binnen drie uur na de dood van de donor bevindt het hart zich in de operatiekamer waar de patiënt in gereedheid is gebracht om de transplantatie te ondergaan.'

Ben Voos had al heel wat veranderingen in zijn land meegemaakt. Hij had gezien hoe zijn mede-Afrikaners de Britse overheersing die meer dan honderdvijftig jaar had geregeerd aan het wankelen hadden gebracht. Hijzelf was opgeklommen van eenvoudige boerenjongen tot een van de belangrijkste mannen van het land. Iets waar hij nog steeds aan moest wennen. Hij wist ook, heel diep vanbinnen, dat de toenemende aspiraties van het zwarte Zuid-Afrika de ondergang van zijn positie zou kunnen betekenen. Maar bepaalde dingen veranderden nooit. Hij had een andere mening over het menselijk hart dan deze ambitieuze jonge dokter, die zich met zaken bezighield die hij, dat moest hij toegeven, nog niet helemaal kon bevatten.

Hij keek Barnes strak aan toen hij vroeg: 'Hoe denkt u dat uw patiënt zal reageren als deze erachter komt dat hij verder zal moeten leven met het hart van een moordenaar?'

Een hypothetische vraag die tevens het einde van het gesprek betekende.

Barnes kon zijn enthousiasme nauwelijks verhullen, maar glimlachte en stond op om de minister de hand te drukken.

'Slechte daden worden niet gepland of uitgevoerd door het hart, of dat nu blank of zwart, goed of slecht is,' zei hij.

'Het hart is gewoon een pomp.'

HOOFDSTUK 2

De avondvlucht terug naar Kaapstad was met een oud koekblik, vol-
gepakt met zakenreizigers. Het vermoeide cabinepersoneel sjokte
rond met koffie en zag verlangend uit naar het einde van deze lange,
zware dag.
Barnes merkte er niets van. Hij kon aan niets anders denken dan aan
zijn tijdsprobleem. Hoe kreeg hij het voor elkaar om de tijd tussen de
executie zelf en de verwijdering van het hart uit het lichaam te bekor-
ten.
Toegegeven, dit bezoek aan de gevangenis was alleen nog maar een
beginnetje geweest. De volgende keer hoopte hij een donorhart bij zich
te hebben. Maar als de operatie moest geschieden volgens de letter van
de wet, bestond er een grote kans dat het hart daardoor ernstig zou
worden beschadigd.
Het probleem tolde nog steeds door zijn hoofd toen hij zijn auto op-
haalde op het parkeerterrein van het vliegveld en naar huis reed. Wat
hij het hardst nodig had was een warme douche en acht uur slaap.
Hij woonde op de achttiende verdieping van een flatgebouw dat uitzag op het noordstrand van de Tafelbaai. Een dure liefhebberij, net
zoals zijn auto. De slagboom van de ondergrondse parkeergarage reageerde met een piep op zijn kaart en ging omhoog. Hij parkeerde op de
voor hem gereserveerde plaats, gooide de autosleutels in de servicekо-
ker en liep naar de liften. De nachtdienst zou ervoor zorgen dat zijn
auto de volgende ochtend was volgetankt, schoongemaakt en gepoetst
– geheel volgens Barnes' levensstijl, waarin plaats was voor alles, en
alles niet alleen zijn plaats had, maar ook in optimale conditie verkeerde en volledig werd benut. Het ziekenhuispersoneel wist dat maar al te
goed. Met name de staf van de operatiekamer was tot in de finesses
getraind en werd liever met een bedankje afgesnauwd dan op de vingers getikt.
Er brandde gedimd licht in het goed onderhouden appartement. Ge-
dempte klanken van Vivaldi doolden door de luidsprekers van zijn
geluidsinstallatie. Het zilveren couvert stak blinkend af tegen het ge-
polijste hout van de voor één persoon gedekte tafel. Onder de stolpen

in de keuken wachtte een koud buffet met verse sla, naast een licht gekoelde fles Kaapse riesling.

Het was een weinig gangbaar merk, afkomstig van een privé-wijngaard. Een dankbare patiënt had hem een doos gestuurd en Barnes had er de laatste maanden met smaak van genoten.

Barnes constateerde dat Valmai zich, zoals gewoonlijk, weer uitstekend van haar taak had gekweten, met uitzondering van de muziek. Hij keek afkeurend. Vivaldi was voor 's ochtends. Hij koos een cd uit met Bartók, legde die in de cd-speler en liet de moderne ritmes over zich heenvloeien. Hij keek de kamer rond. Zijn Afrikaanse dienstmeisje had zijn hang naar perfectie van hem overgenomen en er nog een paar eigen snufjes aan toegevoegd. Ook streefde ze ernaar zo onzichtbaar mogelijk te zijn en bezat ze de buitengewone eigenschap te komen en te gaan zonder dat iemand er iets van merkte.

Barnes nam een douche, genoot van de ranselende waterstraaltjes en voelde hoe deze zijn vermoeidheid wegmasseerden. Daarna trok hij een badstoffen kamerjas aan en schonk een glas riesling in. Deze smaakte als zijde. Het aroma dat vrijkwam tegen zijn verhemelte zong over goed onderhouden wijngaarden, zonnige hellingen en een eeuwigdurende zomer. De wijn sloot uitstekend aan bij het eten en Barnes zakte zachtjes weg in een gelukzalig gevoel. Als er een hemel bestond, was dit het wel.

De telefoon zoemde, een zachte aanhoudende klank. Barnes reikte naar het toestel in de boekenkast en antwoordde kort: 'Barnes!'

Het was Kapinsky. De stem met het lichte Duitse accent klonk geërgerd. Barnes realiseerde zich met een gevoel van schuld dat hij beloofd had meteen na terugkeer uit Pretoria te bellen. Hij keek op zijn horloge. Dat was drie uur geleden.

Barnes glimlachte. Zijn onderzoekscollega was het prototype van een werkidioot – een man die leefde bij gratie van de klok, waarbij iedere minuut van de dag een eigen doel had.

'Is het gelukt? Kunnen we aan de gang? Wanneer kunnen we beginnen?' Typisch Kapinsky, die geen tijd verdeed aan beleefdheden, maar direct was en op de man af.

'De antwoorden luiden: ja, nee en dat weet ik niet,' zei Barnes. Hij gaf een korte beschrijving van zijn bezoek aan Pretoria. Kapinsky riep zo nu en dan eens wat, maar leverde verder geen commentaar.

Opnieuw besefte Barnes hoe weinig hij, na een samenwerking van vijf jaar, van de ander wist. Louis Kapinsky had zich volledig ingezet voor het donorprogramma, maar was verder erg in zichzelf gekeerd. Hij bemoeide zich niet met anderen en kwam nooit op feestjes van de universiteit of het ziekenhuis. De mensen van de ziekenhuisbewakingsdienst vertelden Barnes dat ze Kapinsky vaak in het holst van de nacht in het onderzoekslaboratorium aantroffen, waar hij tegen de proefdieren zat te praten. Maar tegenover zijn gebrek aan sociale vaardigheden stonden een indrukwekkend lijst van postuniversitaire onderzoeksresultaten en een eerste klas medische graad van een vooraanstaande Britse universiteit.

'We moeten een oplossing vinden voor het tijdsprobleem, Louis. Als dat niet lukt, denk ik dat we het hart hier niet naartoe kunnen halen zonder dat er ernstige schade wordt toegebracht aan het hartspierweefsel.'

Het bleef even stil. Barnes zag het zorgelijk gefronste gezicht van Kapinsky al bijna voor zich.

'Als we nu eens de heterotope positie probeerden? Herinner je je nog hoe we een paar maanden geleden een donorhart hebben getransplanteerd dat enkele malen een periode van hartstilstand had doorgemaakt? Tot vierentwintig uur na de transplantatie bleek uit de testen dat het vrijwel niets deed, maar met behulp van het eigen hart van de patiënt begon het geleidelijk aan te herstellen, en binnen achtenveertig uur had het de bloedcirculatie vrijwel geheel overgenomen.'

Barnes herinnerde zich die operatie nog precies. Hij had het donorhart tegen beter weten in getransplanteerd en alleen maar omdat de patiënt geen andere keus had. De ernstig zieke man had nog maar een paar dagen te leven. Het donorhart was uitermate geschikt, maar beschadigd door een slechte bloedcirculatie. De transplantatie in de heterotope of 'piggy-back' (rugzak)-positie – waarbij het donorhart, in een helpende of ondersteunende functie, bevestigd wordt aan het eigen hart van de patiënt – was een ingecalculeerd risico dat echter een goede afloop had gehad. 'Misschien heb je gelijk, Louis. Maar ik neem dat risico liever niet, zeker niet met het eerste het beste hart dat we uit de gevangenis krijgen. We krijgen al genoeg negatieve publiciteit, zelfs zonder allerlei schimpscheuten dat het ook nog eens allemaal voor niets is geweest.'

'Tja, je maakt je te veel zorgen, professor.'

Als Kapinsky hem met zijn academische titel aansprak, betekende het dat de discussie was gesloten.

'Louis, ik ben moe. Ik ga naar mijn nest. We praten morgen verder.'

Kapinsky bromde wat en hing op. Een briljant wetenschapper, dacht Barnes, die nooit een prijs voor wellevendheid zou winnen.

Hij sliep onrustig en werd wakker met een ongemakkelijk gevoel. Na een douche en twee koppen koffie had hij dat gevoel nog steeds.

Zijn tweede kop koffie dronk hij, zoals iedere morgen, staande op het balkon dat over zee uitkeek. Het uitzicht was zoals gewoonlijk adembenemend. De Duivelspiek, de hoge rotspunt tegenover de Tafelberg, was duidelijk zichtbaar aan de overkant van het fonkelende wateroppervlak van de Tafelbaai. Daarachter kwam de zon op in een felle rode gloed, die de platte top van de berg omzoomde en de nevelsluier boven de stad doorbrak, maar deze morgen was er over zee een koufront binnengekomen. Regenvlagen onttrokken een van de mooiste uitzichten ter wereld aan het oog.

Later, toen hij zich met zijn auto door de ochtendspits boorde, moest Barnes weer aan Kapinsky denken, de man die vanaf de eerste minuut deel had uitgemaakt van het donorproject. Hij was in ieder geval niet emotioneel betrokken bij transplantaties en had zich onwrikbaar opgesteld bij hun eindeloze gevechten met de Ethische Commissie. Hij zag in een flits zijn eigen gezicht in de achteruitkijkspiegel. Met gefronste wenkbrauwen. Zijn tanden knarsten al bij de gedachte aan dat stel artsen op leeftijd dat in deze commissie zat.

Hij durfde er heel wat om te verwedden dat ze tijdens hun lange en risicoloze medische carrières nog nooit één origineel idee hadden gehad. Als je ze een nieuw project voorlegde, wisten ze altijd minstens tien goede redenen te verzinnen waarom dat zou mislukken. En als het dan toch lukte, hadden ze altijd wel weer tien andere goede redenen om te bewijzen dat het project geen wetenschappelijke waarde had. Hij vroeg zich af wat hun reactie zou zijn als ze hoorden over het idee dat vannacht bij hem was opgekomen en de oorzaak was geweest van zijn onrustige nacht: een baviaan met een mensenhart, die onbezorgd door zijn kooi zou springen. Dat zou wel niet erg in hun stokoude kraam te pas komen, maar wel antwoorden opleveren op een aantal vragen van vitaal belang. Vooral hoe voorkomen kon worden dat de hartspier te lang werd afgesneden van een regelmatige bloedtoevoer. Wat krijgen we dan, vroeg hij zich grinnikend af. Een baviaan met de hersenen van een mens? We hadden al mensen met de hersenen van een baviaan, maar die zaten allemaal in de regering. Hij zat zich luidruchtig te verkneukelen bij deze flauwe jongensgrap.

Hij kwam in de verkeersstroom terecht uit de voorsteden in het noorden en zocht via allerlei rijbanen zijn weg naar de afslag voor de universiteit.

Ineens kwam de gedachte in hem op: waarom was die man van gisteren eigenlijk terechtgesteld? Hij had niet eens de moeite genomen dat te vragen. Vreemd dat hij, die er zoveel jaren voor had geleerd de dood te bestrijden, zo nieuwsgierig was geweest naar die ophanging. Hij was daar eigenlijk heen gegaan om iemand te zien sterven. Misschien wel omdat er niets was dat hij had kunnen doen om het te voorkomen. Misschien dat hij daarom zo rustig had kunnen toekijken. Hij schudde deze morbide gedachte van zich af. De dood had aan het einde van het touw op de man gewacht en het maakte niets uit of hij, Dr. Rodney Barnes, daar nu bij was of niet. Het zou interessant zijn de man zijn schedel open te maken en te zien wat voor schade de val had toegebracht aan de ruggengraat en de middenhersenen.

Barnes manoeuvreerde zijn auto in de rijbaan voor het ziekenhuis en reed de afrit op naar de bovengrondse kruising. Schuin invallende, aarzelende zonnestralen gleden over de stad. Hij stopte bij de kruising en wachtte tot het verkeerslicht groen werd. Het zwarte jongetje dat ochtendkranten verkocht, had een plastic zak aan de zijkant opengeknipt, en deze over zijn hoofd en schouders getrokken als bescherming tegen de regen. Toen hij zag dat Barnes naar hem keek, probeerde hij hem een krant te verkopen door hem de voorpagina te laten zien.

De koppen over de volle breedte schreeuwden: 'Transplantatie-chirurg op geheim gevangenisbezoek.'

Allemachtig! Iemand had hem de gevangenis uit zien komen, of erger nog, iemand van de staf had zijn mond voorbij gepraat. Voor een beetje geld gaan vele deuren open. Hij liep het lijstje langs van mensen die konden weten waar hij gisteren was geweest. Dat waren er maar een paar. Kapinsky en zijn secretaresse, verder niemand. Hij keek bedenkelijk. Zelfs zijn secretaresse wist alleen maar dat hij naar Pretoria ging, maar niet waarom.

De auto achter hem toeterde een paar keer geïrriteerd. Hij had het groene licht gemist. In zijn achteruitkijkspiegel zag hij het rode dikke gezicht van de automobilist, waar de stoom bijna zichtbaar van afsloeg. Het verontschuldigende gebaar van Barnes bracht hem niet tot bedaren en hij toeterde opnieuw.

Hoge bloeddruk, vermoedde Barnes. Sommige mensen staan er mee op.

De gedachte aan een informant baarde hem zorgen. Kapinsky was de enige met wie hij de zaak had besproken, met uitzondering van de minister en de gevangenisarts. Maar hij had nu eenmaal een bekend gezicht, dankzij de overgrote publiciteit via televisie en de sensatiebladen. Transplantaties waren nog steeds nieuws voor de media. Iemand moest hem hebben gezien toen hij de gevangenis verliet.

Barnes reed naar het ziekenhuis zelf en niet naar zijn vaste parkeerplaats bij het kantoorgebouw. Zo ontliep hij misschien de journalisten. Bij het ziekenhuis meed hij de parkeerruimte voor externe specialisten en reed naar de plaatsen voor de interne medische staf, waar hij zijn auto neerzette. Hij had tijd nodig om na te denken. De minister had nadrukkelijk gezegd dat het om een gevoelige kwestie ging en hem verzocht tegenover de pers uiterst terughoudend te zijn. En nu stond het hele verhaal, of op zijn minst een goede inschatting daarvan, op de voorpagina's van de kranten.

Verdomme! Als het algemeen bekend werd dat Kapinsky en hij van plan waren organen van terechtgestelde misdadigers te gaan gebruiken, zou de hele wereld over hen heen storten. Er zou op zijn minst een stevige vertraging ontstaan in zijn plannen voor de opslag van gezonde organen en hij zou misschien zelfs wel op verzet bij zijn patiënten stuiten. Dankzij de overspannen opvattingen rond transplantaties deden al genoeg Jekyll en Hyde-achtige griezelverhalen de ronde zonder deze nieuwe invalshoek.

Hij liep naar de hoofdafdeling van het ziekenhuis, zeer op zijn hoede voor journalisten en camera's.

HOOFDSTUK 3

'Dokter Barnes!'
De hoofdverpleegkundige stak haar hoofd uit haar kantoorhokje en wuifde met een papiertje toen hij de verpleegafdeling binnenliep. Het verbaasde hem niet toen hij zag dat het een boodschap van Fiona was, die hem vroeg dringend contact met haar op te nemen via 'de rode telefoon' – haar geheime kantoornummer.
Weinig secretaresses konden aan Fiona tippen. Ze had bij iedere afdeling van het ziekenhuis dezelfde boodschap achtergelaten, en hield tijdens haar speurtocht naar zijn verblijfplaats de persmuskieten in het ongewisse.
Barnes was 'een dankbaar object' voor de sensatiepers. Avontuurlijke vrijgezellen van iedere leeftijd waren altijd een gemakkelijke prooi, maar het profiel van Barnes – het knappe uiterlijk van een filmster, een charismatisch spreker in het openbaar, ongehuwd op zijn achtendertigste, baanbrekend werk verrichtend als hartchirurg, in trek in de hoogste kringen, en contacten met een haast eindeloze reeks van wat een Amerikaanse journalist eens 'hoogpolige meiden' had genoemd – stond garant voor een niet-aflatende aandacht van de media. En als het verhaal niet pikant genoeg was, hadden weinig journalisten er moeite mee er wat smakelijke details bij te verzinnen – wat het waarheidsgehalte geweld aan deed maar de leesbaarheid bevorderde.
Barnes vermorzelde het briefje alsof het een gevaarlijk insect betrof, pakte de telefoon en drukte geërgerd Fiona's nummer. De telefooncentrale was zo lek als een zeef als het om roddelinformatie ging, en een directe lijn was een goed idee geweest.
Ze wond er geen doekjes om: 'Ik weet niet wat je gisteren hebt uitgespookt, maar het wemelt hier van de camera's. Waar zit je?'
Dat vertelde hij haar en hij luisterde naar een aantal boodschappen, waarbij die van de pers zorgvuldig werden weggelaten. De laboratoriumtesten van drie patiënten waren binnen. Hij was uitgenodigd voor een internationale conferentie over hartchirurgie en een grote farmaceutische fabriek wilde een onderzoeksproject voor studenten opzetten.

Barnes legde de hoorn op de haak en keek om zich heen. Niemand van de medische staf was aanwezig. De zaalrondes waren blijkbaar al begonnen.

De zuster beantwoordde zijn onuitgesproken vraag: 'Alle dokters zijn op de intensive care – bij de nieuwe opnames.' Hij opende zijn mond om haar te corrigeren, maar besloot niets te zeggen en liep achter haar aan naar de desbetreffende afdeling. Het praten over de patiënten door het noemen van hun ziekte of hun plaats op de afdeling – 'de nieuwe opname, bed drie, het hartinfarct' – was misschien wel erg handig voor de staf, maar deed het gevoel van eigenwaarde van de patiënt niet veel goed. Deze gewoonte begon steeds meer ingeburgerd te raken en hij nam zich voor dit bij de volgende bestuursvergadering van het ziekenhuis naar voren te brengen. Iemand hier propageerde deze benaderingsmethode of slaagde er niet in hem de kop in te drukken. Het gevolg was dat men een ziekte behandelde in plaats van een persoon.

Er was maar één patiënt op de afdeling, zijn gezicht verborgen achter een zuurstofmasker en rond zijn bed een zwerm van medici en verpleegkundigen van de intensive care. Barnes zag dat hij ernstige hartproblemen had, met stoten ademhaalde en hoestte.

'Goedemorgen, dokter,' zong de zwerm in koor en maakte aan de rand van het bed ruimte voor hun chef.

Barnes groette terug en keek op de status. Deze vermeldde dat het ging om de achttienjarige David Rhodes uit een dorpje in het noorden. Een succesvolle sporter met goede schoolresultaten, zoon van een vermogende boer en speler van het eerste rugbyteam, totdat hij zo'n drie maanden geleden een 'griepachtige ziekte kreeg en pijn in de borst'.

'Zijn ziektegeschiedenis wijst op een snelle ontwikkeling van linkszijdig hartfalen, gevolgd door een falen van de rechterkant,' zei Alex Hobbs, de jongste arts. De plichtsgetrouwe Hobbs heeft al een diagnose gesteld, dacht Barnes, en zal die vanaf dit moment tot aan zijn dood blijven verdedigen.

'Welke behandeling heeft hij tot nog toe gehad?'

De jongste assistent Jan Snyman keek naar zijn aantekeningen en toen weer naar Barnes.

'Ja, dokter Snyman?' Barnes wist dat Snyman zijn vak verstond en snel dingen in zich opnam, maar zo nu en dan een duwtje moest hebben.

Snyman keek weer naar zijn aantekeningen: 'Zijn huisarts heeft hem de juiste dingen voorgeschreven – bedrust, diuretica tegen vochtretentie en medicatie om de hartkracht te versterken.'

'Dank je, dokter Snyman.'

De jongen in het bed hoestte opnieuw en snakte naar lucht, die hij met grote teugen in zijn met water gevulde longen zoog.

Een van de artsen in opleiding reikte de röntgenfoto van de borst aan. 'Dank je, dokter Louw.' Barnes nam de foto aan, maar keek er niet naar. 'Ik zou de patiënt graag eerst willen onderzoeken.'

Hij probeerde niet al te sarcastisch te klinken. Des Louw was de betweter van het ziekenhuis, die meestal wel gelijk had maar ook te vaak ongelijk. Het team kende zijn grondprincipe: eerst onderzoeken, dan pas testen afnemen. Maar het was, bedacht hij vaak, ook in de medische wereld mogelijk het paard achter de wagen te spannen.

De verpleegster trok het laken naar beneden om de borst van de patiënt te ontbloten, en gaf Barnes zijn stethoscoop. Hij deed de uiteinden om zijn nek en pakte Davids rechterhand.

De pols was zwak en snel. De vingernagels waren blauwachtig van kleur. Huidschilfers aan de zolen van de gezwollen voeten wezen erop dat de patiënt al geruime tijd niet had gelopen. Er was geen enkelpulsatie. Een koude en gemarmerde huid waarschuwde ervoor dat er stagnaties waren in de bloedsomloop.

De aders in de hals waren opgezet en klopten, ondanks het feit dat de patiënt bijna rechtop in bed zat.

Barnes legde zijn hand op de gezwollen buik. De lever was vergroot tot minstens vijf vingers breedte onder de ribbenboog.

Hij keek naar Alex Hobbs: 'Urine?'

'Er komt niet veel door maar we hebben een monster kunnen nemen. Het reageerde zeer positief op eiwit- en galpigmenten.

Het zag er niet best uit. Het bloed hoopte zich op in het lichaam, omdat het hart er niet in slaagde het rond te pompen, waardoor de benen en de voeten opzwollen en de lever en de nieren verstopt raakten. Als er niet werd ingegrepen was de jongen ten dode opgeschreven. Barnes zette de stethoscoop op de zwoegende borst. De vochtige longen knapperden in zijn oren bij hun pogingen zuurstof door te geven naar het bloed. Alles wees op een zeer vergroot en langzaam opgevend hart.

Toen hij rechtop ging zitten merkte Barnes dat de ogen van de patiënt hem bij iedere beweging volgden. Zijn ergernissen van die ochtend verdwenen. Voorzichtig haalde hij het masker weg voor het gezicht van de jongen. Toen hij sprak, klonk zijn stem vriendelijk. 'Ik ben dokter Barnes. Ik zal je niet vragen hoe je je voelt, maar ik kan je wel beloven dat je binnenkort weer op de been bent.'

De patiënt gaf een verkrampt lachje ten beste en knikte. Meer kon hij tussen het naar adem snakken in niet doen, maar hij was er duidelijk onvoorwaardelijk van overtuigd dat deze kundige medici hem konden genezen.

Barnes knikte en bracht het masker weer aan. Het gebrek aan vertrouwen in de arts stond vaak in de weg bij het herstel van de patiënt. Zonder dat vertrouwen had de patiënt weinig kans.

Barnes nam de röntgenfoto mee naar de lichtbak, waar ze buiten het hoorbereik van de patiënt konden praten. Er bleek niets uit dat hij bij het onderzoek niet al had geconstateerd. Een blik op de echo-cardiograaf bevestigde alles nog eens – de pompkamers van het vergrote hart deden nauwelijks dienst.

In zijn achterhoofd hoorde Barnes de stem met het typische Schotse accent van de hoogleraar cardiologie uit zijn studententijd: 'Laboratoriumtesten bevestigen alleen maar wat je al weet na je lichamelijke onderzoek. Als je iemand goed hebt onderzocht, kunnen de testresultaten daar nog maar weinig aan toevoegen.'

Barnes keek om zich heen: 'Heeft iemand een bloedonderzoek gedaan?'

'Ja, dokter.' Het was Des Louw die antwoordde. 'Het natriumgehalte is erg laag en het bloedureum is verhoogd.'

'Kalium?'

'Ik heb hem intraveneus een gram gegeven omdat het gehalte in zijn bloed erg laag was en het hart sloeg een paar keer over.'

Barnes kwam nu echt op gang: 'Neem een bloedmonster en analyseer de gassen. Met deze slechte circulatie zou het bloed wel eens verzuurd kunnen zijn.'

Het bleef stil. Hobbs aarzelde, en zei: 'Wat is nu de volgende stap?'

'We beginnen met het stellen van de diagnose.' Barnes merkte dat er een belerend toontje in zijn stem doorklonk, onderdrukte dat en probeerde heel bewust persoonlijk met iedereen in het groepje contact te houden.

Hij ging verder: 'De patiënt lijdt aan cardiomyopathie, of een aandoening van de hartspier. De ruis voortgebracht door lekkende mitralis- en tricuspidalis-kleppen wordt veroorzaakt door de uitzetting van de linker- en rechterhartkamers en is niet het gevolg van een acuut reuma.'

Barnes wees naar het vergrote hart op de röntgenfoto. 'De griepachtige ziekte en de korte ziektegeschiedenis wijzen erop dat de aandoening het gevolg is van een infectie – een virale infectie. Hij heeft een virale myocarditis of, in lekentaal, een ontsteking van de hartspier.'

De drie artsen keken verbaasd. Zoals Barnes al vermoedde hadden ze voor zijn komst de zaak onderling besproken en waren tot een andere eindconclusie gekomen. Zij dachten dat de aandoening te wijten was aan wat Alex Hobbs omschreef als 'een ziekte van de hartspier met onbekende oorzaak – de zogenaamde idiopatische cardiomyopathie'.

Barnes gaf de stethoscoop die nog steeds om zijn nek hing terug aan de verpleegster.

'En hoe behandelen we dit, dokter?' Des Louw was er weer het eerste bij.

'Normaal gesproken met strikte bedrust en medicijnen. Er zijn voorbeelden van een spontaan herstel als het immuunsysteem de tijd krijgt het virus te onderdrukken. In dit geval is de patiënt al te ver heen. Er is weinig kans dat het hart zich zonder hulp van buitenaf kan herstellen – en dat betekent een heterotope transplantatie.' Iedereen zette grote ogen op.

'Een 'piggy-back'?' Het was Jan Snyman die sprak, vol verbazing rolden de woorden uit zijn mond.

'Ja dokter Snyman. Een 'piggy-back' – een donorhart dat parallel wordt aangebracht naast het beschadigde hart en wordt aangesloten op de bloedsomloop. Er blijft ons niets anders over om zijn hart de rust te geven die het nodig heeft,' antwoordde Barnes, en bewoog zich in de richting van de deur. 'Het is het enige volledig te implanteren voorwerp dat het hart kan bijstaan en het de tijd geeft zich te herstellen. En als in het slechtste geval het hart van de patiënt het opgeeft, kan het tandemhart de circulatie van het bloed overnemen.'

Alex Hobbs, die in gedachten al op de dingen vooruitliep, fronste zijn wenkbrauwen, maar zei niets.

'Als het geholpen wordt, zal het immuunsysteem het virus bestrijden. Maar alles wijst erop dat de bloedsomloop stagneert. Het hart is daardoor te verzwakt om nog uit zichzelf te herstellen. Zijn hart moet worden geholpen.'

Door een hoestbui werd hun aandacht weer in de richting van het bed getrokken, waar de verpleegster het zuurstofmasker van David bijstelde.

Des Louw keek naar Alex Hobbs. Beiden keken naar Barnes. Het team was klaar om aan de gang te gaan.

Het was tijd om de patiënt in te lichten. Dit moest Hobbs doen. De voorbereidingen voor een operatie waren voornamelijk het werk van de jongste arts.

Barnes stopte bij de deur: 'Dokter Hobbs, ik zou graag zien dat je een en ander met David besprak. Leg de patiënt uit dat er een transplantatie moet plaatsvinden. Hij is nog minderjarig en we hebben daarom toestemming van zijn ouders nodig. Dokter Louw, breng de neurochirurgen en de transplantatie-coördinator op de hoogte. We kunnen meteen proberen een donor te vinden.'

Hij aarzelde: 'O ja, welke bloedgroep heeft de patiënt?'

Des Louw keek schuldbewust: 'Het spijt me, dokter Barnes. We hebben nog niet de kans gehad zijn bloedgroep vast te stellen, maar ik zal meteen een monster naar het lab sturen.'

Barnes knikte, en vertrok. Hij hoopte dat het niet zo'n zeldzame bloedgroep was; dat zou het vinden van een geschikte donor alleen maar bemoeilijken.

Hij liet zijn auto staan en liep de vijfhonderd meter naar zijn kantoor op de afdeling chirurgie. Het was maar een wandeling van een paar minuten, maar het gaf hem even tijd om een verklaring voor zijn reis naar Pretoria te bedenken die acceptabel was voor de journalisten, de ziekenhuisbureaucraten tevreden zou stellen en de Ethische Commissie niet zou wakker schudden.

Toen hij uit de lift stapte, besloot hij te doen alsof zijn neus bloedde. De deur van de receptie stond wijd open. Hij liep langs het bureau van Fiona met een opgewekt 'goedemorgen' en straalde in alle opzichten het bekwame afdelingshoofd uit dat zich nergens zorgen over hoefde te maken.

Fiona, een lange slanke blondine, die meer weghad van een pin-up dan van een topsecretaresse met een zakelijke instelling en een heldere kijk op het reilen en zeilen van de medische wereld, keek op.

Ze pakte haar mapje met notities, liep achter hem aan zijn kantoor binnen en zag hoe hij zich in zijn volle lengte uitstrekte in zijn draaistoel, de handen achteloos achter het hoofd hield en met een vragende blik in haar richting keek.

'Wat is er allemaal aan de hand?'

Fiona liet zich niet om de tuin leiden. Vijf jaar ervaring in het zenuwcentrum van het kantoor hadden haar geleerd dat hoe onschuldiger Barnes deed, hoe meer hij had te verbergen.

'Alle kranten in het land, de financieel directeur en het hoofd chirurgie. Wie wil je het eerst spreken?'

'Geen van allen. Wat dacht je van een lekker bakje?'

Fiona nam haar domme-blondjes-houding aan, knipperde met haar oogwimpers en zei: 'Maar natuurlijk dokter, koffie of thee?'

Hij grinnikte en voelde zich al wat minder gespannen. Hij had al te veel journalisten, vertegenwoordigers van farmaceutische bedrijven, opdringerige academici en pietluttige administrateurs zien vallen voor haar domme-blondjes-nummer bij hun pogingen haar zeer efficiënte selectiesysteem voor bezoekers te doorbreken. Het lek kon onmogelijk uit dit kantoor komen. Fiona had niet alleen te veel te verliezen, maar paste ook niet in het beeld van iemand die zo weinig verbondenheid met haar werk zou voelen. En ze was ook niet achterbaks.

J.J. Kemble was het hoofd van de divisie Chirurgie en zijn kantoor was maar een paar meter bij Barnes vandaan. Hij was woedend, op zoek naar Barnes, en vooral naar een verklaring waarom hij al de hele ochtend de media had moeten uitleggen waarom zijn belangrijkste hartchirurg de grootste gevangenis van het land had bezocht.
Jammer genoeg was hij ook een hoofd kleiner dan Fiona, waardoor hij min of meer met zijn neus tussen haar borsten belandde toen hij zich langs haar heen probeerde te wurmen in een poging Barnes' kantoor binnen te komen.
Hij mompelde een verontschuldiging en deed een stap opzij. Fiona lachte gemeen en paradeerde onaangedaan de kamer uit, zodat JJ weer tot zichzelf kon komen. Barnes sprong meteen overeind en bood hem een stoel aan.
Zoals veel kleine mannen was ook JJ kort aangebonden. Hij sloeg de gangbare beleefdheden over en kwam meteen ter zake.
'Wat is er in vredesnaam allemaal aan de hand? Ik hoor dat je een transplantatie aan het voorbereiden bent. En wat had je in de gevangenis in Pretoria te zoeken?'
JJ was niet alleen een uitstekende chirurg en docent, maar ook een kundig manager die precies wist wat er gaande was op zijn afdeling, en ook op de meeste andere. Hij was goed geïnformeerd. Pas een half uur geleden was er besloten een transplantatie toe te passen. Wat wist hij nog meer?
Barnes wachtte tot er geen vragen meer waren. JJ had hem altijd de vrije hand gelaten en, zoals alle goede managers, het systeem gehuldigd van 'wat niet stuk is, hoeft ook niet gerepareerd'.
Hij had maar één keer zijn wenkbrauwen gefronst toen Barnes hem in het onderzoekslaboratorium had uitgenodigd om te komen kijken naar Kapinsky's experiment met de twee-koppige hond. Er was geen wetenschappelijke noodzaak voor dit experiment, maar Kapinsky had aannemelijk gemaakt dat het zinvol kon zijn om te weten of het technisch mogelijk was een tweede kop op een gezonde hond te transplanteren, zonder dat de hersenen van de donorkop daaronder leden. Ka-

pinsky was zeer opgewonden over het succes van de operatie. Het dier had rondgelopen met twee koppen, die zich beide zeer bewust waren van hun omgeving en allebei de hun voorgezette melk hadden opgelikt.

JJ was veel minder enthousiast. Zonder iets te zeggen keek hij een paar minuten naar de hond, alsof hij de waarde van zo'n operatie stond af te wegen. Toen had hij Barnes rustig aangekeken en gezegd: 'Jij bent de baas van deze afdeling. Dit valt onder jouw verantwoordelijkheid. Ik vind dat je deze experimenten moet stopzetten.' Toen draaide hij zich om en vertrok. Dat was alles. Hij heeft nooit meer gevraagd wat Barnes met het dier had gedaan en hoe het er met het programma voorstond. Barnes herinnerde zich het experiment als een keerpunt, dat zijn belangstelling toespitste op wat hij cardio-neurologie was gaan noemen – de invloed van het zenuwstelsel en vooral de hersenen op de functies van het hart. Bij eerdere transplantaties werd het hart als een gewone pomp beschouwd – een zelfwerkend orgaan met een eigen krachtbron dat alleen bloed moest krijgen toegevoerd om te blijven functioneren. Vanaf die tijd was hij enthousiast aan het lezen geslagen en kamde allerlei wetenschappelijke publicaties uit op onderzoeken betreffende geestesgesteldheid, slaap, coma en algemene hersenfuncties. Vaak had hij 's nachts wakker gelegen en nagedacht over de werking van de hersenen. Hij vroeg zich af hoe het mogelijk was dat iemand een volledig pianoconcert kon onthouden. En dan op elk gewenst moment iedere noot en ieder akkoord kon oproepen en vertalen in hand- en vingerbewegingen door die klanken weer te geven op het klavier. Tijdens zulke overdenkingen had hij zich ineens de volledige tekst van een gedicht herinnerd dat hij meer dan een kwart eeuw geleden op school had moeten leren. Waar had het al die tijd opgeslagen gelegen, en door wat werd zo'n herinnering opgeroepen?

'Sodeju, Rodney. Wat is er aan de hand?'

JJ was gekalmeerd en begon nu in zijn zakken te wroeten, op zoek naar een pakje sigaretten. Barnes stond automatisch op om een raam open te zetten. JJ had al een flink stuk van zijn maag moeten prijsgeven vanwege een maagzweer, maar bleef stug doorroken.

'Stop nou toch eens, professor. Zo zal je nooit groter groeien.'

Dit vaste grapje nam wat van de spanning weg. JJ grinnikte, vond zijn pakje, stak er een op, hulde zich in een rookwolk en keek Barnes strak aan.

'Kom op. Wat heb je me te vertellen?'

Barnes overwoog JJ het hele verhaal te geven, maar besloot dat toch maar niet te doen. JJ was van de oude garde, die nog helemaal vastzat in de medische ethiek van een tijd geleden toen de grenzen van onze kennis duidelijker afgebakend en zekerder waren. Een tijd waarin het verschil tussen goed en kwaad, en goede mensen en slechte mensen veel duidelijker was.

Dezer dagen waren er geen grenzen aan de kennis en zelfs geen onontgonnen gebieden. Alle wetenschappen waren gaan samenlopen. Beantwoorde vragen veroorzaakten weer nieuwe vragen en een aantal daarvan konden we zelfs haast niet begrijpen, laat staan het antwoord erop. JJ's leefden in een wereld van zekerheid, die was opgesteld volgens het boekje, waardoor alles hanteerbaar werd. Hij was een zeer menslievende man, die zijn waarden had doorgegeven aan diverse generaties studenten. Barnes was daar een van.

Barnes voelde zich ineens heel erg buitengesloten. Het was eenzaam buiten de grenzen die zijn mentor had gesteld.

Hij schraapte zijn keel: 'Niets bijzonders. De gewone patiëntenlast.' Zelfs in zijn eigen oren klonk dit nogal zwak.

'Ben je naar Pretoria geweest voor een patiënt?'

'Ja.' Je zou de terechtgestelde man een patiënt kunnen noemen. Hoewel er weinig hoop was dat hij hem zou kunnen genezen, dacht Barnes.

'Wie was die patiënt dan wel, en wat was er met hem aan de hand?'

Barnes draaide zijn stoel zo, dat hij JJ niet hoefde aan te kijken. 'Sorry, prof. Alle gegevens over een patiënt zijn vertrouwelijk. Dat weet je.'

Hij zag de aders op het voorhoofd van JJ zwellen. De oudere man haalde diep adem: 'Verdomme, Rod. Ik heb je nooit voor de voeten gelopen. Keer op keer heb ik je tijdens bestuurs- en faculteitsvergaderingen verdedigd als de pers zich weer eens over je heen had gestort.' Hij leunde naar voren. 'Dit is niet het moment voor flauwekul. Ik voel dat er iets mis is. Wat is er verdikkeme aan de hand? Is Kapinsky met het een of andere halfgare experiment bezig?'

De man was ongelooflijk. Hij had een messcherp verstand en wist met een paar simpele vragen tot de kern van de zaak door te dringen.

'Professor, ik stel je steun bijzonder op prijs. Maar op dit moment kan ik nog niet veel zeggen...'

'Kan je nog niet veel zeggen?' onderbrak JJ hem. 'Vertrouw je me niet?' Dit begon veel te hoog op te lopen. 'Jawel, dokter. Dit heeft niets met vertrouwen te maken, maar met ethiek. Ik zou het erg op prijs stellen als je genoegen wilt nemen met de uitleg dat ik een patiënt ben gaan opzoeken in de centrale gevangenis van Pretoria.'

Zijn verzoek trof doel. JJ leefde, zoals zijn hele generatie, volgens bepaalde ethische codes. Hij kende de restricties van een ethische opstelling. Barnes was, wat hem betreft, aan diezelfde codes gebonden. JJ stond op en liet een smeulende peuk achter in het pennenbakje van Barnes. Het was maar een kleine prijs die moest worden betaald voor het einde van wat een pijnlijk gesprek had kunnen worden. 'Dank je, Rodney. Ik denk dat je er met de pers wat minder gemakkelijk vanaf zult komen. Maar leg alsjeblieft geen verklaringen af zonder dat de directeur er van af weet.' Hij liep de deur uit, wenste de plotseling buitengewoon ijverige Fiona een zeer goede morgen en was verdwenen, niet geïnformeerd maar wel tot bedaren gebracht.

De eerste horde is genomen, dacht Barnes. De directeur zou geen probleem vormen – gewoon zeggen dat hij alles al had uitgelegd aan het hoofd van de Chirurgie. Een telefoontje was voldoende. Daarna een korte verklaring voor de pers. Een fluitje van een cent.

Hij zakte achterover in zijn stoel en zag toen allerlei fotokopieën op zijn bureau liggen.

'Het Kwaadaardige Gen', 'De Jacht Op het Gen', 'Klonen', 'Waar Trekken We De Lijn?' en nog veel andere.

Waarom laten ze me toch niet met rust en mijn werk doen. Toen viel zijn blik op de Osservatore Romano, het dagblad van het Vaticaan. 'Door zulke methodes kan de mensheid in een spiraal van waanzin terechtkomen.' Is dat wat ik aan het doen ben?

HOOFDSTUK 4

Barnes liep zijn kantoor uit en nam de lift naar de begane grond. Hij liep in hoog tempo voorbij het gebouw voor pathologie naar de onderzoeksafdeling. In het dierenverblijf hoorde hij allerlei stemmen, maar die van Kapinsky was daar niet bij, dus hij nam de lift naar diens kantoor op de derde verdieping.

Louis Kapinsky was een kleine, gedrongen man met een flinke zwarte haardos en een grote snor. Toen Barnes binnenkwam stond hij over een dubbele microscoop gebogen, verdiept in zijn werk. Zijn hoofdassistent, Dr. Susan Bates, knikte Barnes toe.

De jongste assistent heette Nat Ferreira. Zijn bul als baccalaureus in de exacte wetenschappen, waarvan de inkt nog maar net was opgedroogd, hing trots aan de deur van zijn kast. Hij glimlachte uitnodigend en sprong overeind in zijn ijver de topchirurg van het land van dienst te kunnen zijn. Barnes lachte terug, en schudde het hoofd. Nat was een aardige jongen die het nog een eind zou schoppen, dacht hij. Graag iemand van dienst zijn kwam maar zelden voor in de hogere regionen van de medische wereld. Barnes mocht hem graag.

Dr. Bates, die het lab leidde zoals ze leefde – klinisch, koel en efficiënt – was een ander verhaal. In het besef dat het leven geen lolletje was en serieus moest worden genomen, droeg ze haar haar strak naar achteren met een strak knotje in de nek. Ze had een regelmatig en niet onknap gezicht. Ze respecteerde Dr. Barnes, de academicus en chirurg, maar keurde Rodney de playboy af. Barnes had zich al eens eerder afgevraagd hoe ze in bed zou zijn. Zou ze die knot haar gemakkelijk langs haar schouders naar beneden laten golven, of zou ze een vurige minnaar eerst aan een klinische inspectie willen onderwerpen, voor ze haar benen spreidde?

Over benen gesproken, wat hij onder haar witte laboratoriumjas vandaan zag komen, zag er uitstekend uit.

'Ja, dokter Barnes?'

Bates had zich in haar stoel omgedraaid om hem aan te kunnen kijken. Met een schok besefte Barnes dat hij naar haar had staan staren. Staren en dagdromen, dacht hij.

'Sorry, dokter Bates. Ik stond even aan iets anders te denken. Ik wilde dokter Kapinsky graag spreken.'

Kapinsky stond nog steeds in de voor hem zo karakteristieke houding, en was verzonken in wat hij zag. Hij kon zich voortreffelijk afsluiten van alles wat hem kon afleiden, en zich volledig concentreren op datgene waar hij mee bezig was.

Barnes wist weinig over zijn achtergrond, behalve dat hij in Polen was geboren. Hij had zijn ouders verloren tijdens de overname door de communisten, kort na het einde van de Tweede Wereldoorlog. Hij werd opgevoed door een oom en tante die naar Engeland hadden kunnen emigreren, hij ging medicijnen studeren en doorliep met vlag en wimpel een topopleiding op dit gebied. Hij won een beurs van het Royal College of Surgeons en begon naam te maken – niet als chirurg, maar als geneticus in Guy's Hospital. Barnes raakte onder de indruk van een lezing van Kapinsky tijdens een conferentie, deed navraag over zijn medische achtergronden, en wist hem al spoedig over te halen om bij het instituut voor hartonderzoek in Kaapstad te komen werken.

'Rod, was je er al lang?'

Het was Kapinsky nog steeds aan te horen dat hij in Europa was opgegroeid. Hij leek blij te zijn Barnes te zien, richtte zich op en schudde hem de hand.

'Kom mee, dan gaan we naar mijn kantoor.'

Kapinsky's 'kantoor' was een houten hokje zonder raam in de hoek van het lab. Zijn bureau zag eruit alsof er een wervelstorm door het kantoortje had gewaaid. Ingebouwd in een kast tegen een van de wanden stond zijn nieuwste speeltje, een computer die volgens eigen zeggen de hoofdcomputer van de universiteit, die stond opgesteld in een air-conditioned ruimte onder de kantoren van de wiskundige afdeling, in alle opzichten overtrof. Barnes nam dat graag aan. Als hoofd van de afdeling had hij deze uitgave tenslotte moeten goedkeuren – en de hoogte van het bedrag deed hem zelfs nu nog met zijn ogen knipperen.

'Ik zie dat je de voorpagina's weer hebt gehaald, Rodney?' De opmerking klonk meer als een vraag.

'Ja. Verdorie nog aan toe, Louis, er zit ergens een lek. Iemand moet de pers hebben ingelicht...'

Rodney ging zitten op de enige stoel van het kantoor, en voelde zijn ergernis weer toenemen bij de gedachte dat er een verklikker in zijn staf zat.

Kapinsky trok een meelevend gezicht, maar zei niets. Hij luisterde zwijgend naar Barnes' verslag over het bezoek aan Pretoria, de executie en de eventuele mogelijkheden van deze nieuwe donorbron. 'Het tijdsverloop tussen het sterven van de hersenen en het stoppen van de hartslag is het probleem. Iedere minuut telt. Als we de tijdsduur zouden kunnen verkorten, hadden we een orgaan dat een transplantatie veel beter zou kunnen doorstaan.'

Kapinsky haalde een hand door zijn zwarte haardos en krabde aan zijn kin. Hij was altijd heel precies in alles, maar had er blijkbaar geen erg in dat hij, met al die stoppels in zijn gezicht, er altijd erg onverzorgd uitzag. 'Je maakt je te veel zorgen, Rod. We hebben al aangetoond dat de heterotope positie de totaallast van beide harten verlicht. Alle schade die door een te groot tijdsverloop aan de hartspier is ontstaan, zal binnen achtenveertig uur na de transplantatie weer zijn hersteld.'

'Dat weet ik, maar ik vind het ontzettend vervelend het risico te moeten nemen met het eerste hart dat we uit de gevangenis krijgen. Er zal van alle kanten toch al genoeg kritiek komen en we kunnen het ons niet veroorloven ook nog de patiënt te verliezen.'

Kapinsky maakte een handgebaar alsof hij het probleem wegwuifde. Klinisch werk had hem nooit veel geïnteresseerd. Barnes wist dat de genetica zijn sterke punt was, een richting waarin hun onderzoek zich steeds meer leek te gaan bewegen. Ineens kreeg hij een idee. 'De immuuntolerante bavianen, hoever ben je daarmee?'

Kapinsky pakte een dik pak notities van zijn bureau en hield het in de lucht. 'Nog nergens.'

'Tjezus, Louis!' Barnes kon zijn ergernis niet onderdrukken.

'Drie jaar en vele duizenden rands verder en nou zeg je dat we nog steeds niets hebben bereikt?'

Kapinsky was het schoolvoorbeeld van de vastberaden onderzoeker. Hij had maar één doel voor ogen en niets kon hem daar vanaf brengen, zeker geen gezeur over budgetten of boze afdelingshoofden. Dit waren hoogstens obstakels waar tussendoor moest worden gelaveerd of nog beter, die moesten worden genegeerd. 'Ik heb een andere methode die ik wil uitproberen.'

'Welke dan?' Barnes was er meteen met zijn volle aandacht bij. Hun onderzoek bij de bavianen had heel wat tijd en moeite gekost. Hij begon zich af te vragen of ze niet op het verkeerde spoor zaten.

'We gaan proberen de foetus van een baviaan immuuntolerant te maken.'

Barnes kon zijn enthousiasme nauwelijks bedwingen. De plaag van transplantaties – de afstoting van het donorweefsel door het natuurlijke afweersysteem van de ontvanger – was maar ten dele bestreden en had astronomische bedragen gekost. Zelfs als de weefsels elkaar zouden verdragen – door er zeker van te zijn dat het donorhart in zoveel opzichten als mogelijk gelijk was aan dat van de ontvanger – was er toch nog een gecompliceerde behandelingskuur vereist voordat er enige hoop kon zijn op een succesvolle transplantatie. Deze stond gelijk aan een chemische oorlogvoering die het immuunsysteem van de patiënt met geweld ertoe moest brengen het getransplanteerde orgaan te accepteren. Er bestond grote behoefte aan donorweefsels die zo volmaakt overeenkwamen met die van de ontvanger, dat afstoting niet meer tot de mogelijkheden behoorde. Of anders de een of andere methode om het immuunsysteem dusdanig voor de gek te houden, dat dit het donorhart accepteerde. Er was voor de baviaan gekozen omdat daar gemakkelijk aan te komen was, en de levensfuncties van het dier goed vergelijkbaar waren met die van de mens. Drie jaar geleden waren ze een project begonnen waarbij bavianen werden gefokt met een immuunsysteem dat in het geheel niet zou reageren op menselijke antigenen. Er lag een aanwijzing in de manier waarop dieren en mensen zich vermenigvuldigen. Een van de raadselen van de vermenigvuldiging was dat de baarmoeder van de vrouw de foetus niet afstootte. Deze heeft immers de helft van de genen van de vader geërfd en normaal gesproken zijn die niet verenigbaar met die van de moeder. Als de baby eenmaal is geboren, zal het lichaam van de moeder ieder orgaan of weefsel van het kind dat in haar terug wordt getransplanteerd afstoten, maar als foetus wordt datzelfde kind met succes in haar baarmoeder gedragen en gevoed. Kapinsky had een theorie dat een gen in de foetus wordt uitgeschakeld waardoor de onverenigbaarheid wordt gemaskeerd. 'Een vermomde indringer', noemde hij het, die het immuunsysteem van de moeder voor de gek houdt, zodat deze de foetus als een onderdeel van haar eigen weefsel accepteert. Na de geboorte wordt het gen weer ingeschakeld en ieder weefsel dat terug wordt getransplanteerd weer afgestoten.

'Je hebt het gen gevonden.' Barnes kon zijn opwinding nauwelijks bedwingen. Ze waren doorgedrongen in de onontgonnen gebieden van de wetenschap.

Kapinsky's antwoord was ontnuchterend, hij schudde even het hoofd. Hij had de foetus van de baviaan gekloond om twee identieke embryo's te krijgen. De ene embryo was opgeslagen in vloeibare stikstof en de andere opnieuw ingebracht in de baarmoeder van de baviaan om te kunnen volgroeien. Toen deze laatste werd geboren, werd de eerste in de baarmoeder teruggeplaatst, maar zonder de kans te krijgen te volgroeien. Toen Kapinsky deze na enige tijd verwijderde had hij een identieke tweeling, waarvan er één nog steeds een foetus was. Als zijn theorie klopte, zou de foetus een gen bevatten dat was uitgeschakeld, terwijl in de oudere, maar toch identieke tweede hetzelfde gen zou zijn ingeschakeld.

'En waar staan we nu?' Barnes beheerste zich. Kapinsky en hij waren heel verschillende types. Hij interesseerde zich voornamelijk voor een project in zijn geheel, terwijl Kapinsky zich graag met het detail bezighield en zich volledig in een of ander onduidellijk technisch probleem kon verdiepen dat voor Barnes irrelevant en vervelend was.

'Niet veel verder, maar we hebben een nieuwe benaderingsmethode.' Kapinsky leefde van 'benaderingsmethodes', die van alles konden betekenen, zoals het repareren van een of ander instrument in het lab of een heel nieuw onderzoek.

Barnes bedwong zijn ergernis en hield zich in.

Kapinsky zag in wat voor stemming hij verkeerde en probeerde hem gerust te stellen. 'Rod, ik heb je van het begin af aan gezegd dat dit een langdurige geschiedenis gaat worden. Je weet dat het niet alleen een kwestie is van het onttrekken van DNA aan beide dieren en deze met elkaar te vergelijken om achter de verschillen te komen. Het analyseren van de celstructuur of de DNA-boodschap betekent het bekijken van letterlijk miljoenen combinaties. Je vindt het zelf altijd prachtig je studenten te vertellen dat het DNA in alle cellen van een baviaan op één rij gelegd, een afstand zou overbruggen van achtduizend keer naar de maan en terug.'

'Verdomme, Louis, kom nu eindelijk eens ter zake!' Barnes herinnerde zich Kapinsky's waarschuwing toen ze hadden besloten op zoek te gaan naar wat hij het weerspannige gen was gaan noemen. Het was allemaal voortgekomen uit Kapinsky's aanvraag voor een onderzoeksperiode van zes maanden aan de George Washington State University waar laboranten het eerste menselijke embryo hadden gekloond. Sindsdien had hij altijd aan zijn verblijf daar gerefereerd als zijn 'detachering aan het kloonfront', en begon hij ondertussen deze techniek in zijn lab te perfectioneren.

De Amerikaanse experimenten hadden intussen wereldwijde aandacht getrokken en felle debatten veroorzaakt over de ethiek van wat de anti-abortus-propagandisten 'babyfokken' en 'uitverkoop van menselijke onderdelen' noemden. Daarna volgden aanklachten wegens moord tegen de onderzoekers die zich van onvolwaardige embryo's hadden ontdaan. Toen de dicussie belandde in wat Kapinsky het 'rijk der fabelen' noemde, hielden ze hun onderzoeksresultaten zoveel mogelijk binnenshuis. Ze gaven geen persberichten uit, wezen alle verzoeken tot publicatie van hun bevindingen af en boden tijdens de bezoeken van de Ethische Commissie nauwelijks meer dan het standaard kopje koffie en een onschuldige samenvatting van het onderzoek.

Ondanks al het kabaal, was de kloontechniek eigenlijk vrij rechtlijnig. Er kwam niet veel meer bij kijken dan het bevruchten van het menselijk ovum of ei in een glazen schaaltje en het uitbroeden daarvan in een voedingsbodem tot het zich in tweeën splitste. Het tweecellige embryo werd dan behandeld met een enzym om het van zijn omhulling te ontdoen en de foetale kernen bloot te leggen. Daarna werden beide kernen omgeven met een gelatinelaagje, eentje werd gekoeld opgeslagen en de ander teruggeplaatst in de moeder om tot wasdom te komen. Barnes herinnerde zich nog wel hoe deze techniek een wereld van mogelijkheden opende, van volslagen onzinnige zoals de vrouw die haar eigen tweelingen geboren kon laten worden tot kloonbanken die een garantie konden vormen tegen het verlies van het oorspronkelijke kind of zelfs zouden kunnen fungeren als bron voor 'postorder'-kinderen. Dit laatste was Kapinsky's idee. Een catalogus met foto's van kinderen die geboren waren uit een kloonembryo, met een beschrijving van hun intellectuele en psychologische kwaliteiten. Kinderloze vrouwen konden dan uit deze catalogus een keuze maken, een gecodeerde embryo bij de kloonbank bestellen, deze laten inbrengen en een kind krijgen dat het volmaakte genetische duplicaat was van het kind van hun keuze. Kapinsky's uiteindelijke doel was niet het klonen van een embryo maar het genetische materiaal van de volwassene. In tegenstelling tot Barnes geloofde hij in de macht van de computer bij het kraken van de genetische code en het verschaffen van de toegang tot genetische manipulatie.

Het onderwerp nam hem geheel in beslag. Hij zat vaak urenlang aan het toetsenbord, 'draafde' tot diep in de nacht 'langs de elektronische snelweg', zoals hij het noemde, en vlooide de mededelingenborden van de computers over de hele wereld uit (met torenhoge telefoonrekeningen als gevolg, zoals Barnes meesmuilend opmerkte). Hij was ervan overtuigd, dat hij op zekere dag de genetische aanwijzingen van de volgroeide cel zou kunnen ontcijferen die de wetenschap in staat stelde een identiek dier te klonen. Deze problematiek wond hem zeer op.

Het was de eerste keer dat Barnes aan Kapinsky begon te twijfelen. Bij het uitweiden over zijn droombeelden liep de man bijna te dansen door het lab. 'Stel je eens voor, Rodney,' zei hij. 'Alle honderd triljoen celkernen in het menselijk lichaam hebben deze aanwijzingen in DNA-code. Wereldwijd hebben we tot nog toe nog maar een fractie ontcijferd van het menselijke genoom dat honderdduizend genen bevat. Ieder gen bestaat uit een DNA-zin die de cel opdraagt om één speciale proteïne te maken – en iedere zin bevat tot vijftienduizend letters of bases.'

Barnes wist nog heel goed hoe Kapinsky steeds opgewondener raakte tijdens het warmlopen over dit onderwerp. 'De genetische zin in het menselijk lichaam is ongeveer drie miljard letters lang. Eens zullen we die kunnen lezen en zelfs herschrijven om dat soort genen te bouwen dat we nodig hebben...'

Daarna ging hij volledig op in zo'n lange en heftige tirade dat Barnes zich begon af te vragen aan wat voor soort man hij de leiding van zijn onderzoeksprogramma had gegeven.

'De aarde en de wereldzeeën hebben hun biologische grenzen bereikt in het huisvesten en voeden van deze overbevolkte planeet. Daarom moet iedere zwangere vrouw in staat worden gesteld het genetische profiel van haar ongeboren kind vast te stellen. Alle genetische buitenbeentjes met erfelijke afwijkingen of aanleg voor kanker, hartziekten en andere afwijkingen moeten worden afgedreven. We kunnen het ons niet langer meer veroorloven kinderen te krijgen die de maatschappij tot last worden.'

Met groeiende afkeer had Barnes beseft dat hij naar neo-nazistische theorieën zat te luisteren, vermomd als wetenschappelijke verhandeling. Het moet aan hem te zien zijn geweest. Kapinsky veranderde plotseling van onderwerp en zijn ideeën kwamen nooit meer ter sprake.

Barnes schudde deze gedachten van zich af en merkte dat Kapinsky naar hem zat te kijken alsof hij ergens een antwoord op verwachtte. Hij had de vraag niet gehoord en probeerde wat tijd te winnen: 'Ja, en verder?'

'Het kan misschien ook een stuk eenvoudiger. Ik begrijp niet waarom ik daar niet eerder aan heb gedacht.' Kapinsky's gezicht straalde van enthousiasme. 'Verworven immunologische tolerantie – we injecteren cellen van de donor in de foetus van de baviaan en laten die dan geboren worden. Herinner je je nog wat MacFarlane heeft gedaan, in de jaren zestig?'

'Ja, met Medawar. Wat deden ze ook weer? Ik herinner me een foto van een witte muis met een lapje zwarte huid, of was het een zwarte muis met een lapje witte huid?'

Kapinsky grinnikte: 'Ik zie wel dat je meer van immunologie afweet dat de meeste chirurgen.'

Barnes negeerde zijn spottende opmerking. 'Waar ligt het verband?'

Kapinsky genoot van het ogenblik: 'MacFarlane introduceerde het begrip verworven immunologische tolerantie door cellen van een zwarte muis te injecteren in de foetus van een witte muis. Toen de geïnjecteerde muis werd geboren accepteerde deze huidtransplantaten van de donor zonder die af te stoten. Met andere woorden, hij was resistent voor de antigenen van de donor zonder enige reactie van het afweermechanisme.'

Barnes sprong overeind, en gooide in de opwinding zijn stoel omver: 'Louis, als je een baviaan kunt fokken die menselijke organen verdraagt, kunnen we op een fantastische manier de levensvatbaarheid testen van het hart van zo'n terechtgestelde gevangene.'

'Zou je zoiets doen?' vroeg Kapinsky met fonkelende ogen.

'Wat doen?' vroeg Barnes quasi onschuldig.

'Het hart van een moordenaar transplanteren in een baviaan.'

'Als dat uiteindelijk zou leiden tot een constante opslag van donorharten, natuurlijk!'

Barnes bleef de hele dag een gevoel van opwinding houden. Het zag ernaar uit dat het drie jaar oude programma een doorbraak had bereikt. Als donorharten praktisch op aanvraag beschikbaar zouden zijn, was er voor de afdeling harttransplantatie geen enkele reden meer patiënten onverrichter zake naar huis te sturen. Sterker nog, ze zouden hun activiteiten verder kunnen ontplooien en een internationaal centrum voor harttransplantaties kunnen worden.

Hij verkeerde nog steeds in deze stemming toen hij thuiskwam. De zon ging onder boven de Tafelbaai en er waaide een wind uit het noordwesten die de zee in keurige rijen witte schragen hakte, die reikten tot de horizon.

Zijn daghulp was geweest en weer vertrokken, en had het appartement piekfijn achtergelaten. De eettafel was gedekt voor één persoon. Het zilveren bestek blonk naast het sprankelende kristal, gemarkeerd door wit tafellinnen. Een fles witte Kaapse wijn stond klaar, de kurkentrekker ernaast.

Rodney had ineens een verloren en teleurgesteld gevoel, alsof een verwachte gast niet was komen opdagen. Hier heersten rust en vrede, en woonde hij bijzonder comfortabel op een van de mooiste plekjes van de stad, zonder dat met iemand te kunnen delen.

Hij had veel om over na te denken en er moesten prioriteiten worden gesteld. Hij ontkurkte de fles, vulde zijn glas en nam het mee naar het balkon. De Duivelspiek gloeide rood op in de ondergaande zon. Het landschap erachter schemerde in het wegstervende licht. De natuur zette zijn beste beentje voor. Hij hief het glas en proefde de zijdeachtige zachtheid van de wijn. Hij dronk pure Kaapse zonneschijn en dit was het paradijs.

De telefoon zoemde zachtjes. Het was Alex Hobbs. 'Kreeg net een telefoontje van Eerste Hulp, dokter. Het ziet ernaar uit dat we een donor hebben voor David. Een geval van zelfmoord, man, 18 jaar. Mevrouw Van der Walt praat met de ouders over toestemming voor gebruik van het hart. Ze heeft ook geregeld dat de weefsels worden vergeleken. De uitslag van het lab komt morgenvroeg. Moet er nog iets anders worden gedaan?'

Barnes bedankte en vroeg hem het draaiboek van de transplantatie-afdeling door te lopen, zodat hij er zeker van kon zijn dat de medische en technische staf klaarstond en de operatiekamer in gereedheid was. Ze konden dan meteen aan de gang als de ouders de noodzakelijke papieren hadden getekend.

'O, en vergeet de papierwinkel niet,' voegde hij er nog aan toe. De 'papierwinkel' was de wolk aan papier waarin iedere transplantatie was gehuld, aangifteformulieren en mededelingen voor de diverse ziekenhuisafdelingen en officiële medische instellingen, zodat iedereen ervan verzekerd was, volgens Barnes, dat de glorie naar de bureaucraten ging en de duiten naar het transplantatieteam.

Hij legde de hoorn op de haak en keek uit over de baai. De wind was gaan liggen en de zee was kalm. Over de Duivelspiek hing nog steeds een rode gloed, maar de schaduwen waren langer geworden. De rots zag er nu onheilspellend uit, afschrikwekkend en dreigend. De bedriegelijkheid van het licht, dacht Barnes. Een paar minuten geleden was alles paradijselijk en nu leek het wel een kijkje in de hel. Zijn stemming werd er niet beter op. Wat een onzin. Hij schudde de opkomende depressie van zich af en schonk zijn glas weer vol. Hij had nog een bijna volle fles Kaapse zonneschijn en als dat niet genoeg was nog een half dozijn van hetzelfde in zijn drankkastje.

Barnes had zich vaak afgevraagd waarom een ogenschijnlijk gezond jong mens zich van het leven zou willen beroven. Een tijdje geleden was hij zo nog een van zijn collega's kwijtgeraakt. Een briljante en succesvolle gynaecologe met een grote privé-praktijk, en in goede lichamelijke conditie.

Hij pakte zijn glas en liep naar het balkon. Het was intussen donker geworden. De Duivelspiek tekende zich zwart af tegen de door sterren verlichte avondlucht. De wijn smaakte bitter.

Misschien, dacht Barnes, zouden we dankbaar moeten zijn voor de goede balans tussen natuurlijke aanleg en verworvenheden die ons in staat stelt de zorgen en problemen van het leven het hoofd te bieden en de verantwoordelijkheden die de maatschappij ons oplegt te aanvaarden. Beklagenswaardig zijn zij die de problemen waar ze mee te maken krijgen proberen te ontlopen, en nog beklagenswaardiger zij die de druk die het leven hun oplegt trachten te verzachten door heil te zoeken in het verkeerde beeld dat ontstaat na een vlucht in drugs. Barnes schudde het hoofd, en besloot aan andere, minder ongrijpbare dingen te denken, die op dit moment zijn aandacht vroegen.

HOOFDSTUK 5

Een aantal korte telefoontjes zette het transplantatie-raderwerk in beweging. Eentje was naar de ouders van David Rhodes om te vertellen dat ze een mogelijke donor hadden gevonden, een ander naar Eerste Hulp om te vragen hoe het er met de donor voorstond. Het verbaasde Karen niet te moeten constateren dat men daar, als de neurochirurgen eenmaal de hersendood hadden vastgesteld, het lichaam verder alleen maar als lijk beschouwde. Ze hadden het beademingssysteem aangesloten en lieten de dingen verder op hun beloop.

Ze bedwong haar ergernis. Zo werkte het medische schaakspel blijkbaar, niet met pionnen maar met mensen. Het zou niet voor het eerst zijn dat het donorlichaam in slechte conditie verkeerde. De neurochirurgen maakten geen deel uit van het transplantatieteam en vonden het niet hun taak de 'praalhanzen' verder te helpen op hun weg naar de roem. Neurologisch gezien kon de patiënt niet worden behouden, dus waarom nog een extra slapeloze nacht besteed aan een schouderklopje voor iemand anders?

Bij snel ingrijpen kon nog een aantal bruikbare organen worden gered. Karen zorgde ervoor dat het lichaam werd overgebracht naar de intensive-care-afdeling van het hartteam, waar modernere apparatuur ter ondersteuning van de orgaanfuncties aanwezig was. Telefoontjes naar het hoofd van de medische dienst en de Rijksdienst Gezondheidszorg brachten de juridische kant op gang, daarna moest worden geregeld dat via bloedgroepbepaling, weefseltypering en virologisch onderzoek de aanwezigheid van hepatitis, aids of andere ziektes werd uitgesloten. De resultaten van de weefseltypering zouden binnen een uur binnen zijn, daarna kon de staf de patiënt en de donor gereed maken voor de operatiekamer. Als er geen kink in de kabel kwam, kon het opereren – op verschillende afdelingen – binnen enkele uren beginnen.

Nu kwam het moeilijke gedeelte, de toestemming van de naaste familie de organen te mogen verwijderen. Bij de gedachte hieraan trok Karens maag samen. Ze speelde het nog steeds niet klaar haar eigen gevoelens opzij te zetten tijdens een gesprek met de familieleden van een mogelijke donor. Ze wist wat ze voelden, want ze had het zelf aan den lijve meegemaakt. Ze sloot haar ogen. Ongevraagd kwamen alle beelden weer in haar op. De tijd heelt alle wonden, had iedereen gezegd. Een leugen. De tijd had niets geheeld. Het verlies stak nog als een open wond.

Ze kon zich nog ieder trekje van het gezicht van de politieman voor de geest halen. Hij was jong, ongelukkig met de situatie en had moeite met zijn Engels. Ze had net Kimberley, toen nog een lastpost van achttien maanden, in bed gestopt. De tafel was gedekt, Johan zou over een paar minuten thuiskomen en ze hadden samen een klein feestje – de viering van hun tweede trouwdag.

Twee jaar van huwelijksgeluk. Ze vond dat toen maar een rare uitdrukking – die deed denken aan het model-huisvrouwtje dat thuis zat te wachten op de perfecte huisvader. Maar geen model-huwelijk zou ooit kunnen tippen aan wat zij en Johan hadden gehad.

Ze hadden elkaar in Londen ontmoet. Zij heette toen nog Karen Jones en was hoofdverpleegkundige, belast met de leiding van de afdeling intensive care hart- en longbewaking in het wereldberoemde Guy's Hospital. Zoals veel jonge Zuid-Afrikaanse artsen kwam ook Johan van der Walt naar Guy's, om de opleiding te voltooien die hem toegang zou verschaffen tot het Royal College of Surgeons.

Het was meer passie bij de eerste aanraking dan liefde op het eerste gezicht. Als senior-verpleegkundige had Karen altijd veel voldoening geput uit haar veeleisende werk in een topziekenhuis, tot de dag dat dokter Van der Walt de intensive care-afdeling binnenliep. Hij viel duidelijk op tussen de andere specialisten in opleiding – een kop groter, bruin en gespierd – en met een innemende glimlach. Belangstelling van mannelijke kant was voor Karen niets nieuws, maar hij riep gevoelens in haar op waar ze aanvankelijk niets van wilde weten. Ze besloot dat een koele, professionele houding haar beste verdediging zou zijn, iets wat haar in zijn ogen alleen nog maar aantrekkelijker maakte.

Iedere man zou zich aangetrokken hebben gevoeld tot deze goedgebouwde, langbenige brunette, die een zeer vakkundig team van verpleegkundigen leidde, maar voor Johan was er meer dan dat. Hij was altijd erg toegespitst op zijn werk, maar merkte nu dat hij in gedachten zo met haar bezig was, dat zijn studie eronder begon te lijden.

Toch wisten zij niet wat hun overkwam, toen ze na hun eerste afspraakje in bed belandden. Het was het begin van een relatie die in passie begon en zich uitdiepte tot een wederzijdse behoefte aan elkaar. Het duurde niet lang of het hele ziekenhuis wist van hun omgang.

Na een paar maanden merkte Karen tot haar afgrijzen dat ze zwanger was. Dit paste helemaal niet in haar plannen. Haar eerste gedachte was een abortus, omdat ze bang was die knappe, vlotte Zuid-Afrikaan te verliezen die haar veilige Engelse wereldje zo grondig had verstoord. Johan merkte meteen dat er iets mis was en wist uit haar te krijgen dat hij over enige tijd vader zou worden.

Hij was opgetogen. Voor het eerst in haar volwassen leven liet ze toe dat een ander voor haar besliste. Van abortus was geen sprake. Ze zouden samen naar Zuid-Afrika gaan, waar huishoudelijke hulp nog te betalen was, trouwen en hun kind krijgen. Binnen enkele weken hadden ze zich genesteld in een cottage in Rondebosch, een voorstad van Kaapstad, en had Johan een positie als specialist in opleiding in de hartafdeling van het Groote Schuur-ziekenhuis. Gelukzaligheid was de goede beschrijving voor hun leven samen, die nog vergroot werd door de geboorte van Kimberley – tot een klop op de deur een einde maakte aan dit paradijs.

'Mevrouw Van der Walt?'

De stem van de politieman had een zwaar Afrikaans accent en klonk gespannen. Langs de rand van het trottoir stond een politie-auto met een tweede agent aan het stuur. Ze heeft nooit kunnen onthouden wat hij toen zei, iets over een auto-ongeluk. Het enige wat ze wist, was dat haar wereld stierf terwijl hij stond te praten.

Daarna was alles in een waas gehuld. Ze wist nog dat ze als in een droom naar het ziekenhuis was gereden, door een omgeving waaruit alle kleur was verdwenen en die plotseling helder opklaarde toen ze merkte dat ze op de afdeling neurochirurgie stond.

Johan lag op zijn rug, er was niemand bij hem. De verwondingen aan zijn hoofd waren verschrikkelijk. Een automatisch beademhalingsapparaat gaf een ritmisch klikkend geluid. Het regelmatige piepje van een monitor gaf aan dat zijn hart nog klopte. Zijn ogen staarden naar het plafond, de pupillen wijdopen en gefixeerd, zonder iets te zien. Ze wist met een afschuwelijke zekerheid dat hij nooit meer zou kunnen zien, dat hij haar nooit meer in zijn gespierde armen zou houden.

Dokter Johan van der Walt was hersendood.

Ze pakte automatisch zijn rechterarm en voelde zijn pols. Zijn hand voelde warm aan en zijn hartslag was sterk en regelmatig. Maar ze had geleerd dat deze dingen geen betekenis hadden. Het hart was er alleen maar om de hersenen te ondersteunen, en de hersenen waren dood.

'Het spijt ons ontzettend, mevrouw Van der Walt, maar de neurochirurgen konden niets meer doen...'

Dat was dokter Alex Hobbs, een van Johans collega's van het hartteam. Er waren ook anderen. Ze condoleerden haar een voor een. Zij herkende hun gezichten, maar ze waren vreemden voor haar. Deze mannen hadden samen met Johan hun teamsuccessen gevierd, en getreurd over hun mislukkingen. Zij en hun vrouwen en vriendinnen waren bij hen komen eten, en ze hadden gelachen en gepraat en van het leven gehouden. Nu was er niets meer, een groepje vreemdelingen rond een ziekenhuisbed.

Een hand raakte haar arm. Het was dokter Des Louw, een vriend van Johan sinds hun studententijd.

'Wil je een kopje thee?'

Het was in ieder geval een neutrale vraag, waar ze antwoord op kon geven. Karen knikte. Hij leidde haar van de afdeling af, naar het artsenkantoortje. De anderen volgden niet en lieten hen alleen in de ruimte waar haar man nog maar een paar uur geleden als enthousiaste jonge dokter aan het werk was geweest. Louw trok een stoel achter een bureau vandaan. Als in een droom ging ze erop zitten.

Na een paar minuten werd ze zich ervan bewust dat Louw tegen haar zat te praten. Ze hoorde de klanken wel, maar de woorden hadden geen enkele betekenis.

Een klop op de deur, dacht ze. Meer was niet nodig geweest. Eén enkele klop die haar leven voor altijd had veranderd. Voordat ze de deur voor die politieman had opengedaan was haar leven veilig geweest, vol geluk, ja zelfs idyllisch. En nu?

'Karen?' Louw keek haar aan, en verwachtte een antwoord. Ze kon zich geen woord herinneren van wat hij had gezegd. Maar wat het ook was geweest, het had geen enkele indruk gemaakt op haar verdoofde gevoel van ellende.

'Karen, begrijp je me? Johan is dood verklaard door twee neurochirurgen. Hij is een potentiële donor.'

Deze woorden brachten haar op een ruwe manier terug in de werkelijkheid en ze kwam met een schok tot haar positieven.

Ze voelde een grote woede in zich opkomen. Hoe kon deze collega van Johan zo ongevoelig zijn? Het lichaam was nog warm en hij gedroeg zich nu al meer als een lijkenschenner dan als een vriend.

'Ik weet dat het een heel moeilijke beslissing is.'

Louws stem klonk somber. Hij zag de emoties door haar hoofd flitsen. Hij had het er niet makkelijk mee, en wist hoe vreselijk het voor haar moest zijn om er zelfs maar over te moeten nadenken.

'Je man is gestorven ten gevolge van een auto-ongeluk. Volgens de wet is dat geen natuurlijke doodsoorzaak. Dat betekent dat er een lijkschouwing zal moeten plaatsvinden.'

Ze wilde hem toeschreeuwen op te houden, haar niet langer lastig te vallen, te zeggen dat het niet waar was, dat er nog hoop was, wat dan ook, maar alles liever dan haar te dwingen die afschuwelijke keuze te maken.

'Als je toestemming geeft, houden we de lijkschouwing in de operatiekamer hier op de afdeling. Het verschil is dat de organen die we verwijderen niet zullen worden verbrand of begraven. Ze worden gebruikt om menselijk lijden te verlichten en misschien zelfs wel een leven te redden.'

Louw wachtte even. Hier zat de vrouw van zijn vriend. Hij zou zo graag zijn armen om haar heen slaan en proberen haar leed wat te verzachten. Maar dit was niet het goede moment. Ze moest zich kunnen bewegen en kunnen nadenken en het belang van de dingen die hij tegen haar had gezegd op zich laten inwerken.

Hij wachtte. Ze slikte moeilijk en keek hem aan met een nietsziende blik vol verdriet.

'Karen, je kent ons werk hier. Je weet hoeveel mensen geholpen kunnen worden door een donor.'

Karen sloot haar ogen en zond een schietgebedje op: lieve god, help me met het nemen van de goede beslissing.

'Twee met de ogen, een met het hart, twee met de longen, een met de lever en twee met de nieren – acht mensen in totaal.'

Als Johan er maar was om haar te helpen, maar dat sloeg nergens op, het waren zijn organen waar ze om vroegen.

Louws stem werd nog zachter, haast mijmerend, alsof hij hardop zat te denken: 'Hoe vaak zat Johan niet hier in deze kamer om dezelfde vragen te stellen aan de familie van geliefden die net waren overleden.' Hij stond op en keek uit het raam. Hij zag hoe het ziekenhuispersoneel overal druk bezig was. Toen hij zich omkeerde, zat ze naar hem te kijken.

'Karen, je man moet in het transplantatieprogramma hebben geloofd. Anders had hij zulke dingen niet kunnen doen.'

Karen had het gevoel alsof haar keel werd dichtgeknepen. Ze slikte opnieuw en hoopte dat de woorden zouden komen. Wat zou Johan hebben gedaan als de situatie omgekeerd was en zij de eventuele donor was geweest? Om de een of andere reden was het altijd een stuk eenvoudiger anderen te vertellen hoe ze zich moesten gedragen, hun angsten opzij te zetten en vertrouwen te hebben. Als het jezelf aangaat liggen dingen heel anders.

Ze herinnerde zich nog wel hoe ze als verpleegkundige in de hartafdeling van Guy's Hospital angstige ouders gerust placht te stellen. Alles komt goed, zei ze. Ze was zo zeker van zichzelf. Maar als het om een kleine ooroperatie van haar eigen kind ging, wist ze absoluut niet hoe ze zelf rustig moest blijven. Ze was dodelijk ongerust geweest tijdens de operatie en nog dagen daarna.

Dokter Louw draaide zich om. Karen moest duidelijk eerst wat afstand nemen voordat ze antwoord kon geven. 'Je hoeft nu niet te beslissen. Denk er maar even rustig over na.'

Toen ze thuiskwam brandde overal licht. Grace, haar Afrikaanse dienstmeisje, en Kimberley zaten op het kleed met allerlei poppen en speelgoed om zich heen. Grace keek op, haar altijd lachende gezicht somber. 'Kimberley werd wakker toen de politieman kwam – ik heb haar maar uit bed gehaald...' Grace zocht in Karens ogen naar een teken van ontspanning, in de hoop dat de politieman het misschien verkeerd had gehad.

Karen kon geen woord uitbrengen. Een vulkaan van emotie kropte zich in haar op, die bij het minste of geringste zou uitbarsten. De aanleiding daartoe stond vlak voor haar. Een tafel, gedekt voor twee. Met een rode roos in een zilveren vaas, spierwit tafellinnen, een maaltijd in de oven – nu koud.

Hete tranen welden op en begonnen over haar wangen te vloeien. Grace voelde wat er aan de hand was, stond op, sloot Karen in haar armen en trok haar toen naar beneden, naast het kind op het kleed. Kimberley barstte in huilen uit toen ze het gezicht van haar moeder zag.

Daar op de grond – in de ene reusachtige arm het blonde kind en de andere om Karen heen – hield Grace ze vast, en wiegde ze zachtjes in een eeuwenoud, troostend ritme.

Met de tranen kwamen de woorden, de vragen, de wanhoop, het onbegrip. Dit hebben we niet verdiend. Hoe kon zoiets gebeuren? Waarom was hij niet wat eerder naar huis gegaan? We kunnen het toch ook niet helpen? Wat heb ik verkeerd gedaan?

Als ze nou maar duidelijk kon maken hoe oneerlijk dit allemaal was, kwam het misschien vanzelf allemaal wel weer goed.

Ze bleven elkaar vasthouden, het kind intussen met grote, droge ogen, Karen buiten zinnen van verdriet, Grace sussend met haar lichaam. Diep in de nacht veranderde het snikken in een schokkend ademhalen, de longen snakkend naar lucht. Grace bracht de in haar armen slapende Kimberley en Karen naar bed en stopte ze samen in.

Karen werd wakker van het heldere zonlicht, ze had een besluit genomen. Zonder Kimberley wakker te maken gleed ze onder de lakens
vandaan en liep naar de telefoon in Johans studeerkamertje.
De receptioniste verbond haar meteen door met de hoofdzuster die de
leiding over de afdeling had. 'Zuster? Met Karen van der Walt. Zou u
dokter Louw willen zeggen dat ik over een uur de noodzakelijke papieren kom tekenen?'
Toen ze de hoorn neerlegde voelde ze een soort rust over zich komen.
Ze had een besluit genomen, waardoor er wat orde in de chaos kwam.
Het zou nog lang duren voor ze weer zichzelf zou zijn, maar de wond
begon al te helen. Dingen kregen weer een doel. Er moest van alles
worden gedaan en geregeld en voorgoed afscheid worden genomen.
Er moest een leven worden geleefd en een kind opgevoed, nu moest ze
eerst leren met haar naakte verdriet om te gaan.
Jaren later dacht Karen terug aan dat moment als een keerpunt in haar
leven. Ze had nooit spijt gehad van haar besluit. Het was alsof een deel
van Johan nog steeds in leven was en zich in dienst had gesteld van zijn
opvattingen over het wezen van de geneeskunst – de verbetering van
de kwaliteit van het leven.
Een paar maanden later was ze bezig met het sorteren van Johans
persoonlijke papieren, waaronder een paar recente exemplaren van
medische tijdschriften die na zijn dood waren blijven komen. In een
ervan stond een advertentie voor de positie van coördinator transplan-
tatiedienst aan het Groote Schuur-ziekenhuis. Ze reageerde onmiddellijk en werd aangenomen.
Dat was zes jaar geleden. Het waren productieve jaren geweest, van
verantwoordelijk en deskundig werk. Ze had Kimberley zien opgroei-
en tot een groot en blij kind, met blonde lokken en een innemende lach
die haar aan Johan deed denken.
Deze periode had haar rust en voldoening geschonken, maar de dode
plek waar haar dromen en hoop lagen begraven bleef onaangeraakt.
Daarnaast had ze nooit leren omgaan met de verschrikkelijke taak van
het moeten praten met de familie van een donor. Ze heeft vaak gedacht
dat het misschien beter was geweest als ze wat minder persoonlijk
betrokken was bij het transplantatieprogramma.

Haastig bracht ze de berg van juridische en administratieve papieren
op orde die, meer dan op ieder ander gebied van de geneeskunst, rond
de orgaantransplantatie was gegroeid. Het weghalen van organen uit
iemands lichaam en ze overzetten in dat van iemand anders was zo'n

gevoelig onderwerp geworden, dat de handeling geen kwestie meer was van besluitvorming op medisch gebied alleen, maar ook allerlei juridische en religieuze implicaties had gekregen. Meesmuilend overdacht ze dat de autoriteiten op juridisch en medisch gebied over de hele wereld het proces met zoveel papieren poespas hadden omgeven, dat de artsen vaak gekscherend zeiden dat als ze voor het formulieren invullen werden betaald, ze daarvan konden leven en hun vak eraan konden geven.

De telefoon ging. De receptie meldde dat de ouders van de jonge zelfmoordenaar, de heer en mevrouw Jooste, op haar zaten te wachten in de Eerste Hulp. De cirkel was weer rond. Ze moest de familie Jooste onder ogen zien, vertellen dat hun zoon dood was en dan vragen of ze bereid waren de nog levende organen aan het ziekenhuis af te staan, om voor andere mensen te gebruiken.

Ze had de familie nooit eerder ontmoet, maar wist meteen wie ze waren toen ze de receptie binnenliep. Het verloren stel dat tegen elkaar aan zat gedrukt, de man ongeschoren, de vrouw met een opgezwollen gezicht van het huilen, moest wel het echtpaar Jooste zijn. Een blank arbeidersgezin, naar hun uiterlijk te beoordelen. Ze knikten zonder iets te zeggen toen Karen zich voorstelde en hen voorging naar de spreekkamer.

'Het is niet waar, hè zuster, wat de dokter zei?'

De man zocht op haar gezicht naar een teken van hoop. Voor ze kon antwoorden vroeg hij: 'Als hij dood is, waarom zitten er dan allemaal van die slangetjes en buizen in hem?'

Ze bleven niet begrijpend en stil, toen ze vertelde dat hun zoons conditie terminaal was, maar dat zijn lichaam was aangesloten op apparatuur die de vitale functies in stand hield, in afwachting van hun toestemming voor het gebruik van zijn organen. De vrouw schudde haar hoofd en begon zachtjes te huilen, alsof ze bang was de stilte in het ziekenhuis te verstoren. Haar man hield haar stevig vast en keek Karen wanhopig aan.

De woorden stroomden hem over de lippen. Jerry was hun enige kind, legde hij uit. Dit kon niet waar zijn. Ze waren altijd goede ouders geweest. Waarom was dit gebeurd? Wat hadden ze kunnen doen om deze verschrikkelijke geschiedenis te voorkomen? Konden ze niet met een andere dokter praten...?

Karen liet hem zijn gang gaan en luisterde naar zijn pleiten, de woede, de schuld, de verontschuldigingen tot de vloed van woorden uiteindelijk wat begon af te nemen.

De receptioniste zat door het raam van het kantoor naar ze te kijken, in afwachting van het teken. Karen knikte en ze pakte meteen het altijd klaarstaande blad met thee, en bracht dat binnen. Versuft, en bijna uit pure beleefdheid, accepteerde de vrouw een kopje. Het leidde even af van de gruwelijke realiteit die hun leven was binnengeslopen.

Toen legde Karen zo eenvoudig mogelijk uit wat hersendood was en hoe het kon dat hun zoon dood was maar zijn organen nog leefden. En ook hoe tijdelijk deze situatie was, en dat de organen ook heel spoedig zouden sterven. 'Deze organen zijn nodig. We hebben voor uw zoon gedaan wat we konden, maar hem niet kunnen redden. Nu hebben we uw hulp nodig om anderen te redden.'

Ondanks hun pijn luisterde het echtpaar nu. De vrouw hield de dikke theekop van het ziekenhuis in beide handen geklemd, ze voelde de warmte en was er dankbaar voor.

'We hebben patiënten die zieke organen hebben. Mensen met beschadigde nieren, blinden die weer kunnen zien als ze een bepaald onderdeel van het oog krijgen, mensen met longproblemen die niet goed meer kunnen ademhalen, hartpatiënten die niet lang meer hebben te leven...'

Het echtpaar keek elkaar aan. De man liet zijn grote, knoestige hand op haar schouder liggen. Ze zette haar kop neer en klopte zachtjes op zijn andere hand. Karen zag hoe het overwicht van de een naar de ander stroomde, toen de vrouw duidelijk de volle last van de tragische situatie op zich nam.

Karen deed alles om haar professionele kalmte te bewaren. Diep binnen in haar schreeuwde een klein stemmetje, maar ze weigerde te luisteren en dwong zichzelf haar volle aandacht bij het echtpaar te houden. Ze sprak langzaam en nadrukkelijk en keek beiden om beurten aan: 'Er bestaan geen kunstorganen om het hart, de lever, de longen, de nieren, de hoornvliezen van de ogen te vervangen... En de organen van dieren kunnen we hiervoor niet gebruiken.' Ze kon de instemming in hun ogen lezen. Hoe kwam het toch, vroeg ze zich af, dat de lage inkomensgroepen en de minder bedeelden zo gauw bereid waren het weinige dat ze hadden op te geven om anderen te helpen?

Ze voegde eraan toe: 'We zijn afhankelijk van de liefde en het begrip van mensen als u. Meneer en mevrouw Jooste, ik vraag u bij dezen toestemming de organen uit het lichaam van uw zoon te mogen gebruiken om andere mensen in leven te houden.'

Het was de man die antwoordde. 'Goed,' was het enige dat hij kon uitbrengen. Daarna kon hij zich niet meer goedhouden. Karen ging naar ze toe, sloeg haar armen om hen heen en huilde met ze mee.

Op de afdeling intensive care liep Des Louw met Jan Snyman het lijstje door om er zeker van te zijn dat alle apparatuur goed was aangesloten bij de jonge donor die net was binnengekomen. De biologische huishouding van het lichaam werd niet meer door de hersenen geregeld. Deze moest nauwkeurig gevolgd en kunstmatig in een conditie worden gehouden die zo veel als mogelijk overeen kwam met de normale omstandigheden.

Half tegen zichzelf pratend liep hij het lijstje door: 'Ja, de beademing is in orde. Urinecatheter geplaatst. Grote intraveneuze lijn voor het toedienen van vloeistoffen, bloed en medicijnen. Tevens een catheter voor de centraalveneuze druk en arteriële catheters. Rectale temperatuur laag, warmtedeken aanwezig.'

Hij keek naar Snyman. 'Dokter Snyman, wat zeggen de bloedtesten?'

Zorgvuldig als altijd somde Snyman het rijtje testmonsters op: 'Astrupbepaling van de bloedgaswaarden, ureum, electrolyten, glucose en kruisbloed. De labresultaten kunnen ieder moment binnenkomen.' Hij voorzag de volgende vraag en zei: 'Ik heb ook twee eenheden bloed besteld, voor reserve.'

Louw knikte goedkeurend. Evenals de studenten stonden ook jongste assistenten niet erg hoog op de ranglijst, maar deze was veelbelovend. Zonder naar de lijst te kijken vervolgde Snyman: 'Ook heb ik met de coördinator geregeld dat er bloed is opgestuurd om het weefsel te typeren, en te testen op hepatitis B en C, cytomegalietiter, luesreactie en HIV.'

'Bloedkweek?'

'Ja, dokter. We hebben ook een röntgenfoto van de borst en een ECG. De cardioloog komt zo het hart onderzoeken.'

Louw pakte de medicatielijst. 'Ik zie dat je de donor een infuus met dopamine hebt gegeven.'

Snyman was net de druppelteller aan het bijstellen en keek op: 'Ja, dokter. Met vasopressine en T3 kon ik de bloeddruk niet boven de zestig krijgen.'

Louw keek weer op de kaart. 'Je gaf hem Kefsol en Solucortef, en ook insuline en bloed. Prima.'

Deze lof uit de mond van een steeds belangrijker wordende transplantatie-chirurg loog er niet om. Snyman voelde zich hierdoor aangemoedigd en durfde te wijzen op de schommelende arteriële bloeddruk. 'Ik maak me zorgen,' zei hij. 'De donor is om de een of andere reden erg onstabiel.'

Louw onderbrak zijn gedachtengang: 'Houd de zaak goed in het oog, dokter. Doe wat je kan om de donor in goede conditie te houden tot we met de transplantatie kunnen beginnen.'

'Waarom brengen we de donor niet naar de operatiekamer, halen het hart eruit en zetten dat op ijs tot we het nodig hebben?'

Louw was al op weg naar buiten, duwde de zwaaideuren van het zaaltje open en riep over zijn schouder: 'Ik zal het aan dokter Barnes voorstellen.'

Alex Hobbs stond naast David Rhodes' bed toen Des Louw aankwam. Twee verpleegkundigen waren net klaar met de ochtendronde. Er hing spanning in de lucht. In de paar dagen na zijn opname had deze jongeman respect verworven van de hele verplegende staf. Hij weigerde gewoonweg te accepteren dat zijn hart aan het sterven was en zijn lichaam schade toebracht door de slechte circulatie van het bloed.

Uur na uur, dag na dag, iedere ademtocht met zijn half-verdronken longen bevechtend, was hij blijven geloven dat het hartteam hem er doorheen zou helpen. Dag na dag werd zijn conditie slechter en zag de verpleging hem langzamerhand wegglijden. Nu was er kans op een transplantatie en hoop dat hij zou blijven leven. Ze moesten hem nu niet in de steek laten. Uit alles bleek hoe de staf zich hiervoor inzette, iedereen liep energiek rond en glimlachte veel.

In de operatiekamer aan de overkant van de gang was men druk bezig. Verpleegkundigen maakten de installatie gereed en deskundigen hielden zich met de hartlongmachine bezig, een apparaat dat de werking van hart en longen van de patiënt overneemt tijdens het kritische gedeelte van de operatie.

Alex Hobbs knikte Louw bij diens binnenkomst toe, en ging door met het bekijken van de resultaten van de laboratoriumtesten van Davids bloedsamenstelling. Hij had de röntgenfoto's en het electrocardiogram al bekeken en azothioprine besteld dat oraal moest worden toegediend bij de pre-anesthesie. Er hoefde geen zes uur te worden gewacht tot de maag van de patiënt leeg was, want de jongen had al dagenlang vrijwel niets gegeten.

Hij keek naar Louw: 'Het ziet ernaar uit dat we er klaar voor zijn. Zijn de ouders gewaarschuwd?'

'Ja, die zijn er al. Ze vroegen of ze in de gang mochten wachten om David nog even te kunnen zien voor hij de operatiekamer ingaat.'

'Problemen?'

Des Louw aarzelde: 'Nee, niet echt. Voor ik hier naartoe kwam, heb ik even met ze gepraat. Ze zijn buitengewoon opgelucht. Wat hun betreft is het een uitgemaakte zaak.'

Hij keek ongelukkig. Hobbs fronste. Louw opende zijn mond, bedacht zich en schudde zijn hoofd.

'Kom op,' drong Hobbs aan.

'Wel, het gaat om hun houding, het verschil. Ze kijken tegen ons 'supermannen' op alsof we hun God zijn...'

Hobbs voelde een rilling langs zijn rug gaan. Een gevoel van bijgeloof uit zijn jeugd was ineens boven komen drijven. Ergens had iemand net over zijn graf gelopen.

HOOFDSTUK 6

Kapinsky was in de operatiekamer van de onderzoeksafdeling en keek met gefronst voorhoofd door een laparoscoop in het bekken van een vrouwtjesbaviaan.

In tegenstelling tot wat er in het organisatieplaatje stond vermeld, had Rodney Barnes hier niet veel te vertellen. Hij bewees alleen goede diensten als de apparatuur moest worden aangeschaft die Kapinsky nodig had om zijn doel te bereiken. En als die dag aanbrak, zou 'de staart met de hond kwispelen'. De gedachte aan dat Engelse spreekwoord over de wisseling van de macht naar de minst gewaardeerde medewerker, deed Kapinsky in lachen uitbarsten, zo hard dat de bavianen in hun kooien begonnen te kakelen.

Voor het probleem van de door inductie opgewekte immuuntolerantie die het immuunsysteem van de ontvanger blind maakt voor de aanwezigheid van het donororgaan, was een gestadige aanvoer nodig van zwangere bavianen, waarmee kon worden geëxperimenteerd. Kapinsky had dit besproken met een laborant van de afdeling gynaecologie. Ze waren het erover eens geworden dat de gemakkelijkste manier om dit probleem het hoofd te bieden was om de gerijpte eitjes van de vrouwtjesbavianen te verwijderen, ze buiten het lichaam te bevruchten met sperma van een mannetjesbaviaan en de cellen te intuberen tot het embryo's waren. In dat stadium konden ze dan bij lage temperaturen worden opgeslagen. Met zo'n voorraad achter de hand, redeneerde hij, moest het mogelijk zijn immuuntolerantie door inductie op te wekken, door eerst een embryo bij de vrouwtjesbaviaan in te brengen en dan, een paar weken later, de inmiddels onstane foetus te injecteren met antigenen van de donor. Maar eerst was er het probleem van de eitjes, waar echter volgens de laborant gemakkelijk aan te komen was.

Kapinsky had de baviaan al in de Trendelenburgpositie geplaatst – lichaam laag, benen en bekken hoog. De onderbuik was gevuld met koolzuurgas, waardoor de ingewanden werden teruggedrongen naar de bovenbuik en Kapinski duidelijk zicht kreeg op de structuur van het bekken. Hij was verbaasd hoe gemakkelijk het was de uterus te identificeren en de franjeachtige fimbriae die het ovum naar de eileiders leiden waar het door de spermatozoön kan worden bevrucht. De beide eileiders waren ook duidelijk zichtbaar. Kapinsky kon een gevoel van vreugde nauwelijks onderdrukken toen hij het bobbeltje op de linker-eileider zag, waarin het rijpende ovum zich bevond.

Daar ging het hem om.

Hij liet het gas via het gaatje in de onderbuik ontsnappen voor hij de laparoscoop terugtrok, en naaide het sneetje dicht. Tevreden dat hij de ova kon krijgen die hij nodig had, ging Kapinsky terug naar zijn bureau om nog eens het verslag van het experiment door te lezen. Super-ovulatie om het aantal ova te doen toenemen kon worden gestimuleerd door medicijnen als clomide en HMG (human menopausal gonadatrophin). Het was relatief eenvoudig de groei van de folliculi te controleren door de eileiders met regelmatige tussenpozen via ultrasone golven te onderzoeken. Bij het rijpen konden de ova verwijderd worden door één follikel door te prikken en de inhoud ervan op te zuigen in een glazen buisje dat een voedingsbodem bevatte van zevenendertig graden. Kapinsky keek aandachtig naar zijn notites. De vergaarde eitjes moesten gedurende een periode van zes uur worden gekweekt bij een gelijkmatige temperatuur en in een evenwichtige atmosfeer die het meest moest lijken op de natuurlijke omgeving. Hierdoor waren ze voorbereid voor het semen dat één tot twee uur van te voren via masturbatie bij de mannetjesbaviaan was weggehaald. Als het ejaculaat zorgvuldig werd behandeld, wat onder meer inhield dat het werd gewassen en opgeslagen in een voedingsbodem, zou hem dat wel honderdduizend mobiele spermacellen opleveren. Meer dan genoeg, glimlachte hij, om er zeker van te zijn dat het ovum goed bevrucht zou worden. Het embryo, en er was geen enkele reden waarom hij er niet net zoveel zou hebben als hij wilde, kon worden opgeslagen in verzegelde glazen bakjes en zeer koud bewaard in vloeibare stikstof. Hij keek op de klok van het lab. De transplantatie moest nu bijna achter de rug zijn.

Het was bijna van het begin af aan een ramp geweest. Toen David naar de operatiekamer was gebracht en al op de tafel lag en dokter Ohlsen, de anesthesist, nog één keer de apparatuur controleerde voor hij met verdoven begon, vroeg de hoofdzuster hem nog even te wachten.

'Wat?' had hij geïrriteerd gevraagd. Een paar seconden later was hij al aan de gang geweest. Maar ze was al weg en liet hem achter met een operatie-assistente.

Hij hoorde het geluid van een rolwagentje dat in de gang voorbijschoot en de deuren van de aangrenzende operatiekamer openklappen. Daar was het een drukte van belang. Hier en daar ving hij wat woorden op, iets over de donor die onstabiel was. Hij liep binnen om te kijken of hij kon helpen. Toen ze bezig waren de donor van de intensive care naar de operatiekamer te verplaatsen, ging diens hart ineens allerlei extra slagen geven en sloeg het van tijd op tijd op hol. Snyman had de normale hormonale therapie toegepast, door ieder uur intraveneus doses insuline, cortisol en schildklierhormonen toe te dienen. Een tijd lang ging het beter tot een paar minuten voor het moment dat ze de donor naar de operatiekamer zouden rijden, naast die waar David en de anesthesist zich bevonden. Barnes ging bij Snyman staan om de donor te onderzoeken, hij liet niets aan het toeval over.

'Hij is aan het fibrilleren,' riep een zuster. Barnes en Snyman keken naar de monitor die hoge piepgeluiden en wilde bewegingen begon te vertonen. Snelle golven dansten over het scherm. Het was de dans van de dood. Het hart trilde maar pompte geen bloed.

'Defibrillator!' schreeuwde Barnes, die op zijn knieën op het bed sprong en hartmassage begon toe te passen.

Jan Snyman vroeg zich af waarom hij dat deed. Wat had het voor zin de bloedcirculatie op gang te houden als de hersenen al dood waren en dus niet verder konden worden beschadigd? Hij stond op het punt iets te zeggen, maar hield zich in toen hij zich realiseerde dat het er natuurlijk om ging de bloedstroom naar de hartspier op gang te houden. Als die eenmaal beschadigd was, zou het heel moeilijk zijn hem weer op gang te brengen.

'Oké, paddles van de defibrillator bevestigen.' Barnes' stem klonk helder en duidelijk toen hij de elektroden van het apparaat aanbracht, één tegen het borstbeen van de donor en één een beetje aan de zijkant van de borstkas. Barnes gleed van het bed en knikte. Alex Hobbs, die zich net bij het groepje had gevoegd, drukte op de knop. Het lichaam kromde zich toen er enige duizenden volt elektriciteit doorheen joegen.

De rechte lijn op het electrocardiogramscherm vertoonde één enkele hartslag, toen nog een en verviel toen weer in het bekende fibrillatiepatroon. Barnes begon het hart weer te masseren, en duwde hard in het meegevende vlees, terwijl hij zich uit alle macht probeerde te herinneren wat de studies over hersendood ook weer vermeldden. Hij moest ineens denken aan Des Louws onderzoeksrapport over het functioneren van de hersenen. Dit onderzoek, gedaan tijdens de twee jaar durende stage van dokter Louw toen hij in opleiding was als cardiovasculair chirurg, behandelde de essentiële veranderingen die optreden vlak voor en na het intreden van de dood. Het werd uitgevoerd op proefdieren, met behulp van een ballonnetje dat werd opgeblazen binnen de schedel van een onder narcose gebrachte baviaan om zo de hersendood op te wekken. De veranderingen in hartslag, bloedsomloop en hormoonspiegels in het bloed werden bijgehouden. Louw rapporteerde dat het onder narcose gebrachte dier reageerde alsof het niet was verdoofd en geconfronteerd werd met een levensbedreigende situatie zoals de aanval van een luipaard.

Als voorbereiding op deze noodsituatie had het hormonale systeem van het lichaam een grotere hoeveelheid hormonen geproduceerd die de spieren prikkelden tot plotselinge actie en alle functies binnen het lichaam deden toenemen. Dit verschijnsel, bekend onder de naam 'sympathetic storm', was een overlevingsreactie ter afwending van een dreigende ramp die bij alle levende dieren voorkomt. Een betreurenswaardig neveneffect was de excessieve levering van hormonen aan de hartspier, die daardoor gedwongen werd ruimschoots buiten zijn normale bereik op te treden. Na de dood werd het hart van het dier ontleed en uitgestald op glazen plaatjes. Vol schrik herinnerde Barnes zich dat ieder plaatje ernstige beschadigingen aan de hartspier had laten zien.

Onder hem lag het lichaam van de donor, het vertoonde geen reactie behalve de lucht die bij iedere stoot van zijn handen uit de longen ontsnapte.

'Defibrillator!' riep hij weer. Iedereen deed een stapje terug toen de paddles werden geplaatst en de stroom zich ontlaadde. Het scherm gaf één enkel piepje en viel toen weer terug naar de dunne, schommelende lijn.

Barnes dwong zichzelf rustiger adem te halen. Hij had dit wel vaker meegemaakt. Een donorhart dat behoorlijk was beschadigd en niet meer op gang gebracht kon worden. De transplantatie werd dan afgelast. Maar dit was iets anders. Dit was David Rhodes' laatste kans.

Denk, droeg hij zijn geest op. Denk na! Er moest nog iets anders zijn, iets dat hij had gemist.

Hij merkte ineens dat het stil was geworden om hem heen. Iedereen stond naar hem te kijken. Hij was opgehouden met het masseren van het hart. De beslissing lag bij hem. Doorgaan? Het er verder maar bij laten? De donor prijsgeven en daarmee vrijwel zeker ook de patiënt? 'We brengen hem naar de andere operatiekamer, koppelen hem aan de hartlongmachine en perfunderen de hartspier met wat warm, zuurstofrijk bloed. Dan komt het wel weer op gang.' Ook hijzelf vond deze woorden nogal hol klinken.

Het slappe lichaam spartelde en schokte toen Barnes – op zijn knieën naast hem op de tafel, handen plat op zijn borstbeen – met rechte armen en zijn volle gewicht een aanhoudende hartmassage gaf. Hij brulde het uit bij het pompen, terwijl het om hem heen krioelde van de mensen in witte jassen.

Barnes stopte de massage en maakte ruimte, zodat het team de patiënt steriel kon afdekken en de plastic slangetjes kon aanbrengen die de bloedsomloop met de hartlongmachine verbond.

'Mes, alsjeblieft.'

David deed zijn ogen open toen het gierende geluid van de chirurgische zaag vanuit de aangrenzende kamer naar binnen siepelde. Des Louw sneed precies door het midden van de donor zijn borstbeen, een snede die keurig van boven tot onder liep, waardoor hij de ribbenkast kon opentrekken en het hart blootleggen.

'Ze zijn je nieuwe hart aan het bekijken.' Ohlsen probeerde zijn patiënt op zijn gemak te stellen.

Barnes stond in de andere ruimte aan het hoofd van de tafel en keek over het groene linnen scherm dat de operatiezuster had opgetrokken bij de voorbereidingen voor de operatie. Hij had geen woord gezegd tijdens het openen van de borstkas door Hobbs. Hobbs zette op een handige manier de haken vast en trok de ribbenkast open. Hij stak een gehandschoende hand in de lucht.

'Schaar,' vroeg hij.

De zuster legde de operatieschaar haastig in zijn handpalm. Alex stak de schaarpunten behoedzaam in de zak die het hart omsloot en sneed deze wijd open. De artsen keken naar de weke, grijze, spierpomp. Deze lag daar zonder enig teken van leven.

'Arterie-catheter.' Hobbs' stem bracht Barnes met een ruk weer terug. Met de behendigheid van een begenadigde chirurg plaatste Louw de catheter in de aorta – de grote lichaamsslagader – en een tweede catheter in de rechterhartboezem. De bloedsomloop van het lichaam was nu aangesloten op het circuit van de hartlongmachine.

'Pomp aan, start het opwarmen van de patiënt. Temperatuur?'

'Bijna eenendertig,' antwoordde de pomptechnicus.

'Het hart begint te reageren.' Dat was Jan Snyman.

Barnes merkte dat het beter ging, maar hij wist uit ervaring dat het veel te vroeg was om ingrijpende veranderingen te verwachten. Er moesten nog diverse hindernissen worden genomen. Eerst moest het hart gedefibrilleerd en onder een regelmatig sinusritme geplaatst worden, alvorens het van de machine kon worden gehaald. Dat zou het cruciale moment worden. Dat zou nogal wat tijd kosten en het was misschien beter als David weer naar de zaal werd gebracht.

Barnes liep door de verbindingsdeur en vond David rechtop zittend op de operatietafel, een zuurstofmasker over zijn mond en neus. Iedere ademtocht ging stotend en was een ware kwelling.

Dokter Ohlsen keek op. 'De pre-anesthesie is uitgewerkt,' verklaarde hij. 'Hij kan absoluut niet platliggen. Zijn longen moeten dan harder werken om lucht te krijgen en dat put hem volkomen uit. Ik denk dat het beter is hem te intuberen en aan de beademer te koppelen – voor hem de enige manier om voldoende lucht te krijgen.'

David was voldoende bij zijn positieven om het gesprek te kunnen volgen. Hij keek naar Barnes en probeerde te glimlachen, maar meer dan een grimas lukte hem niet. Hij kon het niet opbrengen iets te zeggen, maar uit alles bleek zijn rotsvaste vertrouwen in Barnes.

Barnes klopte hem op zijn hand en knikte bevestigend naar Ohlsen. 'Zelfs als hij naar de intensive care terug moet is het beter hem te intuberen. Dat komt de zuurstofopname in zijn bloed ten goede en verlicht de druk op zijn hart. Moet hij daarvoor onder narcose?'

Ohlsen keek naar David: 'Ja, hij zal het inbrengen van de buis in zijn luchtpijp beter verdragen als hij onder verdoving is.'

'Dank je, dokter. Ga je gang.' Barnes wendde zich tot David en lachte hem bemoedigend toe. In zijn achterhoofd hoorde hij een droog, raspend Schots bromgeluid dat zei: 'Als je patiënt geen vertrouwen in je heeft, kun je hem niet helpen.' Hij zei met een warme en geruststellende stem: 'Als je wakker wordt heb je een nieuw hart,' en vertrok daarna naar de donorruimte.

Daar was alleen het gierende geluid van de hartlongpompen te horen. Geen piep van de monitor, geen nodeloze gesprekken. Ieder lid van het hartteam concentreerde zich volledig op zijn taak.

'Hoe zit het met de bloedgassen en de elektrolyten?' vroeg Barnes en keek over de rand van het scherm.

'Astrup is prima en we hebben wat meer kalium toegediend.' Dit kwam van Jan Snyman.

Alex Hobbs voelde hoe gespannen Barnes was. 'Het ziet er allemaal goed uit,' verzekerde hij hem. 'Het hart wordt iedere minuut actiever, en we kunnen over niet al te lange tijd defibrilleren.'

Barnes keek weer naar het hart. De spiertonus was terug en het fibrilleerde druk.

'De directeur is aan de telefoon.' Hij had de zuster die net binnenkwam nog niet opgemerkt. Op het moment dat hij naar haar keek, maakte ze alweer aanstalten te vertrekken. 'Wat wil hij?' Barnes kon de irritatie in zijn stem niet onderdrukken.

'Ik weet het niet, dokter. Hij zei dat het belangrijk was en u persoonlijk wilde spreken.' Ze deed haar best uit de buurt te blijven van deze gespannen, boze arts, haar ogen kwamen groot boven het masker uit.

'Stop alle opwekkende middelen en geef wat lignocaïne. Wacht met defibrilleren tot ik terug ben.' Hij blafte deze woorden in korte zinnetjes over zijn schouder, op weg het kantoortje. De hoorn lag op het bureau. Hij pakte hem op. 'Ja?'

'Het spijt me u lastig te moeten vallen, dokter Barnes.' Directeur Webber klonk onzeker. 'Ik weet dat er wat problemen zijn, maar de pers heeft de hele ochtend aan de telefoon gehangen. Ze willen weten of de transplantatie is gelukt.'

'Hoe weten ze verdomme dat we aan het opereren zijn?' De informant is weer aan het werk geweest, dacht Barnes.

Webber hoorde de spanning in Barnes' stem en zei sussend: 'Rod, je weet dat de patiënt een bekende sportman is, en uit een vooraanstaande familie komt. Er staat hier een leger journalisten en fotografen.'

Barnes overwoog eventjes om de pers te zeggen dat ze konden barsten, maar een oude journalist had eens tegen hem gezegd: 'Je kunt de krokodil beter voeren, dan het risico lopen in je kont te worden gebeten.'

'Zeg ze maar dat we nog niet zijn begonnen. Er zijn wat technische problemen. De operatie zal over drie tot vier uur achter de rug zijn.'

Hij legde de hoorn op de haak zonder te wachten op het 'maar...' van de directeur. Waarom lieten ze hem niet met rust, zodat hij zich op zijn patiënt kon concentreren?

'Oké, laten we proberen het hart te defibrilleren,' verordende hij toen hij de donorkamer weer binnenliep.

Hobbs pakte de paddles op. Barnes stelde het voltage weer in en zette de machine in werking. Door de ontlading kromp het lichaam opnieuw samen, hoog boven de tafel. Barnes keek over het scherm. De fibrillatie was gestopt. Iedereen wachtte op de eerste gecoördineerde samentrekking van de spiervezels.

Het hart bleef passief. Wat was er verdomme nu weer aan de hand?

'Gebruik de tang,' zei hij tegen Hobbs.

Hobbs prikkelde het hart even met de tang. Het contraheerde.

'Nog eens,' vroeg Barnes. Het contraheerde weer.

Het zenuwcentrum van het hart, de 'pacemaker', functioneerde niet, dacht Barnes. Dat moet zijn stilgelegd door een of andere beschadiging. Zenuwweefsel was altijd gevoeliger voor zuurstofgebrek dan spierweefsel. De volgende stap was het bevestigen van de elektroden aan de buitenzijde van het hart en het elektrisch te prikkelen.

Het leek een beetje op het vechten tegen een onzichtbare vijand die iedere keer een andere positie innam. Ze moesten zich steeds vaker terugtrekken naar zwakkere posities.

'Wat vind je ervan, dokter Barnes?' vroeg Hobbs en veroorzaakte opnieuw een samentrekking met de forceps.

'Bij hersendood treden meer complicaties op dan we weten,' zei Barnes en wenste meteen dat hij dat niet had gedaan. Zijn stem had bezorgd geklonken. Hij maakte het team onrustig. Ze waren allemaal topmensen, maar een deuk in het moreel zou het teamwork niet ten goede komen en zelfs aanleiding kunnen zijn voor heel elementaire vergissingen, fouten die een leven konden kosten.

Barnes voelde zich ineens heel erg moe. Hij had alles gedaan wat hij kon. Hardop zei hij: 'De donor is goed van zuurstof voorzien. Bloedvolume, elektrolyten en Astrup zijn in orde.'

'En ik heb ieder uur insuline, cortisol en schildklierhormoon toegediend.' Er klonk wat trots door in de stem van de jongste assistent. Jan Snyman besefte wat een voorrecht het was aan een dergelijke operatie mee te mogen doen. Zijn eerste jaar als volleerd arts en nu al in de voorste gelederen van de geneeskunde.

'We hebben alles gedaan om te voorkomen dat de energie-opslag van de hartspier leegliep,' voegde Hobbs toe, die nog steeds bezig was het hart te prikkelen.

'Oké, laten we het stimuleren.' De operatiezuster pakte de elektroden. Barnes keek om zich heen. 'Waar is dokter Louw?'

'Die bereidt zich voor op het openmaken van de patiënt,' zei de afdelingszuster.

'Vraag of hij hier naartoe komt. We hebben zijn mening nodig.' Ze knikte en duwde met haar schouders de tussendeuren open, haar gehandschoende handen in de lucht.

Hobbs pakte de elektroden die hem door de zuster werden aangereikt aan, en keek naar Barnes.

'Stimuleren we de atria of de ventrikels?'

'Ik denk dat het veiliger is de ventrikels te stimuleren voor het geval er een hartblock optreedt. De zenuwverbindingen die de impulsen van de bovenste kamers overnemen zijn misschien ook wel aangetast.'

Hobbs bevestigde twee metalen schijven aan de oppervlakte van de kamers met een drienul-hechting, verbond deze met de uiteinden van het snoer en gaf de snoeren aan.

'Instellen op honderd slagen per minuut. Pacemaker aan.'
Geen reactie.
'Hoger voltage.'
Barnes probeerde zijn stem normaal te laten klinken.
'Het begint te slaan.' Hobbs was duidelijk opgelucht.
Barnes keek naar het scherm. Ja, het hart trok honderd keer per minuut samen. Ze hadden een stelling op de vijand terugveroverd en begonnen terrein te winnen. Hij merkte dat Des Louw naast hem stond.
'Dokter Louw, je hebt dit probleem uitputtend onderzocht. Wat vind jij ervan?'
Louw keek naar het scherm. 'Ik zie dat je het hart aan het stimuleren bent.'
'Ja, het staat volkomen stil.'
Beiden staarden naar het hart alsof ze er het antwoord van de samentrekkende spier van konden aflezen.
'Volgens mij heeft bij de dood van de hersenen een overdadige uitstoot van catecholaminen op grote schaal schade toegebracht aan de hartspier. In het lab hebben we binnen enkele minuten na de hersendood een opmerkelijke toename geconstateerd van hormonen als epinefrine, norandrenaline en dopamine.'
Louw tuitte zijn lippen en voegde er nog aan toe: 'We kunnen een biopt van het hart nemen voor vriescoupe-onderzoek en de patholoog vragen de omvang van de schade vast te stellen, maar ik persoonlijk denk dat het daarvoor te laat is.'
Hiermee sprak hij een doodvonnis uit. Voor het donorhart en voor de jongeman in de kamer ernaast.
'Ik weet zeker dat we uitgebreide histo-pathologische schade zullen aantreffen, zoals contractiebanden, focaal weefselversterf, myocytolyse met zwelling en ontstekingsinfiltraat.'
Hij gaf een beschrijving van de celveranderingen in een dood hart. Barnes voelde een opwelling om hem de mond te snoeren, maar zei niets.
Het piepen van de monitor werd ineens onregelmatig. Verdorie, ging het hart weer fibrilleren?
'Dokter Barnes, het begint uit zichzelf te slaan,' riep Hobbs. 'Draai de pacemaker lager.'
Barnes reageerde onmiddellijk en begon af te tellen: 'Negentig, tachtig, zeventig.' Met een zucht van opluchting voegde hij toe: 'Het blijft hetzelfde tempo aanhouden.'
Louw tuurde naar het scherm. Er was geen twijfel mogelijk, iedere atriumcontractie werd gevolgd door een ventriculaire respons.

Ze hadden opnieuw een overwinning behaald, dacht Barnes. Nu op naar de eindaanval. Zou het hart de circulatie voldoende op gang houden als de hulp van de hartlongmachine werd uitgeschakeld?

Hij wendde zich tot de technicus en zei: 'Toevoer lager.' De toonhoogte van de motor die de pompen aandreef ging meteen omlaag. 'Hoe staat het met de druk, dokter Louw?'

'Gaat omlaag. Honderd, vijfenzeventig, tachtig, tachtig... blijft op tachtig.'

Barnes hield het hart nauwkeurig in de gaten en zocht naar tekenen van overbelasting. Maar nee, het leek zich bij iedere contractie goed leeg te pompen.

Hij liep naar de hartlongmachine en draaide de pompen dit keer zelf zorgvuldig lager. De kunstmatige ondersteuning werd steeds minder tot het nog maar een kwart van de bloedsomloop betrof.

'Te laag,' riepen Hobbs en Louw gelijktijdig. Het hart begon te zwellen en te haperen.

Barnes verhoogde de toevoer weer.

'Hart herstelt, druk stijgt.' Hobbs hield zijn blik strak gericht op het worstelende orgaan.

'We hebben misschien wel te veel haast. Laten we het hart wat meer tijd geven om zich te herstellen.' Barnes keek door het raam op de klok van de operatiekamer. Het donorhart was nu vijfenveertig minuten aangesloten op de kunstmatige circulatie-ondersteuning. 'Ik ga even naar hiernaast. Houd alles zoals het nu is.'

Dokter Ohlsen injecteerde iets in de veneuze lijn, toen hij binnenkwam. David lag op zijn rug, volledig onder narcose, en zijn borst ging tegelijk met de beademer op en neer.

Het viel Barnes meteen op dat zowel de arteriële als de veneuze bloeddruk normaal waren. Wat hem niet aanstond, was dat de extra hartslagen uit de onderste kamers van het hart kwamen.

'Zijn hart is nogal gevoelig,' zei hij.

Ohlsen keek op. 'Ja, ik hem net wat kalium gegeven en ben weer met de lignocaïne begonnen. Hoe verlopen de zaken hiernaast?'

'We zijn aan de winnende hand. De komende minuten zijn doorslaggevend. Ik ben zo terug.'

Hij ging weer terug naar de donorruimte. Hij stond op het punt een van de moeilijkste beslissingen van zijn leven te nemen. Dit was het kritieke moment.

Hij rechtte zijn schouders en liep terug naar het hartteam waar hij het weer overnam aan de hartlongmachine. 'Oké, we proberen het nog eens,' zei hij, in de hoop dat het een stuk achtelozer klonk dan hij zich voelde.

'Klaar? Ik zet de pompen langzamer. Let op de bloeddruk en het hart.'

Hij las hardop: 'Vijfenzeventig procent, zestig, vijftig, vijfentwintig.'

'Bloeddruk zakt,' zei Louw.

'Hart hapert,' zei Hobbs.

'Ik denk niet dat het hart erg snel zal herstellen, àls het zich herstelt,' concludeerde Louw, toen Barnes de knop weer hoger draaide.

Misschien heeft dit hart wel hersenen nodig om volledig te kunnen herstellen, dacht Barnes. Ze bevonden zich hier op onbekend terrein. Er moest ergens een factor zijn, door de levende hersenen gestuurd, waar ze niets van afwisten. Iets essentieels dat de gezondheid van de vitale organen in stand hield. Maar de hersenen waren dood. Niemand zei iets.

'Dokter Barnes?' De technicus had hem iets gevraagd en wachtte klaarblijkelijk op een antwoord.

Hij knipperde met zijn ogen en voelde hoe hij terugkeerde uit de mist van onzekerheid.

Hij kreeg ineens een ingeving. De hersenen van David bevatten die factor, die wil tot overleven! Als hij dit hart parallel zou aansluiten naast dat van David, zouden de hersenen met het helingsproces kunnen beginnen en beide harten een kans geven.

Hij richtte zich tot Louw. 'Maak David klaar. Ik kom zo en dan kunnen we de borst openen.'

Louw aarzelde, hield zich even in alsof hij iets wilde zeggen, mompelde zoiets als 'zeker dokter' en vertrok.

'Wat zei je daarnet?' zei hij kortaf tegen de hartpomptechnicus, knikte tegen de print van de machine die hij teruggaf en wendde zich tot Hobbs.

'Dokter Hobbs, koel de patiënt, en stop het hart door de spier met een verlammende vloeistof te spoelen. Verwijder het als het volkomen stil en koud is en plaats het dan in een bevroren zoutoplossing.'

'Ja, dokter.'

Net als alle andere aanwezigen had ook Hobbs gemerkt dat er iets in Barnes was veranderd. De zorgelijke trekken op zijn gezicht en zijn defensieve houding waren verdwenen. Nu deelde hij bevelen uit, en straalde zekerheid en zelfvertrouwen uit.

Barnes liep van de tafel weg, en draaide zich toen om naar het verbaasde groepje. 'Ik ga door. We verrichten een heterotope transplantatie.'

HOOFDSTUK 7

'Die zijn iets aan het uitspoken, let op mijn woorden.' Onder het uitroepen van deze woorden stormde professor Thomas, de aders opgezwollen in zijn rode gezicht, het kantoor van professor Kemble binnen. JJ stond op, hoffelijk als altijd, om hem te begroeten.

'Neem me niet kwalijk. Ik kreeg de kans niet eens, hij liep zo langs me heen.' JJ's secretaresse kwam achter hem aan. Ze was razend, want het gebeurde niet vaak dat iemand haar te vlug af was en ze keek naar Thomas alsof ze hem er zo weer uit wilde gooien.

JJ moest zijn lachen inhouden bij het zien van dit kleine vrouwtje, de vuisten gebald en haar stekels op van woede, tegenover de omvangrijke patholoog. Hij gaf de voorkeur aan vrouwen die kleiner waren dan hijzelf, en Betty Lloyd vormde daarop geen uitzondering. Ze had zijn kantoor een kwart eeuw lang onopvallend en efficiënt geleid, zijn privacy behoed en iedereen zonder afspraak de deur gewezen, of het nu studenten waren of leden van de staf.

'Dank je wel, Betty. Ik regel het wel.'

Ze keek met een over-mijn-lijk-blik naar Thomas en liep de kamer uit.

'Die zijn iets aan het uitspoken en ik wil absoluut weten wat.' Thomas stikte haast in zijn woorden en was daardoor, met zijn zware Engelse Midlands-accent, haast niet te verstaan.

JJ bestudeerde de man tegenover hem. Beroepshalve signaleerde hij zijn rode gelaatskleur, het vleugje zweet op de vlezige bovenlip, zijn overgewicht en ademtekort.

Als de pathologie-docent van dit ziekenhuis nog even doorging met deze dodelijke combinatie van grote stress en slechte conditie, zou het niet lang meer duren voordat hij een van zijn eigen interessante gevallen op de snijtafel werd.

JJ keek zo neutraal mogelijk, wat niet eenvoudig was onder de omstandigheden, vooral niet omdat het hier ging om professor St. John Thomas, lekepredikant, moralist uit roeping, het actiefste lid van de Ethische Commissie en een lastpak bij uitstek.

Hij had zich vaak afgevraagd hoe iemand met zo'n matige wetenschappelijke achtergrond en minimale forensische vaardigheden benoemd had kunnen worden als hoofd van de afdeling pathologie aan een van de belangrijkste academische ziekenhuizen in de wereld. Hij had zijn cv gezien, de korte lijst van weinig gefundeerde publicaties – allemaal in niet toonaangevende tijdschriften – en de lauwe aanbevelingen van diverse medische en academische instanties in Engeland. Misschien dat het iets te maken had met het feit dat artsen massaal Zuid-Afrika verlieten in verband met de apartheidspolitiek en de topposities daardoor openstonden voor allerlei tweederangs medici. Wellicht waren zijn religieuze opvattingen een aanbeveling geweest, die goed in de smaak vielen bij de Afrikaanse medische bureaucraten in de benoemingscommissie.

'Goedemorgen, professor. Gaat u zitten. Wat kan ik voor u doen?' JJ wees naar een stoel tegenover hem. Thomas ging meteen zitten, slaakte een diepe zucht en wiste het zweet van zijn voorhoofd.

'Ze zijn bavianenembryo's aan het verzamelen. Er is een groot kwaad op komst, dat verzeker ik u, een groot kwaad.' De stem van Thomas kreeg iets prekerigs, alsof hij een groot onzichtbaar gehoor toesprak.

JJ probeerde zijn hekel aan de man te onderdrukken. Deze schijnheilige rotzak voerde iets in zijn schild. Het werd hoog tijd Rodney weer eens op te zoeken. Hij wist zeker dat Barnes binnen de ethische normen zou blijven, ongeacht waar hij mee bezig was. Barnes consulteerde hem slechts zelden over zijn werk, maar hij publiceerde regelmatig, sprak tijdens internationale conferenties en sleepte – tot de gevolgen van de academische boycot voelbaar werden – een aanhoudende stroom van onderzoeksfondsen binnen van internationale farmaceutische industrieën en medische instituten.

Daar kwam nog bij dat hij niet alleen de top-hartchirurg van het land was, maar van de hele wereld, terwijl deze opgefokte hypocriet niet veel anders deed dan godsdienstige praatjes rondstrooien en zinvolle onderzoeken blokkeren. Opnieuw vervloekte JJ de politiek die zijn faculteit had opgezadeld met zo'n onevenwichtige en gevaarlijke man. Hij keek de man recht aan en loog met een onbewogen gezicht: 'Ja, dat weet ik.'

Thomas keek alsof hij door de bliksem was getroffen. 'U weet ervan, en doet niets?' JJ genoot. Hij bood Thomas een sigaret aan, maar die schudde het hoofd. Hij stak in alle rust zelf op, ging achteruit in zijn stoel zitten, inhaleerde diep en blies een grote rookwolk uit boven het hoofd van Thomas.

De man wond zich zichtbaar nog meer op, voor zover dat ten minste mogelijk was.

'Professor Thomas, mijn instituut is verantwoordelijk voor minstens dertig publicaties per jaar. En die verschijnen dan ook nog in alle belangrijke vaktijdschriften. Hoeveel artikelen worden bij u jaarlijks gepubliceerd?'

Het werd allemaal wat gemakkelijker als de man in de verdediging werd gedrongen. Hij wist dat Thomas tijdens faculteitsvergaderingen was bekritiseerd voor de geringe hoeveelheid onderszoeksprojecten op de afdeling pathologie.

'Ik heb liever geen artikelen en geen publicaties, dan de kwalijke praktijken toe te laten die in uw laboratorium plaatsvinden onder het mom van onderzoek.'

Thomas was half uit zijn stoel opgestaan en zwaaide verhit met een vinger voor het gezicht van JJ. Hier sprak de Afgezant van de Heer, die kwam waarschuwen tegen de zonde en de vergelding die daarop volgde.

'Kemble, u bevindt zich op een dwaalspoor. Als de mens niet waakzaam is, krijgt het kwaad zijn kans. Maar onwetendheid is geen excuus.' Er ontstond wat schuim in zijn mondhoeken en zijn stem bulderde door het kantoortje, zodat Grace naar binnen kwam rennen om indien nodig de helpende hand te bieden.

Thomas duwde haar opzij en beende de deur uit, maar niet zonder over zijn schouder te roepen: 'Let op mijn woorden. Over niet al te lang zullen vrouwtjesbavianen het leven schenken aan God weet wat, misschien zelfs wel menselijke baby's. Wat ze ook aan het doen zijn, ik zal er een stokje voor steken. *Dit moet worden stopgezet.*'

Weg was hij, zijn stem dreunde nog na vanuit de gang waar een paar geschrokken kantoormensen opzij sprongen toen hij voorbij kwam stormen.

JJ trok een gezicht naar Grace, knikte bevestigend toen ze vroeg of hij thee wilde en ging weer zitten om over Thomas' uitbarsting na te denken.

Goeie genade! Bavianen die mensen baren? Die gluiperd moet ergens wat laboratoriumroddel hebben opgevangen die, zoals alle kletspraatjes, steeds grotesker werd. Het zou niettemin geen kwaad kunnen eens een beleefdheidsbezoekje af te leggen bij Barnes en die rare knaap Kapinsky.

Maar Thomas was hem voor. Kapinsky merkte tot zijn verbazing dat dit lid van de Ethische Commissie door de deuropening van zijn kantoor naar hem stond te kijken.

Hij had gehoord dat Thomas aan het rondsnuffelen was en de laboranten vragen had gesteld over de proefdieren. De gevoelige gebieden bevonden zich gelukkig achter slot en grendel.

'Goedemorgen, professor Thomas. Wat kan ik voor u doen?' vroeg Kapinsky op vriendelijke toon, zonder zich bewust te zijn dat hij JJ's begroeting imiteerde. Thomas schonk er verder geen aandacht aan. Hij was hier gekomen om te scoren en niets zou hem daarvan weerhouden. Hij barstte meteen los.

'U moet dit werk stopzetten. God kan niet toestaan dat u hiermee doorgaat.'

Kapinsky begreep er niets van. 'Ik weet niet waar u het over heeft.'

'Lieg niet, dokter Kapinsky. De menselijke embryo's die u in vrouwtjesbavianen gaat implanteren.'

Kapinsky's stem verkoelde: 'Zou ik mogen weten waarop u deze veronderstellingen baseert, professor Thomas?'

Thomas voelde zich nu zekerder van zijn zaak. Kapinsky, wat was dat eigenlijk voor een naam? Pools? Duits? Maakte niets uit. Deze midden-Europese lieden waren allemaal hetzelfde. Die moesten ferm worden toegesproken, en merken wie de baas was. Zo kreeg je ze al gauw in het gareel.

'Ik weet dat u al wekenlang contact heeft met uw vriend van gynaecologie. Denk maar niet dat ik gek ben. Ik eis uw aantekeningen en sta er op dat u alle proefdieren vernietigt die bij deze ontering van gods schepping zijn gebruikt. Deze gruwel zal vandaag nog een halt worden toegeroepen.'

Scheisse! Even kon Kapinsky alleen maar denken in de taal van zijn jeugd. Deze rotzak was gevaarlijk. Hij wist meer dan de meeste mensen van zijn lab, en kon de hele boel verpesten. Het belangrijkste was dat hij hem zo snel mogelijk hiervandaan moest zien te krijgen.

Ineens werd alles hem duidelijk. Hij had een taak te verrichten, een project uit te voeren. Niemand, maar dan ook niemand, en dus ook niet de hele Ethische Commissie als dat zo te pas kwam – en zeker niet deze bijbelciterende bekrompen fanaticus – mocht dit project in de weg staan.

Hij stond op. 'Professor, u heeft het recht niet zonder toestemming dit laboratorium te betreden. Sterker nog, u heeft het recht niet mij te zeggen wat ik moet doen of laten.' Hij ging harder spreken, deed een stapje naar voren en voegde eraan toe: 'Verdwijn dus, voordat ik u eruit gooi.'

Thomas kende Kapinsky's gewelddadige reputatie. De uitdrukking op Kapinsky's gezicht liet er geen twijfel over bestaan dat hij zijn woorden kracht zou bijzetten. In de kerk – tijdens zijn zondagsdienst als lekenpredikant – voelde hij zich onoverwinnelijk, omringd door de legerscharen van de Heer. Hier, alleen tegenover deze boze man, lagen de zaken wat anders. Kapinsky met zijn brede borst en bovenarmen als hammen leek tot alles in staat.

'Dokter Kapinsky, als dokter Barnes u niet in toom kan houden en professor Kemble u niet verhindert door te gaan, zal ik dat doen,' zei hij en stormde de deur uit.

Kapinsky steunde met beide handen op de proeftafel, boog het hoofd en dwong zichzelf kalm te blijven. Een eindje verderop deden de laboranten alsof ze niets hadden gezien of gehoord.

De idioot had hem op een idee gebracht. Een stemmetje in zijn binnenste fluisterde: 'Het zou niet voor het eerst zijn dat ik iemand vermoordde. Als je dwars gaat liggen, zak, maak ik je af. Niets of niemand zal dit project in de weg staan.'

In de operatiekamer van de hartafdeling had Barnes een kritiek moment in de transplantatieprocedure bereikt. Met behulp van Des Louw had hij binnen een paar minuten Davids borstkas geopend, door het borstbeen in tweeën te zagen en de helften door middel van een retractor van elkaar te houden.

Het ontstoken hart was nu goed te zien, het deed zijn uiterste best om de bloedsomloop op gang te houden en riep bij iedere slag om hulp.

Met rappe, trefzekere vingerbewegingen opende hij de rechterborstholte en sloeg de rechterkant van de zak die om het hart sloot naar beneden. Hierdoor ontstond er een ruimte ter grootte van een mannenvuist, waar het assisterende hart gemakkelijk kon worden geplaatst zonder dat de long werd samengedrukt.

'Dit moet genoeg ruimte zijn,' mompelde Barnes en stapte naar achteren. Louw had toegekeken, vol bewondering voor zijn vaardigheid. Hier op tafel had hij de theorie uit de studieboeken daadwerkelijk herschreven zien worden. Nooit eerder had hij deze chirurgische procedure kunnen aanschouwen. Hij had een lucratieve huisartsenpraktijk achter zich gelaten, en was hier naartoe gekomen om twee jaar lang als laaggeplaatste specialist in opleiding te doen wat hem werd gezegd, de meester aan het werk te zien en elke beweging te noteren, zoals een goede leerling betaamt.

Toen Barnes een paar maanden geleden had besloten het donorhart als een hulpinstrument te gaan gebruiken, ontdekte hij dat onderzoekers op dit gebied het donorhart om de een of andere reden altijd in het linkergedeelte van de borstkas hadden geplaatst, waar niet voldoende ruimte was. Er moest dan een deel van de linkerlong worden verwijderd. Als men het donorhart aan de rechterkant plaatste, zo redeneerde hij, was er ruimte genoeg en hoefde er niets van de long af te worden gehaald. Bovendien kon het getransplanteerde donorhart, als het niet voldeed, worden verwijderd zonder dat de patiënt daar schade van ondervond. Enige experimenten op dit gebied overtuigden Barnes dat hij het bij het rechte eind had. David was de eerste mens bij wie het tweede hart zich in het rechtergedeelte van de borstkas bevond.

Hij knikte naar Louw die ging helpen met het aansluiten van Davids bloedsomloop aan de hartlongmachine. Barnes kon zich wel vinden in het zelfverzekerde optreden van Louw. Een aanmatigend knaapje, dacht hij bij zichzelf, maar hij komt er wel. Misschien hadden ze aan het einde van zijn studieperiode wel een plaatsje voor hem in het hartteam. Na een teken nam de machine het van David over.

'Ga dokter Hobbs maar zeggen dat we klaar zijn,' zei hij tegen de afdelingszuster. Hobbs, die op de oproep had staan wachten, verscheen binnen een mum van tijd met het donorhart op een roestvrij stalen schotel. Deze zette hij neer op de intrumententafel naast Barnes. Barnes draaide zich om en tilde het hart uit de ijskoude zoutoplossing. Het was zacht en kwabbig en vertoonde het grijsbruine tintje van de dood. Even kreeg hij het benauwd. Zou dit hart ooit weer op gang komen? Hij vermande zich. Ergens in deze klomp van spieren en weefsel zat een sprankje leven dat zou opgloeien op het moment dat hij het warm, zuurstofrijk bloed kon geven.

Om de technische kant van de procedure te vereenvoudigen werd Davids hart ook even stilgezet. Nu waren er in aangrenzende kamers twee lichamen zonder hartslag. Het was een kritiek moment van oversteek tijdens de operatie, een psychologische Rubicon, dacht Barnes, waarin twijfel en onzekerheid de overhand konden krijgen. Hij waarschuwde zijn assistenten altijd zich bewust te zijn van dit moment en zich niet van de wijs te laten brengen.

'Laten we de zaak aansluiten,' zei hij vastbesloten. Louw stond alweer klaar. Met een doorlopende hechting verbonden zij de linkerboezems van de twee harten met elkaar zodat het bloed vrijelijk kon stromen en daarna deden ze hetzelfde met de twee rechterboezems. Het uiteinde van de longslagader van de donor werd verbonden met de zijkant van Davids longslagader. Hierdoor konden beide rechterkamers nu bloed naar Davids longen pompen.

'Aorta!'

Ze begonnen gelijktijdig te werken aan de grote lichaamsslagader die het bloed naar de hersenen en de rest van het lichaam transporteerde.

'Ik doe dit met een zijklem,' zei Barnes. 'Maak de klem aan Davids aorta los zodat het hart wat bloed kan krijgen.' Behoudens enkele instructies, praatte het team verder weinig met elkaar. Barnes was geen voorstander van doelloos gebabbel tijdens het opereren.

'Klem los,' liet Des Louw weten.

Het hart werd meteen roze van kleur en verstrakte. Een paar seconden later gaf het tekenen van leven door te gaan fibrilleren. Barnes plaatste een zijklem aan Davids aorta zonder de bloedtoevoer naar de krans-slagaders te hinderen. Toen maakte hij een opening die groot genoeg was voor de donor-aorta en daarna verbond hij het uiteinde van de ene met de zijkant van de andere met een keurig rijtje hechtingen.

'Zijklem verwijderen!'

Het donorhart kreeg weer levenschenkend bloed, voor het eerst nadat het twee uur geleden was verwijderd.

'Opwarming aan,' zei Barnes tegen de technicus. Dit was het moment der waarheid. Nu zou hij spoedig weten of hij de juiste beslissing had genomen. Niemand zei een woord, iedereen werd door zijn eigen gedachten in beslag genomen, maar zond ook een schietgebedje naar boven. Davids hart fibrilleerde nu hevig. Barnes stond in de verleiding het meteen op gang te brengen zodat er in ieder geval één hart bloed zou pompen.

'Temperatuur?' vroeg hij aan niemand in het bijzonder.

'Vierendertig,' antwoordde een stem.

Toen, als door een dirigeerstok aangegeven, riepen ze allemaal in koor: 'Het slaat!'

Davids hart was uit zichzelf gaan slaan, alsof de paar minuten rust tijdens de operatie hadden geholpen.

Maar hoe lang, dacht Barnes, die deze negatieve gevoelens meteen weer van zich afschudde.

Hij keek naar het donorhart. Dit zag er ook een stuk gezonder uit en was niet meer die kwabbige zak die hij parallel had vastgehecht aan Davids hart.

De boezems waren aanhoudend gaan samentrekken, maar de kamers leken niet te reageren.

'Temperatuur?'

'Nu zesendertig,' luidde het antwoord.

'Astrupbepaling?'

'Prima in orde,' zei dokter Ohlsen.

'Geef wat isoprenaline gevolgd door de derde dosis cortisone.'

Een nieuwe vijand had zich in de strijd gemengd – afstoting. Davids immuunsysteem had de aanwezigheid van het donorhart al bespeurd. Het zou worden herkend als oneigen, een indringer, op dezelfde manier als levende bacteriën of virussen werden herkend en vernietigd. Het nieuwe hart zou binnenkort worden aangevallen. David had van tevoren een behandeling ondergaan die de hevigheid van de immuunreactie moest zien te verminderen, maar de dreiging bleef voortdurend aanwezig.

'Isoprenaline toegediend,' zei dokter Ohlsen.

Het hart deed niets. Onder normale omstandigheden zou het met een spierbeweging hebben gereageerd op deze stimulans.

'We zetten het in werking.'

Ohlsen reageerde onmiddellijk: 'Pacemaker aan.'

Het hart reageerde niet op de elektrische prikkels uit de elektroden die nog steeds aan de wanden van de ventrikels zaten bevestigd.

'Geen reactie.' Barnes' stem klonk kalm maar hij begon het knap benauwd te krijgen.

'Voltage hoger.'

'Is al gebeurd,' zei Ohlsen, die deze ontwikkeling had zien aankomen.

'Nog hoger.' Barnes hoopte dat de vertwijfeling die hij voelde niet doorklonk in zijn stem. Het zag ernaar uit dat de hartspier te ver heen was om nog te kunnen reageren op de elektrische schokken van de pacemaker.

Er welde een hopeloos gevoel in hem op – plotseling, onverwacht en met een verlammende uitwerking. Hij kon niemand om advies vragen. Dit was een onontgonnen gebied in de geneeskunde, zonder wegwijzers.

'Het ziet ernaar uit dat het hart dood is, dokter.' Des Louw stelde de zaken niet mooier voor dan ze waren.

'Ik denk dat we het moeten weghalen. De niet-samentrekkende kamers belemmeren de bloedsomloop en het grote gevaar bestaat dat het bloed daar gaat stollen.'

Barnes wist dat dit een beslissing was die alleen hij kon nemen.

'Laten we eens kijken wat er gebeurt als we de toevoer verminderen. Dokter Ohlsen, wilt u de longen oppompen?'

De twee harten gingen tegelijk op en neer met de beademer. Barnes inspecteerde de borst. 'Zijn rechterlong is nog steeds plat, kunt u die helemaal oppompen?'

Ohlsen verhoogde de druk van de beademer.

'Prima. Nu de extra-corporale ondersteuning verminderen.' Het gieren van de elektrische motoren viel terug tot gezoem. Davids hart begon vol te lopen en vertoonde geen tekenen van weigering.

'Veneuze druk?'

'Maar net drie en het hart van de patiënt pompt. Ik kan het zien op de arteriële bewaking.' Ohlsens stem klonk opgelucht.

Barnes nam het besluit. 'Het donorhart blijft waar het is.' Hij voelde dat hij het team een verklaring schuldig was.

'Sommigen van jullie herinneren zich waarschijnlijk nog wel ons ergste geval van afstoting. Meneer Moore?'

Louw knikte.

'De afstoting was zo hevig dat het getransplanteerde hart fibrilleerde. Het beschadigde hart van de patiënt hield het echter gaande tot we de afstoting onder de knie hadden. We defibrilleerden het hart op de vijfde dag.'

'Ja,' zei Louw. Maar dit hart stoot niet af, dacht hij. Dit hart is dood.

Barnes ging verder, en probeerde zowel zichzelf te overtuigen als zijn assistent. 'Meneer Moore leeft nog steeds. We kregen geen problemen met bloedstollingen en het donorhart werkt nu beter dan zijn eigen hart.'

Hij keek weer naar het donorhart in Davids borst. De pompkamers stonden stil en niets duidde op samentrekkingen. Het hing daar naast Davids zieke hart, doelloos als een dood stuk vlees.

Barnes controleerde de hechtnaden op bloedingen. Gerustgesteld nam hij de laatste stap.

'Stop de bypass.' Het gieren van deze motoren hield ook op. Het enige geluid was nu het suizen en zuchten van het ademhalingstoestel.

'De gemiddelde druk blijft dertig,' zei Ohlsen.

'De veneuze druk?'

'Niet meer dan vijf.'

'Bloed toedienen via de pomp en zien hoe hij reageert op een toename in de voorbelasting van het hart.'

Barnes ging zelf kijken hoe het ging met de veneuze druk.

Deze liep op, langzaam, – zes, zeven, acht, negen, tien.

'Oké, houd dat maar aan,' zei hij tegen de technicus.

'Arteriële druk tachtig.' Ohlsens vreugde over dit getal was duidelijk aan hem te horen. Barnes had de verbetering in de circulatie al opgemerkt, door de toename van het bloedvolume.

'Neutraliseer de heparine, zodat het bloed weer kan stollen. En dien de protamine toe, dokter Ohlsen.'

'Hij begint urine te produceren,' zei de technicus.

Barnes voelde zich volledig uitgeput, zowel geestelijk als lichamelijk. Hij was ineens doodmoe. Hij keek de zuster aan: 'Wilt u dokter Snyman vragen zich klaar te maken?' Ze knikte. Hij keek naar Louw. In diens ogen boven het masker viel duidelijk te lezen dat hij er klaar voor was. Hij stond te trappelen om het over te nemen.

'Dokter Louw, wilt u zo goed zijn de veneuze en arteriële catheters te verwijderen en de borstkas te sluiten? Ik ben in de dokterskamer. Roep me als er iets in zijn conditie verandert.'

In de wasruimte stroopte hij zijn handschoenen af, liet het masker zakken en liep daarna naar de dokterskamer.

Hij zou alles overhebben voor een sigaret. Merkwaardig hoe die behoefte toch weer kwam opzetten, dacht hij. Hij was al jaren geleden gestopt met roken, maar na een periode van grote stress ontstond toch iedere keer weer die hang naar nicotine.

Hij weerstond de verleiding bij een van de zaalhulpen een sigaret te bietsen en vroeg in plaats daarvan om een kop thee, een krachtiger narcoticum. Na de eerste slok voeld hij hoe zijn lichaam zich ontspande.

Doodmoe woog hij de verschillende opties af. Als zijn theorie klopte, was Davids eigen hart inmiddels begonnen het donorhart te helpen bij het herstel, terwijl de x-factor in zijn hersenen de wonden aan het helen was, die door de dood van de donorhersenen waren veroorzaakt.

Ergens in zijn achterhoofd signaleerde hij opnieuw de afstandelijkheid van het woord 'donor'. De jongeman Jerry Jooste bestond niet meer. Hij had hier te maken met een donororgaan, een hoeveelheid weefsel die alleen maar bruikbaar was in de context van de hartchirurgie.

Zijn aandacht werd getrokken door een beweging bij de deur. Een van de verpleeghulpen kwam zeggen dat de directeur weer aan de telefoon was. 'Dank u, zuster. Vraag de telefoniste maar of ze wil doorverbinden.'

Ze knikte en haastte zich weg. Ze bleef maar al te graag uit de buurt van deze witgejaste persoon met het sombere gezicht. Hij realiseerde zich dat hij hardop in zichzelf had zitten praten.

De telefoon rinkelde. Het was wat hij verwachtte. De pers wilde weten of de transplantatie succesvol was geweest.

Barnes kwam in de verleiding om te zeggen dat het getransplanteerde hart niet functioneerde, maar de operatie een succes was. 'We zijn net aan het afsluiten, dokter Webber. Alles is goed gegaan, maar het is nog te vroeg om te zeggen wanneer het donorhart volledig zal gaan functioneren.'

Webber bedankte hem en hing na een bemoedigend woord op. Prima ouwe rakker, dacht Barnes. Had zijn zaakjes voor elkaar. De positie van administratief directeur van een groot ziekenhuis was geen sinecure, en hij veronderstelde dat hij niet een van de gemakkelijkste dokters was om mee om te gaan.

God, ik ben blijkbaar wel erg moe. Hij grinnikte tegen zijn spiegelbeeld in het raam. Nu had hij al medelijden met de directeur. Hij dronk zijn thee op, deed zijn masker weer voor en liep terug naar de operatiekamer.

Davids borstbeen was weer aan elkaar genaaid en Des Louw was de huid aan het dichten met een hele rij doorlopende hechtingen die precies onder de keel begon. Barnes keek zonder verder commentaar naar de urineproductie en de getallen van de veneuze en de arteriële druk. David kon het in zijn eentje redden, maar hoe lang?

Barnes wist dat zonder hulp Davids overwerkte hart ieder moment kon bezwijken. Hij kreeg een bittere smaak in zijn mond. Al deze problemen hadden vermeden kunnen worden als er niet in zijn budget was gesneden. Als hij een apparaat had kunnen kopen dat op mechanische wijze de bloedsomloop in stand hield. Dezer dagen haast standaard in ieder behoorlijke Amerikaanse hartkliniek. Davids overlevingskansen hadden dan niet ter discussie gestaan.

Deze mechanische bloedsomloopapparatuur was ontworpen om patiënten te ondersteunen die op een donor wachtten. Hij had laatst in een Amerikaans tijdschrift een artikel gelezen over een patiënt die ze op die wijze meer dan drie maanden in leven hadden gehouden voordat hij een transplantatie kon ondergaan.

'Waar moeten we dat geld vandaan halen?' was de reactie van het bestuur geweest, toen hij zijn aanvraag had ingediend. Het was die idioot van een Thomas geweest die die vraag had gesteld.

De regering had dit jaar de subsidies voor de provinciale ziekenhuizen met vijftien procent verlaagd en zijn hoognodige machine was een van de vele dingen die door deze maatregel waren gesneuveld. Maar er was blijkbaar altijd geld genoeg om het apartheidsmonster te bevredigen en altijd genoeg om de enorme bureaucratische instellingen te spekken die het systeem in stand moesten houden. En niemand vroeg waar het geld vandaan moest komen als het leger en de luchtmacht besloten opnieuw een aanval uit te voeren op de communistische dreiging uit de naburige zwarte staten. Wat dat betreft konden ze al dat geld net zo goed meteen in een put gooien.

Hij werd steeds bitterder terwijl hij terugliep naar de dokterskamer.

Godzijdank waren er voldoende fondsen voor zijn onderzoeksprogramma, van het bestaande budget hadden ze het nooit kunnen redden. Dat hadden ze te danken aan Kapinsky's anonieme en kennelijk zeer welgestelde donateur. Merkwaardig hoe die op was gedoken, juist op het moment dat het hele programma in elkaar begon te storten. Hij had Kapinsky herhaaldelijk gevraagd een ontmoeting met hun weldoener te regelen, maar de man leek nooit tijd te hebben. Iemand met die hoeveelheid geld had waarschijnlijk genoeg aan zijn hoofd...

Hij hoorde de deur van de operatiekamer openklappen. Barnes schrok op uit zijn mijmeringen en liep de gang op.

David lag in zijn bed en was op weg naar de intensive care-afdeling. Het ademhalingstoestel was aan het hoofd van het bed bevestigd. Drie infusen met slangen waren met klemmen aan de zijkanten van het bed vastgemaakt. David bewoog zich niet en gaf geen levensteken.

'Ik houd hem onder verdoving,' zei Ohlsen tegen Barnes. 'We laten hem langzaam bijkomen, om de kans op spanningen en angsten zo klein mogelijk te houden en het hart zo min mogelijk te belasten.'

Ja, dacht Barnes, spaar het hart en hoop op een wonder. Tijd was nu het belangrijkste. Tijd voor het hart om zich te herstellen, als dat tenminste ooit zou gebeuren.

Louw kwam de operatiekamer uit, masker naar beneden, bezig zijn handschoenen uit te trekken. 'Zijn bloeddruk is gezakt naar zeventig, maar de veneuze druk neemt ook af, dus ik denk dat hij wat meer bloed nodig heeft.'

Hij was gespannen, maar ook haast opgetogen, klaar voor een volgende slopende ronde aan de operatietafel.

Misschien word ik wel te oud voor dit soort dingen, dacht Barnes. Het verbaasde hem hoe moe hij was, alsof hij een berg had beklommen of een marathon had gelopen. Zijn lijf deed pijn en zijn hoofd voelde dof en zwaar.

Tijd om het heft weer in handen te nemen. 'Dokter Louw, blijf jij vannacht bij David in de intensive care? Ik ga naar het lab, maar kom nog langs om naar hem te kijken voor ik naar huis ga. Je hebt goed werk geleverd, dokter, bedankt.'

Zonder op een antwoord te wachten liep Barnes naar de kleedkamer.

HOOFDSTUK 8

Kapinsky zat achter zijn bureau en keek knorrig naar het allegaartje van vakbladen, onderdelen van instrumenten, microscoop-glaasjes en het bakje met injectiespuiten waarmee het was bedekt. Hij draaide zich om toen Barnes binnenkwam, en het was duidelijk dat hem iets dwarszat. Hij barstte zonder te groeten los in een scheldpartij over Thomas.
'Die klootzak van een Thomas is weer aan het rondsnuffelen geweest. Je moet daar iets aan doen, Rod, hij begint een hoop moeilijkheden te veroorzaken.'
'Wat voor moeilijkheden?' vroeg Barnes argeloos. Hij was niet bang voor Thomas. JJ zorgde er wel voor dat die stomme oude zeurpiet hem niet voor de voeten liep. Hij vond het onderwijl wel aardig om te zien hoe zenuwachtig Kapinsky van hem werd.
'Hij heeft wat kletspraatjes opgevangen in de faculteit, twee en twee bij elkaar opgeteld en vijf als antwoord gekregen. Hij is nu uit alle macht aan het proberen de Ethische Commissie hier naartoe te slepen voor een inspectie. Dat soort moeilijkheden.'
Barnes had Kapinsky nog nooit zo van streek gezien. 'Ik regel het wel, Louis. Laat het maar aan mij over.' Hij sprak geruststellend, kalm en hoopte Kapinsky's woede wat te bekoelen. Hij wilde wat ideeën op hem loslaten, en had er niet veel aan als Kapinsky zich zat op te winden over zoiets onbelangrijks als de bemoeizucht van de predikant.
'Verdomme Rod, je onderschat deze fanatieke rotzak volledig. Hij is vast van plan ons werk stop te zetten. Volgens hem zijn we hier bezig ons met Gods werk te bemoeien.' Kapinsky gaf een gedetailleerd verslag van het bezoek van Thomas, en vertelde hoe hij hem bijna de deur had uitgegooid.
Barnes floot zachtjes. Dit was erger dan hij had verwacht. Het werd hoog tijd JJ op te zoeken om ervoor te zorgen dat de man op zijn nummer werd gezet.
'Het spijt me, Louis. Ik zal met professor Kemble praten...'
'Daar schieten we geen donder mee op,' onderbrak Kapinsky hem, zijn gezicht steeds roder wordend. 'We moeten hem kwijt. Ik maak die klootzak af, als het moet. Niemand, *niemand* mag ons in de weg staan...'

Hij stopte ineens toen hij zich realiseerde dat Barnes bezorgd naar hem stond te kijken. 'Sorry, Rod. Ik krijg wat van die man. Waar wilde je over praten? Laten we naar mijn kantoor gaan en een kop thee drinken.'

Kapinsky was volledig omgeslagen, alsof hij een knop had ingedrukt. Barnes had dit al eens eerder meegemaakt, een razende woede die ineens plaats maakte voor kalmte en redelijkheid. Dat was twee jaar geleden, toen een baviaan uit het proefdierenhok was ontsnapt en in het lab een aantal computerdiskettes had vernield. Kapinsky had het dier neergeschoten met een verdovingspistool. *Afmaken*? Wat zei hij over Thomas?

Maar Kapinsky speelde intussen de perfecte gastheer, schonk thee in en wees op een schaal met koekjes. Barnes stond op het punt hem te vragen wat hij daarnet had bedoeld, maar dacht: laat maar zitten – boze praat, gezwets, er zijn op het moment wel belangrijker dingen.

Hij beschreef de dramatische belevenissen van die ochtend. Kapinsky luisterde zorgvuldig, stelde zo nu en dan een vraag en volgde het verloop van de gebeurtenissen nauwgezet. 'Dus op dit ogenblik functioneert het donorhart niet?' Hij zat half tegen zichzelf te praten.

'Nee. Toen we de borst dichtmaakten contraheerden de boezems maar de hartkamers reageerden niet. Er was een volledige ventriculaire stilstand.'

Barnes keek op zijn horloge. Tijd om eens te vragen hoe het met de patiënt was. 'Kan ik even de afdeling bellen?'

Kapinsky reikte hem over het bureau de telefoon aan en Barnes drukte het nummer van de intensive care. De zuster verbond hem vrijwel meteen door met Des Louw.

Louw klonk alert en efficiënt, alsof voor hem de dag net was begonnen. Barnes benijdde hem om zijn jeugd en energie.

'Dokter Louw, hoe gaat het met de patiënt?' Hij luisterde zonder commentaar en vroeg Louw hem op de hoogte te houden van iedere verandering die zich voordeed.

'Hoe ziet het eruit?' vroeg Kapinsky.

'Volgens het ECG en de arteriële polsregistraties ziet het ernaar uit dat het donorhart zich niet heeft hersteld. Daarnaast is de bloedsomloop van de patiënt verslechterd.'

Hij staarde naar de muur en zei half in gedachten verzonken: 'Misschien zat ik fout. Ik had het donorhart er weer uit moeten halen.'

'Ik begrijp niet waarom je zo nodig iedere patiënt moet redden,' zei Kapinsky bits. 'Deze was duidelijk te ver heen. Er komt een moment dat je het moet opgeven en iemand gewoon moet laten gaan. God weet dat er genoeg mensen zijn die deze wereld lopen te verwoesten.' Hij zag er bijna treurig uit.

'Louis, wij verschillen van elkaar. Jij bent een wetenschappelijk onderzoeker. Voor jou is het zaak afstand van je onderwerp te houden, objectief en zelfs koud en berekenend te zijn. Ik ben een medicus die met mensen werkt. Deze patiënt is mijn verantwoordelijkheid, en ik moet alles doen wat ik kan om de kwaliteit van zijn bestaan te verbeteren.'

'Waarom heb je dan de leiding over een laboratorium en laat je mij het werk van de duivel verrichten, zoals je vriend Thomas dat noemt?' Kapinsky had het niet zo op met artsen die zich emotioneel betrokken voelden bij hun patiënten, en dit was een kant van Barnes die hij maar al te vaak had gezien.

'Voor het uiteindelijke doel. Zodat ik de kennis die we hier verwerven kan aanwenden ten gunste van mijn patiënten.'

'Kletskoek, Rod. Jij kan net zo'n kille wetenschapper zijn als ik. Weet je nog hoe we de gevoeligheid voor alkalisch milieu van die embryo's hebben getest om te zien hoe lang het duurde voordat de helft van de testgroep dood was? Weet je wat jij bent, Rod? Jij bent Jekyll en Hyde.'

Barnes probeerde niet kwaad te worden. Die opmerking over die embryo's kwam hard aan. Deze kwamen tenslotte allemaal uit de reageerbuis... Hij besloot zich niet te verdedigen en slikte zijn reactie in. Ruzie maken had geen zin. Hij moest een deskundig advies hebben en dit gekibbel over niets kostte alleen maar tijd.

'Laten we het daar maar bij laten, Louis. Ik wil iets weten over Louws hormonentheorie. Herinner je je zijn bevindingen over de hersendood nog?'

'Ja, natuurlijk. Hij was haast bezeten door het idee dat donors met hormonen moesten worden behandeld. Hij was ook van mening dat het schildklierhormoon een belangrijke bijdrage kon leveren tot het oplossen van de problemen rond een donorhart.'

Barnes knikte. 'Ja, en nadat we zijn suggesties zijn gaan toepassen kunnen we een stuk beter met onze donors uit de voeten dan voorheen.'

'Wat kan er dan nu nog aan de hand zijn?' vroeg Kapinsky met een vleugje sarcasme in zijn stem.

'Dat weet ik nou juist niet en probeer ik uit te vinden. Er zitten een hoop aspecten aan de hersendood waar we nog niets van af weten.'

'Dat mag je wel zeggen!'

Barnes ging hier niet op in en zei nog: 'We weten dat de hersenen endocriene organen zijn die zekere hormonen afscheiden. Daar zou weleens een door ons nog niet vastgesteld hormoon bij kunnen zitten dat van essentieel belang is voor de overlevingskans van organen als de nieren, de lever en het hart. Jij moet dat hormoon zien te vinden, Louis.'

Kapinsky, altijd een wetenschapsman, leek geïntrigeerd, maar zei sceptisch: 'Laten we eerst maar eens kijken of je hypothese juist is, en het hart in je patiënt herstelt. Ergens betwijfel ik dat ten zeerste. Eens even zien.'

Hij liep naar de kast waar boeken en vakbladen ongeordend op elkaar lagen gestapeld, en pakte een handjevol recente *Current Contents* – een wekelijks verschijnende lijst van alle belangrijke nieuwe publicaties op medisch gebied.

Binnen een paar minuten zat hij alle vermeldingen van tijdschriftartikelen over dit onderwerp uit te pluizen, stopte van tijd tot tijd om even ergens naar te kijken of een kruisje bij te zetten, en ging daarna weer verder.

Barnes besefte dat hij hem kwijt was. Kapinsky kennende zou deze de hele nacht aan de gang blijven, en tegen de ochtend een lijst produceren van alle artikelen over hersendood van de laatste tien jaar. Barnes vertrok zonder verder iets te zeggen, en ging naar zijn kantoor.

Fiona kon aan zijn gezicht al zien dat de transplantatie niet goed was verlopen. Zijn post lag op zijn bureau, gesorteerd in belangrijke en niet-belangrijke stukken. Hij vond het heilzaam zich bezig te houden met de administratieve hobbels en keien die bij hem, als hoofd van de afdeling, terechtkwamen en hij voelde zich steeds meer ontspannen bij het doorwerken van de stapels. Deze beslissingen waren niet moeilijk. Ze vereisten alleen een helder 'ja' of 'nee'. Nergens die onzekerheden, die dwang tot het nemen van besluiten waarvan de uitkomst niet vaststond, die zo slopend waren als je met een patiënt werd geconfronteerd. Van tijd tot tijd hoorde hij de telefoon rinkelen en de stem van Fiona, een genot op zichzelf, vragen afhandelen en bepalen welke nog nader moesten worden behandeld. Een tijdje later verscheen ze in de deuropening van zijn kantoor, wenkbrauwen vragend omhoog, het menu van een restaurant uit de buurt in de hand. Hij besefte dat hij niets meer had gegeten sinds het ontbijt.

Hij at snel iets, las vluchtig de kranten door, belde een aantal mensen terug, dicteerde een paar brieven en tegen de tijd dat het zonlicht schuin naar binnen begon te vallen was hij klaar met de 'KZ' (kantoorzooi) zoals Fiona dat noemde. Hij besloot op weg naar huis langs de ziekenafdeling te gaan. Het was een zware dag geweest, die hij niet gauw zou vergeten. Vol onzekerheden en beslissingen waarop niet meer kon worden teruggekomen.

Barnes deed een ziekenhuisjas aan en een masker voor, en waste zijn handen voor hij de speciale intensive care-afdeling binnenging waar David onder steriele omstandigheden werd verpleegd. Hij was nog vatbaarder voor ziektekiemen dan normaal, nu zijn immuunsysteem werd onderdrukt om te voorkomen dat het donorhart zou worden verstoten.

Hobbs, Louw en Snyman stonden om zijn bed. Barnes zag dat ze niet erg tevreden waren. Na een kort onderzoek van de patiënt wist hij waarom. Davids voeten waren koud en de urineproductie was verminderd. De bloeddruk bleef rond de vijfenzestig hangen, maar de veneuze druk was opgelopen tot vijftien. Hij redde het wel, maar nog maar net.

Barnes vroeg naar het arteriële en ECG-verloop. Eén blik was voldoende om te zien dat het getransplanteerde hart niets bijdroeg tot de bloedsomloop. Het groepje artsen wachtte op zijn oordeel.

'Wat liet de laatste Astrup zien?' Hij stelde de vraag aan Alex Hobbs.

'De zuurstofverzadiging van het bloed is vijfennegentig procent en hij ontwikkelt geen zuurvergiftiging, dus deze moet in orde zijn. Niettemin is de circulatie slecht, zoals je zelf hebt gezien.'

'Is hij bij kennis geweest?'

'Ja, maar dokter Ohlsen vond het beter dat we hem onder verdoving hielden. Hij heeft morfine voorgeschreven.'

'Dank je, dokter Hobbs.' Barnes liep in de richting van de deur maar hield even in. 'Verwacht geen wonderen. Het kan dagen duren voor het donorhart zich herstelt.' Als het ooit herstelt, voegde hij er bijna aan toe, maar hij wist zich te bedwingen. Noch de staf, noch de patiënt waren gebaat bij een negatieve opstelling, dacht hij, en hij vroeg zich af waarom hij zo aan zichzelf twijfelde. Normaal gesproken zou hij uitzien naar de volgende stap en positief zijn ingesteld. Hij schudde deze sombere gedachten van zich af en glimlachte het groepje toe. 'Ik ga nu naar huis, dokter Louw. Ik zou graag zien dat jij en dokter Snyman de patiënt vannacht nauwkeurig in het oog hielden en me belden als zich een verandering voordoet.'

In de gang trof hij Davids ouders aan die vol angstige spanning op nieuws zaten te wachten. Hij zag meteen wie hij voor zich had. Een onmiskenbaar welgestelde Oostkaapse boerenfamilie. Danie Rhodes, in een sportief jack en een chromaatgele rijbroek, had een handdruk als een bankschroef.

'U zal wel moe zijn, dokter,' was het eerste wat hij zei. Mevrouw Rhodes, in mantelpak met hooggesloten blouse klemde haar tas dichter tegen zich aan, en kwam meteen terzake: 'Hoe gaat het met David, dokter Barnes?'

Hij keek het echtpaar aan. Ze hadden uren zitten wachten, en dat was ze aan te zien. Hij was een voorstander van open comunicatie met de patiënten en hun familie en spiegelde dingen niet beter voor dan ze waren. Ook hield hij er niet van de omstandigheden te verhullen met een hoop medische termen.

'Dokter Hobbs heeft u uitgelegd wat er aan de hand is, nietwaar?'

Ze knikten, maar wilden het duidelijk ook van hem horen. Mevrouw Rhodes leunde naar voren, haar mond een beetje geopend, verlangend naar ieder hoopgevend woord. Haar man stond achter haar, voeten van elkaar, handen gebald in de zakken van zijn jack, lichaam in controle en voorbereid op de klap die hij vreesde.

'Hij zei dat u het tweede hart had ingebracht, maar dat het niet werkte...?' De toonhoogte van het laatste woord ging omhoog. Het was een vraag en een smeekbede.

'Dat klopt. Op het ogenblik werkt het niet, maar we gaan ervan uit dat het morgen, uiterlijk overmorgen, voldoende hersteld zal zijn om weer te kunnen gaan slaan en geleidelijk aan weer op krachten te komen.'

'Bent u daar zeker van, dokter?' Mevrouw Rhodes' hoop om goed nieuws te horen werd haar bijna te veel.

'Je kunt nergens helemaal zeker van zijn. We bevinden ons hier op onontgonnen terrein, maar ik verzeker u dat het voor David het beste is. Ik zou deze operatie niet hebben uitgevoerd als ik er niet van uitging dat het hart zich weer herstelde.'

'Hoe gaat het nu met hem, dokter?' Danie Rhodes, geen man van tussenwegen, klonk nu alsof hij het antwoord niet wilde horen.

Barnes onderdrukte een toenemend gevoel van moedeloosheid, rechtte zijn afzakkende schouders en glimlachte: 'Opmerkelijk is dat zijn eigen hart het onmiddellijk na de operatie heeft overgenomen en de bloedsomloop op bevredigende wijze gaande houdt.' Hij deed kort verslag van het verloop van de operatie, en zag hoe een deel van de spanningen van het paar afviel. Informatie was macht. Goed of slecht, het gaf mensen het gevoel te kunnen meebeslissen. Minder spanningen in de familie betekende een beter klimaat rond de behandeling van de patiënt, en dat leidde weer tot een voorspoediger herstel.

'Dank u, dokter Barnes. We zullen u niet langer ophouden, maar we wilden vannacht wel hier blijven, als u het goed vindt.'

Barnes was er geen voorstander van dat familieleden overbleven in het ziekenhuis. Ze liepen de verzorgers van de patiënt over het algemeen alleen maar in de weg. Maar dit ouderpaar was zo goed tegen de situatie opgewassen, dat hun aanwezigheid waarschijnlijk alleen maar heilzaam kon werken.

'Ja, natuurlijk. Ik zal de dienstdoende staf vragen of ze iets voor u te eten kunnen regelen, en een comfortable plek om uit te rusten. Welterusten. Morgenochtend hoop ik beter nieuws te kunnen brengen.'

Hij sliep onrustig en had allerlei dromen over mislukte operaties en stervende patiënten. In de ene droom werd het getransplanteerde hart door gangreen aangetast en scheurde het, in een andere vormden zich grote bloedstolsels in het hart die hun weg zochten in de bloedsomloop.

Hij werd twee keer gewekt door een telefoontje van Des Louw. Hij en Alex Hobbs namen klaarblijkelijk zelf geen beslissingen. Bij iedere verandering in Davids conditie werd Barnes geraadpleegd. Konden ze hem wat vers, gevroren plasma toedienen als hij een beetje bloedde? Nee, niet echt bloedde. Zijn veneuze druk was tot vijf gezakt, konden ze hem wat meer bloed geven? Doodgewone beslissingen die ze onder normale omstandigheden zonder verder overleg genomen zouden hebben. Maar dit was een speciaal geval dat, hoewel ze er niets over zeiden, niet volgens hun inzichten werd behandeld. Daarnaast had het de onverminderde aandacht van de media, die iedere verandering in de situatie nauwkeurig volgden aan de hand van perscommuniqués die iedere twaalf uur door de ziekenhuisdirectie werden uitgegeven.

Een en ander had zijn terugslag op de mensen van de intensive care. Een aantal medewerkers van de dagploeg kreeg het gevoel dat ze de patiënt in de steek liet toen hun tijd erop zat, en bleef gedurende de nachtdienst, waardoor hun collega's een extra steuntje in de rug kregen.

Toen de wekker afliep, was Barnes nog volkomen weg van deze wereld. Hij werd versuft wakker. Hij was gewend aan weinig slaap, maar had nu het gevoel dat hij de hele nacht op was geweest. Dat de nacht voorbij was, vond hij niet erg, maar hij zag wel op tegen de dag die volgde. Hij gaf deze gevoelens verder geen kans en pakte de telefoon. De patiënt was rustig, maar het feit dat het donorhart nog steeds geen enkel teken van leven vertoonde, stemde tot zorgen. Hij was meteen klaarwakker, maar zijn nachtmerrie wilde niet wijken.

Zij volgde hem onder de douche, waar hij de koude kraan opendraaide en met zijn gezicht omhoog onder de naaldscherpe waterstralen ging staan. Hij wist dat hij zich op niets anders zou kunnen concentreren voordat dit probleem was opgelost.

Na het douchen probeerde hij tijdens het aankleedritueel zijn gedachtenstroom in banen te leiden. Hij schoor zich zorgvuldig, koos de juiste das bij het geschikte pak en kleedde zich langzaam aan. Een goede verzorging was niet alleen belangrijk voor paarden, vond Barnes. Deze bepaalde de normen van de dag, toonde de wereld dat je je bezigheden serieus nam, stelde de staf gerust en herinnerde studenten eraan dat patiënten in eerste instantie op het uiterlijk afgingen.

Hij zat van zijn tweede kop koffie te genieten toen de telefoon ging. Zijn hart ging sneller kloppen. Op dit uur bellen ze nooit met goed nieuws, dacht hij, en greep de hoorn van de haak.

'Barnes!' blafte hij.

'Goedemorgen, dokter Barnes. U spreekt met Vorster van The Times.' Verdorie! Die vervloekte pers gaf het ook nooit op. Hij had zijn geheime nummer de afgelopen drie maanden al twee keer veranderd, en nog wisten ze hem te bereiken. Er moest ergens een lek zitten bij de telefooncentrale van het ziekenhuis.

'Ja, meneer Vorster?' Hij wilde niets liever dan de hoorn op de haak gooien, maar sprak met koele stem.

'Het spijt me u zo vroeg in de ochtend te moeten storen.' Als hem dat zo speet, waarom belde hij verdomme dan?

'We hebben vernomen dat u gisteren een dood hart in David Baines heeft getransplanteerd.'

Zijn nachtmerrie werd erger. Nu begon de pers er lucht van te kijken. Dit soort slagen in de lucht was genoeg om de hele Ethische Commissie over zich heen te krijgen, die de geldstroom zou afsluiten en de toevoer van donororganen stopzetten. Hij had de gevestigde medische orde er met veel moeite van kunnen overtuigen dat transplantaties zinvol waren, en een levensvatbaar onderdeel van de chirurgie in het algemeen. Velen waren het daar niet mee eens en hadden een zeer mondige groep gevormd binnen de Geneeskundige Raad. Dit soort geklets zou koren op hun molen zijn en hem de kop kunnen kosten.

'Hoe komt u aan deze informatie?' Kalm blijven. Lichtelijk geamuseerd klinken. Onder geen enkele omstandigheid in de verdediging gaan.

86

'Het spijt me, dokter Barnes, de nieuwsredacteur heeft geen bron genoemd, maar me verzekerd dat deze zeer betrouwbaar is.'

Het was vast die verdraaide Thomas. Hij had toegang tot alle informatie, en was de enige die zich er persoonlijk bij betrokken voelde. Hij zou alles doen om hem en zijn team in een kwaad daglicht te stellen.

'Dokter Barnes? Is het waar dat u een dood hart heeft gebruikt? Is dit een nieuwe ontwikkeling in de transplantatie-chirurgie? Is deze methode proefondervindelijk uitgeprobeerd?'

Vorster was niet gek. Hij was thuis in het medische wereldje, las de vakbladen en had zich erop toegelegd zoveel van harttransplantaties aan de weet te komen als voor een leek maar mogelijk was. Hij wist waarschijnlijk meer van het onderwerp dan een doorsnee-arts.

'Meneer Vorster, het hangt ervan af wat uw redacteur onder een dood hart verstaat. Als hij een hart bedoelt dat niet slaat, hebben al mijn patiënten die een transplantatie hebben ondergaan dode harten gehad. En om uw vraag te beantwoorden, er is niets nieuws aan de gang.'

'Wat bedoelt u daarmee, dokter?' Vorster deed altijd net of hij dom was, stelde schijnbaar simpele vragen en veinsde simpele antwoorden niet te begrijpen.

'Als u niet weet dat het hart, om voor de hand liggende redenen, altijd wordt stopgezet tijdens de operatie, is het misschien aan te bevelen dat u voor dit verhaal iemand zoekt die wel iets van de geneeskunst afweet.' Ondanks zichzelf kon Barnes het sarcasme in zijn stem horen doorklinken en wist hij dat hij zijn kalmte aan het verliezen was. Hij kon nu beter ophangen en de zaak verder laten voor wat die was.

Te laat. Vorster pakte de draad meteen op: 'Dokter, ik ben naar u toegekomen om de juiste informatie te krijgen. Als u niet met me wilt praten, ben ik gedwongen ergens anders naartoe te gaan, wat wel eens verkeerd voor u zou kunnen uitvallen als de details niet blijken te kloppen. Ik wil in eerste instantie dat mijn verhaal klopt.'

Hij deed zijn werk, en deed dat goed. De krant zou koste wat het kost het laatste nieuws willen publiceren, ook al moest de journalist het verhaal uit zijn duim zuigen. Het was beter 'de krokodil een hapje toe te werpen' zodat die weer even tevreden was.

'Meneer Vorster, het donorhart klopte niet toen het gekoppeld werd aan de bloedsomloop van de patiënt, maar u kunt van mij aannemen dat het niet dood was en dat ik alle redenen heb er vanuit te gaan dat het zich zal herstellen. Beantwoordt dat uw vraag?'

'Ja, dokter, maar...' Het was hoog tijd wat strenger op te treden. Voedertijd was voorbij.

'Meneer Vorster, ik heb deze morgen belangrijker dingen te doen dan u les te geven in chirurgie. Ik heb uw vraag beantwoord. Ik moet naar mijn patiënten toe. Goedendag,' zei hij ondanks Vorsters protesten en legde de hoorn op de haak.

Verdraaid nog aan toe! Precies wat hij nodig had! Een volledig opgeblazen angstverhaal, op de voorpagina natuurlijk. Hij kon zich al voorstellen hoe de koppen eruit zouden zien, met de woorden 'dood hart' op een prominente plaats.

Zijn rit naar het ziekenhuis was in somberheid gehuld. Terwijl hij zijn weg zocht door de ochtendspits, pijnigde hij zich het hoofd over het niet-functioneren van het donorhart. Was er technisch iets verkeerd gegaan? Hij liep in gedachten nog eens het hele lijstje door om er zeker van te zijn dat iedere stap tijdens de operatie op de juiste manier was uitgevoerd. Alle handelingen trokken in zijn herinnering voorbij. Van de eerste excisie van het donorhart tot de laatste hechting bij het vastmaken aan Davids hart was alles perfect verlopen. Alles was voortdurend gecontroleerd, alle uitslagen waren positief geweest.

De hormonenbehandeling? Dit was het enige onderdeel waar hij niet persoonlijk op had toegezien. Maar Snyman kon deze procedure dromen. Hij had uitgeblonken tijdens zijn medicijnenstudie en was summa cum laude en met extra vermeldingen geslaagd voor zijn chirurgie-examen. Daarom was hij hier. Barnes liet alleen maar de besten toe in zijn hartteam. Snyman was in dat jaar het neusje van de zalm geweest en zijn stage was tot nog toe voorbeeldig verlopen.

Louws werk over de hersenhormonen? De x-factor? Dat was het! De hersenen van de donor waren door het auto-ongeluk vrijwel geheel vernietigd. Wat hij had was een dood hart dat de x-factor had moeten ontberen, omdat de hersenen zelf dood waren. Mischien hadden de neurochirurgen toch gelijk: het had geen zin een lichaam in leven te houden als er geen hersenen waren.

Dit was te gek om los te lopen. Hij draaide rond in cirkels. Begin met de feiten en let op de uitzondering, het feit dat afweek.

Ineens zag hij zichzelf bij het wegsnijden van de zak die het hart van Jerry omvatte. Op dat ogenblik had hij zichzelf moeten dwingen alleen maar te denken aan het werk waarmee hij bezig was: zijn gedachten op een rijtje zetten en zich concentreren op de techniek van de operatieve ingreep.

Maar er was iets geweest, een soort rilling van energie die door zijn vingers was gegolfd toen zijn gehandschoende hand het hart had aangeraakt. Wat doen hersenen als ze met de ultieme catastrofe worden geconfronteerd? Als zelfs het bewustzijn is verdwenen, is er dan nog steeds een of andere elementaire vorm van cerebrale gewaarwording van het hele lichaam die standhoudt tot de hersenen echt dood zijn? Sluiten de hersenen in een laatste stervensgebaar van existentiële wanhoop alle functies af, en doden ze daarmee zelfs die organen die 'levensvatbaar' zijn? Of erger nog... herkent en verstoot het lichaam de handen van de heler die nu de handen van de moordenaar zijn geworden? Handen die er maar op los snijden omwille van het leven zelf? Met een schok merkte Barnes dat hij, met de motor nog aan, geparkeerd stond op het terrein van het ziekenhuis, op zijn eigen genummerde plaats, zonder zich ook maar iets te herinneren van de twintig minuten durende rit vanaf huis. Hij draaide het contactsleuteltje om en bleef zitten, zijn hoofd vol gedachten. Goed operatiewerk, van het soort zoals hij en zijn team de afgelopen vierentwintig uur hadden uitgevoerd, veroorzaakte bij hem altijd een lichte euforie. Dit keer had hij niets gemerkt, behalve een aanhoudend gevoel van neerslachtigheid en zorg.

Was er dan meer dan alleen bloed en beenderen en een zenuwstelsel? Stop ze allemaal bij elkaar, en de som was meer dan de delen: een persoonlijkheid. Maar waar bleef die persoonlijkheid als de delen werden gescheiden? Wat gebeurde er met de ziel?

Het gepraat over de ziel maakte hem altijd een beetje aan het lachen, maar zelfs de psychologen gaven toe dat er iets speciaals was, een drijvende kracht in het menselijk streven. Het werd misschien weleens tijd dat chirurgen hun werk vanuit een andere invalshoek gingen benaderen.

Transplantaties hadden de grenzen van het menselijk kunnen ruimschoots verlegd, hierbij gesteund door de hoog ontwikkelde operatietechnieken. Maar er was tot op heden maar heel weing aandacht besteed aan de psyche. Als je het lichaam aan stukken snijdt, zet je dan ook het mes in de ziel?

Hij lachte hardop bij deze gedachte en voelde zich ineens wat beter. Hij was een medicus, geen medicijnman. Geloof en bijgeloof waren geen onderwerpen voor wetenschappelijk onderzoek. Als iets kon worden gemeten, in getallen uitgedrukt en getest, en als die testen door anderen konden worden herhaald, was het wetenschap. Er waren zonder twijfel andere vormen van kennis, maar zolang ze niet wetenschappelijk konden worden onderzocht, schiepen ze alleen maar verwarring.

Hij klom uit zijn auto, rechtte zijn schouders en zette koers naar de intensive care. Wat hem ook wachtte, hij was er klaar voor.

HOOFDSTUK 9

Bij binnenkomst van het artsenkantoortje, voelde hij hoe zeer de sfeer was veranderd. De glimlach op het gezicht van de hoofdzuster alleen al sprak boekdelen. Dokter Louw was naar huis om andere kleren aan te trekken, zei ze, maar dokter Snyman was bij de patiënt.

Er was een duidelijke wijziging in Davids conditie opgetreden. Hij had een betere kleur. De monitor liet een gemiddelde arteriële druk zien van boven de tachtig en een veneuze druk van zes. Jan Snyman stond naast zijn bed. Toen hij Barnes zag, ging hij rechtop staan en lachte. Ondanks het feit dat hij de hele nacht in touw was geweest, barstte hij van de energie. Adrenaline, dacht Rodney. Misschien moesten we dat spul maar in de handel brengen.

'Alleen maar goed nieuws, dokter,' zei Jan Snyman. 'Zijn bloedsomloop is sinds vanochtend zes uur aan het verbeteren. En in de laatste twee uur heeft hij twee liter urine geproduceerd.' Opgetogen over zijn rol als de brenger van goed nieuws, haastte Snyman zich verder: 'De circulatie in handen en voeten is toereikend en zijn tenen voelen een stuk warmer aan. Ik kan ook een hartslag voelen. Zwakjes, maar voelbaar.' Hij fronste, sloeg een blik op de kaart en keek weer naar Barnes. 'Het kan zijn dat de ontsteking in zijn eigen hart heeft gereageerd op de steroïden en tot rust is gekomen.'

Barnes voelde hoe de stemming die op de afdeling heerste op hem oversloeg. Hij voelde zich gesterkt door Snymans onmiskenbare enthousiasme. Het was niet voor het eerst dat hij merkte hoe zeer zijn zogenaamd zeer professionele staf zich betrokken voelde bij het lot van de patiënt. Snyman was nu al bijna 24 uur op de been en daar stond hij, bruisend van vitaliteit. Gisteravond waren de vooruitzichten somber, werd van iedereen het uiterste gevergd en een volledige professionele inzet gevraagd. Vanochtend was het beeld volkomen gewijzigd. Er hing een overwinningsgevoel in de lucht. Hij las de notities op de kaart en zag hoe rond het aanbreken van de dag alle vitale functies waren veranderd. De eeuwige ritmes, dacht hij, daglicht en duisternis, de hoogte- en dieptepunten van het lichaam.

'De hartmonitor laat wat interferenties zien, een paar extra slagen.'

Snyman bleef maar praten. 'Mischien hebben we het donorhart hele-maal niet nodig.'

Barnes keek naar de monitor. 'Heb je de pacemaker aangezet?' vroeg hij, 'zoiets is op het scherm te zien.'

'Nee dokter, die hebben we sinds de operatie niet meer aangeraakt.'

'We hebben iets nodig op papier om er zeker van te zijn, dokter Sny-man. Wil je een uitdraai maken van de arteriële registratie?'

Snyman stelde het instrument in, bracht de tekennaald op gang, wachtte tot het millimeterpapier te voorschijn kwam, scheurde het uit de printer en gaf het aan Barnes. Deze bestudeerde het en kon zijn ogen niet geloven. Er waren nu twee golfbewegingen zichtbaar, de een dui-delijk gescheiden van de ander. Hij kon zijn assistent wel omhelzen. De 'interferentie' was de registratie van het tweede hart, nu sterk genoeg om een eigen, afzonderlijke trilling in de bloedsomloop te produceren. Op dat moment liep Des Louw binnen, fris alsof hij een volle nachtrust achter de rug had. Barnes sloeg Snyman op de schouder en keek Louw stralend aan. 'Mijn felicitaties, heren. Het donorhart vertoont contrac-ties.'

Louw slaakte zo'n kreet van vreugde dat de hoofdzuster binnenkwam. Ze gingen om Barnes heen staan, die uitlegde wat er aan de hand was. 'Kijk, hier is de actiestroom van Davids eigen hart en daar is de kleinere actiestroom van het donorhart. Jouw 'interferentie', dokter Snyman, is het donorhart dat tussenbeide begon te komen.'

'Tjeetje. Het spijt me dat ik dat niet door had, dokter Barnes.'

'Jullie hebben uitstekend werk geleverd. Allemaal. Bedankt. Zonder jullie volledige inzet waren we mischien wel nooit zover gekomen.' Barnes had moeite zijn woordenstroom in te tomen. Merkwaardig hoe zeer dit ene geval zijn professionele kalmte had beïnvloed.

Hij voerde nog een paar controles uit om te zien in welke mate het donorhart activiteiten ontwikkelde. Het getransplanteerde hart droeg nog niet zoveel bij aan het totaal van de hartfuncties, maar ontlastte dat van David toch zodanig dat het tekenen van herstel begon te vertonen. De steroïden begonnen, zoals de jonge Snyman scherpzinnig had op-gemerkt, de ontsteking onder de knie te krijgen. Barnes vroeg om een röntgenfoto van de borst, met het draagbare apparaat, en hield de rest van de dag een gevoel van euforie dat hij overdroeg op iedereen die hij tijdens zijn zaalrondes tegenkwam. Tijdens een korte stop op de onder-zoeksafdeling trof hij Kapinsky aan die, zoals gewoonlijk, met zijn neus in de vakbladen zat. Toen Barnes zijn kantoor binnenkwam keek hij op, ongeschoren en met wallen onder zijn ogen.

'Lieve hemel, Louis, je ziet eruit als een onopgemaakt bed. Wat is er aan de hand?'

Kapinsky grijnsde. Hij had het grootste gedeelte van de nacht alleen in het lab gewerkt, eventjes op de bank in zijn kantoor geslapen, zichzelf wakker geschopt met hete koffie en was voor het aanbreken van de dag alweer aan het werk gegaan. Hij was iets op het spoor en had zich daar volledig in vastgebeten.

'Goeiemorgen, Rod. Ik word hier overdag zo verdomde vaak gestoord,' zei hij, en keek Barnes met één opgetrokken wenkbrauw sardonisch aan, 'dat ik het bijhouden van de vakliteratuur 's avonds moet doen.' Er was ook nog zijn geheime project, waar zelfs Barnes niets van afwist, werk dat alleen kon worden gedaan als er niemand anders in de buurt was. Maar hiermee wachtte hij tot hij het soort resultaten kon tonen waar zelfs Barnes niet kwaad om kon worden.

Hij had lang nagedacht over Barnes' idee. Het denkbeeld van een x-factor sprak hem zeer aan. Het zou heel veel kunnen verklaren van wat hij had waargenomen in het gedrag van getransplanteerde organen van dieren.

Die nacht was hem iets te binnen geschoten wat hem was opgevallen toen hij nog met hormonen experimenteerde. Ze hadden, zonder speciaal doel voor ogen, een parallel-harttransplantatie toegepast op een van Kapinsky's hersendode bavianen. Het donorhart had zich nooit hersteld, ondanks de hulp van het aanwezige hart. Louw en hij hadden daaruit geconcludeerd dat ze een verkeerde donor hadden gekozen en er verder niet meer over nagedacht. Hij had zichzelf nu een standje gegeven en opnieuw besloten dingen nooit zomaar aan te nemen, maar op zoek te gaan naar een verklaring. Dit was een erg belangrijke waarneming geweest, die had moeten worden opgevolgd.

Hij moest op zoek naar de x-factor. Dat betekende uitgebreid biochemisch werk en behoorlijk gecompliceerde testprocedures. Dat lag helemaal niet op zijn terrein. Daar zou zeer verfijnde apparatuur voor nodig zijn. En dat betekende meer geld. Ook moest hij, uit de eerste hand, informatie vergaren bij de leidende onderzoekers op dit gebied. Het lezen van gepubliceerde onderzoeksrapporten was daarvoor niet voldoende. Hij moest praten met een paar topspelers in dit spel, mensen die op de rest van de wereld vooruitliepen en het waarschijnlijk te druk hadden om te publiceren.

'Ik heb wel wat ideeën over die x-factor van jou,' zei hij en keek Barnes recht in de ogen.

'Dat is goed om te horen, Louis. Ik hoor vandaag eigenlijk niets anders dan goed nieuws. Het donorhart vertoont contracties en komt ieder uur meer op slag. Wat heb jij daaraan toe te voegen?'

Kapinsky grinnikte, en schudde zijn hoofd: 'Gefeliciteerd. Ik hoorde dat jullie de hele nacht in de weer zijn geweest. Op het moment kan ik je nog niets definitiefs zeggen over de x-factor. Ik wil geen valse hoop wekken en moet daarom eerst nog met een paar mensen praten.'

Barnes deed net of hij kreunde. 'Met een paar mensen praten' betekende verre reizen maken, wat altijd een hoop geld kostte. Kapinsky was onmiskenbaar van plan hem meer gelden te ontfutselen, terwijl JJ hem al had gewaarschuwd dat ze hun budget hadden overschreden en de noodpotjes moesten aanbreken.

'Geef me nu het slechte nieuws maar, Louis.'

'Ik wil professor Volkov in Moskou gaan opzoeken. Hij is, zoals je weet, de grootste autoriteit in de wereld op het gebied van de genetica. Volkov heeft nooit gepubliceerd, vanwege Ruslands wetenschappelijke isolement, maar ik weet van mijn laatste bezoek dat hij een paar opzienbarende vorderingen heeft gemaakt op het gebied van de genetische biologie. En voor het geval je mocht denken dat het alleen om een paar vliegtickets, hotelrekeningen en nieuwe apparaatjes gaat, kan ik je verzekeren dat ik na terugkomst nog wel een paar dingen weet die we nodig zullen hebben om op gang te komen.'

Barnes keek Kapinsky doordringend aan en besefte dat deze geen grapjes maakte. Als het hem ernst was, ging het zeker niet om een paar hotelrekeningen. Hij sprak dan over bedragen met zes nullen. 'Louis, ik beloof niets wat ik niet kan waarmaken. JJ gooit me zijn kantoor uit als ik om het soort bedragen kom vragen dat jij in je hoofd hebt. Maar hoe zit het met onze vriendelijke geldschieter? Laten we eens met hem gaan praten, misschien krijg ik hem dan nu eindelijk eens te zien.'

Geschrokken en verrast keek Kapinsky hem aan. Hij schraapte zijn keel en mompelde: 'Hij zit eh, op het ogenblik in het buitenland.'

Barnes keek teleurgesteld. Kapinsky vervolgde: 'Maar ik kan proberen hem te bellen en kijken wat voor mogelijkheden er zijn.'

'Hoe heet hij ook weer, Feinstein is het niet?'

Kapinsky knikte bevestigend. Barnes leek nieuwsgierig, fronste zijn wenkbrauwen en zei: 'Besef je wel, Louis, dat jouw meneer Feinstein al zo'n tweehonderdduizend Amerikaanse dollars in ons onderneminkje heeft gestopt, en ik nog nooit een woord met hem heb gewisseld? Wat voor beroep heeft hij, wat zijn zijn motivaties? Waarom is hij zo in onze bezigheden geïnteresseerd? Hij vertegenwoordigt toch niet een of andere grote farmaceutische firma, wel?'

'Welnee!' Kapinsky sprong overeind als door een adder gebeten. 'Nee, daar is geen sprake van. Hij zit in de detailhandel, supermarkten of zoiets. Ja, hij heeft zijn geld in de detailhandel verdiend.' Kapinsky knikte nog eens heftig, alsof hij het met zichzelf eens was.

Barnes' belangstelling steeg. 'Detailhandel? Dat is nogal een eind weg van de medische wereld. Waarom is hij in ons geïnteresseerd?'

'Tjezus, Rodney, hoe moet ik dat nou weten.' Kapinsky was geïrriteerd. 'Misschien heeft hij wel een familielid verloren bij een transplantatie. Ik weet alleen maar dat hij me in mijn hotel heeft opgebeld nadat ik mijn eerste bavianenlezing had gehouden tijdens de Los Angeles-conferentie. Hij zei toen dat hij ons soort onderzoekswerk wilde steunen. De rest weet je – daar komen al deze spullen vandaan.' Kapinsky zwaaide met zijn arm naar de welgevulde laboratoriumkasten.

Barnes kreeg ineens spijt van zijn gegraaf. Kapinsky deed fantastisch werk. Hij was gemotiveerd. Hij was de hele nacht op geweest om achter een van zijn halfgare ideeën aan te draven. Hij had alle redenen om geïrriteerd te zijn. Als de een of andere Amerikaanse miljonair wat van zijn onrechtmatig verkregen verdiensten kwijt wilde ten behoeve van de geneeskunde, laat hem dan. 'Wanneer wil je gaan, en voor hoe lang?'

'Niet nu meteen. Ik wacht nog op wat uitslagen van een paar experimenten, en moet nog het een en ander lezen over die ongrijpbare hersenhormonen.' Kapinsky was ineens zo opgetogen als een schooljongen die onverwacht een middag vrij kreeg.

'In orde. Geef het wel even door aan Fiona. Ik neem aan dat de IJzeren Dame je tijdens jouw afwezigheid zal vervangen?' Het was een hypothetische vraag. Het leed geen twijfel dat de onbuigzame Susan Bates het lab zou regeren als Dzjengis Kahn.

Kapinsky zag er gekweld uit. Hij hoopte dat Barnes geen flauwe grapjes meer zou maken en opkraste.

Ze namen nog even wat huishoudelijke zaken door voor Barnes hem de hand schudde, een goede reis wenste en vertrok, maar niet zonder hem nog vermanend toe te roepen: 'En ga in godsnaam naar je bed!'

Een paar uur voor het afhandelen van de KZ en wat bijpraten met Fiona, die blij was haar baas zo in vorm te zien, en de dag zat er alweer bijna op. Hij had ieder uur contact met de intensive care gehad en David bleef vooruitgaan. Hij riep een korte stafvergadering bijeen in de dokterskamer, en bij aankomst trof hij het volledige hartteam aan. De laatste labresultaten, röntgenfoto's en statusnotities over Davids conditie stonden ter discussie. Op basis hiervan moest het team beslissen hoe de zaak verder te behandelen.

Snyman was, net zoals Louw en een aantal verpleegkundigen, even naar huis geweest en had een paar uur geslapen. Hij verscheen op de vergadering, uitgerust en vol energie, klaar voor wat ging komen. Barnes keek naar de stralende gezichten van zijn staf, en verbaasde zich opnieuw over het verjongende effect dat goed nieuws met zich meebracht. Jeugd, had een schrijver eens gezegd, werd verspild aan de jongeren. Hij had deze club eens moeten zien, dacht Barnes, voordat hij zulke onzin schreef.

Hij liep de hoofdpunten van de hele zaak nog eens door, ging terug naar de oorspronkelijke diagnose, lichtte elke beslissing toe die daarna was genomen en vroeg ieder teamlid daaraan toe te voegen wat ze nodig achtten. Ze gaven allemaal een verslagje van hun eigen inbreng, waarbij Des Louw een voor hem ongebruikelijk schuldbewust gezicht trok.

'Mijn verontschuldigingen, dokter,' zei hij. 'Ik moet eerlijk toegeven dat ik ernstig heb getwijfeld aan de levensvatbaarheid van het donorhart. Maar je bleek gelijk te hebben.'

'Zoals te doen gebruikelijk,' vulde Hobbs aan, waarna iedereen moest lachen.

'Zeer bedankt, jongens. Jullie hebben allemaal bijgedragen tot deze gelukkige afloop, maar voor we onze eigen fanclub worden, moet ik jullie erop wijzen dat we er nog lang niet zijn.' Hij keek om zich heen: 'Behandeling vanaf nu – ik stel voor dat we die voor vannacht aan de staf van de intensive care overlaten.'

'Nee dokter, met respect voor de staf, maar we wilden de patiënt graag ook deze tweede post-operatieve nacht begeleiden.' Jan Snyman zag er vastbesloten uit.

'We?' vroeg Barnes.

'Ja, dokter. Dokter Louw en ik. We hebben het er al over gehad. Hij doet de eerste helft van de nachtdienst, daarna neem ik het over.'

Des Louw knikte. Ze keken elkaar aan, en daarna naar Barnes.

'Oké, dat is dan geregeld. Ik denk niet dat we moeten proberen hem vóór morgenochtend los te maken van het beademingsapparaat. Laten we dokter Ohlsen maar even vragen wat hij ervan vindt. Akkoord?' Iedereen stemde in.

'Prima. De rest van de behandeling blijft hetzelfde. Ik houd er niet van tijdens de nacht iets te veranderen.'

'Dokter Barnes, hoe zit het met de verdere planning voor morgen? Ga je nog opereren?'

Alex Hobbs liet zich door niets van de wijs brengen en keek zoals altijd alweer vooruit. Het routinewerk van het ziekenhuis liep tenslotte gewoon door.

'Jazeker,' zei Barnes. 'Meneer Smith staat gepland voor een dubbele klepvervanging. Hij gaat als eerste. Daarna hebben we nog vier andere gevallen. We hebben een volle agenda.' Hobbs knikte bevestigend en maakte intussen notities.

'Mooi, meer heb ik niet. Iemand anders nog iets?' Barnes keek de kring rond. 'Nog eens bedankt. Ik weet niet wat jullie doen, maar ik ga naar bed.'

Maar hij was nog niet klaar. Op de gang zaten de ouders van David Rhodes te wachten. Hij vroeg zich even af of ze sinds de vorige avond nog naar huis waren geweest. Toen hij naar hen toeliep, keken ze hem strak aan, en klaarden zichtbaar op toen ze zijn glimlach zagen.

Laat maar zien wat je te zeggen hebt, dacht hij. De oude McKenzie had dat jaar in jaar uit in zijn colleges benadrukt, en erop gewezen dat een boodschap net zo goed via lichaamstaal wordt overgebracht als mondeling. In dit geval kon hij een glimlach niet bedwingen. Het gaf een fantastisch gevoel om de familie goed nieuws te kunnen brengen. Een ander ding dat McKenzie altijd had ingehamerd was een gebod van drie woorden: 'Volg je intuïtie.' En dat deed Barnes. Voordat mevrouw Rhodes wist wat haar overkwam, sloeg hij zijn armen om haar heen, klemde haar stevig vast en maakte een rondedansje over de gladde vloer. Meneer Rhodes had eerst een onzeker stapje terug gedaan, maar sprong toen met glanzende ogen tussen het groepje, en sloeg met zijn grote boerenhand op Barnes' rug.

'Goed nieuws, goed nieuws, David heeft een goede nacht gehad en een nog betere dag,' kon hij nog net uitbrengen voor meneer Rhodes' slagen hem de adem ontnamen.

Ze lachten naar elkaar, terwijl mevrouw Rhodes de tranen over de wangen rolden. Toen ze elkaar loslieten, pakten beide ouders Barnes vol dankbaarheid bij de hand.

Toen iedereen weer wat tot rust was gekomen, deed Barnes verslag van het verloop van de gebeurtenissen, en legde uit dat het getransplanteerde hart zich had hersteld en nu Davids eigen hart assisteerde. Dit werd op zijn beurt steeds sterker, omdat de infectie aan het verdwijnen was.

Mevrouw Rhodes pakte Barnes' hand en kuste die: 'Dank u, dokter Barnes. God heeft onze gebeden verhoord. Dank u, dank u.' Ook haar echtgenoot sprak zijn dankbaarheid uit, met tranen in zijn ogen. Het was een zware tijd geweest voor de familie Rhodes. Hij manoeuvreerde ze het kantoortje van de receptie binnen, legde uit hoe belangrijk een absoluut steriele omgeving in deze cruciale fase van de behandeling was, en riep de hoofdzuster. Van haar zouden ze een jas en een masker krijgen, zodat ze via het observatieraam van de afdeling even naar David konden kijken.

Tijdens de rit naar huis voelde hij zich opgetogen en genoot hij met volle teugen van het leven. En het was nog maar een paar uur geleden dat hij zo in de put had gezeten. Zo zat manische depressiviteit in elkaar, dacht hij, en lachte hardop – een lach die vanuit zijn diepste binnenste kwam en die hem zo deed schudden, dat hij zich aan het stuurwiel moest vasthouden. Je moest van alles wat op je afkwam maar het beste zien te maken. Hij was in de hel geweest. Nu zat hij in de hemel. Wat kon een mens nog meer verlangen? Het krantenaffiche bij het stoplicht riep: 'Hart dode jongen slaat in mans borst.' Een fraai staaltje van koppenmakerij, dat in feite het hele verhaal weergaf. Het had slechter gekund. Ze hadden het idee van het dode hart blijkbaar laten varen.

In de dagen die volgden verbeterde de toestand van David zich zonder dat er verder iets bijzonders gebeurde. Op de tweede dag konden ze hem loskoppelen van het beademingsapparaat. Twee keer probeerde hij te praten, zijn keel schor en pijnlijk van de slang. Uiteindelijk kraste hij: 'Ik kan ademen. Wat heerlijk. Ik kan weer ademen.'

Het vochtpeil in zijn longen zakte ieder uur als gevolg van de verbeteringen in zijn bloedsomloop. Het bloed vloeide steeds krachtiger door zijn aders, waardoor de gezonde levensblos weer de overhand begon te krijgen op de purpergetinte wangen.

Op de vierde dag werden alle infusen verwijderd, zijn catheter eruit gehaald en mocht hij een paar minuten buiten bed zitten. Dat wilde hij ook graag, maar toen hij tot zijn schrik merkte hoe zwak hij was geworden, was hij allang blij dat hij, met een van pijn vertrokken gezicht, weer in zijn kussens terug mocht zakken. Ook constateerde hij vol afgrijzen hoe slap zijn spieren waren. Die hadden geleden onder de onregelmatige bloedtoevoer van het slecht functionerende hart, en onder het gebrek aan activiteit. Toen de fysiotherapeut zich aandiende voor wat eerste voorzichtige oefeningen, trof deze dan ook een enthousiaste en gemotiveerde patiënt aan.

Zeven dagen na de operatie hield dokter Ohlsen hem weer een injectiespuit met verdovingsmiddel voor de neus. Het werd tijd om na te gaan of de anti-afstotingsmiddelen hun werk deden en in hoeverre deze erin waren geslaagd de aanvallen van het immuunsysteem op het getransplanteerde hart af te slaan.

Des Louw, met hulp van Alex Hobbs, deed een punctie in een ader van Davids hals en voerde langzaam een dunne, draadachtige catheter via de naald naar binnen. De ader liep direct naar de rechterpompkamer van het donorhart. Langzaam en zorgvuldig, zo nu en dan stoppend om op het röntgenscherm te kijken, stuurde Des Louw de catheter naar beneden tot deze het hart bereikte. Daarna werd een piepklein, draadgestuurd tangetje via de catheter naar beneden gevoerd en gebruikt om drie reepjes spierweefsel van het donorhart te verwijderen.

Barnes zat in zijn kantoor op een telefoontje van het pathologielab te wachten, dwong zichzelf intussen wat KZ-werk te doen, en weigerde over de uitslag te speculeren.

'Dokter Lee van pathologie op lijn twee.' Hij schrok van Fiona's stem via de intercom en pakte de hoorn van de haak.

'Dokter Barnes?' Hij bromde een antwoord, zijn keel te droog om behoorlijk te kunnen praten. 'Hier dokter Lee. Het zal u genoegen doen te horen dat uw monster van de donorhartspier slechts een minimale infiltratie door witte bloedlichaampjes vertoont. Er zijn verder geen tekenen van afstoting.'

Hij slaakte een diepe zucht. Nu konden ze het toedienen van immunosuppressieve medicijnen gaan verminderen en David zijn normale leven teruggeven. Hij mompelde een bedankje, hing op en keek uit het raam. Tot zijn verbazing zag hij dat de zon scheen. Dit was een week die tragisch was begonnen en nu eindigde met een kleine overwinning.

Het team was moe, uitgeput. Ze had dagen en nachten achter elkaar op volle toeren gedraaid. Het was tijd om te ontspannen. Hij vroeg Fiona bij Gino een tafel voor twaalf te bespreken. Het team had een avondje uit wel verdiend. Zes verpleegkundigen en Karen van der Walt accepteerden meteen. Ohlsen redde het niet. Hobbs, Louw en Snyman kwamen wat later, maar waren zeker van de partij. Zelfs Kapinsky, die niet van etentjes hield, zegde toe te komen. De groep vond het leuk om buiten het werk om bij elkaar te komen, en Barnes nog het meest van allemaal. Hij was erin geslaagd een perfect functionerend team op te bouwen, en vond het heerlijk ieder succes dat ze hadden behaald gezamenlijk te vieren – een gewoonte die door de andere afdelingen van het ziekenhuis met scheve ogen werd bekeken.

Het kon Barnes geen barst schelen wat andere afdelingen vonden. Hij zag zichzelf als teamleider, drijfveer en met name als iemand die zijn doel bereikte. Wat hem betrof werkten zijn methodes. Topmensen deden alles wat ze konden om in zijn succes te kunnen delen. Op het gebied van medisch en verpleegkundig personeel kon hij kiezen wie hij wilde, en dat deed hij dan ook zonder scrupules. Als andere afdelingen daardoor werden opgezadeld met een tweede keus, was dat hun probleem.

Zoals altijd bereidde hij de maaltijd zorgvuldig voor, door op weg naar huis langs Gino te rijden om het menu te bespreken. Ze besloten tot verse vis – wat uit de vriezer kwam was verboden – en een selectie van Westkaapse droge witte wijnen. Barnes koos ze zelf uit. Hier, minder dan een uur rijden van Kaapstad, had de combinatie van een perfect klimaat en een eeuwenlange ervaring op het gebied van de wijnbouw geresulteerd in de meest uitgelezen wijnen ter wereld.

Daaronder waren Barnes' favorieten, van kleine familiebedrijven, de best geheimgehouden soorten, die in te kleine hoeveelheden werden aangemaakt om geëxporteerd te kunnen worden, maar zeer geliefd waren bij de kenners.

Tegen de tijd dat de drie artsen arriveerden, was Barnes al aan zijn vierde glas champagne, en de meeste meisjes aan hun derde. De conversatie was daardoor wat losser geworden. Barnes veranderde de opstelling aan tafel, zodat artsen en verpleegkundigen om en om naast elkaar kwamen te zitten. Karen van der Walt zette hij naast zichzelf. Hij wist dat Kapinsky niet over zijn onderzoeken zou praten, maar de andere dokters hadden vaak de gewoonte om de boventoon te voeren in gesprekken over hun patiënten en de operatieve successen die ze hadden behaald. Zodra iedereen een drankje had, waarschuwde hij dan ook dat er vanavond niet over werk zou worden gepraat.

Het eten was voortreffelijk en de gesprekken waren levendig, maar ontspannen. De vader van Snyman was wildopzichter in het Kruger-park en Snyman had daar allerlei verhalen over. Barnes besefte al na korte tijd dat een aantal van de beschreven gebeurtenissen een andere herkomst had, om het zo maar eens te noemen, maar ze werden met zoveel enthousiasme en overtuiging gebracht dat hij het er verder maar bij liet zitten.

Snyman vertelde hoe je de meest fantastische dingen in de wildernis kon zien gebeuren door eenvoudigweg in de buurt van een drenkplaats te gaan zitten, en af te wachten.

Zo zag hij op een keer hoe een impala-ram naar de poel kwam en begon te drinken. Ineens begon het wateroppervlak te schuimen door het klappen van de staart van een krokodil die het onfortuinlijke bokje tussen zijn kaken klemde en in het diepe begon te trekken. Daarna gebeurde er iets onverwachts. Voordat de krokodil de tijd kreeg de impala onder water te slepen onstond er een groot tumult en kwam er een nijlpaard ten tonele. De aanval van het nijlpaard joeg de krokodil zo'n schrik aan dat hij de impala losliet en vluchtte.

Het nijlpaard, vele honderden kilo's zwaarder dan het bokje, probeerde toen het kleine beest te redden door het met zijn reusachtige kop het water uit te duwen. Toen het nijlpaard vond dat het bokje ver genoeg van de rivieroever was verwijderd, stopte ze haar pogingen, bleef bij de patiënt en hielp het diertje overeind iedere keer als het omviel ten gevolge van de ernstige verwondingen die het reptiel hem had toegebracht. Na ongeveer een kwartier werd de zon te heet voor het nijlpaard, die de situatie toen verder liet voor wat die was, en terugkeerde naar het water. De krokodil had op veilige afstand naar deze gebeurtenissen gekeken en besloten dat, na het vertrek van het nijlpaard, hij zonder problemen alsnog zijn prooi kon binnenhalen. Het prehistorische beest klom tegen de oever op en trok de weerloze bok opnieuw het water in. Om onverklaarbare redenen is het nijlpaard nooit meer komen opdagen.

Barnes wist dat dit een waar gebeurd verhaal was, want hij had het op een videofilm gezien. Hij wist ook dat Snymans naam niet op de aftiteling voorkwam! Maar hij zei niets, want hij wilde Snyman niet kwetsen, en de avond verliep verder vol vrolijkheid.

Karen was samen met de verpleegkundigen in een propvolle auto naar het restaurant gekomen en nam dankbaar Barnes' aanbod aan haar naar huis te brengen. Ze zeiden niet veel toen hij langs de voet van de Tafelberg naar haar huis in Rondebosch reed. Zij keek bewonderend naar alle lichtjes van de stad beneden hen, en hij moest op de weg letten na alle alcohol die hij had gedronken. Ze stopten voor het hek, Barnes stapte uit, liep om de auto heen, en opende het portier. Ze bleef nog even zitten en leek iets te willen zeggen. Maar ze zei niets, weifelde nog even, en stapte toen uit. Barnes begeleidde haar naar de voordeur. Ze deed de deur open, draaide zich om en stond zo dicht bij hem, dat hij haar parfum kon ruiken.

'Dat was een fantastische avond, dank je wel. Wil je nog een slaapmutsje?' vroeg ze.

'Nee dank je, ik moet morgenvroeg weer opereren,' zei hij, alweer op weg naar zijn auto.

'Nogmaals bedankt voor een heel fijne avond.' Ze duwde de deur snel open en verdween.

Op weg naar huis merkte Barnes dat deze vrouw iets in hem had wakker gemaakt.

'Verdomme!' mompelde hij zachtjes tegen zichzelf. Met een wrang glimlachje schudde hij deze gedachten van zich af.

HOOFDSTUK 10

Het gesprek met Barnes over de mogelijke aanwezigheid van een factor in de levende hersenen die onontbeerlijk was voor het welzijn van vitale organen, en het wonderbaarlijke herstel van het donorhart dat in David was geplaatst, hadden ertoe geleid dat Kapinsky heel wat tijd doorbracht in de medische bibliotheek. De neurofysiologie was zijn terrein niet. Om wat meer inzicht te krijgen hoe dit probleem in het lab kon worden benaderd, moest hij zijn toevlucht nemen tot de vakliteratuur in boeken en tijdschriften.

Na enige dagen speurwerk kwam hij tot de conclusie dat niet het verbreken van de neurale verbindingen bij de hersendode patiënten leidde tot de verslechtering van de functies van de vitale organen, maar het stopzetten door de hersenen van de afscheiding van chemische boodschappers.

Dokter Louws werk had hun inzicht verschaft in het belang van de afscheidingsfunctie van de hersenen, en vervangende hormonen hadden geleid tot een opvallende verbetering in het voortbestaan van donororganen.

Een aantal van deze farmacologisch actieve neuropeptiden was al beschreven en praktisch iedere maand werden er nieuwe ontdekt.

Kapinsky kon nergens verwijzingen vinden naar onderzoek op dit gebied bij hersendode dieren. Zijn taak zou zijn de concentratie van iedere peptide te vergelijken, eerst in de donor en dan in het levende dier. Op die manier zou hij kunnen vaststellen welke van deze chemische boodschappers in lage concentraties ontbraken of aanwezig waren bij de hersendode patiënt. Dankzij de grote technologische vooruitgang van de laatste jaren was zoiets tegenwoordig gelukkig mogelijk.

De twee technieken die het meest werden toegepast waren radioimmuunassay en immunocytochemie. Beide technieken gingen uit van hetzelfde immunologische principe: een antistof gaat alleen een verbinding aan met een specifiek antigeen.

Kapinsky bladerde door de aantekeningen die hij de laatste dagen had gemaakt. Het kon vast nog wel op een eenvoudiger manier, dacht hij, een methode die meer in de lijn lag van zijn onderzoek.

Sinds de avond van het feestje had Barnes veel tijd in het ziekenhuis doorgebracht. Er moest nogal wat operatiewerk worden ingehaald. De gebeurtenissen rond David hadden zoveel tijd in beslag genomen, dat er een achterstand was ontstaan. De cardiologen klaagden dat veel dringender gevallen dan transplantaties waren verwaarloosd.

Zijn voortdurende aanwezigheid in het ziekenhuis had ook een andere reden. De contacten met Karen waren nog plezieriger dan voorheen en hij was moed aan het verzamelen om haar te vragen weer met hem te gaan eten, dit keer zonder de andere leden van het team.

De ochtend na de zaalronde besloot hij niet te blijven rondhangen, maar Kapinsky op te gaan zoeken om te zien waar die mee bezig was. Hij had al dagenlang niets van hem gehoord. Normaal ging er geen dag voorbij zonder dat ze elkaar zagen of in ieder geval telefonisch contact haden. Ondanks hun nauwe samenwerkingsverband zagen ze elkaar slechts zelden buiten werkuren en Kapinsky had nog nooit iets verteld over zijn jeugd of zijn ouders. Barnes wist alleen dat hij tijdens de oorlog in Polen was opgegroeid en dat zijn ouders op gruwelijke wijze waren vermoord door de Russische communisten.

Alles wees erop dat Kapinsky die periode van zijn leven liever vergat, en Barnes kon dat heel goed begrijpen. Het moet verschrikkelijk zijn geweest om tijdens het nazi-bewind in Polen op te groeien. Barnes had Kapinsky wel eens gevraagd of zij als kinderen bewust waren geweest van de gruweldaden die in de concentratiekampen plaatsvonden. De reactie van zijn collega was vreemd geweest. Het leek alsof zijn herinneringen hem eventjes mee terugnamen naar een andere wereld, een wereld die interessant en plezierig was. Toen ineens kwam de heftige ontkenning en liet hij overduidelijk blijken er niet meer over te willen praten. Barnes besefte dat kinderen die onder dergelijke omstandigheden waren opgegroeid, onder grote psychologische druk moeten hebben gestaan. Hij had daarna het onderwerp nooit meer aangeroerd.

Hijzelf had het grote geluk zijn jeugd door te kunnen brengen in Zuid-Afrika waar men nauwelijks bewust was van een oorlog. Het was allemaal zo ver weg. Men werd er niet dagelijks met dood en vernietiging geconfronteerd. Men las erover in de kranten en luisterde naar de berichten op de radio, maar niemand was er direct bij betrokken en het leek allemaal zo onwerkelijk.

Toen hij Kapinsky die morgen in het lab aantrof, bleek die in een slecht humeur te zijn. Zonder groeten barstte hij meteen los. 'Rodney, wat jij wilt is onmogelijk. Het hart heeft één functie, maar de hersenen veel meer. We weten maar heel weinig van wat ze doen, en nog veel minder van hoe ze het doen. Het vinden van jouw ontbrekende factor is het werk van een neurofysioloog en een biochemicus. Dat is niets voor een chirurgje als jij.'

Barnes negeerde zijn sarcasme. 'Maar daarom heb ik jou toch, Louis, jij bent niet zomaar een chirurgje.'

'En van de werking van de hersenen weet ik ook niet alles af.' Barnes vervolgde onverstoorbaar. 'Jij hebt al zoveel problemen aangepakt die je niet als chirurgisch kunt bestempelen.'

Kapinsky besefte dat het geen zin had Barnes op stang te jagen, en hij legde zijn vriend zorgvuldig uit wat hij allemaal in de bibliotheek had ontdekt. Hij eindigde met: 'Zoals je ziet, Rodney, zullen we naar de speld in de hooiberg moeten gaan zoeken.'

'En hoeveel kans denk je dat we hebben om die speld te vinden?' vroeg Barnes.

'De techniek om een specifieke neuropeptide te vinden is niet zo gecompliceerd. Ik denk dat onze specialisten dat binnen een paar weken wel voor elkaar krijgen.'

'Louis, stel je eens voor wat het zou betekenen als we een donor in leven konden houden.'

Kapinsky giechelde. 'Dat kan niet, Rodney.'

'Kom op, je weet wat ik bedoel. Ik wil een zaal vol mensen met dode hersenen, maar met vitale organen die nog uitstekend functioneren.'

Kapinsky voelde de opwinding in de stem van zijn vriend.

'Rustig aan, Rodney. We hebben nog een lange weg te gaan voordat jij je zaal vol levende doden hebt.' Hij pauzeerde en zijn gezicht werd uitdrukkingsloos.

'Wat is er aan de hand, Louis, voel je je niet goed?'

Kapinsky schudde het hoofd. 'Jawel. Ik zat alleen maar even aan de wetenschappelijke mogelijkheden te denken.'

'Ja,' zei Barnes, die niet meer te stuiten was. 'We zouden een bank hebben van levende menselijke organen en weefsels. Niemand zou bezwaar kunnen maken tegen proeven over het effect van medicijnen en bestraling, en nieuwe chirurgische procedures kunnen worden uitgeprobeerd en toegepast op levende mensen.'

'Denk je dat de Ethische Commissie dat zal toestaan?'

'Zolang de familieleden van de donors akkoord gaan, zou ik niet weten hoe ze daar bezwaar tegen kunnen maken. Ze zijn tenslotte dood, en we kunnen ze verder geen schade meer berokkenen.'

Kapinsky kreeg weer die merkwaardige uitdrukking op zijn gezicht, 'Dat is waar. Wat is er nou voor verschil tussen het opensnijden van het

lichaam in het mortuarium, of ermee aan het werk gaan als het nog leeft.'
'Kom op, Louis, het leeft niet echt meer. Deze patiënten zijn niets meer dan levende lijken.'

Wilhelm Kapisius was de oudste zoon van een ziekenbroeder, en werd in Berlijn geboren. Dankzij de werkkring van zijn vader mocht Wilhelm, of Willy zoals iedereen hem noemde, in het weekend vaak mee naar het ziekenhuis, en hielp hij patiënten te vervoeren van de zaal naar de röntgenafdeling, fysiotherapie of, wat hij het leukste vond, naar het lab voor bloedonderzoek. Het lag dan ook voor de hand dat hij, in München, medicijnen ging studeren. Daar raakte hij na korte tijd betrokken bij een rechtse studentenvereniging, en werd een enthousiast aanhanger van de nazi-beweging. In 1934 werd hij lid van de SA en in 1937 meldde hij zich aan als partijlid. Het jaar daarna kwam hij bij de SS.
Hij studeerde af, en prees zichzelf gelukkig dat hij werd aangenomen als assistent aan het universiteitsziekenhuis in München. Hij was briljant noch dom. Puur slecht was hij ook niet, hoewel de ethiek bij hem niet hoog in het vaandel stond. Onderdeel van de postdoctorale opleiding van deze jonge artsen was bij toerbeurt een verblijf van drie maanden in Dachau. Hier moesten zij niet alleen deelnemen aan de experimenten die werden uitgevoerd op de gevangenen, maar ook bij het genezen door te doden. Zoals je niet iemand kunt doden die al dood is, doe je ook geen kwaad als je zo iemand verminkt, werd hun gezegd. Willy geloofde onvoorwaardelijk in het principe dat werd verkondigd door Betthmann-Hollweg in 1914: 'Nood breekt wet.'
Eind 1941 en begin 1942 werden in het hele door Duitsland bezette gebied vernietigingskampen opgericht, met name in Polen. Het was naar Auschwitz dat Dr. Wilhelm Kapisius, nu gepromoveerd tot SS-kapitein, met zijn vrouw en zijn zoon Lodewick, werd overgeplaatst. Dr. Josef Mengele werd zijn vriend en mentor.
Willy's zoon Lodewick was nu 14 jaar, en buitengewoon trots op zijn vader. Hij luisterde dan ook tot het uiterste geboeid naar diens verhalen over het werk dat hij in het kamp verrichtte.
Na verloop van tijd mocht hij regelmatig met zijn vader mee om hem met zijn medische experimenten te helpen, tot 8 juni 1945, toen de Russische troepen het kamp bezetten. Zijn vader werd gevangengenomen, en zijn moeder een paar uur later opgehaald, hoewel zij nooit iets met de activiteiten in het kamp te maken had gehad.

Beiden werden zonder proces door de Russische communisten opgehangen. Nooit zou hij zijn vaders laatste woorden vergeten die hij
uitsprak toen de houten kist, waarop hij stond met een touw om zijn
nek, werd weggeschopt. 'Ik sterf als een Duitse officier die zijn vaderland heeft gediend. Heil Hitler!'

Toen al vormde zich in het hoofd van de jongeman het besluit carrière
te maken, ter nagedachtenis aan zijn ouders. Als wraak op wat hun
gezin was aangedaan.

Na de executie van zijn ouders smokkelde zijn oom Lodewick Polen
uit, naar Londen, waar hij verder opgroeide als Poolse vluchteling en
Dr. Louis Kapinsky werd. Zij die zijn verleden kenden en wisten dat
zijn vader een SS-arts in de concentratiekampen was geweest, waren
intussen dood. Hij heeft nooit over zijn leven tijdens de bezetting van
de nazi's gepraat.

Voor zijn vrienden was hij een wees die aan de verschrikkingen van
het Russische regime had weten te ontsnappen, en een opleiding had
kunnen financieren met een parttime baan in het lab van het ziekenhuis.

Nu, vele tientallen jaren later, in het vliegtuig naar Rusland en zijn
vriend Volkov, kwamen al deze herinneringen weer in Kapinsky op.

Volkov, de geneticus die zoveel jaren van zijn leven de lijn van de
communisten had moeten volgen, terwijl hij alles wat communistisch
was verachtte. 'We doen wat we moeten doen. Zo krijgen we de kans
te doen wat we willen doen,' had hij eens tegen Kapinsky gezegd. Wat
een verspilling was het voor dit genie geweest, weggestopt te zitten in
zijn Moskouse laboratorium, met slechts schaarse contacten met de
westerse wetenschapswereld. Volgens Kapinsky was hij de grootste
levende geneticus, die zijn collega's in het westen jaren vooruit was.
Het was de derde keer dat Kapinsky de grote man opzocht in zijn lab,
en hij voelde zich bevoorrecht dat hij een van de weinige westerlingen
was, die contact met hem had.

'Over een paar minuten zullen wij landen op het vliegveld Sheremetyevo van Moskou. Wij verzoeken u uw stoelriemen vast te maken en er
op toe te zien dat alle handbagage is opgeborgen in de schappen boven
uw hoofd.' De intercom klingelde en viel toen stil. Overal klikten de
gespen van de stoelriemen toen de passagiers zich gereedmaakten
voor de landing. Het vliegveld was zoals hij het zich herinnerde van de
vorige keer, op wat transit-passagiers na leeg, er viel haast geen Rus te
bekennen. Geen dagjesmensen, mams, paps en de kinderen met ijsjes

of frites, geen inloopboekwinkel met westerse tijdschriften of kranten, niets behalve een dure koffiekamer met slechte bediening en lange rijen, en een winkel met belastingvrije, westerse spullen. En altijd die luidsprekers met hun eindeloze mededelingen en patriottistische muziek. De Russen, constateerde hij, worden door hun radio, televisie en kranten ervan verzekerd dat ze het nog nooit zo goed hebben gehad. Ze hadden geen benul van wat er buiten hun grenzen gebeurde. Hou de westerse invloeden buiten de deur, volg de regels van de overheid, en wat het oog niet ziet, doet het hart geen pijn.

Zelfs Volkovs lab leek te zijn aangetast door de eeuwig treurige onveranderlijkheid. Verouderde apparatuur die daar al jaren had gestaan, eigenaardige accessoires met kunst- en vliegwerk gerepareerd, wegwerpbakjes van de reclame in plaats van toepassingsgericht laboratoriummateriaal. Volkov keek graag naar de gezichten van zijn bezoekers. Hij zag dan eerst ongeloof, gevolgd door teleurstelling, die weer gevolgd werd door westerse beleefdheid en een houding alsof er niets bijzonders aan de hand was.

Kapinsky wist dat Volkov soms op de 'arme communisten-'toer ging. Dit toneelstukje leidde er meestal toe dat men het nieuwste wetenschappelijke snufje of laboratoriuminstrument ten geschenke aanbood, wat altijd in grote dank werd aanvaard. Bij een van dergelijke gelegenheden voegde Volkov daar nog aan toe: 'Wat men zich niet realiseert, is dat wij niet in laboratoriumspullen doen, maar in mensen. De belangrijkste onderdelen van een laboratorium zijn de mensen die er werken.'

Kapinsky werd hartelijk door Volkov ontvangen, die hem vertelde hoe dankbaar hij was voor de partij bavianen die hij uit Zuid-Afrika had ontvangen, een mededeling die Kapinsky zorgen baarde. Dat had hij alle reden voor, want Volkov toonde zijn dankbaarheid altijd maar op één manier: met wodka. Tijdens zijn laatste bezoek, twee jaar geleden, had Volkov geregeld dat Kapinsky een toespraak zou houden aan een groot academisch ziekenhuis, het Vashevsky Instituut. Die dag begon heel onschuldig. Hij werd door een auto van zijn hotel gehaald, twee uur voor het begin van de lezing die om twaalf uur was gepland. In de auto zat een tolk, die hem vertelde dat zij professor Vashevsky zou bijstaan, die alleen Russisch sprak.

Het Instituut was gevestigd in een oud gebouw, van voor de Revolutie, dacht Kapinsky. De gangen waren zo breed als een straat en de plafonds wel vier meter hoog'. Er waren geen gescheiden afdelingen, mannen en vrouwen werden in één grote zaal behandeld. Vol trots leidde professor Vashevsky Kapinsky rond, en praatte intussen onafgebroken over zijn verrichtingen en successen. Ongeveer een uur voor Kapinsky's lezing gingen ze naar zijn kantoor. Dit was spaarzaam gemeubileerd, met in het midden een kleine ronde tafel en drie stoelen. Op de tafel stonden glazen, hapjes en een fles met een kleurloze vloeistof. De professor bood Kapinsky een stoel aan en ging tegenover hem zitten. De tolk nam de derde stoel. Vashevsky vroeg of hij iets wilde drinken, maar nog voor hij kon antwoorden vulde hij twee glaasjes met de vloeistof uit de fles. De tolk mocht blijkbaar niet meedoen.

Vashevsky zei iets in het Russisch en sloeg de inhoud van zijn glas in één keer achterover. 'Op uw gezondheid,' zei de tolk. Kapinsky beantwoordde de toost, maar nam een slokje in plaats van een lange teug. Dat bleek een wijs besluit; door dat ene slokje stond zijn keel al in brand.

De vloeistof brandde door tot in zijn slokdarm. Vashevsky zei iets tegen de tolk, en zij legde Kapinsky uit dat de juiste manier van wodka drinken was, dat je de hele inhoud van het glas in één keer doorslikte. Dat deed hij, en hij vroeg zich af waarom zijn stoel zo schudde. Toen zijn tranen waren gedroogd, merkte hij dat profesor Vashevsky zijn glas opnieuw had gevuld en klaar zat voor de volgende toost, ook weer in het Russisch. Kapinsky dankte hem zeer. Bij de vierde toost hadden ze geen tolk meer nodig.

Toen legde Vashevsky uit dat hij vóór de lezing nog een operatie moest uitvoeren, maar op tijd terug zou zijn. Intussen kon Kapinsky hier op hem wachten en de fles leegmaken.

Kapinsky's gezicht voelde inmiddels aan alsof hij een prik van de tandarts had gehad. Hij vroeg de tolk of ze mischien buiten even een wandelingetje konden maken, voor wat frisse lucht. Hij herinnert zich nog hoe hij het kantoor uitliep, en een paar stappen naar buiten deed. Toen hij weer bij bewustzijn kwam, lag hij op zijn rug midden in het tweepersoonsbed in zijn hotelkamer. Buiten was het donker en hij had een barstende hoofdpijn. Hij wist niet meer wat het Russische woord voor aspirine was, en deed die nacht geen oog dicht. Vroeg in de morgen rinkelde zijn telefoon. Het was de tolk om te zeggen dat professor Vashevsky zijn verontschuldigingen aanbood voor het afgelasten van de lezing, omdat de operatie langer had geduurd dan hij had gedacht.

Hij heeft Volkov nooit over deze belevenis verteld en Volkov heeft hem nooit iets over de lezing gevraagd. Wel vertelde hij Kapinsky dat er vrijwel geen geld was om gasten te vermaken en men vaak de alcohol van de huisapotheek uitschonk als wodka. Kapinsky had destijds best begrip gehad voor de situatie, maar zich wel voorgenomen om het in de toekomst voorzichtig aan te doen als hem 'wodka' werd aangeboden.

'Wodka?' vroeg Volkov en hield de fles omhoog. Toen hij de aarzeling zag in Kapinsky's gezicht glimlachte hij, en draaide de fles rond, zodat er een westers merk zichtbaar werd.

'Je bavianen waren precies wat ik nodig had voor mijn experimenten. Ik heb je een hoop te vertellen,' zei Volkov en schonk beiden een glas in. 'Ook op jouw succes,' voegde hij eraan toe.

Ze dronken. Kapinsky proefde de zachtheid van de echte wodka en wachtte.

'Ik heb, denk ik, een erg belangrijke ontdekking gedaan,' zei Volkov. Hij keek eens goed naar zijn glas, zag dat het half leeg was en vulde het bij. Kapinsky wuifde de fles weg toen deze hem werd voorgehouden.

Volkov stak een sigaret aan met de peuk van de vorige, en ging verder: 'We hebben tot nog toe altijd aangenomen dat de afstoting van organen getransplanteerd van bavianen in mensen hyper-acuut was, vanwege de aanwezigheid van anti-baviaan antistoffen in de mens. Dankzij jouw bavianen weten we nu dat dat niet zo is.'

Kapinsky kwam terug op zijn besluit, en wilde toch nog wat drinken, Volkov wachtte tot hij zijn glas had gevuld.

'Ik heb kunnen aantonen, dat huidtransplantaat van bavianen bij menselijke vrijwilligers niet altijd automatisch hyper-acuut wordt afgestoten. Sommige baviaantransplantaten waren meer compatibel met mensen dan andere. De afstoting van de huid werd niet rechtstreeks veroorzaakt door antistoffen, maar meer door een snelle reactie van de cellen.'

Kapinsky zei niets. Volkov maakte zijn verhaal liever eerst af voordat hij vragen ging beantwoorden.

'We weten dat er drie soorten afstoting zijn,' zei hij, en begon heen en weer te lopen alsof hij een zaal met studenten toesprak. 'De hyper-acute staat doet zich voor binnen een paar minuten, vanwege de aanwezigheid van antistoffen. De acute cellulaire respons is wat langzamer, maar doet zich voor binnen een paar uur. Sub-acute cellulaire responsen laten soms dagen op zich wachten.'

Kapinsky fronste zijn wenkbrauwen, en schonk nog wat wodka in. Volkov had zijn eigen manier van vertellen en nam er de tijd voor.

Volkovs woordenvloed werd onderbroken door een hevige hoestbui. Hij steunde met beide handen op zijn bureau, terwijl hij naar adem stond te snakken. Hij spuugde zijn fluim in de wastafel van het lab, nam nog een slok wodka, lachte naar Kapinsky en ging verder.

'Laten we een militair voorbeeld nemen. We zeggen dat de antigenen van de bavianen de soldaten van een invasieleger zijn, en de immuunrespons van de patiënt het leger is, dat zich verdedigt.'

Kapinsky knikte.

'De verdedigingsmacht kan op drie manieren worden gemobiliseerd. Ten eerste, ze kunnen in een hinderlaag liggen en als de indringers arriveren is er een onmiddellijke respons. Dat is onze hyper-acute afstoting die te danken is aan de directe aanwezigheid van een verdedigingsleger op het slagveld. Kun je me volgen?'

'Ja,' zei Kapinsky. 'In dit geval zijn de soldaten de menselijke antistoffen.'

'Precies,' zei Volkov, en stak weer een sigaret op. 'De tweede respons volgt als de soldaten in de buurt zijn, maar nog niet meteen beseffen dat de indringers zijn gearriveerd. Ze reageren alleen maar als een boodschapper hun het nieuws heeft gebracht.'

'Ja, dat begrijp ik,' zei Kapinsky. 'Daarom duurt die respons wat langer.'

'Ja, maar belangrijk hierbij is dat er een boodschapper moet zijn. Net als bij de derde respons, waar de soldaten nog in hun barakken verblijven. In dat geval duurt het nog langer voordat er een respons wordt gegeven.'

Kapinsky zette zijn glas neer. Dat was het! Dat was de sleutel tot dit probleem. Als de boodschapper kon worden gestopt, was er geen respons, geen afstoting.

Hij kon zijn opwinding niet meer bedwingen: 'Professor, als het klopt wat je zegt, hoeven we niet veel anders te doen dan bavianen uit te zoeken die het beste beantwoorden aan de tweede optie. Als we dan de boodschapper blokkeren kunnen we transplanteren zonder dat er afstotingen plaatsvinden.'

'Theoretisch gesproken, ja,' zei Volkov. 'Maar vergeet niet dat theorie en praktijk verschillende zaken zijn. Ik ben met mijn dierenproeven nog niet zover dat ik er enige definitieve conclusies aan kan verbinden, maar de aanwijzingen zijn er.'

Kapinsky kon hem wel omhelzen. Alle losse eindjes kwamen bij elkaar. Volkovs 'boodschapper' en Barnes' x-factor, wijzend in de richting van chemisch tot stand gebrachte aanzetters die de verschillende lichaamsresponsen opriepen.

Kapinsky besteedde de dagen die volgden aan het lezen van Volkovs aantekeningen, die tot zijn blijdschap in het Duits waren opgesteld.

Volkov sleepte hem door het lab, waar hij weefselproeven van de bavianen kon bestuderen en van de menselijke vrijwilligers.
De puzzel begon vorm te krijgen.

Kapinsky voelde hoe zijn lichaam in zijn stoel naar achteren werd gedrukt, toen de krachtige turbo-prop-motoren van de Toepoelef Aeroflot-vlucht 207 voortjoegen over de startbaan van het vliegveld Sheremetyevo. Hij verliet Rusland met gemengde gevoelens.
Hij was blij te kunnen vertrekken uit de deprimerende sfeer van een socialistische staat waar het individu werd gezien als een bediende van de maatschappij, maar hij was ook verdrietig omdat hij afscheid had moeten nemen van zijn vriend en mentor Ivor Volkov. Het zou best wel eens de laatste keer hebben kunnen zijn dat ze elkaar hadden gezien. Volkov was nu in de zeventig, een stevige drinker en een kettingroker, die zich weinig om zijn gezondheid bekommerde.
Ze hadden vijf zeer informatieve en interessante dagen doorgebracht, de hormonale functies van de hersenen doorgenomen en de essentiële rol die deze spelen bij het functioneren van het lichaam. Ze waren tot de conclusie gekomen dat de zoektocht naar de chemische boodschappers wetenschappelijk heel leuk was om te doen, maar strategisch gezien onmogelijk.
Volkov wees erop dat Kapinsky eenvoudigweg de tijd niet had om alle mogelijkheden die aan zo'n onderzoek verbonden waren uit te diepen. Toen was het moment aangebroken dat Kapinsky hem deelgenoot maakte van zijn geheime droom. Volkov luisterde zorgvuldig en zonder iets te zeggen, drukte toen zijn sigaret uit, stond op en gromde: 'Komm, we hebben een hoop te doen.'
De drie daarop volgende dagen kwamen ze het lab niet uit en leefden van het voedsel dat door Volkovs hospita werd gebracht. Kapinsky proefde nog steeds de smaak van het zware, vette eten dat Volkov zo lekker vond, en hij vroeg zich af hoe de man het klaarspeelde zo slank te blijven.
De stoelen van de omgebouwde bommenwerper konden niet naar achteren, en alle luxe van een westers toestel was hier ver te zoeken. Kapinsky besloot dat hij beter het Russische voorbeeld kon volgen, en het probleem verdoven. Hij hield een stewardess aan toen die langs paradeerde, en bestelde in het Engels een wodka met ijs. Ze mompelde iets dat op 'Da' leek, als teken dat ze hem had gehoord, maar verder veranderde de uitdrukking op haar gezicht niet. Ze zag eruit alsof ze zich beter op haar plaats had gevoeld als gevangenbewaarder.

De wodka deed zijn werk. De rechte stoelzitting leek veel comfortabeler. Kapinsky zakte onderuit en doezelde weg...

De jonge Ferreira maakte hem wakker en trok hem dringend aan zijn mouw: 'Dokter Kapinsky, er is iets mis bij de proefdieren. Een van de schoonmakers belde daarnet.'

Kapinsky was meteen klaarwakker.

'Wat is er aan de hand?'

'Hij zegt dat de bavianen elkaar aanvallen en bijten.'

God verhoede dat het de experimentele baviaan was, dacht Kapinsky terwijl hij naar de lift liep. Deze was geboren nadat men bij de moeder het embryo via de baarmoeder blootgesteld had aan menselijke antigenen en bleek na zijn geboorte menselijke weefsels te verdragen. Dat was het doel van de operatie van gisteren, het implanteren van een donorhart van een terechtgestelde gevangene en de registratie van de werking van het afstotingsmechanisme. Barnes zou uit zijn vel springen als de hele toestand in dit stadium in de soep zou lopen. Deze had hemel en aarde bewogen om per vliegtuig een hart uit Pretoria te kunnen halen, en had dat in perfecte conditie afgeleverd. De operatie was goed verlopen en niets wees erop dat zich complicaties zouden voordoen.

Geklap van metaal, geratel en bavianengeschreeuw klonken op uit het dierenverblijf toen hij op de bel drukte om binnengelaten te worden. De schoonmaker, zijn zwarte huid nat van het zweet en met grote angstogen, opende de zware stalen deur. 'Baas, het is die jonge, met het nieuwe hart. Hij heeft de andere twee vermoord.'

Kapinsky zag in één oogopslag wat er aan de hand was, en slaakte een zucht van opluchting. Het proefdier met het hart van een geëxecuteerde moordenaar had zich voldoende hersteld om zijn twee kooigenoten te wurgen, en stond nu aan de tralies te rukken. De gedaanteverandering was angstaanjagend. Het dier, dat vóór de operatie nog gedwee en zachtmoedig was, zag er nu ongelofelijk kwaadaardig uit, met zijn tanden bloot en schuim in de mondhoeken.

'Waarom heb je die twee dode bavianen niet weggehaald?'

'Jezus, baas, zoiets heb ik nog nooit meegemaakt. Deze baviaan was zo mak als een lammetje, en nu hoef ik niet te proberen om in zijn buurt te komen.'

'Hij heeft waarschijnlijk pijn. Geef hem iets kalmerends en bel me dan,' zei Kapinsky.

De rest van de dag hoorde hij niets. Die avond besloot hij zelf te gaan kijken. Het zag ernaar uit dat de problemen waren opgelost.

Iedereen was naar huis en hij was alleen op de afdeling. In de gang hoorde hij het gekakel van een baviaan, maar dat was normaal, en het was in ieder geval geen geschreeuw. Toen hij de ruimte binnenkwam was alles donker. Hij pakte een noodlamp uit de standaard bij de deur en stootte met zijn voet tegen iets dat op de grond lag. Toen hij de lantaarn naar beneden richtte viel het licht op het zwarte lichaam. De ogen puilden uit, en de tong die uit de mond hing was blauw en opgezwollen. Het paste precies in Barnes' beschrijving over het uiterlijk van een gehangene. Alleen vertoonde de nek hier geen sporen van een touw, maar waren in de hals zeer duidelijke afdrukken van klauwen te zien.

Ineens werd hij bij zijn arm gepakt. Kapinsky slaakte een kreet van schrik.

De stewardess liet zijn arm los, en deed een stapje terug. 'Sorry meneer, we gaan zo landen op Heathrow. Wilt u uw stoelriem vastmaken?'

Verward deed Kapinsky meteen wat er van hem werd gevraagd. Twee passagiers een eindje verderop grinnikten begrijpend. Hij staarde uit het raam naar de bewolkte Engelse lucht en vroeg zich af of zijn onderbewustzijn hem iets probeerde te vertellen.

'Misschien heeft Rodney wel ongelijk. Misschien is het hart wel degelijk meer dan alleen maar een pomp,' fluisterde hij in zichzelf.

HOOFDSTUK 11

Meteen na zijn terugkeer in Kaapstad ging Kapinsky door naar de onderzoeksafdeling van het lab. Hij stopte alleen in zijn kantoor om een witte jas aan te trekken, bromde wat tegen de mensen van de staf die hem behoedzaam goedendag wensten, en zette koers naar het dierenverblijf.

Hij beende de gang door naar de operatiekamer en verraste daar Samuel Mbeki, in jas en masker, die gebogen stond over een onder verdoving gebrachte baviaan op de operatietafel. Aan de andere kant van de tafel stond Nat Ferreira.

'Wat ben jij hier verdomme aan het doen?' riep hij tegen Samuel. Deze was na een paar jaar in het lab gewend geraakt aan Kapinsky's uitbarstingen en keek hem alleen maar aan. De kleur van het bandje om de pols van de baviaan gaf aan dat het hier om een experiment van Barnes ging.

'Welkom thuis, Louis, en bedaar een beetje.' Dat was Barnes, in operatiekleding, met zijn gehandschoende handen in de lucht, terwijl hij met zijn schouders de klapdeuren openduwde. 'Ik heb hem gevraagd de borstkas te openen en de transplantatie te doen. Ik help hem daarbij. Het zal je genoegen doen te horen, dat Samuel, nadat we hem van schoonmaker tot laborant hebben bevorderd, zich tot een bekwaam chirurg heeft ontwikkeld.'

De zwarte man reageerde niet en hield zich gedeisd. Dit was iets tussen twee blanken, en hij kon niets zeggen of doen dat iets aan de situatie zou veranderen. Dokter Kapinsky was een hele boze witte baas die niet van zwarte mensen hield. Hij liep als een *skollie*, altijd op zoek naar moeilijkheden en hij was net zo gevaarlijk. Zoals je nooit zeker wist of een *tsotsi* je zou aanvallen of je met rust liet, zo wist je bij deze witte baas nooit of hij je zou uitvloeken of negeren.

'Wat krijgen we hierna? Bavianen leren hoe ze moeten opereren?' vroeg Kapinsky Barnes, en hij keek dreigend naar Samuel.

Barnes kwam tussenbeide in een poging deze crisis te bezweren. Kapinsky was duidelijk in een rothumeur en niet tot bedaren te brengen. 'Dank je Boots, zullen we verdergaan?'

In de ogen van de zwarte man was te lezen hoezeer dit alles hem had gekwetst, maar hij knikte en deed een stapje opzij. Nat Ferreira was duidelijk niet onder de indruk van Kapinsky's uitbarsting, en dat was ook aan hem te zien. Hij draaide zich om en ging zich bezighouden met het narcose-apparaat.

'Goed je weer te zien, Louis. Zullen we na de lunch even bij elkaar komen? We hebben de laatste tien dagen een hoop gegevens verzameld die je heel interessant zult vinden.' Barnes deed zijn best Louis de kans te geven zonder gezichtsverlies te vertrekken. Kapinsky begreep de hint, bromde bevestigend en was weg, heen-en-weer zwiepende klapdeuren achter zich latend. De hele weg terug naar het lab liep hij te briesen. Je kwam die zogenaamde progressievelingen tegenwoordig overal tegen. Eerst hadden ze Engeland en Amerika naar de ratsmodee geholpen, en nu Zuid-Afrika.

Na de operatie gaven ze de baviaan een nieuw geneesmiddel waarover de farmaceutische industrie had lopen roepen, om de immunosuppressieve werking ervan na te gaan. Barnes vroeg Samuel de borstkas weer te sluiten en 'erop te letten dat dokter Ferreira onze vriend hier op tafel niet om zeep zou helpen'. Dit grapje verlichtte de spanning wat, en Barnes zag met een dankbaar gevoel hoe plezierig en respectvol Ferreira en Boots met elkaar omgingen. Boots wist meer over praktische chirurgie dan iedere nieuwe co-assistent en Ferreira was een aardige jongen, die aanleg had voor anesthesie. Ze vormden een goed team, dacht Barnes toen hij op zoek ging naar Kapinsky.

Ferreira hielp de baviaan in de verkoeverkooi te leggen en liet een nog steeds verontruste Boots achter. De zwarte man dacht lang en diep na. Met dokter Kapinsky in de buurt moest hij op zijn tenen lopen. Het werk dat hij nu deed was *witmanswerk* en kon gevaarlijk voor hem zijn als dokter Kapinsky daar lawaai over wilde maken. Waarom zijn witte bazen als Kapinsky altijd boos op zwarte mensen? Een vraag die niet kon worden beantwoord. Zijn vader had eens gezegd dat je altijd wat ruimte om je heen moest laten zodat boze mensen ongestoord voorbij konden lopen. Hij zou dokter Kapinsky veel ruimte geven, dan was er niets aan de hand. Deze gedachte bedrukte hem en hield hem de hele dag bezig. Maar het was goed dat hij over deze dingen nadacht. Hij, Samuel Mbeki, was niet zo ver van zijn stamland terechtgekomen, zonder te hebben geleerd dat witte mensen net zo waren als de wind, die je alleen kwaad deed als je er niet voor boog.

Barnes was die avond blij dat hij thuis was. Hij had grote moeilijkheden ondervonden bij het stoppen van bloedingen ontstaan bij een drievoudige bypass. Dankbaar zakte hij achterover in zijn kussens. Deze spaarzame ogenblikken waren zijn denktijd, zoals hij het noemde. Hij gebruikte de tijd tussen het moment dat zijn hoofd het kussen raakte, en het in slaap vallen altijd om de werkzaamheden van de volgende dag door te nemen. Hij had daar vooral baat bij als er meer dan een patiënt voor de operatietafel was gepland. In gedachten doorliep hij stap voor stap alle operaties, ook de heel eenvoudige, van de eerste incisie tot de laatste hechting.

Na zich geestelijk helemaal te hebben voorbereid, sloot hij zijn ogen en sliep binnen enkele seconden. Deze gewoonte liet hem nooit in de steek, zelfs niet als soms bleek dat de diagnose helemaal verkeerd was geweest en hij, na opening van de borst, een heel andere behandelingsmethode moest gaan toepassen. Een snelle hertaxatie en hij kon weer verder, iets wat diepe bewondering bij zijn assistenten wekte. Arts- en co-assistenten spraken altijd vol respect over het Barnes-talent om soms zelfs tijdens een incisie nog van strategie te veranderen.

Barnes zou nooit de dag vergeten dat hij het hart van een kind openmaakte, waarvan was geconstateerd dat het maar één boezem had. Hij was van plan een tussenschot te plaatsen waardoor twee boezems zouden ontstaan, maar ontdekte toen dat de kamers ook niet gescheiden waren.

Hoe kon hij opnieuw een hart opbouwen dat maar één kamer bezat?

Hij herinnerde zich nog hoe hij naar deze eenhartkamer had staan kijken en toen terugdacht aan een gesprek dat hij had gehad met de beroemde Italiaanse beeldhouwer Manzu. Tijdens een bezoek aan diens studio was het Barnes opgevallen dat de oprijlaan was gemarkeerd met onbewerkte marmerbrokken, en hij vroeg waarom hij ze zo had gelaten.

'Omdat ik niet kan zien wat er binnenin zit,' had de beeldhouwer gezegd. Met dit machteloze en misvormde orgaan in de hand kreeg Barnes ineens die openbaring waaraan het de beeldhouwer had ontbroken. Heel duidelijk, alsof hij naar een geprojecteerde afbeelding keek, zag Rodney wat hij moest doen en ging aan het werk. Zijn enthousiasme groeide toen hij het hergestructureerde hart uit het onbruikbare weefsel vorm zag krijgen. Zoals de slaven van Michelangelo, dacht hij, wiens werk hij eens in Florence had gezien.

Maar morgen verwachtte hij geen verrassingen, hoewel hij wel van plan was een nieuwe chirurgische ingreep te gaan toepassen die hij nooit eerder had gebruikt. Ook nu had hij het hart van de patiënt gevisualiseerd en de hele procedure doorgenomen.

Chirurgen kregen vaak te maken met belemmeringen bij het uitstromen van de linker- en de rechterkamers. Als de weerstand van de bloedstroom uit de ventrikels te wijten viel aan een nauwe klep had de chirurg twee keuzes: de klep verwijderen en vervangen door een prothese of het aanwezige klepweefsel bewerken tot er geen vernauwing meer was.

Maar als, naast de afwijkende klep, de ring waaraan de klep bevestigd is ook onderontwikkeld was... werd het wegnemen van de belemmering een stuk gecompliceerder. Dan moest de chirurg kiezen tussen het doorsnijden van de ring en het innaaien van een plastic hulpstuk – wat vaak gedaan werd aan de rechterkant – of het vezelige obstakel verwijderen en vervangen door een transplantaat van het juiste formaat.

Barnes besloot tot de tweede optie. Het doorsnijden van een ring van een aortaklep en het innaaien van een dak was moeilijker aan de linkerkant, vanwege de meer gecompliceerde anatomie en het feit dat de coronairvaten – de brandstofslangen van de hartspier – aan deze kant van de aorta ontsprongen. Het besluit de uitstroming te herstellen met een allotransplantaat was om er zeker van te zijn dat er, na beëindiging van de operatie, geen verdere belemmeringen meer zouden optreden. De vrouw had hun een tweede kans gegeven – het lag niet voor de hand dat er een derde komen zou. De laatste gedachte voor hij in slaap viel was dat het bevestigen van de twee coronairvaten aan het transplantaat wel eens lastig zou kunnen worden. Hij had deze handeling geoefend op lijken en geconstateerd dat het hechten veel makkelijker was als er een klein randje aorta rond de openingen van de coronairvaten bleef zitten.

Hij werd wakker bij het aanbreken van de dag, en de adrenaline stroomde al door zijn aderen. Hij had dit gevoel vaak, vlak voor een belangrijke operatie, en het hield hem de hele dag op de been. Een verkwikkende strandloop was gewenst, vond hij.

Maar buiten hing een onaangename hitte, veroorzaakt door een warme, drukkende wind vanuit de bergen. Deze werd veroorzaakt door de hoge temperaturen in het binnenland en kon soms dagen aanhouden, waardoor de stad vaak in een oven veranderde. Barnes besloot zijn strandloop in te ruilen voor een koude douche. Zelfs de bergwind kon zijn enthousiasme over de dag die komen ging niet bederven.

De rit naar de stad verliep snel en aangenaam en weerspiegelde zijn verlangen het chirurgische probleem dat hem wachtte onder ogen te zien.

Op de afdeling bleek dat dokter Ohlsen de patiënt al had meegenomen naar de operatiekamer.

Jan Snyman was bezig een infuus aan te brengen. 'Goedemorgen, dokter,' zei Snyman vermoeid. Hij had wallen onder zijn ogen.

'Zijn ze al begonnen mevrouw Felini te opereren?' vroeg Barnes.

Snyman hield op met wat hij aan het doen was, en antwoordde: 'Dat weet ik niet, dokter. Maar ze hebben de patiënt ongeveer een halfuur geleden naar de operatiekamer gebracht, en dokter Louw en Hobbs zijn daar een kwartiertje geleden naartoe gegaan, samen met de twee Italiaans artsen.'

'Dan ga ik nu ook maar,' zei Barnes, aanstalten makend. Maar hij aarzelde even, keek Snyman vragend aan en zei: 'Zijn er problemen?'

'We hebben een afschuwelijke nacht achter de rug, dokter. In Langa is alles weer volledig uit de hand gelopen. We kregen drie patiënten met schotwonden in de borst, vier andere waren bij aankomst al overleden.'

Rodney maakte een vertwijfeld gebaar, en vertrok zonder verder iets te zeggen. Hij moest meteen aan Boots denken. Arme donder. Hoe kon je slapen in een stad waar iedere nacht een oorlog werd uitgevochten.

Hij trok zijn operatiekleding aan en liep de operatiekamer binnen. Ondanks zijn masker herkenden de Italiaanse artsen hem meteen. Zij groetten met een knik, en maakten ruimte bij het scherm dat de anesthesist scheidde van het operatiegedeelte. Rodney keek over het scherm. De patiënt was steriel afgedekt. Alex Hobbs stond op het punt de huidincisie te maken over het midden van het borstbeen. Hij stopte en keek naar zijn baas. 'Zal ik het litteken wegsnijden?' vroeg hij.

'Ja, doe maar. We kunnen haar waarschijnlijk wel een mooier handelsmerk geven,' zei Barnes, met een lach in zijn ogen. Hij keek naar Ohlsen. 'Alles in orde?'

'Als ik in de buurt van de patiënt kon komen, wist ik het zelf ook,' giechelde Ohlsen en trok een gezicht in de richting van de Italiaanse bezoekers.

'Ik ga nog even vlug theedrinken, en mezelf dan wassen,' zei Barnes. 'Roep me maar als er ergens een probleem is.' Het openen van de borstkas na een eerdere operatie was soms een lastig karwei, dacht hij. Hij had wel eens gezien hoe een chirurg met zijn borstbeenzaag een ventrikel opensneed, omdat het hart zich met het borstbeen had verkleefd. Maar Hobbs was een oude rot in het vak, die wist waar de valkuilen zaten.

Voor hij naar de kantine ging, nam Barnes nog even een kijkje in de koelkast om de transplantaten te controleren. De vorige week hadden ze uit lijken vijf transplantaten van verschillende formaten verwijderd. Deze werden in de koelkast bewaard, in een antibiotische oplossing. Ze zagen er goed uit. Drie ervan waren afkomstig van vrouwen en moesten het goede formaat hebben voor zijn patiënt. Een van de problemen waar men mee te maken had, als het om biologische kleppen ging, was dat ze precies moesten passen. Als ze te groot waren, konden ze een obstakel vormen, waren ze te klein dan kon een lekkage ontstaan.

Hij dronk een kop thee en schoof zijn masker weer terug. In de wasruimte hoorde hij het hoge gieren van de zaag waarmee Hobbs het borstbeen van mevrouw Felini aan het openen was. Hij waste zijn handen en onderarmen heel zorgvuldig met antiseptische zeep, droogde ze met een steriele handdoek en trok een schone jas en handschoenen aan. Daarna stelde hij zich op naast Des Louw, rechts van de patiënt.

'Gelukkig hebben ze na de vorige operatie het pericardium weer gesloten,' merkte Alex Hobbs op.

Barnes nam de situatie in zich op. De zak rond het hart was open en losgemaakt van het orgaan waar het omheen zat.

'Een en ander is niet zo erg vergroeid,' constateerde Louw.

'Waarschijnlijk omdat de vorige operatie pas drie maanden geleden heeft plaatsgehad,' opperde Hobbs.

Barnes pakte de schaar met zijn rechterhand, en de ontleedtang met zijn linkerhand. Er viel een stilte in de kamer, die alleen verbroken werd door Barnes' vragen aan de operatiezuster. 'Naaldvoerder... drienuldraad...schaar... heparine... centraal-veneuze catheter.'

Gefascineerd keken de bezoekers naar Barnes' feilloze techniek bij het blootleggen van de aorta en de coronairvaten, het inbrengen van arteriële en veneuze catheters en het op gang brengen van de bypass. Het lage zoemen van de arteriële en veneuze pompen vulde de kamer.

'Volledige doorstroming,' zei de technicus luid.

'Koeling aan,' antwoordde Barnes.

Het hart begon langzamer te kloppen, toen via de coronairvaten gekoeld bloed in de hartspier begon te stromen.

Barnes lichtte het hart uit de zak, en maakte een ontluchtingsopening in de punt van de linkerpompkamer. 'Ik moet de oorsprong van de aorta goed kunnen zien,' zei hij op besliste toon. 'Dokter Louw, maak de coronaire catheters klaar.'

'Fibrillatie,' riep dokter Ohlsen.

Het gecoördineerde samentrekken van duizenden hartspierweefsels was overgegaan in een chaotische bedrijvigheid – het ritme van de dood.

Barnes zette een klem op de aorta onder de plek waar de arteriële canule was ingebracht, en opende het vat tot aan de wortel. Hij stelde vast waar de openingen zaten van de linker- en de rechtercoronairvaten en maakte deze na elkaar los, waarbij hij een randje van ongeveer vijf millimeter aortawand rond de openingen liet zitten. Hij voorzag ieder vat heel voorzichtig van een kleine catheter, en bevestigde die met een snoertje. 'Oké,' riep hij. 'Coronairvaten perfunderen.'

Het geluid van de pomp veranderde van toon toen deze de hartspier van zuurstofrijk bloed uit de hartlongmachine begon te voorzien. Dit was ter bescherming tegen schade zolang de coronairvaten niet via de aorta werden gevoed.

Heel precies en vol zelfvertrouwen sneed Barnes de nauwe oorsprong van de aorta weg, ongeveer op vier centimeter van de slagader, waardoor een grote opening ontstond boven aan de uitstroom van de linkerpompkamer.

'Eens kijken welk transplantaat het beste past.' Barnes schatte de maat van het transplantaat door er meetringen voor te houden. 'Ik denk dat nummer achtentwintig is wat we zoeken,' besloot hij.

Jan Snyman verliet de kamer, en kwam terug met transplantaat nummer achtentwintig in een glazen potje. Hij maakte het potje voorzichtig open, en hield het vast terwijl de zuster met een steriele tang de inhoud tevoorschijn haalde. Ze waste het transplantaat grondig in een zoutoplossing om de antibiotische oplossing te verwijderen, plaatste het op een schaaltje en hield het Barnes voor.

'Viernulhechtdraad,' zei Barnes, terwijl hij het transplantaat in de wond liet zakken.

Ohlson keek naar de bezoekers. Bewonderend keken ze toe hoe Barnes' gelijkmatig geplaatste hechtingen het transplantaat nauwsluitend in de afvoer van het linkerventrikel deed passen.

Na vijf minuten van intense concentratie keek Barnes op. 'Nu moeten de coronairvaten worden teruggeplaatst.'

Met een klein schaartje maakte hij een opening van vijf millimeter aan de voorkant van het transplantaat voor de rechterkransslagader, en ging toen naar links voor een opening van hetzelfde formaat.

'Vijfnulhechtdraad. Stop de toevoer naar de rechterkransslagader.'
Zwijgend deed het team wat er werd gevraagd.

Vakkundig en snel verwijderde Barnes de catheter uit het bloedvat, en bevestigde de rechterkransslagader aan het transplantaat. 'Toevoer links stoppen.'

Binnen een paar minuten zat de linkerkransslagader op zijn plaats. De hartspier had nu zeker een halfuur zonder bloed gezeten.

Met nog meer vijfnulhechtdraad verbond Barnes het bovenste einde van het transplantaat met het onderste stuk van de aorta. Na het transplantaat met een naald te hebben ontlucht, zodat eventueel nog aanwezige lucht kon ontsnappen, maakte hij de klem aan de aorta weer los.

Barnes ontspande zich. Nu kon niets meer worden gedaan tot de opwarming had plaats gehad. De minuten tikten voorbij. Na vijf minuten begon Barnes ongerust te worden.

'Hoe zit het met de temperatuur?' vroeg hij.

'Opwarming gaat goed. Slokdarmtemperatuur vijfendertig graden.'

'Waarom is het hart zo traag?' vroeg hij aan niemand in het bijzonder.

'Defibrilleren,' riep hij. De elektroden werden geplaatst en een stroomstoot deed het hart opspringen.

De schok bracht orde in de onregelmatige activiteiten van het spierweefsel, maar de samentrekkingen waren zwak. Barnes wist dat hij de patiënt bij dit niveau van hartactiviteit nooit van de hartlongmachine kon afhalen. Twintig minuten later was zijn ongerustheid omgeslagen tot een kille zekerheid. Het hart was tijdens de operatie beschadigd geraakt en zou zonder hulp nooit meer de bloedsomloop naar behoren kunnen verwerken. Dit was nu weer een duidelijk geval voor mechanische hartassistentie. Met een paar dagen mechanische hartbediening zou het hart alle kansen hebben gehad zich volledig te herstellen.

Barnes keek naar de artsen die rond de tafel stonden. 'We zullen een heterotope transplantatie moeten doen. Het alternatief is dat de patiënt hier op tafel overlijdt.'

De twee Italiaanse chirurgen deden een stap opzij toen Alex Hobbs naar het hoofd van de tafel liep. 'Dokter Barnes, ik heb vanochtend met de transplantatiecoördinator gesproken. Er is op het ogenblik geen donor ter beschikking. Gisteravond was er een potentiële donor, maar de familieleden weigerden toestemming te geven om de organen te verwijderen.'

Alle ogen waren op Barnes gericht.

Hij aarzelde niet. 'Houd haar in het oog. Ik moet even met Kapinsky praten.'

De telefoon ging maar twee keer over. 'Kapinsky!'

'Louis, ik heb een hart nodig,' zei Barnes zonder verdere omhaal.

'Wat ...?'

Barnes legde kort uit wat er aan de hand was, en dat de patiënt nog aan de hartlongmachine lag, omdat haar eigen circulatie het niet kon overnemen.

'Rod, ik weet niet hoe ik je kan helpen. We zijn nog niet ver genoeg met de transgene dieren om hun organen te kunnen gebruiken...' Zijn stem stierf weg. Voor het eerst besloop Barnes een gevoel van wanhoop.

Ineens was Kapinsky weer terug: 'Zei je niet dat je patiënt maar voor een paar dagen hulp moest hebben, zolang als haar eigen hart nodig heeft om weer op gang te komen?'

'Ja.' Barnes probeerde zo zeker mogelijk te klinken.

'Waarom gebruiken we dan niet het hart van een van de twee chimpansees die we van het Nederlandse lab cadeau hebben gekregen? Die geven we nu al maandenlang zonder enige reden te eten. Het is hier tenslotte geen dierentuin. Het wordt tijd dat ze eens wat doen voor de kost!'

Barnes kon een glimlach niet onderdrukken. Kapinsky verloor geen tijd aan beuzelarijen, en je kon er bij hem altijd van op aan dat hij met een bruikbare oplossing kwam. 'Denk je dat het zal werken?'

Barnes dacht aan een vorige operatie, waar ze het hart van een baviaan hadden gebruikt bij een soortgelijke situatie. Het hart stond binnen twee uur stil, onherstelbaar beschadigd door acute afstoting.

Kapinsky leek zijn gedachten te kunnen lezen. 'Ik denk dat je meer kans hebt met een chimpansee dan met een baviaan. Genetisch staat de chimpansee dichter bij de mens... een gorilla zou natuurlijk nog beter zijn.'

Om onverklaarbare redenen voelde Rodney een koude rilling over zijn rug lopen. 'Zeg Boots de chimpansee klaar te maken. Ik stuur dokter Louw naar jullie toe, dan kunnen ze samen het hart verwijderen.'

De telefoon klikte, Kapinsky verloor geen tijd aan verdere beleefdheden. Barnes voelde ineens de twijfel in hem opkomen. Was het wel goed wat hij deed? Hij moest in ieder geval toestemming hebben van mevrouw Felini's echtgenoot.

Terug in de operatiekamer sprak hij met de Italianen en legde de situatie uit. Zij verklaarden zich onmiddellijk bereid als tolk op te treden. Er brak een uitputtend en emotioneel kwartiertje aan. Uiteindelijk gaf de echtgenoot toestemming, in tranen en met veel armgebaren.

Opnieuw ging Barnes terug naar de operatiekamer. Er was geen verandering opgetreden in de conditie van de patiënt. Ze lag nu al meer dan vier uur aan de machine, wat na de operatie wel eens problemen zou kunnen geven. Barnes hield zich daar een tijdje mee bezig. Het kunstmatige pompen kon schade toebrengen aan de elementen in het bloed die voor de stolling dienden. Als er niets aan werd gedaan, kon dat ertoe leiden dat de wonden bleven bloeden. 'Ik moet een voorraad bloedplaatjes hebben en vers, bevroren plasma,' zei hij tegen Hobbs, die bevestigend knikte.

De telefoon ging. Het hart was over vijf minuten beschikbaar. Barnes waste zich snel opnieuw, en trok een schone jas en nieuwe handschoenen aan. Toen hij zijn positie aan de tafel weer had ingenomen, liep Des Louw binnen met een plastic zak waarin zich het hart van de chimpansee bevond. Hij gedroeg zich vreemd, vroeg of hij zich mocht terugtrekken en Alex Hobbs hem kon vervangen. Barnes ging volkomen op in de problemen die gingen komen, en zag de smartelijke blik in de ogen van zijn collega niet. Hij wuifde hem weg en knikte naar Hobbs, zodat die zijn plaats kon innemen.

De plaatsing van het chimpanseehart in de heterotope positie was een ongecompliceerde operatie. Het verliep allemaal gesmeerd, en toen het hart weer op temperatuur werd gebracht begon het onmiddellijk krachtig te slaan. Na een paar minuten haalde Barnes zijn patiënte van de hartlongmachine. Het donorhart bleef kloppen, krachtig en zeker. Mevrouw Felini's hart kreeg de hulp die het nodig had. Binnen een paar dagen zou het weer in orde zijn. De enige vraag die overbleef, was hoe ze konden voorkomen dat haar immuunsysteem het vreemde hart zou aanvallen en verstoten.

Barnes stroopte zijn handschoenen af, en verliet tevreden de operatiekamer. Opnieuw was hij de situatie meester gebleven. De twee Italianen liepen over van bewondering, en hij moest zichzelf toegeven dat hij dat wel prettig vond.

Des Louw kwam in de gang naar hem toe. Hij zag er afgetobd uit. 'Kunnen we op kantoor even praten?' vroeg hij.

Barnes keek hem met een vragende blik aan en liep voor hem uit naar het kamertje.

Louw deed de deur achter hen dicht, en keek met vertrokken gezicht naar Barnes. 'Wat we vandaag hebben gedaan stond zo dicht bij moord als maar mogelijk,' gooide hij eruit.

Barnes stond paf. 'Wat? Ik begrijp er niets van...'

'Natuurlijk begrijp je er niets van. Dat kan je ook niet. Je was er niet bij.'

Langzaam, met horten en stoten, vertelde Louw het verhaal. Bij aankomst in het lab had Boots gevraagd hem te helpen. Hij kon het donordier niet in bedwang krijgen met de verplaatsbare wand die in alle kooien zit om de proefdieren klem te zetten als ze onder narcose moeten worden gebracht. Het dier verzette zich uit alle macht.

Louw volgde Boots naar de dierenafdeling, waar hij de twee chimpansees naast elkaar aantrof, in verschillende kooien. Zodra ze in de buurt kwamen sloegen de beesten op tilt. Ze sprongen rond en krijsten, alsof ze hen wilden waarschuwen of afschrikken.

'Ze weten wat er gaat gebeuren,' zei Boots. 'Daarom maken ze al die herrie. Ze willen niet dood.'

'Onzin, Boots. Ze zijn er gewoon niet aan gewend dat iemand enige aandacht aan ze besteedt,' had Louw gezegd, en liep naar de kooien.

Hij zat er volkomen naast. De twee chimpansees, onder normale omstandigheden heel gezeglijke dieren, gedroegen zich nu als volslagen gekken. Ze gingen dermate te keer dat Louw voor zijn eigen veiligheid vreesde, het leek er haast op dat ze ieder moment uit hun zwaar getraliede kooien zouden kunnen breken.

Ze slaagden er uiteindelijk in een van de dieren tegen de tralies te klemmen en hem te verdoven. Binnen een paar minuten konden ze het verslapte lijf van de chimpansee uit de kooi tillen, waarop het andere dier ineens heel rustig werd en begon te jammeren. Het klampte zich vast aan de tralies van zijn kooi, verloor hen geen ogenblik uit het oog en maakte smekende geluidjes.

'Mijn God,' dacht Louw, 'hij vraagt ons zijn maatje te laten gaan.' Plotseling was hij niet meer met dieren bezig. Dit waren gevoelige, liefhebbende wezens, die leefden met verdriet en hoop, geluk en vertwijfeling. 'Ik ben bijna op zijn smeekbeden ingegaan,' zei Louw hoofdschuddend. 'Bij god, ik wou nu dat ik het ook had gedaan. De operatie was een nachtmerrie zoals ik die nooit meer hoop te hoeven doorstaan. Dat fantastische dier doodmaken en zijn hart eruit halen...' Zijn stem stierf weg.

Barnes voelde zich slecht op zijn gemak. Hij begreep niet waarom. Zeker, bij onderzoeken was gebleken dat chimpansees een gebarentaal kon worden geleerd die opliep tot wel vijfhonderd woorden, maar dat was toch veel meer een kwestie van dierentraining dan van de aanwezigheid van een zeker bewustzijn.

'Des, ik begrijp dat je van streek bent,' zei hij, en keek hem daarbij niet aan. 'Maar zou je niet nog meer van streek zijn niet geweest als mevrouw Felini op de operatietafel zou zijn gestorven? Is het niet onze opdracht als arts om alles te doen wat binnen ons bereik ligt ervoor te zorgen dat onze patiënten een beter leven krijgen – zelfs als dat betekent dat we er een dier voor moeten opofferen?'

Louw bleef een tijdje stil, alsof hij over Barnes' woorden na moest denken. Toen zei hij: 'Rodney, ik weet nu dat we niet het recht hebben met dieren te doen wat we willen, en dan als excuus aan te voeren dat het ten goede komt aan het menselijk ras. Ook dieren hebben een recht van leven. Ik betwijfel of ik, na vandaag, ooit nog in staat zal zijn op een dier te experimenteren – zelfs als mijn baan daardoor in gevaar komt.' Hij draaide zich abrupt om en liep het kantoor uit, Barnes achterlatend met een starende blik naar de muur.

Het wordt tijd voor een bezoekje aan de dierenafdeling, dacht deze.

Hij vond Samuel voor de kooi van de chimpansee, met een handvol fruit. Het leek of het dier niets zag. Het negeerde het fruit, zat achter in de kooi en maakte wiegende bewegingen. Er waren geen tranen, maar het had onmiskenbaar verdriet. Tweemaal hield het stil, ging rechtop zitten en keek in de lege kooi waar zijn maatje had gezeten.

Barnes draaide zich zachtjes om en vertrok. Hier kon hij verder niets doen.

Op de vijfde dag na de operatie stootte mevrouw Felini's immuunsysteem het chimpanseehart af. Ze stierf die avond.

De volgende ochtend vond Samuel de andere chimpansee dood in zijn kooi. Hij pakte een van de levenloze handen beet. Deze was koud en stijf. De dood was 's nachts ingetreden.

'Jij wilde niet langer meer leven, hè vriendje?' zei hij en voelde de tranen komen.

Samuel voelde zich eenzaam en verward door de wreedheid van deze mannen die zo aardig konden zijn, en toch zo harteloos konden doden. Dit was zo'n moment in zijn leven dat hij graag met zijn vader had gepraat.

Als klein jongetje in Transkei kreeg hij niet veel van hem te zien. Benjamin Mbeki werkte in de mijnen van Egoli, waar het goud zat. Het gebied was zo groot dat er veel namen voor bestonden. Sommige blanken noemden het The Reef, anderen noemden het Johannesburg en hij had nog andere namen gehoord, maar ze betekenden allemaal de plaats waar de mijnen waren.

Benjamin Mbeki mocht zijn gezin niet meenemen. Hij zou nooit de tijd vergeten dat de mijnbazen zijn vader eens per jaar drie weken naar huis lieten gaan. Dan was het leven goed, niet alleen voor hem, maar ook voor zijn moeder en broers en zusters. Deze vakanties, weg van Egoli, waren een waar feest. Er werd een os geslacht, een van zijn grootvaders kudde van twaalf, en dan hadden ze iedere dag vlees bij hun pap. Voor het slapen gaan vertelde zijn vader over de grote stad, waar de lichten brandden zonder vuur. Zijn vader werkte diep in de ingewanden van de aarde, zo diep dat de stenen warm aanvoelden en de lucht heet was. Het was een hele rare plek.

Iedere keer als zijn vader naar de mijnen terugging, werd zijn moeder heel ziek. De blanke dokter, die iedere week naar de ziekenbarak kwam naast de kerk van de zwarte mensen in het dal, zei dat het een ziekte was die zijn vader had meegenomen van de slechte vrouwen bij de mijnen. Hij gaf haar altijd dezelfde *muti* van witte pilletjes in een doosje en deed goede *juju* op haar arm door een dunne zilveren staaf onder haar huid te duwen. De *muti* kostte bijna al het geld dat zijn vader had achtergelaten. Zijn moeder zei dat ze dat geld niet nodig hadden, omdat ze op grootvaders lapje grond net zoveel maïs konden verbouwen als ze wilden. En er was ook melk, als de koeien moesten kalveren.

Toen Samuel oud genoeg was, zei zijn vader dat hij naar de katholieke school naast de kerk moest gaan. Daar leerden de nonnen hem lezen en schrijven en rekenen. Toen hij twaalf werd, zei zijn vader dat nu zijn tijd was gekomen, de dagen van de proeven, waarna hij een man zou worden. Hij had dit bij al zijn broers gezien, en kon haast niet wachten tot hij aan de beurt was. Hij had het er met zijn leeftijdgenoten al zo vaak over gehad. Ze wisten dat het met veel pijn gepaard ging, en dat er soms wel eens een jongen doodging die de pijn niet meer kon verdragen.

Op een dag, toen de winterregens voorbij waren en het land groen en met bloemen bezaaid was, riepen de ouderen de jongens van zijn leeftijd bij elkaar, en droegen ze op uit rietstengels een *boma* te bouwen. In deze *boma* werd zeven dagen gefeest voordat de proeven plaatsvonden.

Samuel stond kaarsrecht overeind, zijn handen achter zijn hoofd, en keek naar de veraf gelegen heuvels, toen een oudere zijn penis pakte, de voorhuid ontblootte en daar op inhakte met het lemmet van een *assegaai*. Het bloed spatte over Samuels dijen en zijn lichaam vulde zich met een ondraaglijke pijn. Hij kon aan niets anders meer denken. Hij begon zijn zinnen te verliezen. Het enige wat hij hoefde te doen, was zich terug te trekken van dat afschuwelijke geruk en gesnij aan zijn penis en dan zou het voorbij zijn. *Nu*, het moest *nu* stoppen. Maar het ging door, steeds maar door, en het leek alsof het nooit meer ophield. Hij zag de heuvels vervagen, en voelde de duizeligheid in zijn hoofd opkomen. Hij zou als een vrouw op de grond vallen, voor zijn leeftijdgenoten, en hij zou, zelfs als hij in leven bleef, nooit meer een man onder de mannen zijn.

Een hand raakte zijn schouder aan. Het was zijn grootvader, die zachtjes tegen hem praatte en hem naar de schaduw van de *boma* bracht. Het besnijden van de voorhuid was voorbij. Hij had de eerste proef doorstaan.

Zijn grootvader verbond zijn penis voorzichtig met een dun strookje boombast dat de bloedstroom moest stelpen. De bast kwam van een boom die genezende eigenschappen bezat, en zou hem vrijwaren van die zwetende ziekte die vaak voorkwam bij wonden. De bast werd vastgemaakt met een touwtje, zo dat er een opening overbleef waardoor hij kon urineren. Een andere strook bast werd rond zijn middel gebonden, als een riem, en zijn verbonden penis werd daaraan links naar boven aanvastgemaakt zodat deze niet naar beneden hing. Hij klopte als vuur maar Samuel negeerde de pijn.

Op de zesde dag werd hij wakker, en merkte dat de pijn was verdwenen. Het kriebelde alleen nog maar een beetje. Hij verwijderde de bast, en bestudeerde voor het eerst zijn besneden penis. De wond was goed aan het genezen. Het werd tijd de witte klei weg te wassen die aanduidde dat hij een *mkweta* was. Samuel ging op de bedding van het beekje liggen, en schrobde zijn lichaam met riviergras tot alle sporen van de witte klei waren verdwenen. Daarmee verdween ook zijn jeugd.

De school die Samuel bezocht ging maar tot klas zes. Toen hij deze mijlpaal had bereikt, hield zijn schoolopleiding op. De nonnen vertelden dat hij met een klas-zes-diploma leraar kon worden. En aangezien er op de nonnenschool te veel leerlingen waren, kon hij aan het begin van het volgende jaar beginnen met lesgeven.

Maar Samuel had al besloten naar het zuiden te gaan. Hij had intussen wel begrepen dat het thuisland hem niet meer te bieden had dan armoede en achterstand. Hij wilde een beter leven dan zijn vader, die inmiddels ook die ademhalingsziekte had gekregen van mensen die onder de grond werken. Hij had gehoord dat het beter werken was voor de witte mensen in Kaapstad, meer dan duizend kilometers ver, dan voor de blanken in het noorden, waar de mijnen waren.

Op een morgen vroeg hij zijn grootvader om diens zegen, zei zijn grootmoeder vaarwel, pakte zijn schaarse bezittingen in en vertrok. Hij had twintig handen vol mieliemeel in een doek gewikkeld, wat oude kleren waarvan zijn vader zei dat ze die in de stad droegen bij elkaar geraapt, en een mes, een lepel, een deken en zijn vislijn. De *kraal* stond niet ver van de kust en hij wist dat hij van de zee kon leven als zijn voedsel op was. Ook kon hij een paar centen verdienen door van de rotsen af naar langoesten te duiken, en die levend aan de witte mensen te verkopen die over de kustweg reisden.

Na een paar dagen leerde hij een groepje van vier Xhosa kennen, die tot zijn blijdschap ook op weg waren naar Kaapstad om werk te zoeken. Dat bleek heel nuttig, want een van de groep had de reis als eens eerder gemaakt, maar was opgepakt, en weer teruggestuurd naar het thuisland omdat hij de juiste papieren niet had. Dat maakte hem een *amagodukwa*, of 'hij die naar de stad ging en terugkwam'. *Amagodukwa's* hadden gezag. Zij waren wijs. Hij zei dat ze in East London de trein moesten binnenglippen, en uit de handen van de kaartjescontroleur moesten zien te blijven tijdens de twee dagen en nachten die het duurde om de grote stad te bereiken.

Samuel bleef een paar dagen in East London, en deed allerlei klusjes om geld te verdienen voor eten. Hij en zijn vrienden spraken af dat ze elkaar aan het einde van de week in het station zouden treffen. Het zonder kaartjes binnenkomen van de trein was zo eenvoudig, dat Samuel er van stond te kijken. Ze stonden aan de donkere kant van het station tot middernacht, het vertrekuur van de trein, en klommen als vijf schaduwen in de rijdende wagon. Ze waren ervoor gewaarschuwd door 'degene die het eerder had gedaan' dat ze alleen in wagons moesten klimmen met het nummer drie, en de tekst 'Alleen voor zwarten'. 'Dat is het derde-klasse-gedeelte van de trein. Altijd zoeken naar het cijfer drie. Daar vind je geen blanken of kleurlingen of zelfs Indiërs,' zei de *amagodukwa*. En zo was het ook.

De volgende dag ontweken ze de blanke conducteur, die trouwens maar twee keer voorbij kwam lopen. 's Nachts scharrelden ze wat te eten bij elkaar. De *amogodukwa* stal voedsel van de slapende passagiers maar zei daar niets over tegen Samuel, tot ze hadden gegeten. Eerst lag dat eten hem niet lekker op zijn maag, maar hij voelde zich beter toen de anderen zeiden, dat ze het hadden gestolen van een stelletje vreemdelingen.

De volgende dag werden er twee van hun groep gepakt in het toilet, en opgesloten in een dievenwagen. Samuel was daar heel verdrietig over maar de *amagodukwa* zei dat ze niet naar de gevangenis zouden gaan. De *witman* die rechtsprak over mensen zou ze veroordelen tot vijf stokslagen op hun blote achtersten, en daarna zouden ze, de billen nog nagloeiend, op een bus worden gezet, terug naar het thuisland.

Hij was blij toen de trein eindelijk Kaapstad binnenstoomde, en hij met zijn twee vrienden kon opgaan in de mensenmassa.

Toen ze het station uitliepen moest Samuel denken aan de verhalen die zijn vader had verteld over de grote stad. Deze stad leek nog wel mooier dan Egoli. Ze bevonden zich op een brede weg, met winkels aan beide kanten, waarvan de etalages vol lagen met allerlei schatten. Kleren en schoenen en sommige winkels hadden allerhande voorwerpen waarvan hij niet eens wist wat je ermee zou moeten doen. Hij viel bijna flauw van opwinding, en wilde bij iedere etalage naar binnen kijken, maar de *amagodukwa* zei dat ze niet te lang moesten blijven, omdat deze buurt alleen voor blanken was bestemd. Als ze als enige zwarten hier tussen al die blanken werden gezien, zouden ze al gauw hun pasjes moeten tonen.

Ze moesten naar de zwarte woonsteden, die net buiten de witte stad lagen. Het was drie uur lopen naar een plek die Langa heette. Daar kwamen ze aan, heet, dorstig en moe. En tot overmaat van ramp bleek het een grote teleurstelling te zijn. Dit was geen sprankelende stad, maar een grote *kraal*, zoals veel andere plaatsen in de thuislanden, met dit verschil dat er hier veel meer hutten stonden.

Ongeplaveide wegen liepen tussen de hopen vuilnis en papierafval, met hier en daar een poel met stilstaand water. Er waren geen maïsveldjes, en de paar geiten leken te grazen op het rondwaaiende papier. Verder waren er eindeloze rijen bakstenen huisjes met hekjes eromheen. Daar tussenin stonden schuurtjes van plaatijzer, hout en bordpapier.

Er hingen veel mannen rond, die geen doel in het leven leken te hebben. Sommigen waren aan het kaarten of dobbelen, anderen zaten te drinken, weer anderen waren dronken of sliepen.

'Hij die ervaring had' waarschuwde ze, en zei dat ze moesten blijven lopen, en niet om zich heen moesten kijken. De mensen hier vielen al aan als je naar ze keek, of voor een paar centen.

Aanvallen en ernstige verwondingen gebeurden hier iedere dag, zei hij. Samuel had het gevoel dat hij de greep op zijn toekomst had verloren. Hij werd in de stroom meegesleept zonder de kans te krijgen zijn eigen weg uit te stippelen of te bepalen waar hij terecht wilde komen.

'Hij die wijs was' nam hen mee naar een plek die hostel werd genoemd, waar mensen voedsel en een bed konden krijgen tot ze hun eigen hok konden bouwen.

Samuel, zijn dromen over zijn komst naar de grote stad vervlogen, bracht zijn eerste nacht in Kaapstad door met honderdtwintig andere mannen in een lange, bakstenen slaapbarak, en verlangde naar de wijde vlaktes waar hij was geboren, en het comfort van zijn grasmatras. Iedereen had precies genoeg plaats voor een bed, en wat ruimte daaronder voor zijn spullen.

De volgende dagen brachten de drie mannen voornamelijk door met het ontsnappen aan de Bantoe-inspecteurs, die de taak hadden zwarten aan te houden, en naar hun pasjes te vragen. Van een groepje mannen bij een shebeen – een illegale dranktent – hoorden ze dat de universiteit op zoek was naar tuinlieden. Een universiteit, dat wist Samuel nog van zijn gesprekken met de nonnen, was weer een ander soort school, waar mensen naartoe gingen om nog meer te leren. In zijn hoofd begon zich een idee te vormen. Een plek om te leren, dat was wat hij wilde. Misschien kon hij wel les nemen, en een opleiding krijgen zoals de blanke mensen.

De volgende dag trok Samuel het oude pak van zijn vader aan, met een overhemd en een das. Sokken had hij niet, maar hij poetste zijn schoenen tot ze fonkelden, en door de broekomslagen waren zijn enkels niet te zien.

Ze vertrokken voor zonsopgang, want men had ze verteld dat het een eind lopen was naar de universiteit, ongeveer tien kilometer. Ze moesten om negen uur bij het kantoor van de universiteit zijn, als de witte mensen in hun auto's aankwamen om aan het werk te gaan.

Daar werden ze gevonden door Cecil White, hoofd plantsoenendienst van de Universiteit van Kaapstad. Cecil was niet in opperbeste stemming. De ochtendkrant had een serie artikelen over het milieu gepubliceerd, en de kilometerlange oprijlaan van de universiteit als voorbeeld genomen van visuele vervuiling. Wat wilden ze nou eigenlijk, dacht Cecil, zolang die rotzakken van de Bantoe-controledienst al zijn tuinlieden oppakten en wegjoegen. Hij was continu bezig nieuwe groenwerkers in te huren, die nergens wat van afwisten, zelfs niet hoe ze een schop aan de goede kant moesten vasthouden. Hij bekeek het nieuwste groepje aspiranttuiniers, dat voor de deur van zijn kantoor stond. Deze ochtend waren het er maar drie, ze zagen er jong en fit uit. Wat niet per definitie een goed teken was, want jonge zwarten bleven meestal niet zo lang. Eentje droeg een oud, glimmend pak en een das. Niet bepaald de kleding van een ervaren tuinier. 'Jij,' hij wees op Samuel. 'Wat weet jij van tuinieren?' Voor het eerst was Samuel blij dat de oude blanke non op school hem zoveel uren lang gedwongen had Engels te leren.

Samuel vertelde de dikke witte man met het rode gezicht hoe hij het land rond de hut had bewerkt, en maïs had geplant als de regens kwamen. Hij zei dat hij ook ervaring had met vee, en de koe had geholpen als zij een kalf moest krijgen. 'Precies wat ik dacht, weinig opwindends, maar je klinkt alsof je er zin in hebt en dat is belangrijker.' Samuel begreep alleen maar dat de witte man geen nee had gezegd. Hij antwoordde dan ook haastig: 'Ja meneer, ik heb een leraarsopleiding.' Cecil keek verbaasd, dacht even na, en gaf toen alledrie een vel papier. 'Daar aan de balie invullen,' zei hij.

Samuel pakte zijn papier en ging naar de balie. Het wilde weten hoe hij heette, wanneer hij was geboren, wat zijn huisadres was en – zijn hart stond stil – het nummer van zijn pasje. Ze beraadslaagden in hun moedertaal. De *amagodukwa* wist niet wat te doen. Samuel zei dat ze geen pasjesnummers hadden, en dat de witte man het zou merken als ze een nummer uit hun duim zogen. Het was het beste om alle vragen te beantwoorden, behalve die ene, zei hij. De anderen keken elkaar aan, en toen naar Samuel. Ze gingen akkoord. Ze liepen naar het bureau van de dikke man, en overhandigden hun papieren. Hij keek er vluchtig naar, stopte toen met lezen en keek op. 'Hebben jullie geen van allen een pasje?'

Een boekje van tien bij zeven centimeter dat als een berg stond tussen hen en het geluk.

'Ik zal jullie een brief meegeven, waarin staat dat jullie als tuiniers werkzaam zijn bij de Universiteit van Kaapstad. Ga daarmee naar het kantoor van de Bantoe-administratie in Langa, en vraag ze jullie een pasje te geven. Kom dan weer hier terug, als jullie je pasje hebben.'

Een paar minuten later gaf een blanke vrouw hun een erg belangrijk uitziende enveloppe, met de naam van de universiteit, geadresseerd aan de Bantoe-administratie. Ze lachte hen toe, en wenste hen succes. Kaapstad is een prima plek, dacht Samuel. Ze begonnen meteen aan de lange tocht terug naar Langa. Het was een goede dag. Ze hadden werk.

Er stond een lange rij bij het administratiekantoor toen ze daar rond de middag arriveerden, maar ze sloten geduldig achter aan. De zon was al aan het zakken toen ze bij de deur van het kantoor waren beland, maar daar kregen ze te horen dat het om vier uur sloot, en dat ze de volgende dag moesten terugkomen.

Samuel sliep die nacht slecht. Twee keer werd hij wakker en voelde onder zijn kussen, dat gemaakt was door zijn broek op te rollen, of de belangrijke enveloppe er nog lag.

Voor zonsopgang waren de drie onderweg naar het administratiekantoor van de Bantoes. Tot hun verbazing bleken ze niet de eersten te zijn. Daar, in de duisternis, stond al een handvol mannen en vrouwen te wachten.

Iets over negenen kwam er een grote zwarte auto voorrijden, en een blanke man met een lange baard stapte uit. Samuel voelde de moed in zijn schoenen zakken. Deze man was duidelijk een Boer. Hij had gehoord dat Boeren vaak een baard hadden, en niet van zwarten hielden. Enige uren later werden de drie het kantoor binnengedreven. De man met de baard zat achter een bureau, met een houten bordje waarop stond dat hij J. van Rooyen heette.

'Wat willen jullie?' vroeg hij dreigend.

De andere twee keken naar Samuel. Hij was nu hun woordvoerder. Hij keek naar het bordje op het bureau. Zo moest de man natuurlijk worden aangesproken.

'We hebben een brief van de universiteit, J. van Rooyen,' zei hij en hield de enveloppe naar voren.

De man sloeg de enveloppe uit Samuels hand. Zijn gezicht werd rood en de aderen op zijn voorhoofd zwollen op. 'Onbeschofte zwarte klootzakken. Ik zou jullie je kop van je romp moeten slaan. Ik heet Baas van Rooyen. Vergeet dat niet.'

Het drietal deed een stapje terug. 'Ja, Baas van Rooyen,' zeiden ze in koor.

'Pak dat op, stomme eikel,' zei hij tegen Samuel. Deze boog vooder, pakte de enveloppe en reikte die aan.

Van Rooyen griste hem weg, en keek naar Samuel. Deze sloeg zijn ogen neer. Van Rooyen keek naar het logo van de universiteit, trok een verachtelijk gezicht, scheurde de enveloppe open en las de brief. 'Alledrie illegaal hier, wat?' Ze zeiden niets. Van Rooyen keek weer naar de brief en zei: 'En de idioten van de universiteit gaven jullie werk?'

Ze dachten dat hij vroeg of ze een baan hadden gekregen aan de universiteit, en ze knikten.

'Jullie zwarte klerelijers zijn hier helemaal niet gekomen om te werken. Jullie komen hier alleen maar om te stelen, te moorden en te roven. Ik zou jullie aan de politie moeten uitleveren.'

Samuel schrok hevig. Deze man begreep er niets van. Zij waren mannen, die hier gekomen waren om mannenwerk te doen.

'Alstublieft, Baas van Rooyen, we zijn hier gekomen om te werken. Daarom zijn we naar de universiteit gegaan.'

'Waarom doen jullie dan verdomme geen werk in je eigen thuisland?'

Het was duidelijk dat Van Rooyen geen antwoord verwachtte. Hij raasde verder: 'Daarom is het hier zo'n rotzooi. Iedereen hangt hier de hele dag rond en klooit maar wat aan. En nou komen jullie ook nog hier de boel verzieken.'

Van Rooyen bevond zich in een lastig parket. Hij wist niet precies wat hij moest doen. Wat hem betrof belde hij brigadier Botes van de Langase politie om deze drie illegalen te laten oppakken. Maar hij maakte zich zorgen over hun connectie met de universiteit. Hij keek weer naar de brief. Die was getekend door een of andere kluns die White heette, en waarschijnlijk drie keer zoveel verdiende als hij, om moeilijkheden te veroorzaken onder de zwarten. Als hij deze drie kaffers liet oppakken kreeg hij waarschijnlijk binnen de kortst mogelijke tijd zo'n communisten-advocaat aan zijn broek en was het eind zoek.

'Oké, jullie hebben geluk,' zei hij tot Samuels verbazing. Hij gaf ze wat formulieren om in te vullen, stempelde deze met het officiële stempel van de Bantoe-hoofdadministratie, en tekende. 'Neem deze formulieren mee terug naar de Bantoe-administratie in Umtata, en zij geven jullie je pasjes.'

Terug naar Umtata? Naar Transkei? Ze hadden zo hun best gedaan om naar Kaapstad te komen en nu moesten ze terug? De drie keken hem vol ongeloof aan.

'Maar we hebben geen geld voor de trein.' Nu was het de *amagodukwa* die sprak. Samuel zei niets. Hij voelde wel aan dat tegenwerpingen geen zin hadden en dacht al vooruit.

'Dat is jullie probleem. En nu mijn kantoor uit, of ik schop jullie bont en blauw. Oh Jezus, ik vergat dat ze al blauw zijn.' Van Rooyen lachte bulderend, en alle bedienden lachten mee. Samuel kon dat best begrijpen. Zij moesten de hele dag met deze blanke man werken, en dankten hun baantjes aan hem.

Buiten, in het felle zonlicht, zagen ze dat de rij was gegroeid tot enkele honderden mensen. Allen hadden zich erbij neergelegd dat ze moesten wachten, beledigd zouden worden en uitgelachen, in de hoop dat ze het felbegeerde pasje kregen, het recht om in de Kaap te kunnen verblijven en werken.

Zwijgend liepen ze een tijdje voort. Toen hield 'hij die ervaren was' stil, haalde zijn Bantoe-administratieformulier te voorschijn, en scheurde het langzaam in stukken. De andere twee zeiden niets.

Toen zei hij: 'Ik ben hier al eerder geweest, en heb ontdekt dat je lid kunt worden van bepaalde bendes. Ze beroven mensen, stelen auto's, en leven er goed van. Ook verkopen ze de drank van de blanken, en de

mensen betalen daar veel voor. Ik ben moe. Ik ben van ver gekomen. Ik
ga niet naar Umtata terug. Ik blijf hier, papieren of niet.'

Samuel zei niets. Ze keken beiden naar hun metgezel. Hij haalde ook
zijn formulier te voorschijn, en scheurde het aan stukken. Ze keken
allemaal toe hoe de wind de snippers wegblies.

De twee die een keuze hadden gemaakt keken naar Samuel, maar die
bewoog zich niet. Ze haalden hun schouders op, en liepen weg, in de
richting van de stad. Hij was alleen.

HOOFDSTUK 12

De volgende morgen ging Samuel naar de universiteit, compleet met pak en das. Meneer White was blij hem te zien.

'Ben jij Samuel Mbeki?' vroeg hij.

'Ja, Baas.'

'Noem me alsjeblieft geen Baas. Ik heet Cecil of meneer White, wat je het prettigst vindt. Waar zijn de andere twee?'

Samuel glimlachte. 'Die zijn niet gekomen.' Hij had geen zin meneer White over hun besluit te vertellen.

'Heb je je pasje bij je?'

'Nee, meneer. Ik moet naar Umtata om het te gaan halen.'

Cecils mond ging open, en toen weer dicht. Hij schudde zijn hoofd, langzaam en verdrietig.

'Ze doen ook alles om het je moeilijk te maken, Samuel.'

'Ik vind het niet erg om naar Umtata te moeten, maar ik heb geen geld voor de trein of de bus,' zei Samuel. Hij was als de dood dat meneer White van mening zou veranderen, maar vond toch dat hij deze man de waarheid moest vertellen.

'Je hebt toch al veel te mooie kleren aan om in de tuin te kunnen werken. We zullen je een retourtje Umtata geven, beste vriend. De bureaucraten zullen wat anders moeten verzinnen, voordat wij opgeven.'

Samuel had nog nooit het woord 'bureaucraten' gehoord, maar hij wist wel zeker dat daarmee de Bantoe-administratie werd bedoeld.

En zo begon zijn werk voor de universiteit. Toen hij een week later uit Umtata terugkeerde, in het trotse bezit van zijn pasje, besloot hij in het hostel in Langa te blijven tot hij zijn eigen woonruimte kon betalen. Het kon hem niet zoveel schelen waar hij de nacht doorbracht, want hij was aan het einde van de dag zo moe, dat hij sliep als een blok.

Toen hij aan het werk ging in de uitgestrekte tuinen van de universiteit, zag hij er prima uit in zijn blauwe overall met in grote witte letters de initialen van zijn werkgever. Zijn werkzaamheden waren niet erg inspannend, en hij vond het erg prettig de hele dag buiten te kunnen zijn. Soms reed hij op de machine die het gras moest maaien, en dat was helemaal niet moeilijk. Maar wat de dagen lang maakte, waren de eindeloze rijen bij het openbaar vervoer, iedere morgen en avond. Zwarten moesten vaak uren in de rij staan om heen en terug van de townships naar de stad te kunnen reizen.

Als hij om zeven uur op zijn werk wilde zijn, moest hij om vier uur op. 's Avonds was hij pas om acht uur thuis. Sommige arbeiders lieten het openbaar vervoer voor wat het was, en gingen te voet.

Samuel werkte niet op zaterdag en zondag. Die dagen gebruikte hij om zijn was te doen, en de dingen aan te schaffen die hij nodig had. Maar hij wist ook dat de kleurlingenwijken in het weekend gevaarlijk waren vanwege het drankgebruik en de berovingen. De zwarten probeerden in deze periode even de harde realiteit van de werkweek te vergeten. Ze hadden niets om op terug te vallen en niets om naar uit te zien, behalve de *shebeen* in het weekend. Als het drinken begon, begon ook het vechten, en iedereen kon daarbij betrokken raken.

In deze vroege zomerdagen leek het wel of de Kaapse zuidooster niet ophield met waaien. Hij blies de wijk vol stof en zand en het agressie-peil in de straten steeg met de dag.

Op zondagen, als het niet waaide, ging Samuel naar zee. Je kon daar goed vissen, en vanaf het miniscule stukje strand dat open was voor de zwarten, kon hij vaak een aardig maaltje bij elkaar halen. Daarna ondernam hij de lange tocht terug naar Langa en vond dat het leven goed was. De mannen uit de thuislanden mochten hun vrouwen niet meenemen, waardoor de seksuele spanningen bij de hostelbewoners hoog opliepen. Samuel herinnerde zich nog hoe de dokter zijn vader waarschuwde, iedere keer als die naar Egoli vertrok, en hij speelde het klaar zich nooit in te geven met de vrouwen van de *shebeen*. Op het gebied van de seks wist hij precies wat er te koop was, en hij kon best wachten tot hij een eigen vrouw had, vond hij.

Op een nacht werd hij wakker van het lawaai in het bed naast hem en ontdekte hij twee mannen in het soort worsteling zoals zijn vader en moeder vaak deden toen hij nog jong was. Hij besloot verder geen aandacht te schenken aan deze merkwaardige activiteiten, maar sprak er de volgende dag wel over met een van de andere zwarte tuinlieden van de universiteit. De man lachte en zei dat een man ook seks kon hebben met een andere man, vooral als er geen vrouw in de buurt was. Samuel dacht daar dagenlang over na, maar kwam tot de conclusie dat zijn seksuele behoeften niet zó groot waren.

Het werk bij de universiteit werd al gauw routine. Samuel kon nooit helemaal begrijpen dat dit grote stuk land rond de universiteit, meer dan een kilometer van de grote weg, gebruikt werd als tuin. Hij wist dat de grond goed was. Er was nooit enig gebrek aan water, en het leek hem niet erg zinvol om alleen maar boompjes en bloemen te planten die niemand kon eten. En als het gras lang genoeg was om op te grazen, werden de machines naar buiten gereden om het te maaien. Vaak keek hij naar de jonge blanke mannen en vrouwen die over de voetpaden tussen de gebouwen van de universiteit heen en weer liepen, boeken onder de arm, onbezorgd lachend en pratend alsof ze niet hoefden te werken. Hij benijdde hen en wenste dat hij ook naar de universiteit kon gaan.

Op een dag sprak hij hierover met meneer White. Hij vertelde hem dat hij al onderwijsbevoegdheid had en dat hij graag tijdens zijn lunchpauze college zou willen lopen. White keek hem lange tijd aan, en probeerde de juiste formulering te vinden om het hem te zeggen. Toen legde hij een hand op zijn schouder. 'Samuel, je komt niet in aanmerking voor de universiteit. Niet omdat je zwart bent. Dit is een van de weinige universiteiten in het land waar zwarten mogen studeren. Maar je hebt niet genoeg opleiding gehad.'

Geduldig legde meneer White uit dat het opleidingsniveau voor blanke kinderen veel hoger was dan voor zwarte kinderen. Er waren maar heel weinig zwarten die ooit dat niveau bereikten dat vereist was voor de universiteit. Vanaf die dag probeerde Samuel niet meer te kijken naar die zorgeloze blanke studenten die over de campus liepen. De dagen en de maanden en de jaren gingen voorbij, maar diep in zijn binnenste ontstond het gevoel, dat ook hij op een dag datzelfde opleidingsniveau zou bereiken.

Op een avond, zijn weekloon was goed weggestopt in zijn gordel, bereikte hij het hostel toen het al donker was. Buiten stond een groep mensen bij elkaar. Hij hoorde vrouwen schreeuwen en mannen vloeken. Hij bemoeide zich gewoonlijk nooit met deze bende-oorlogen. Ze vonden bijna dagelijks plaats, en hij liep er meestal met een grote boog omheen. Nu stopte hij. Er lag een man op de grond. Zelfs van deze afstand herkende hij hem.

Een politiesirene kwam naderbij en de meeste mensen namen de benen. Hij drong zich naar voren en boog zich over de man.

Het was de *amagodukwa*.

'Ik zie je, Samuel.' De stem werd verstikt door een golf bloederig schuim die uit zijn mond kwam. Diverse steekwonden in zijn borst maakten zuigende geluiden, toen hij naar adem lag te snakken.

'Ik zie jou ook, wijze man,' zei Samuel.

'Hij die wijs was' probeerde zich op een elleboog op te richten en stak een gebalde vuist in de lucht.

'*Amandla,*' zei hij, en viel terug in het stof dat hij nooit meer zou ontworstelen. Het was zijn laatste woord.

De politie duwde iedereen opzij, bestelde een ambulance en pakte een paar mensen op als getuige. Samuel liep onopgemerkt weg.

Amandla! Dat was de slogan van het Afrikaanse Nationale Congres. Maar 'hij die wijs was' had geen macht. Hij had niet de macht om zijn leven te veranderen, en aan het eind zelfs niet de macht het te redden. Samuel had altijd gedacht dat 'hij die wijs was' een gangster was geworden, maar er was iets in zijn stervende gezicht geweest dat hij niet kon vergeten. Bij navraag onder de bewoners van het hostel vertelde men hem dat de *amogodukwa* een organisator van het ANC was geweest. Ook vertelden ze dat zijn vriend was gedood door het moordcommando van de Zuid-Afrikaanse politie.

Het leven in de townships was een dagelijks terugkerende worsteling om het bestaan. Samuel telde de dagen tot zijn jaarlijkse vakantie aanbrak, en hij naar huis kon gaan om zijn familie op te zoeken. Er was altijd wel een groep vriendelijk lachende mensen die hem opwachtte, en zijn moeder zou in tranen uitbarsten als hij haar omhelsde. Er werd gegeten en gedronken, met vrienden en familie gepraat, en geleefd volgens dat eeuwenoude ontspannende ritme van hun stam.

Tijdens een van zijn bezoeken was er slecht nieuws. De gang van zaken werd hem stukje bij beetje duidelijk uit gesprekken met zijn moeder, tussen de tranen en de verdrietige begroetingen door, en met andere familieleden die kwamen en gingen. Het nieuws was een paar maanden eerder gekomen, in een brief van de blanke mensen bij de mijn. De brief zei dat er een 'drukontlading' in een schacht was geweest. Zijn vader was verpletterd door duizenden tonnen modder en stenen – als een zwarte kever onder de poot van een olifant. Ze hadden zijn lichaam pas dagen later teruggevonden, en er was geen geld om hem naar het thuisland terug te brengen. Hij was begraven bij The Reef zonder dat iemand om zijn dood had kunnen treuren. Zijn moeder kreeg een klein pensioentje van de mijn, maar dat was niet genoeg om het gezin te kunnen voeden en verzorgen. Samuel verklaarde zich meteen bereid het gezin verder te onderhouden. Dat was wel het minste wat hij kon doen. Het was een treurige vakantie, die echter een goede afloop had. Hij ontmoette Sophie. Van de bruiloft wist hij niet veel meer, maar als hij terugkeek, herinnerde hij zich deze decembervakantie als de gelukkigste tijd van zijn leven.

Toen, veel te vlug, moest hij weer aan de slag en braken de lange maanden van scheiding aan, terwijl hij zich in het zweet werkte in de tuinen van de universiteit.

Het leven in Kaapstad werd een kwelling. De tijd sleepte zich eindeloos voort. Samuel probeerde overwerk te vinden om meer geld te kunnen verdienen, en ging ook op zoek naar baantjes die beter betaalden dan tuinieren. Als hij ooit zijn vrouw en familie wilde onderhouden, moest hij alles doen om zijn inkomen te verhogen.

Op een dag hoorde hij dat hij zich moest melden op het kantoor van meneer White. Toen Samuel binnenkwam keek zijn baas op van de berg papieren die op zijn bureau lag. 'Goeiemiddag, Samuel.'

Samuel kon niet uit de klank van de blanke man zijn stem opmaken of dit een goed gesprek zou worden, of niet.

'Goedemiddag, meneer,' zei hij, en hield zijn hoed in zijn beide handen voor zich.

'Samuel, ik denk dat het eens tijd wordt dat je vertrekt.'

Samuel voelde zijn hart bonken van schrik. Vroegen ze hem een andere baan te gaan zoeken? Misschien had meneer White wel genoeg van zijn voortdurende gevraag om meer werk en extra geld.

'Ze hebben schoonmakers nodig in het dierenverblijf van de medische faculteit. Het betaalt een stuk beter. Ik heb je naam genoemd bij Clive Warren.'

Samuel kon het nog niet helemaal begrijpen. 'Betekent dat dan dat ik hier weg moet?'

Cecil glimlachte. Hij mocht deze stille, hardwerkende man wel. Hij had uit de roddelpraatjes van de andere tuiniers begrepen waarom Samuel ineens geen vrede meer had met het werk dat hij jarenlang zonder klagen had gedaan. Iedere man die trouwde moest zorgen dat hij meer geld verdiende.

Samuel had al lang geleden de hoop opgegeven ooit nog colleges te kunnen lopen, en begreep niet helemaal hoe het verzorgen van dieren hem een betere toekomst kon bieden. Toen hij jong was vond hij het leuk om voor de geit en het vee te zorgen, maar nu was hij een man met mannelijke verantwoordelijkheden. Hij keek naar Cecil White en besefte dat hij deze blanke man vertrouwde. Als hij vond dat Samuel naar het dierenverblijf moest gaan, ging Samuel naar het dierenverblijf. Hij bedankte hem hartelijk. Dit was een goed besluit geweest.

Een paar dagen later kreeg hij te horen dat hij was aangenomen. Samuel had er nooit van gehouden om van het bekende naar het onbekende te gaan. Hier op het terrein van de universiteit kende hij elke boom, struik en ieder pad. Hij had jaar in jaar uit voor ze gezorgd. Wat zou hij allemaal in het dierenverblijf aantreffen?

De afgelopen jaren was het loon van Samuel geleidelijk aan verbeterd, waardoor hij nu 's ochtends met de trein naar zijn werk kon gaan. Nu kon hij een uur langer slapen. Op de eerste dag van zijn nieuwe baan stapte hij een station eerder uit, en ging op weg naar de medische faculteit. Het was halfzeven toen hij daar aankwam, en alles zat potdicht. Hij liep naar het gebouw waar de proefdieren zaten, en wachtte. Langzaam kwamen de verschillende gebouwen, waar jonge mannen en vrouwen tot artsen werden opgeleid, tot leven.

De eerste indruk die Clive Warren van hem kreeg was meteen goed. Samuel, een nette verschijning in schone werkkleding, zag eruit als iemand die zijn taken serieus opvatte. Warren deelde hem in, als één van een team van drie schoonmakers, bij het gedeelte dat onderdak bood aan de dieren van de afdeling Chirurgisch Onderzoek.

Het werk in het dierenverblijf begon om acht uur 's ochtends, maar Samuel maakte er een gewoonte van om een uur eerder te komen. Dit dagelijkse ritme sprak hem aan, evenals het feit dat de schoonmakers een eigen kamertje hadden, waar ze hun overalls en rubberlaarzen konden aantrekken en hun spulletjes bewaren, en tijdens eetpauzes konden uitrusten.

De dieren waren heel anders dan Samuel had verwacht. Het waren geen koeien of geiten, maar veel ratten, muizen en konijnen. In zijn afdeling werden alleen honden gehouden. De dieren waren van niemand en werden vernietigd als ze niet door het dierenverblijf bij het gemeentelijk asiel werden gekocht. Ze werden gebruikt door jonge dokters, bij hun experimenten.

Samuel begon de dag met het inspecteren van de kooien en het weghalen van de honden die die nacht waren gestorven. De dode dieren werden naar een kleine ruimte op dezelfde verdieping gebracht, waar een blanke dokter ze aan stukken sneed. Deze vertelde Samuel dat hij dat deed om uit te vinden waarom ze waren gestorven, of te ontdekken wat er mis was gegaan tijdens het experiment.

Als de dokter klaar was met zijn werk en monsters had genomen, deponeerde Samuel de lichamen in het verbrandingsapparaat aan het einde van de gang. Daarna spoot hij alle kooien schoon, zodat alle uitwerpselen en voedselresten waren verdwenen, en dweilde de vloer. Ook moest hij ervoor zorgen dat er in elke kooi vers water en voer kwam te staan.

Victor, de oudste van de schoonmaakploeg, was net bevorderd tot laboratoriumassistent. Hij bracht het grootste deel van de dag door met het helpen van de artsen bij de experimenten die ze uitvoerden in de operatiekamer op de derde verdieping. Hij en Samuel werden in korte tijd dikke vrienden. Samuel luisterde gefascineerd naar Victors verhalen over de operaties die op de honden werden uitgevoerd. Volgens Victor sneed de grote baas, dokter Barnes, die net uit Amerika was teruggekomen, de harten van de honden open. Dan werkte hij wel een uur of langer binnen in die harten, waarna het hart met hechtingen werd dichtgenaaid – zoals de scheuren en haken in de werkbroek van Samuel – en de honden leefden.

Als die verhalen over dokter Barnes klopten, had deze grotere krachten dan de medicijnman, en dat was onmogelijk. Hij herinnerde zich nog wel die keer dat twee mannen in het dorp hadden gevochten om een vrouw. De een had de ander een speer in het hart gestoten en de medicijnman had zijn leven niet kunnen redden. Er waren nu eenmaal dingen die mensen niet konden doen.

Victor was heel boos toen Samuel op een dag zijn twijfels uitsprak. 'Als je denkt dat ik sta te liegen, waarom kom je dan zelf niet kijken?' snauwde hij.

'Denk je dat mag?' Samuel raakte ineens heel opgewonden bij het idee dat hij het laboratorium vanbinnen zou mogen zien.

'Ja, dat weet ik niet hoor. Jouw werk is in het dierenverblijf,' antwoordde Victor en stapte de deur uit.

Samuel bleef achter op het houten bankje in het dierenverblijf, zijn neusgaten gevuld met de geur van hondenuitwerpselen en urine. Toen zei hij hardop: 'Mijn plaats is niet in het dierenverblijf. In Transkei heb ik al een huis en een vrouw met een gouden hart en vier gezonde kinderen. Ik heb een kudde van twaalf koeien en de mensen respecteren me. Eens zullen ze me ook respecteren in het land van de blanke mensen.'

Hij was Samuel Mbeki. Hij kon doen wat hij wilde. Het moment was aangebroken dat er dingen in zijn leven gingen veranderen.

De volgende dag besteedde hij extra veel aandacht aan de autopsiën. Normaal gesproken legde hij de dode dieren op de snijtafel, en kwam later terug om de overblijfselen weg te halen. Vandaag bleef hij kijken wat de dokter, dokter Ferreira, allemaal deed en hielp hem bij het opruimen. De dokter stelde dat zeer op prijs en bedankte hem.

Samuel zag dat iedere hond was opengesneden langs de voorkant van de borst. Binnenin was het borstbeen in tweeën gespleten en de botten weer aan elkaar vastgeregen. Hij kon zijn ogen haast niet geloven toen de dokter hem liet zien dat het hart open was geweest, en met hechtingen weer dichtgenaaid. Victor had dus niet gelogen. De blanke man kon een hart openmaken en het weer sluiten! Samuel vroeg hoe zoiets kon worden gedaan zonder dat het dier daardoor doodbloedde.

Dokter Ferreira was allang blij dat hij over zijn werk kon praten, en legde uit hoe al het bloed van de hond werd weggevoerd naar een machine die er lucht inblies en vervolgens het bloed weer terugpompte in het lichaam. De machine, zei hij, werkte zoals het hart en de longen van de hond. Terwijl dit gebeurde was het mogelijk het hart te openen, dat nu stil lag en zonder bloed was, en iedere operatie uit te voeren die werd gewenst.

Die nacht sliep Samuel slecht. Keer op keer volgde hij in gedachten de werking van de machine, die ademhaalde en bloed pompte voor de hond. Maar er ontbrak iets. Plotsklaps realiseerde hij zich dat de blanke dokter niet had verteld hoe voorkomen kon worden dat de ziel ontsnapte, als het hart open lag. De volgende dag had Samuel een briljant idee. Het lag in eerste instantie zo voor de hand dat hij zich afvroeg of er iets verkeerd mee was. Hij zou naar de bibliotheek van het instituut gaan en de blanke mevrouw achter het bureau naar een boek vragen waar alles in stond over het binnenste van het hart.

Maar hij kwam er al gauw achter dat het idee heel eenvoudig, maar ook onuitvoerbaar was.

'Bent u een student?' had de blanke mevrouw op zijn vraag geantwoord, terwijl ze naar zijn witte overall en gummilaarzen keek.

'Nee mejuffrouw, maar ik werk in het dierenverblijf van de faculteit.'

'Ik ben bang dat de boeken in deze bibliotheek alleen bestemd zijn voor studenten medicijnen en artsen,' zei ze en keek vragend naar de persoon achter hem.

'Maar ik wil het boek helemaal niet meenemen. Ik wil het alleen maar lezen als ik in het dierenverblijf ben,' drong Samuel aan, die de moed in zijn schoenen voelde zinken.

De vrouw keek hem weer aan, onder de indruk van zijn vasthoudendheid. Haar gezichtsuitdrukking verzachtte. 'Het spijt me, maar de regels van de bibliotheek staan dat niet toe,' zei ze en ze klonk echt verontschuldigend.

Samuel begreep dat hij niet langer meer moest aandringen en vertrok, toch een beetje tevreden vanwege het feit dat hij zich niet voetstoots de deur had laten wijzen.

Een paar dagen later vertelde hij dokter Ferreira over deze teleurstellende ervaring. 'Geen probleem,' lachte deze. 'Morgen neem ik een boek voor je mee met kleurenplaatjes van de binnenkant van het hart. Dan kun je net zoveel over hartchirurgie lezen als je zelf wilt.'

Dat was het begin van een heel fascinerende periode van nachtelijke lectuur, afgewisseld met vraag en antwoordbijeenkomsten met dokter Ferreira in de autopsiekamer.

En iedere dag, als de dokter eenmaal weg was, haalde Samuel de gebruikte ontleedmessen weer te voorschijn, en oefende hij in het opensnijden van de harten voordat hij ze in de verbrandingsoven gooide.

De andere schoonmakers maakten aanvankelijk grapjes over zijn belangstelling voor de chirurgie, en begroetten hem met opmerkingen als 'Goedemorgen, dokter Mbeki', maar Samuel was zo verdiept in zijn nieuwe bezigheden, dat hij hun nauwelijks enige aandacht schonk. Na een paar dagen had men zijn eigenaardige gedrag geaccepteerd. Was hij uiteindelijk niet een onderwijzer die schoonmaker was geworden?

Samuel hield net zo lang vol, tot hij begreep hoe het bloed door het hart werd rondgepompt. Dit fantastische orgaan in de borst nam bloed op aan de ene kant en stootte het weer uit aan de andere, terwijl het bloed intussen continu door het lichaam werd gepompt. Hij vond de rechterboezem die het bloed van het boven- en onderlichaam ontving via twee grote aders. Hij constateerde hoe de boezem samentrok, het bloed via een klep naar de rechterkamer perste, waar het proces werd herhaald en het bloed via een andere klep door een slagader naar de twee longen werd gepompt.

Gefascineerd zag hij daarna hoe het bloed van zuurstof werd voorzien door de lucht in de longen, en dan terug werd gestuurd naar de linkerboezem van het hart. Daarvandaan werd het de linkerkamer in geperst, en met kracht teruggebracht in de omloop door het hele lichaam. Als hij tijd had oefende hij het dichtnaaien van wonden op dode dieren. Hij bracht keurige hechtingen aan, en bond deze af met kleine knoopjes, precies zoals de blanke dokter deed.

Op een maandagmorgen gebeurde er iets heel opwindends. Victor was ziek, en hij werd naar het laboratorium geroepen om te helpen bij een operatie op een levend dier. Toen hij binnenkwam trof hij daar dokter Ferreira met een andere lange blanke man in een witte jas, die werd voorgesteld als dokter Barnes. Dit was de beroemde dokter, degene die meer kon dan een medicijnman, de man die een hart tot stilstand kon brengen, opensnijden, dichtnaaien en weer uit de dood terughalen.

Dokter Ferreira sprak lovend over Samuel. 'Het is een opmerkelijke man, dokter Barnes. Hij weet veel meer van ons werk dan je van een schoonmaker zou verwachten.'

Ze keken allebei naar hem. Hij was verlegen, maar ook trots en wilde dat zijn grootvader deze woorden had kunnen horen. Intussen vertelde de jonge dokter de ander hoe Samuel had geholpen bij het postmortaal onderzoek, hoe hij studieboeken doorwerkte, vragen stelde over het werk, en organen kon omschrijven en verwijderen met de chirurgisch geëigende technieken.

Dokter Barnes glimlachte. 'Je bent duidelijk niet op je plaats in het dierenverblijf, hè Samuel?' Dit klonk als een vraag, maar een antwoord wist hij niet.

De jonge dokter nam het van hem over. 'Niet alleen is hij niet op zijn plaats in het dierenverblijf, maar ik vind het doodzonde dat deze man nooit de gelegenheid heeft gehad medicijnen te studeren. Hij heeft me verteld dat hij bevoegdheid heeft als Bantoe-onderwijzer, maar ik denk dat hij veel meer in zijn mars heeft – ik denk dat hij een heel begaafde, geboren chirurg is.'

Vanaf die dag kreeg Samuel steeds ingewikkelder werkzaamheden opgedragen in het experimentele hartchirurgieprogramma. In eerste instantie mocht hij alleen met honden werken, operatiewonden openhouden en het bloed terugvoeren naar de hartlongmachine. Niet lang daarna mocht hij laten zien hoe goed hij kon hechten, en hechtingen kon afbinden.

De volgende stap was naar de bavianen. Hij vond de andere opstelling van de organen een uitdaging, en paste zijn methodes al snel aan. Binnen een paar maanden opende hij de borstkas, verwijderde het hart en bevestigde het donorhart ervoor in de plaats. 'Dat doe je beter dan de meeste jonge co-assistenten die ik ken,' zei dokter Barnes op een dag, toen hij had staan kijken naar Samuels trefzekere bewegingen tijdens de operatie. 'Je stapt binnen, met je 'boots' (laarzen) aan, en twijfelt verder nergens over.'

Die naam bleef hangen. In een mum van tijd noemden zowel het personeel als de artsen hem Boots. Hij aanvaardde die naam voor wat deze was, een compliment.

Een jaar later ging hij deel uitmaken van het operatieteam van dokter Barnes – operatiejas, handschoenen en masker, net als de blanke dokters die medicijnen hadden gestudeerd. Iedereen in het lab had hem geaccepteerd, met uitzondering van het hoofd van het lab, dokter Kapinsky. Samuel had geleerd nooit een masker of een operatiejas te dragen als dokter Kapinsky in de buurt was, en was er tot nog toe in geslaagd een confrontatie te vermijden. Dokter Barnes was ongewild de oorzaak geweest van het incident dat Kapinsky's woede had gewekt na zijn terugkeer uit Rusland.

'Boots, de komende dagen moeten er tien transplantaties worden uitgevoerd,' had dokter Barnes gezegd, en vervolgens: 'We hebben een compleet testschema opgezet voor een nieuw anti-afstotingsmiddel, en hebben hulp nodig bij het transplanteren.' Zo had Kapinsky hem aangetroffen, ontleedmes in de hand boven de borstkas van een onder narcose gebrachte baviaan.

Boots slaakte een diepe zucht en stond op van het bankje in het lab. Hij merkte dat hij daar bijna een uur had gezeten zonder te merken wat er om hem heen gebeurde, terwijl in gedachten zijn hele leven aan hem was voorbijgetrokken.

Zijn dijen deden pijn. Hij was niet zo jong meer. Hij had de grote blanke dokter Kapinsky kwaad gemaakt en zijn baan was in gevaar. Hij verwachtte geen hulp van de andere blanke artsen. Hij had dit al vaker meegemaakt, bij verschillende gelegenheden. Als een blanke man boos werd op een zwarte man, bemoeide een andere blanke man zich daar nooit mee. En zo zou het in dit geval ook gaan.

Hij begon boos te worden. Dit keer zou het anders gaan. Dit keer zou hij niet toestaan dat een blanke man zou vernietigen waaraan hij zo lang had gewerkt. Als dokter Kapinsky hem te na kwam, zou hij hardop zeggen wat hij vond.

HOOFDSTUK 13

'Hoe zou je het vinden donor te worden?"
David Rhodes keek naar Barnes, zijn helder blauwe ogen wijd open, en toen naar Karen, die bij dit gesprek aanwezig was in haar functie van transplantatiecoördinator. Ze waren in het dokterskantoor, op dezelfde verdieping als de transplantatie-afdeling.
Toen ze hoorde hoe Barnes de jongeman vroeg of hij donor wilde worden, herinnerde ze zich maar al te levendig hoe men haar, hier in diezelfde kamer, had gevraagd de organen van haar echtgenoot ter beschikking te stellen.
De gedachte kwam even opzetten, maar ze liet haar ook meteen weer varen.
'Bedoelt u bloed?'
'Nee, ik bedoel je hart,' antwoordde Barnes en moest onwillekeurig lachen om de verschillende uitdrukkingen die zich op het gezicht van David aftekenden, van verbazing tot schrik.
Nadat hij bijna een jaar geleden uit het ziekenhuis was ontslagen, hadden de cardiologen Davids ontwikkelingen van nabij gevolgd. Zijn spoedige herstel en de afwezigheid van enige tekenen van hartfalen of afstoting konden bijna wel een wonder worden genoemd. Wat Barnes zeer had aangesproken was het definitieve cardiologierapport. Bij dit gedetailleerde onderzoek, dat pas vorige week was afgesloten, waren zeer verfijnde technieken toegepast. In- en uitwendig onderzoek van beide harten, door middel van coronaire angiografie, echocardiografie en radioactieve isotopenscanning had aangetoond dat ze sterk en regelmatig sloegen. Biopsierapporten over de weefselmonsters van beide harten lieten zien dat er ondanks de ontsteking geen blijvend letsel aan Davids eigen hart was ontstaan, en niets wees op een eventuele afstoting van het donorhart.
Een ongewone situatie, een totaal succes, dacht Barnes. David, het levende bewijs, stond voor hem. Een toonbeeld van gezondheid, gebronsd door de zon, zijn gespierde jonge lichaam fit en in conditie.
'Je kunt het getransplanteerde hart er wel uithalen en weggooien,' zei de hoofdcardioloog, toen hij het rapport overhandigde. 'Het heeft geen

functie meer, en de immunosuppressie kan alleen maar problemen veroorzaken.'

De cardioloog had gelijk, dacht Barnes. Hij zou het donorhart verwijderen, maar was zeker niet van plan het weg te gooien.

'Je herinnert je misschien nog dat ik je, na je operatie, heb uitgelegd dat je hartfalen naar mijn mening te wijten was aan een onsteking van de hartspier.'

'Ja, een myocarditis,' zei Rhodes, trots om te kunnen laten zien dat hij iets van het medische jargon had opgepikt.

'Precies,' antwoordde Barnes glimlachend. Hij praatte graag met deze intelligente jongeman. 'Ik heb toen ook gezegd, dat als we je hart lang genoeg kunnen helpen, het weer normaal zal gaan functioneren zodra de ontsteking is verdwenen.'

Rhodes knikte. Karin wist wat er ging komen en bleef doodstil zitten.

'De testen die je de afgelopen dagen hebt ondergaan, tonen aan dat je hart weer normaal is gaan functioneren. Je hebt geen tweede hart meer nodig.'

Barnes zag de opwinding bij David groeien.

'Dus u wilt uw hart terug, dokter Barnes,' zei David met een glimlachje, alsof ze over een uitgeleend boek zaten te praten.

'Nee, het gaat er niet om dat ik het hart terug wil, maar dat de aanwezigheid ervan in je lichaam een gevaar is voor je gezondheid.'

'U bedoelt dat het kan worden afgestoten?'

'Ja. Als we je donorhart niet weghalen, moeten we je immunosuppressieve middelen blijven toedienen. Je weet net zo goed als ik wat voor gevaren en nadelen dat met zich mee kan brengen.'

David zei een tijdje niets en keek Barnes toen strak aan.

'Dokter Barnes, ik kan mijn dankbaarheid en bewondering voor u en de andere artsen en verpleegkundigen niet onder woorden brengen. Het spreekt vanzelf dat mijn ouders en ik alles zullen doen wat u nodig acht.'

Hij kreeg ineens iets ondeugends, grinnikte naar Barnes, keek naar Karen en voegde hieraan toe: 'Maar ik wil wel dat een mooi meisje me om mijn hart vraagt.'

De ontroering werd Karen haast te veel. Ze stond op, sloeg haar armen om David en klemde hem tegen zich aan.

Hij genoot zichtbaar van het contact, lachte en vroeg Barnes: 'Wanneer wilt u gaan opereren, dokter?'

'Uit het onderzoek is gebleken dat het donorhart in uitstekende conditie verkeert...'

'Dat komt omdat ik te veel van het hart houd om toe te staan dat mijn immuunsysteem het kwaad doet,' onderbrak David.

Ze moesten allemaal lachen om dit idee dat, dacht Barnes, misschien niet eens zo ver bezijden de waarheid was. Er was nog heel veel niet bekend over de werking van het immuunsysteem.

'Als je dat goed vindt, wil ik het hart verwijderen zodra ik er een geschikte patiënt voor heb,' zei Barnes.

'U zegt het maar. Dat betekent dat ik vanaf dit moment officieel een donor op afroep ben,' lachte David. 'Het is waarschijnlijk voor het eerst dat u een gezonde, levende mensendonor heeft voor een hart.'

'Als dingen gaan zoals ik hoop dat ze gaan, zal dat niet de enige unieke gebeurtenis zijn. Dan hebben we straks twee mensen die kunnen zeggen dat ze hetzelfde hart in hun borst voelden kloppen,' antwoordde Barnes.

Ze vierden dit alles met de vaste ziekenhuistroost, een kopje thee.

Karen was heel dankbaar. Ze zou deze bijeenkomst altijd blijven onthouden als het meest ontspannen donorgesprek dat ze ooit had opgezet.

Later, op weg terug van het ziekenhuis naar de medische faculteit, overviel Barnes ook ineens een goed gevoel, hij was gewoon blij dat hij leefde. Zowel zijn professionele als zijn persoonlijke leven leken weer helemaal op orde. Sinds die avond van dat geslaagde etentje met de staf was hij nog wel eens vaker uit geweest met Karen. Hierin kwam steeds meer regelmaat toen ze elkaar beter leerden kennen. Hij bleef zichzelf voorhouden dat het hier een platonische vriendschap betrof, maar hij betrapte zich erop dat hij steeds vaker terugkwam van zijn lang gekoesterde opvattingen over zijn beroepsleven en een permanente relatie. Karens gezelschap tijdens de avonduren werd voor hem steeds onontbeerlijker. Hij had zich dat nog niet zo gerealiseerd tot ze op een keer, omdat haar kind ziek was, moest afzeggen. Zijn teleurstelling was zo groot dat hem dat tot nadenken stemde.

Hun gesprekken aan tafel gingen meestal over het werk in het ziekenhuis en het lab. Hij besprak nooit de details van zijn onderzoeksprogramma, maar ze beklaagden zich beiden over het gebrek aan fondsen en Karen was het eens met zijn visie over de Ethische Commissie.

Na het eten reed hij haar altijd naar huis en wensten ze elkaar welterusten bij de deur. Ze vroeg hem nooit binnen te komen, en hij dacht er nooit over haar uit te nodigen voor een drankje in zijn appartement. Tot gisteravond.

Van het begin af aan waren dingen al anders. Karens uiterlijk bijvoorbeeld. Ze was gekleed in een wit topje dat niet veel meer voorstelde dan een cadeauverpakking rond de zwelling van haar romige borsten, en een minirokje dat haar gebruinde benen in volle glorie toonde. Haar meestal opgestoken haar hing nu los, en de weelderige lokken omstulpten haar schouders haast tot aan haar middel.

Ze gleed op de voorbank van zijn auto, omgeven door een vluchtige suggestie van parfum en met een vloed aan woorden: 'Hallo. We hoeven vanavond niet vroeg terug te zijn voor de oppas. Ik heb een vriendin te logeren. Zij en Kimberley kunnen het reusachtig goed met elkaar vinden en ze waren allang blij dat ik opkraste.'

Hij bespeurde een opwindend gevoel in zijn lendenen. Dat verdween niet tijdens hun etentje bij Gino. Ze hadden het over bijna alles, behalve ziekenhuizen en medische zaken, ze voelden elkaar feilloos aan, en bij iedere opmerking viel er wel iets te lachen.

Ze verontschuldigde zich na het hoofdgerecht en liep, zigzaggend tussen de tafeltjes door, naar het damestoilet. Hij zag hoe alle hoofden in haar richting draaiden, en kreeg ineens iets mannelijk bezitterigs over zich. Dit was, moest hij zichzelf voor het eerst toegeven, zijn vrouw.

Ze reden in stilte terug, maar waren zich meer dan normaal van elkaars aanwezigheid bewust. Ze probeerde dichter bij hem te gaan zitten, en zei niets toen hij de afslag nam naar de kustweg die naar zijn appartement leidde. Het was alsof ze het zonder iets te zeggen al met elkaar eens waren geworden.

In de lift hielden ze, als teenagers, elkaars hand vast. Ze prees uitbundig het uitzicht vanaf het balkon, wat Barnes een merkwaardig gevoel van trots gaf, alsof het zijn uitzicht was.

Aan de andere kant van de baai stond de stad te trillen van de lichten. Autolampen trokken strepen langs de snelwegen en boven dit alles hing de Duivelspiek in de warme avondlucht, badend in de glans van het strijklicht. De stad der steden liet zich ter gelegenheid van deze speciale avond van zijn beste kant zien.

Zonder verder iets te zeggen keerde Karen zich naar hem om, en plaatste haar mond op de zijne, haar lippen openend als een bloem. Ze hielp hem bij het uittrekken van haar kleren, schudde het witte topje af, en onthulde haar priemende borsten met vooruitstekende tepels, die klopten in zijn mond. De ritssluiting van het minirokje stagneerde even, en hij zonk op zijn knieën om hem los te maken. Ze klauwde met haar vingers in zijn haar toen hij het rokje liet vallen, en haar slipje naar beneden trok. Met schokjes stootte ze haar onderbuik naar voren, en duwde woordeloos kreunend zijn gezicht in de vochtige warmte.

Terwijl hij haar billen stevig vasthield, en haar clitoris zachtjes met zijn tong bewerkte, kwam ze enige malen met een schokkend lichaam klaar. Tijdens haar orgasmes stond ze stokstijf overeind, maar geleidelijk aan zakte ze steeds verder over hem heen. Hij wist niet meer wanneer hij zijn kleren had uitgetrokken en het kleed uit de huiskamer had gehaald, ter bedekking van de koude balkontegels. Daar paarden ze, in stilte, op de kleine kreungeluidjes van Karen na, toen hij haar benen spreidde en in haar gleed. Ze deed haar benen nog verder uit elkaar, stak ze hoog in de lucht en sloot haar enkels om zijn rug. Deze beweging sloot hem helemaal in, en vroeg om nog diepere penetratie. Zijn orgasme vergde het uiterste van hem. Ze voelde hem klaarkomen, en hield hem teder vast. Ze lagen stilletjes.

Ze kwamen pas uren later overeind. Het leek wel jaren geleden dat hij zich zo voldaan had gevoeld. Karen merkte tot haar verbazing dat een langdurig aanwezige geestelijke pijn ineens was verdwenen, alsof er een leegte was opgevuld. Niet omdat ze nu seksueel aan haar trekken was gekomen. Om orgasmes ging het niet. Die kon je zelf ook nog wel oproepen, dacht ze spottend. Het leek alsof er iets was uitgedreven, haar geest was verruimd.

Hij reed haar naar huis in de kleine uurtjes. Er was een band tussen hen ontstaan die bij beiden tot in het diepste van hun vezels was doorgedrongen.

Vanuit haar raam zag Fiona de auto van haar baas langzaam het parkeerterrein van de medische faculteit oprijden, een bocht missen, achteruit rijden, het nog eens proberen en uiteindelijk dwars over twee parkeervakken tot stilstand komen. Peinzend keek ze een tijdje toe, terwijl hij bleef zitten en recht voor zich uit naar de kale muur zat te staren. Toen stapte hij schaapachtig grinnikend uit, liep de verkeerde kant op, stopte, schudde zijn hoofd en liep de ingang beneden haar binnen.

'Goed gedaan Karen, en het werd verdomme tijd ook,' zei Fiona tegen het vensterglas. Ze hoorde het gieren van de lift, ging weer achter haar bureau zitten, en wachtte. Toen Rodney binnenkwam, nog steeds met een nietszeggend glimlachje om zijn lippen, keek ze op en zei: 'Zouden we zo langzamerhand niet eens aan het werk gaan?'

Stafvergaderingen vielen altijd op een vrijdag. Volgens de jonge docenten was dat zo omdat de afdelingshoofden dan vroeg weg konden naar welk vertier dan ook dat ze voor het weekend hadden voorzien.

Waar of niet, er waren maar weinig punten die de lunchpauze over-leefden, en wee degene die 's middags nog met een nieuw onderwerp ter tafel kwam.

Thomas was zich niet bewust van dit gebruik. Hij wachtte tot de staf-leden de agenda hadden afgehandeld, en stond op toen de rondvraag aan de orde kwam. 'Voorzitter, ik verlang een diepgaand onderzoek naar het project dat dokter Barnes en Kapinsky momenteel onder han-den hebben,' zei hij tegen JJ. 'Ik heb redenen om aan te nemen dat er onethische praktijken worden uitgeoefend. Als vertegenwoordiger van de Ethische Commissie acht ik het mijn plicht u mede te delen dat ik sterke twijfels heb over het laboratoriumwerk dat op dieren wordt verricht. Tekenend voor mijn vermoedens acht ik het feit dat leidingge-vende leden van de onderzoeksgroep mij de toegang tot hun werk-zaamheden hebben ontzegd.'

Verdorie, nog meer gedram van Thomas, dacht Barnes. Hij luisterde met een uitdrukkingsloos gezicht hoe de man zijn verdenkingen her-haalde, en vertelde van zijn gesprekken met Barnes en Kapinsky, en hoe Kapinsky hem lichamelijk had bedreigd. Professor George Bills, hoofd Cardiologie, keek uit het raam. Er was geen wolkje aan de lucht. Tegen vieren zouden de golfvelden druk bezet zijn. Hij keek weer naar Thomas. De fanatieke druiloor zag eruit alsof hij de hele middag kon doorgaan. Hij zuchtte. Laten we in godsnaam hopen dat Barnes hem kort en krachtig van repliek dient, dacht hij, zodat ze hun biezen kon-den pakken.

'Dank u, professor.' JJ onderbrak Thomas toen deze zijn zienswijzen begon te herhalen. 'Dokter Barnes, wat heeft u hierop te zeggen?'

Barnes stond op. Hij keek om zich heen en voelde welke stemming er onder de faculteitsleden heerste. Thomas hoefde niet op enige mede-werking te rekenen. Hij had het verkeerde tijdstip gekozen om zijn aanval te lanceren.

'Voorzitter, ik heb begrip voor professor Thomas' ongeduld, maar we hebben het project uitgebreid met hem besproken, de Ethische Com-missie heeft ons dossier in haar bezit, en dit is voor het eerst dat iemand onze beweegredenen in twijfel trekt.'

JJ wist heel goed hoe hij bepaalde zaken op de lange baan kon schui-ven, maar hij voelde er niets voor Thomas zijn zin te geven. Aca-demisch gezien was de man niets waard, iemand die niet van on-derzoeken hield en zijn tijd uitzat. Hij keek hem vragend aan. 'Profes-sor?'

'Voorzitter, ik zou graag zien dat de faculteit een subcommissie benoemt om een onderzoek in te stellen en haar bevindingen aan ons te melden. Ik zou gaarne in die commissie plaatsnemen.'

Zelfs Barnes kon de redelijkheid van dit verzoek niet ontkennen. Vanuit zijn ooghoeken zag hij hoe Cherrington van Verloskunde ongeduldig ging verzitten. Bills keek niet meer uit het raam. Andere stafleden waren weer opgeleefd.

'Voorzitter, dokter Kapinsky is aan het werk met een aantal dieren waarbij het immuunsysteem sterk is onderdrukt. Hij moet daarom de strengst mogelijke quarantaineregels toepassen, en iedere onbevoegde bezoeker kan het hele project, waar we al een hoop geld in hebben gestoken, in gevaar brengen.' Hij keek om zich heen. De stafleden zaten geïnteresseerd te luisteren. Het was tijd om toe te slaan. 'Dokter Kapinsky is een toegewijd wetenschapper met een onberispelijke reputatie. Zijn werk wordt internationaal gerespecteerd. Dit zeer kostbare onderzoeksprogramma is in een kritieke fase beland. Zo zeer, dat dokter Kapinsky zelfs persoonlijk schoonmaakt en opruimt om infecties te voorkomen. Met alle respect voor professor Thomas ben ik van mening dat geen van deze laboratoriumbezigheden van enig belang voor hem zijn. Maar hij wil hierbij toch worden toegelaten, ook al brengt hij hiermee het hele project in gevaar...'

Dit vroeg om een heftige reactie, en wat Thomas betrof kwam die ook. 'U bent nog niet van mij af. De Medische Raad zal benieuwd zijn naar wat ik heb te zeggen!' schreeuwde hij, en stormde naar buiten.

Wel, deze ronde heb ik in ieder geval gewonnen, dacht Barnes. Maar waar was Kapinsky in vredesnaam mee bezig? Het was hoog tijd er weer eens een kijkje te gaan nemen, quarantaine of niet. Hij was de afgelopen weken niet in het lab geweest, maar de verhalen die hem ter ore kwamen klonken nogal vreemd. Kapinsky zag er overspannen uit en de beveiligingsdienst had laten weten dat hij nu ook in het lab overnachtte. Misschien begon die rare vogel nu wel echt paranoïde te worden.

Hoewel het in eerste instantie niet zo was opgevallen, begonnen verschillende leden van de medische staf, en vooral zij die nauw met Kapinsky samenwerkten, nu toch wel te merken hoe zeer de Duitse arts was veranderd. Hij had zich geleidelijk aan meer teruggetrokken en was vrijwel onbenaderbaar. Hij bleef steeds langer overwerken, vaak tot in het holst van de nacht en had een bed in het lab geïnstalleerd zodat hij kon blijven slapen. In de ruimte naast het lab waren twee rijen kooien neergezet en deze was voor iedereen tot verboden gebied verklaard. Hij maakte de kooien in deze sectie zelf schoon en zorgde ook voor voedsel, water en medicijnen voor de dieren in 'isolatie'.

Toen Barnes hem enige dagen na de stafvergadering opzocht, zag hij meteen dat de ogen van zijn bleke en ongeschoren collega gloeiden als kolen.

'Hallo, Louis. Het spijt me dat je de laatste tijd niet veel van me hebt gezien, maar ik had een hoop te doen.' Een wat zinloze opmerking, vond Barnes zelf ook. Het was zijn eigen afdeling, goddomme. Hij hoefde zijn doen en laten niet te verantwoorden!

'Ja, dat heb ik gemerkt. Vooral in het restaurant van Gino, hoorde ik.' Barnes reageerde niet. Kapinsky was duidelijk uit op herrie, en hij wilde juist meer contact. Hij grinnikte.

'Tijd voor een verslag. Wat heb je voor nieuws over onze bavianen?' Kapinsky schoof een paar velletjes papier over zijn bureau. 'Daar staat het allemaal in. Neem maar mee,' zei hij, en keek weer naar zijn printout.

Dit werd niet gemakkelijk. Hij drong aan. 'Dank je, Louis. Vertel eens in een paar woorden hoe ver we zijn?'

Kapinsky sloeg ineens weer om als een blad aan een boom. Hij glimlachte, ging achteruit zitten en barstte los in een onstuitbare woordenvloed. 'Ik vertelde je een paar maanden geleden al dat ik een aantal eicellen van vrouwtjesbavianen wist te bemachtigen door de follikels via een laparoscoop op te zuigen. Deze eicellen heb ik opgeslagen in vloeibare stikstof. De volgende stap was de eicellen een voor een te ontdooien, te bevruchten en het onstane embryo uit te broeden tot het zich tot het zestiencellige stadium had ontwikkeld. Het doorzichtige omhulsel waarmee de cellen zijn omgeven en de kleefstof die ze bij elkaar houdt losten we op met een enzym en toen had ik wat ik wilde: zestien identieke enkelvoudige cellen van iedere bevruchte eicel, en elke cel is weer in staat om een nieuw embryo te vormen met hetzelfde genetische materiaal.'

Hij was nu helemaal op dreef en stond rechtop, zijn gezicht vol enthousiasme. 'Ik heb elke cel ingekapseld in een laagje ziewiergel, en toen ingebracht in de baarmoeder van een vrouwtjesbaviaan die behandeld was met hormonen om terzelfder tijd op temperatuur te komen.'

'En lukte dat?' Barnes kon het niet nalaten hem te onderbreken.

'Ja, ik heb om precies te zijn dertig vrouwtjes met succes zwanger gemaakt, maar zeven daarvan zijn de vrucht weer kwijtgeraakt,' verklaarde Kapinsky, duidelijk met zichzelf ingenomen. 'Ik heb de foetussen van de overgebleven drieëntwintig met menselijke antigenen ingespoten.'

'Betekent dat dan dat je bavianen uiteindelijk in staat zullen zijn zonder afstoting menselijke organen te accepteren? Had je niet beter voor iedere foetus het weefsel van een aparte donor kunnen gebruiken?'

Kapinsky snoof afkeurend. 'En hoe dacht je dan dat zoiets in de praktijk zou gaan? Het zou minstens twee jaar duren een volwassen baviaan op die manier te laten opgroeien. En zo lang van te voren beschikken we niet over donors, wel?'

'Hmmm, ik begrijp wat je bedoelt. Met ter dood veroordeelde gevangenen kunnen we een zekere orgaantoevoer plannen, maar niet zo ver vooruit,' gaf Barnes toe. Maar zijn belangstelling was gewekt. 'Hoe heb je dat probleem opgelost?'

Kapinsky keek peinzend voor zich uit. 'Ik weet niet of ik een sluitend antwoord heb, maar door de cellen van een gemengde lymfocyte cultuur te gebruiken, stelde ik de bavianenfoetussen bloot aan een uiteenlopende reeks van menselijke antigenen.'

'Je hebt cellen van verschillende bronnen gebruikt?'

'Ja, ik heb zestien medewerkers van het lab bloed afgenomen. Dat zou een aardig bereik aan menselijke antigenen moeten opleveren.'

'Hoe heb je die piepkleine foetussen kunnen injecteren? Heb je de baarmoeder opengemaakt?'

'Nee, nee, nee,' zei Kapinsky boos. 'Alle vruchten zouden dan verloren zijn gegaan.'

'Hoe heb je het dan wel gedaan?' Barnes, de chirurg, zag al voor zich wat een precisiewerk dat moest zijn geweest.

'We hebben de zwangere bavianenvrouwtjes doorgelicht met ultrasone golven tot ik, per geval, de foetus had gevonden. Dokter Louw heeft me toen geholpen de zwangere baarmoeder bloot te leggen via een kleine incisie in de buik. De foetus vonden we door te voelen, en deze werd geïnjecteerd via de baarmoederwand.'

'En wanneer zijn onze bavianenmoeders uitgerekend?'

'Aangezien bavianen vijf maanden zwanger zijn...' Kapinsky telde op zijn vingers, 'over ongeveer een maand.'

Geen wonder dat die arme drommel er zo afgeleefd uitziet, dacht Barnes. Die is dag en nacht met die bavianen aan de gang geweest. Hij voelde zich schuldig over zijn voorgenomen inspectie van het dierenverblijf, en besloot ervan af te zien. Hij wist heel goed dat één extra bezoeker al de oorzaak kon zijn van een hevige infectie onder de dieren. Dit project was te ver gevorderd om de boel in de war te laten gooien, alleen maar omdat een of andere idioot beschuldigingen liep te roepen.

Hij kreeg een idee. 'Het zal een opwindende tijd voor je worden, die veel van je zal vergen. Als je extra hulp nodig hebt, waarom vraag je Boots dan niet? Hij is een ervaren chirurg geworden, weet je.'

Kapinsky gaf geen antwoord, maar de afkeer stond op zijn gezicht te lezen. Barnes begreep dat hij een onverstandig voorstel had gedaan.

Kapinsky stond op. 'Sorry Rod, maar je zult me moeten verontschuldigen. Ik moet de dieren gaan verzorgen,' zei hij.

Barnes zei niets maar keek verbaasd toe hoe Kapinsky de deur ontsloot die toegang gaf tot het dierenverblijf. Een slot op de deur? En een bord waarop met vette letters geschreven stond: VOLLEDIGE QUARANTAINE. GEEN TOEGANG. Kapinsky nam zijn quarantaine klaarblijkelijk heel serieus.

Zonder achterom te kijken deed Kapinsky de deur achter zich dicht, en Barnes hoorde hoe hij deze aan de andere kant vergrendelde. Hij aarzelde eventjes, en verliet toen het lab. Hij moest binnen afzienbare tijd eens bij de proefdieren gaan kijken, maar daar was het nu het moment niet voor. Ze zouden wel verderpraten als Kapinsky weer een beetje tot bedaren was gekomen. En Thomas kon de boom in!

Toen Kapinsky de ruimte binnenkwam, ontstond er enige onrust onder de dieren, die hoopten iets te eten te krijgen. Hij liep naar een kooi in het midden, waar een grote vrouwtjesbaviaan in zat. Ze bleef stil zitten en keek hoe hij naar haar toekwam.

'Ik zie dat je borsten beginnen te zwellen, mevrouw Kapinsky,' zei hij en haalde een appel uit zijn jaszak. De baviaan stak een poot tussen de tralies door, en Kapinsky legde de vrucht in de open handpalm. 'Een dezer dagen zal je van ons kind bevallen.'

Ze negeerde hem, en bleef aan de appel knabbelen.

'Niemand zal ons geheimpje kennen, lieverd. Geen mens,' kweelde Kapinsky, die er wel voor zorgde dat hij buiten het bereik van het dier bleef. De baviaan keek hem aan, en ontblootte haar tanden.

Een baviaan een eindje verderop begon te krijsen. Ze greep de tralies, en liet de kooi heen en weer dansen. 'Wat moet je, lelijk kreng?' zei Kapinsky, waardoor ze nog harder ging schreeuwen.

Alle tien dieren verkeerden in een vergevorderde staat van zwangerschap.

De volgende twee uur besteedde Kapinsky aan het schoonmaken van de kooien, en het geven van verse groenten en water aan de bavianen – waarbij hij zich extra uitsloofde voor 'mevrouw Kapinsky'.

Toen ging hij aan een tafel zitten in de hoek van de kamer, deed een wandkast van het slot, en haalde een klembord met een grote stapel aantekeningen te voorschijn. Hij schreef zijn bevindingen over de conditie van ieder dier op met vermelding van alle details. Hij maakte zich zorgen over mevrouw Kapinsky. Haar buik was zo veel groter dan die van de anderen, dat ze misschien weleens op een niet natuurlijke manier zou moeten bevallen. Bijvoorbeeld met behulp van een keizersnede.

Wat zou hij in vredesnaam moeten doen als dat nodig bleek? Het was al jaren geleden dat hij voor het laatst aan een snijtafel had gestaan, en zelfs in zijn hoogtijdagen was hij maar een zeer matig chirurg geweest. Misschien had Barnes gelijk en kon die nikker dat doen. Die zou zijn mond in iedere geval wel houden.

Kapinsky bladerde door zijn notities. Hij kwam ineens op een idee, en wreef peinzend over zijn ongeschoren kin. De afgelopen maanden had hij bavianenhuid getransplanteerd op menselijke vrijwilligers van het laboratoriumpersoneel. Hij had negen bavianen gevonden waarvan de huidtransplantaten niet onmiddellijk werden afgestoten. Volgens professor Volkov zouden de organen van deze dieren slechts langzaam door de menselijke ontvangers worden afgestoten.

Dat betekende dat hij tijd had om de boodschapper te doden.

Daarnaast kon hij proberen het vreemde weefsel onherkenbaar te maken. Vokov had gesuggereerd dat deze andere methode weleens de beste kon zijn, en hem een oplossing gegeven van verscheidene menselijke genen. Deze genen, beweerde hij, zouden kunnen doorgaan voor de glycoproteïnen die de oppervlakte van ieder cel in het lichaam omgeven. Tijdens zijn laatste bezoek aan de medische biliotheek had hij een artikel gevonden van een onderzoeker die deze controlefunctie van het lichaam in een fantasie had vergeleken met een spionagesatelliet die de aarde onder zich aftast naar vijandelijke troepenbewegingen. Deze satelliet kon het verschil tussen bevriende en vijandelijke troepen onderscheiden door de verschillen in uniformen en ordetekenen. Als de vijand zich binnen het gebied van de satelliet begeeft zendt deze een signaal aan het hoofdbureau van defensie om aan te vallen. De vijand kan op twee manieren voorkomen ontdekt te worden: door misleiding of camouflage, of door de satelliet de vernietigen en het signaal te blokkeren. Het gaat erom de boel te misleiden, had Volkov Kapinsky verteld. Verander de proteïnen aan de buitenkant van de cellen van de baviaan, zodat die op menselijke cellen gaan lijken. Het immuunsysteem kan dan na transplantatie de aanwezigheid van bavianenorganen niet herkennen.

Hij had al heel wat experimenten gedaan om dat doel te bereiken sinds hij uit Rusland was teruggekeerd met zijn kostbare flesje DNA. Het was een heldere vloeistof die op water leek, en die het camouflagenet verschafte dat het immuunsysteem voor de gek hield. Hij moest alleen een manier vinden om het opgenomen te krijgen in het genom van de baviaan.

De standaardmethode bij zoogdieren was om het gen direct te injecteren in de kern van de bevruchte eicel, en deze dan te herimplanteren bij de moeder of een pleegmoeder. De tweede methode, bekend onder de naam *biolistics*, en voornamelijk toegepast op plantencellen, was om ze met microprojectielen te bombarderen, omgeven met een laagje DNA. Beide technieken vereisten een speciale apparatuur en deskundigheid waarover Kapinsky niet beschikte.

Hij was wekenlang met het probleem bezig geweest totdat er, toen hij de wanhoop nabij was, een tekst uit zijn computer rolde over het integreren van DNA met spermatozoa. De schrijvers van het artikel toonden aan dat sperma DNA-molecules kon vasthouden nadat deze aan de zaadvloeistof waren toegevoegd, het ejaculaat waarin het sperma rondzwemt. Als dit getransformeerde sperma werd gebruikt om de eicel te bevruchten, werd het vreemde DNA opgenomen in de kern van de nieuwe embryo.

Hij wist dat hij op de goede weg was toen hij wat van zijn kostbare DNA gebruikte, en merkte dat de spermacellen van de bavianen daarop reageerden.

Hij had heel wat nachten uiterst precies te werk moeten gaan om er zeker van te kunnen zijn dat zijn negen bavianen waren bezwangerd met de bevruchte eicellen waarin zich menselijke genen bevonden. En daar waren ze dan, gezonde moeders die op het punt stonden nakomelingen met menselijke proteïnen te produceren, de camouflage die hun bavianenafkomst verborgen zou houden voor het menselijke immuunsysteem. Hij hoorde Volkovs stem in zijn hoofd nadreunen: 'Misleiding, daar gaat het om. Deze menselijke donors zullen nooit weten dat hun lichaamsfuncties worden geregeld door chemische boodschappers uit bavianenhersenen.'

Er lagen een paar spannende weken in het verschiet. Hij had alles goed voorbereid. De zwarte schoonmaakploeg – Victor, Boots en de anderen – was uit hun kleedkamer verdreven. Dat stelletje klunzen kon zich wel in de voederkamer verkleden – en wassen deden ze zich waarschijnlijk toch al nooit, bedacht hij. In die kleedkamer kon hij dan zelf douchen en scheren, en er wat extra kleding neerhangen. Hij was van plan er volledig in te trekken op het moment dat de bavianen begonnen te bevallen. Eten kon hij in de cafetaria, waar ze ook broodjes hadden voor de rest van de dag. Zijn grote probleem was nog steeds de bevalling van mevrouw Kapinsky. Daarvoor moest hij die omhoog gevallen *kaffer*, die dacht dat hij een hartchirurg was, dan maar benaderen. Maar hij moest wel voorzichtig zijn, en ervoor zorgen dat zijn geheim bewaard bleef. Zoals alle *kaffers* was ook deze doodsbang dat hij zijn baantje kwijt zou raken, en daarmee hield hij hem wel in de hand. En als dat niet lukte? Kapinsky grinnikte tegen zijn stoppelige gezicht in de spiegel. Dan werd hij het slachtoffer van een jammerlijk 'ongeluk'. Barnes zou dan wel kwaad zijn, natuurlijk, maar hij liet zich door niets van zijn uiteindelijk gestelde doel afbrengen. De creatie van een superras? Dat was het doel geweest van de Führer, voordat hij door het communistische monster werd gedwarsboomd. Maar Kapinsky wist dat de nieuwe technieken de natuur konden corrigeren en verbeteren. Hij leunde met zijn hoofd tegen de bakstenen muur, en voelde hoe het ruwe oppervlak zijn voorhoofd koelde. 'Ik verlang naar de geboorte van mijn kind,' fluisterde hij tegen zichzelf.

HOOFDSTUK 14

Alex Hobbs had de borstkas van David Rhodes al geopend, en was begonnen de twee harten los te snijden van de weefsels die eromheen zaten, toen Barnes de operatiekamer binnenliep.

'Hoe ver ben je, dokter Hobbs,' vroeg hij de chirurg die druk bezig was.

'Niet zover als ik had gehoopt. We hebben te maken met een opmerkelijke vergroeiing met de wand van de borstkas,' antwoordde deze.

'Het is niet te geloven hoeveel weefselontwikkeling zich sinds de transplantatie heeft voorgedaan. Het is nauwelijks een jaar geleden,' zei Barnes en keek over het scherm dat de chirurg scheidde van de anesthesist. Bij iedere ademhaling kon hij Davids eigen hart en het donorhart op en neer zien gaan.

'Ik neem aan dat we het eigen hart van de patiënt niet helemaal los hoeven te snijden, of wel, dokter?'

'Hmmm. Kan ik nu nog niet zeggen. We moeten eerst de lucht eruit halen voor we het weer op gang kunnen brengen.'

Barnes had deze operatie danig voorbereid en besloten het hart te verwijderen terwijl David aan de hartlongmachine lag. De eenvoudigste methode was om alleen maar gebruik te maken van zijklemmen, maar dan zou hij te veel van de boezems van het donorhart achter moeten laten. Hij overdacht zijn besluit nog eens. De ernstige weefselvergroeiing was zeker een complicatie, maar niet iets wat een goede chirurg als Hobbs niet aankon. En als er te veel spierweefsel van de boezems van het donorhart werd verwijderd, onstonden er bij een harttransplantatie grote chirurgische problemen.

'Hoe lang hebben we nog voor we op de bypass overschakelen?' vroeg hij.

'O, ongeveer een kwartiertje,' zei Hobbs, terwijl hij vastgekleefde weefsels heel zorgvuldig wegsneed.

In de aangrenzende operatiekamer had Des Louw ongeveer hetzelfde stadium bereikt. Hij sneed het hart van zijn zieke patiënt los van het pericardium, of hartzakje, een (dubbel)vlies dat om het hart heenzit. De ontvanger was een veertigjarige man, die vier jaar eerder, na een ernstige hartaanval, een drievoudige bypass had gekregen. Barnes keek gespannen toe, benieuwd hoe zijn bypass had gewerkt bij een patiënt die maar niet kon begrijpen waarom hij een hartaanval had gehad. 'Mijn favoriete sport is joggen,' had hij Barnes verteld. 'Twee jaar geleden heb ik het marathonlopen er aangegeven, maar ik sport nog steeds. Ik rook niet, ik let goed op wat ik eet en drink, en heb altijd gedacht dat ik in goede conditie was.'

Barnes had hem uitgelegd dat de oorzaak van de ziekte die zijn aders had verstopt niet duidelijk was vast te stellen. 'We weten dat er zekere risicofactoren zijn, waarvan u er zojuist een aantal heeft genoemd. Als u deze weet te vermijden, worden de kansen op een hartinfarct beduidend kleiner, maar niet helemaal weggenomen,' vertelde hij hem.

De patiënt lachte wrang. 'Ik vind toch dat zoiets iemand anders had moeten overkomen, een drinker of een vreetzak.'

'Ik denk dat veel afhangt van de levensfilosofie die je over dit alles hebt. Veel mensen komen een eind met het je-lot-staat-toch-al-vast-principe, gebaseerd op de mening dat de kwaliteit van het leven belangrijker is dan de kwantiteit.'

'En wat is uw levensfilosofie, dokter?' had hij gevraagd.

Deze vraag had Barnes even van zijn stuk gebracht. Toen zei hij: 'Ik vind de kwaliteit van het leven belangrijk, maar ik kan, als medicus, niet niks doen en accepteren dat je lot al vaststaat. Ik moet alles doen wat binnen mijn macht ligt om de kwaliteit van het leven van mijn patiënten te verbeteren, of op zijn minst proberen een acceptabel kwaliteitsniveau te handhaven. Daarom heb ik u voorgesteld een harttransplantatie te ondergaan.'

'Betekent dat een tweede hart?' De man was ineens heel bezorgd. 'Ik heb gelezen dat met de 'piggy-back'-constructie je oude hart het nieuwe hart helpt als er iets mee misgaat.'

'In uw geval niet. U heeft een aantal hartaanvallen gehad. Bij iedere aanval is een deel van de hartspier afgestorven en vervangen door littekenweefsel, dat niet kan samentrekken als een spier en niet helpt bij het pompen van het bloed,' legde Barnes uit.

'Maar waarom is het hart dan niet stil blijven staan na de eerste aanval?'

'Het hart heeft veel reserve, en kan een grote hoeveelheid spierweefsel verliezen voordat de pompfunctie zodanig wordt teruggebracht dat het een stilstand tot gevolg heeft.'

Des Louw sneed het laatste stukje van het pericardium weg en ontblootte het zieke hart. Barnes zag dat de linkerpompkamer een opgezwollen, vezelige zak was geworden. Erdoorheen liepen dunne draadjes spierweefsel die zwakjes samentrokken. In tegenstelling tot dat van David, zou dit hart nooit meer volledig kunnen functioneren. Het had geen zin het te laten zitten, dat zou later alleen maar complicaties geven, dacht hij. Hij ging een orthotope transplantatie toepassen – volledige verwijdering en vervanging door het donorhart dat Rhodes zulke goede diensten had bewezen.

Louw sneed een slagader door, de laatste verbinding die het hart van de patiënt had met de bloedsomloop, en lichtte het uit de zak waarin het had gezeten, nadat het veertig jaar geleden was gaan slaan.

Barnes keek in het lege gat. Alleen de twee randen van de boezems en de stompen van de twee slagaders zaten er nog. Het hart was weg. Hier lag een mens, levend en wel, zonder een hart in zijn borst. In dit stadium van de operatie kreeg hij het altijd eventjes benauwd.

Maar twijfels werden steeds verjaagd door actie. Alex Hobbs had het donorhart al binnengebracht in een kom met een koude zoutoplossing. Barnes controleerde de randen van de losgesneden weefsels, tilde het uit de kom, verwijderde de zoute vloeistof en liet het hart in de borst van de patiënt zakken. Hij legde de openingen van de kamers en de slagaders heel vakkundig tegen elkaar aan en begon met het trage, arbeidsintensieve karwei van het aansluiten op de bloedsomloop.

Hij was net klaar met de laatste hechtingen in de aorta toen een operatiezuster binnenkwam met de mededeling van Hobbs dat David was losgemaakt van de hartlongmachine. Zijn hart had het meteen overgenomen en hield de bloedsomloop uitstekend op gang. Dat was goed nieuws, zeker in dit stadium van de transplantatie.

Barnes verwijderde de aortaklem en liet warm, zuurstofrijk bloed in het donorhart lopen. 'Eens kijken hoe je je gedraagt,' zei hij in zichzelf. De spier kwam onmiddellijk weer op spanning en begon te fibrilleren. 'Elektrolyten en Astrup in orde,' verkondigde Ohlsen, vooruitlopend op Barnes' volgende vraag.

Hij knikte, maar zei niets. Binnensmonds vervolgde hij zijn gesprek met het donorhart: 'Ga je net zo dwars doen als de vorige keer? En weigeren te slaan?'

Na wat een eeuwigheid leek, maar de klok van de operatiekamer aangaf als drie minuten, kwam het hart plotseling tot leven. Barnes constateerde dat het in sinusritme verkeerde – iedere samentrekking van de boezems werd een onderdeel van een seconde later gevolgd door een samentrekking van de benedenkamers. 'Zuurstof toevoegen en de hartlongmachine langzamer,' beval hij. Hij zag het hart sterker worden. Wat een fantastische pomp! Het had een ingebouwde drang tot slaan en pompen van bloed, zonder enige zenuwverbinding met de hersenen. Het enige wat het nodig had, was een bepaalde hoeveelheid zuurstofrijk bloed op de juiste temperatuur.

Maar om te kunnen overleven had het een onontbeerlijk chemisch signaal nodig dat alleen maar kon worden geleverd door levende hersenen. Davids hersenen hadden hun werk goed gedaan.

Het overschakelen vanaf de hartlongmachine verliep zonder problemen. Des Louw sloot de borstkas. Bij controle bleken beide patiënten in een uitstekende post-operatieve conditie. De mensen van de intensive care-afdeling namen het over en het vermoeide hartteam vertrok naar de kleedkamers.

Binnen enkele uren had het nieuws de kranten bereikt. Een groot Kaapstads ochtendblad was de concurrentie voor door een extra editie te publiceren met een voorpagina die brulde: ÉÉN HART HIELD DRIE IN LEVEN. De middagkrant liet dat niet op zich zitten en kwam uit met: OPZIENBARENDE DOORBRAAK TRANSPLANTATIE, en een redelijk accuraat verslag over hoe één hart het leven van drie verschillende mensen in stand had gehouden. En, ongelooflijk maar waar, op dezelfde pagina een foto van Barnes en Karen in de deuropening van restaurant Gino, met de vraag wie deze 'mysterieuze vrouw' kon zijn.

Fiona haakte daar meteen op in. 'Ik heb een mysterieuze vrouw aan de telefoon,' zei ze tegen Barnes. 'Wil je haar spreken?'

Hij trapte erin. 'Vraag maar hoe ze heet en wat ze wil. Het is waarschijnlijk een journaliste.'

'Ik weet wie ze is. Ze zegt dat ze Karen heet en dat ze jou wil.' Ze verbond door voordat hij een antwoord kon bedenken.

David Rhodes en de ontvanger van het donorhart werden op dezelfde dag uit het ziekenhuis ontslagen, nauwelijks twee weken na de operatie. Dat was een groot succes voor de hartchirurgie en het ziekenhuis. JJ belde als eerste. 'Gefeliciteerd, Rodney. Waarom dien je je lijst met aanvragen voor nieuwe apparatuur niet nu meteen in, zolang het bestuur nog zit na te genieten?' De ervaren oude rot, die precies wist wanneer je de bureaucraten hun zorgvuldig bewaakte budget moest ontfutselen.

Barnes bedankte hem en legde de hoorn op de haak. Zijn verzoeken voor verbeterde apparatuur waren al zo vaak afgewezen dat hij weinig fiducie had in een nieuwe poging, maar hij besloot toch nog één keer een kans te wagen. Hij bracht het grootste deel van de middag door met het doornemen van de lijsten van mogelijkheden. De pompen van de hartlongmachine draaiden al zes jaar. Ze hadden het al eens opgegeven tijdens een operatie en een patiënt bijna het leven gekost. De onderhoudsafdeling had goed werk geleverd en ze aan de gang gehouden, maar hem gewaarschuwd dat ze een feilloos functioneren niet meer konden garanderen. De meetapparatuur was er nog slechter aan toe. Alle elektronische apparaten waren uitzonderlijk kwetsbaar, zeker als ze voortdurend van patiënt naar patiënt werden gesleept. De informatie die ze gaven was van levensbelang maar kon niet langer worden vertrouwd, omdat die te vaak werd weggevaagd door elektrische storingen elders in het gebouw. En er waren zoveel andere belangrijke zaken: steriele airconditioningsapparaten, operatie-instrumenten, isolatietenten, onderdelen voor de uitrusting van de anesthesie-afdeling, pagina's en pagina's lang.

Groote Schuur was een staatsziekenhuis. Dat betekende dat het werd gefinancierd door de belastingbetaler, maar de bureaucraten de vinger op de knip hielden, dacht Barnes. Hij gooide de papieren terug op zijn bureau. Het had allemaal geen zin. Nog maar een maand geleden had de directeur van het ziekenhuis, moe om het voortdurende doelwit te zijn van Barnes' woede, hem door de staatssecretaris van Volksgezondheid persoonlijk laten mededelen dat er geen geld was.

Geen geld? Nee, dat klopte, niet voor het redden van levens en verlichten van lijden, maar altijd voldoende om te moorden en verminken. Toen de staatssecretaris zat te praten lag er een krant op Barnes' bureau met een verslag van een luchtaanval op 'terroristische' posities pal over de grens. Hij had de staatssecretaris gevraagd hoeveel een raket kostte, en hoeveel brandstof een half dozijn straalbommenwerpers in een uur verstookten. Hun gesprek was daarna afgelopen en de staatssecretaris had zich naar belangrijkere politieke zaken gespoed. Maar goed ook, dacht Barnes, want hij had ook nog een paar vragen over de kosten van een enorme bureaucratisch apparaat dat zich bezighield met het in stand houden van de apartheid. Haastig sprokkelde hij zijn vorige aanvragen bij elkaar, ontwierp een nieuwe begeleidende brief, bedankte de staatssecretaris voor diens goede wensen aan het adres van het hartteam, liep naar Fiona's kantoor en legde het geheel op haar vloeiblad.

Ze keek op. 'Alweer?'

'Hoop doet leven. Na die dubbele transplantatie zijn we het snoepje van de week, en JJ vindt dat we dat te gelde moeten maken. Vier exemplaren, alsjeblieft, een voor onszelf en drie voor de bureaucraten. Op mijn bureau, niet later dan gisteren.'

'Tot uw orders,' zei Fiona en tikte tegen haar denkbeeldige pet.

De telefoon rinkelde. Het was Dave Johnson van Cardiologie die vroeg of Barnes met spoed naar een patiënt kon komen kijken. Barnes zei dat hij er binnen een paar minuten zou zijn, gaf de hoorn aan Fiona en ging op weg naar de liften, vervuld van een onberedeneerbare hoop dat het hem deze keer misschien zou lukken iets uit de staatskas los te peuteren.

Het was bijna donker toen Barnes' auto voor Karens cottage stilhield. Ze zag de koplampen oplichten toen hij de smalle, door bomen geflankeerde oprijlaan indraaide en haastte zich om de voordeur open te doen. Hij omhelsde haar zonder iets te zeggen. Ze voelde hoe gespannen hij was en keek hem bij het wegrijden vragend aan.

Zijn glimlach was niet van harte, maar hij tikte haar op de knie en zei: 'Laten we eerst wat drinken.'

Er is echt wat mis, dacht ze. De zomer liep op zijn eind en hun relatie was dus ook voorbij? Het was een heerlijke tijd geweest, niet alleen voor haar, maar ook voor Kimberley. De kleine meid, nu zeven en haar eigen vader helemaal vergeten, was fantastisch. Het had tussen haar en Rodney vanaf het eerste moment geklikt, en de zomer was voor Karen een aaneenschakeling van goede herinneringen, blije uren op het strand, spelen in de golven, lange wandelingen waarbij Kimberley voor ze uit liep te draven, zoute smaak op haar lippen, na een dag in de zon. Ook de nachten, zijn lichaam op het hare... Ze zuchtte en merkte dat de auto stilstond.

Hij keek haar geamuseerd aan. 'Hé, we zijn er. Waar zit jij?'

Ze lachte en kneep in zijn hand toen ze het restaurant binnenliepen. Gino bracht hen naar hun favoriete hoektafel en Barnes bestelde een fles droge witte wijn. Zelfs Gino stond hiervan te kijken: Barnes was een grote wijnkenner die normaal altijd zorgvuldig zijn keuze bepaalde. Hij trok een vragend gezicht, maar werd weggewuifd.

Hij kwam terug met Barnes' favoriete chardonnay. Barnes proefde niet eens, pakte de fles, plensde zijn glas vol, vulde dat van Karen en toostte 'Op ons', voordat hij het zijne in een keer leegdronk.

Karen knipperde met haar ogen toen hij een tweede glas inschonk en leegde. Ze nam een slokje van haar wijn. Die was te koud, en ze rilde even. Het werd tijd voor het slechte nieuws. 'Rodney, je ziet eruit alsof je door het lint bent gegaan. Wat is er aan de hand?'

Voor het eerst ontspande hij zich wat, lachte, nam nog een glas, hield het omhoog, tuurde naar de lichte, goudkleurige vloeistof, en keek toen plotseling ernstig voor zich uit. 'Sorry, Karen. Ik ben je een verklaring schuldig. Ik heb twee problemen. Het ene betreft een collega, het andere een patiënt – en de collega is Kapinsky.'

Wat een opluchting. Ze was de collega noch de patiënt. Hun relatie was hier niet aan de orde. Vreemd genoeg was ze ook een klein beetje teleurgesteld. Ze moesten er toch over afzienbare tijd eens over praten en als hij dat niet deed, zou zij het wel doen.

'Vertel eens,' moedigde ze hem aan.

'Ik maak me zorgen over Kapinsky. En niet alleen omdat Thomas weer kabaal over hem heeft lopen maken. Maar hij gedraagt zich de laatste tijd nogal vreemd. Ik begin steeds meer het gevoel te krijgen dat hij me niet volledig op de hoogte houdt van wat hij allemaal uitvoert in zijn onderzoeksprogramma.'

Ze bevestigde dat, en vertelde dat er in het ziekenhuis en de faculteit allerlei vreemde geruchten de ronde deden over Kapinsky's eigenaardigheden, die zelfs haar oren hadden bereikt. 'De technici zeggen dat hij in het lab slaapt, en dat ze hem tegen de bavianen hebben horen praten in de kamer waar hij een aantal van zijn dieren heeft geïnstalleerd.'

'Er is niets verkeerd aan het praten tegen dieren. Het is om te beginnen al beter dan te praten tegen jezelf. Maar wat hij hoort bevalt me niet.'

'Wat bedoel je?' vroeg Karen, in verwarring gebracht.

'Stemmen.' Barnes grinnikte. 'Dank je, Karen. Nu ik de hele zaak heb kunnen terugbrengen tot een grapje, voel ik me een stuk beter. Natuurlijk hoort Kapinsky geen stemmen. Hij is heel gewoon aan het einde van een lang en veeleisend onderzoeksprogramma gekomen en tot het uiterste gespannen. Hij heeft een hoop tijd en moeite in deze dieren gestopt en als slapen in het lab hem de zekerheid verschaft dat ze veilig en in goede handen zijn...' Hij maakte de zin niet af en zijn glimlach verdween.

Karen legde haar hand op zijn arm. 'Er is nog iets, Rodney. Gaat het om de patiënt?'

Hij staarde geruime tijd in zijn glas. Toen hij begon te praten, klonk zijn stem moe en vlak. 'Sommige artsen denken dat ze onfeilbaar, onoverwinnelijk zijn. Ze denken dat de dood ten koste van alles moet worden bestreden. Ze beschouwen de dood als hun grootste tegenstander en vinden dat het verlies van hun patiënt een soort falen is.' Hij zette zijn glas neer, legde beide handen plat op tafel en keek ernaar. 'Laten we God bidden dat ik nooit zo'n soort dokter zal worden.'

Ze pakte een van zijn handen en kneedde die. Hij legde zijn andere hand eroverheen, keek naar de muur en praatte alsof zijn tekst daarop geschreven stond. 'Dat ik nooit moge vergeten dat de dood soms de beste medische behandeling is.'

Het was aan haar te zien dat ze geschokt was, maar ze herstelde zich weer. Barnes leek het niet te hebben gemerkt. 'Hoe kan je dat nou zeggen?' zei ze, en probeerde haar stem zo neutraal mogelijk te laten klinken.

'Omdat er momenten zijn dat de dood een einde kan maken aan al het lijden, terwijl de medische wetenschap met al zijn technologie dat niet kan,' antwoordde hij. Hij dacht een tijdje na, en voegde daaraan toe, 'Wat wel eens vergeten wordt, is dat het werkelijke doel van de geneeskunde niet de verlenging, maar de verbetering van de kwaliteit van het leven behelst.'

Ze snapte er nu helemaal niets meer van. 'Maar jij verlengt het leven toch ook?'

'Ja, natuurlijk. Dankzij onze pogingen de kwaliteit van het leven te verbeteren, wordt het vaak ook verlengd. Maar dat moet wel een tweede prioriteit zijn.'

Ze pakte zijn beide handen. Hij bleef naar de muur kijken. Ze trok een beetje aan hem om zijn aandacht te krijgen en zei scherp: 'Rodney, kijk me aan.'

Hij draaide zich naar haar toe en zijn ogen concentreerden zich weer op het heden. 'Vertel eens, waar komt dit allemaal vandaan? Wat is er vandaag gebeurd?'

Hij pakte zijn glas, nam nog een slokje en zakte onderuit. Toen hij begon te praten leek het wel of er een dijk was doorgebroken. Op een gegeven moment kwam Gino met de menukaart aanzetten, maar Karen schudde haar hoofd, bang om de stortvloed te onderbreken.

'Ik werd vandaag bij een patiënt geroepen. Hij was achtenzeventig en had wijdvertakte uitzaaiingen in het skelet vanwege kanker aan zijn prostaat. De chirurgen hadden al een bilaterale orchidectomie toegepast, de verwijdering van beide testikels, en hij had een bestralingstherapie ondergaan voor een aantal van de botmetastasen. Volgens zijn ziektegeschiedenis deden zich ongeveer zes maanden geleden in de onderrug tekenen voor van compressie van het ruggenmerg. Het zag er naar uit dat dit werd veroorzaakt door een uitbreiding van de metastasen.' Hij maakte een geërgerd gebaar. 'Of je het gelooft of niet, maar de orthopedische chirurgen hebben een bottransplantatie gedaan om de laesie tot stilstand te brengen. Hoe kan je nu in vredesnaam door middel van chirurgie een kankeraangroei stoppen?'

Karen zei niets. Ze had zich intussen al een gruwelijk beeld van de ongelukkige patiënt gevormd.

'Hij heeft nu vrijwel geen gevoel meer in zijn onderlichaam, is volledig doorgelegen, incontinent en de kanker heeft hem helemaal opgevreten tot een levend skelet.'

Opnieuw stond Gino voor ze met de menukaart en gaf deze aan Karen. Weer schudde ze even met haar hoofd.

'En nu komt het ergste,' begon Barnes weer. 'Vanmiddag had het lichaam besloten de strijd op te geven en een hartstilstand ontwikkeld.'

Karen kreeg het gevoel dat ze de rest van het verhaal niet wilde horen, maar hij ging meedogenloos verder. Hij leunde voorover. 'Kun je je voorstellen dat die ongevoelige klootzakken die zichzelf artsen noemen het reanimatieteam hebben laten opdraven?' Hij haalde zijn hand door zijn haar alsof hij de herinnering wilde wegvagen. 'En die idioten sprongen meteen, zonder ook maar te vragen waar het allemaal om te doen was, boven op het levende geraamte en gingen hem masseren, incuberen en aansluiten aan het beademingsapparaat.' Zijn stem ging over in een zacht gefluister, alsof hij zelf niet helemaal geloofde wat hij zei. 'Ze masseerden, pompten en kregen het hart van de arme man weer op gang. Al doende braken ze ook drie van zijn ribben.'

'Hoe is zoiets nou mogelijk?' vroeg Karen stomverbaasd.

'De ribben waren hoogstwaarschijnlijk verzwakt door de kankeruitzaaiingen of door ouderdom. Maar dat is nog niet alles...'

Karen wilde haar handen voor haar oren houden, maar Barnes moest zijn verhaal duidelijk kwijt.

'Tegen de tijd dat ze mij er bijhaalden had zich bij hem een acuut linkszijdig hartfalen ontwikkeld, en een lek van de mitralisklep, waarschijnlijk het gevolg van een beschadigde papillaire spier.'

'Je gaat me toch niet vertellen dat je hem moest opereren?' Ze schreeuwde het bijna uit.

'Jazeker wel. Bij nader onderzoek merkte ik dat het reanimatieteam helaas zo efficiënt te werk was gegaan dat hij, ondanks de relatief lange hartstilstand, geen hersenbeschadigingen had opgelopen. Hij was klaarwakker. Ze hadden hem zodanig verdoofd, dat hij zich niet meer verzette tegen het beademingsapparaat, maar zijn ogen waren open en keken de kamer rond op zoek naar een uitweg uit deze hel.' Hij stikte haast in zijn woorden. Karen wachtte. 'Ik heb tegen David gezegd dat ik nog nooit eerder in mijn leven zo'n slechte medische behandeling had gezien en dat naar mijn mening de enige behoorlijke benadering een grote dosis morfine was, zodat de patiënt waardig en in rust kon sterven. Hij was beledigd, en ik heb hem erop gewezen hoe prettig het was zich de luxe te kunnen veroorloven beledigd te zijn terwijl intussen een ander menselijk wezen werd gemarteld.' Hij trok een scheef gezicht bij de gedachte aan hun gesprek en wist wel zeker dat professor Bills zich geen moment zou afvragen wie er in dit geval gelijk had. 'Dave Johnson zei dat hij een godvrezend man was, die leefde en handelde volgens de Schrift. Hij verweet me Gods plaats te willen innemen, door iemand het leven te benemen. Ik vroeg hem of hij niet God speelde door het hart van de patiënt weer op gang te brengen en zo een ander menselijk wezen tot een levende hel te veroordelen.' Hij genoot nog even na van dat moment. 'Hij vond dat niet zo leuk, maar mij kon het toen niets meer schelen. Hij kwam weer met het oude verhaal dat het onze plicht was het leven te respecteren en in stand te houden. Hij is een prima cardioloog, maar ik vind niet dat hij namens God kan spreken.'

Barnes draaide wat met zijn glas en zette het weer neer. 'Ik spreek niet namens God. Ik kan alleen maar voor Rodney Barnes spreken. Maar ik voel diepvan binnen dat God meer onder leven verstaat dan alleen een hartslag en het op en neer gaan van de borst. Het heeft niet zoveel te maken met het soort leven dat we kunnen bewerkstelligen door medisch ingrijpen. Ik ben ervan overtuigd, zowaar ik hier zit, dat het leven dat God die man had gegeven al voorbij was. Het enige dat wij artsen daarna nog doen, is het in stand houden van een wrede parodie daarop.'

'En wat heb je uiteindelijk gedaan, Rodney?'

'Ik heb hem niet geopereerd en de situatie met de familie besproken. Zij waren het met me eens. Zijn vrouw vertelde hoe geschokt ze was toen ze het hart van haar echtgenoot weer op gang hadden gebracht, zodat hij nog weer langer moest lijden.'

Daar stond Gino weer, dit keer vastbesloten zijn doel te bereiken. Zij deden hun bestelling, maar hadden niet veel honger en zaten, tot wanhoop van Gino, maar wat in hun voedsel te prikken. Ze waren heel moe, alsof ze net terug waren van een lange reis. Maar de spanning was weg en dat gaf een goed gevoel.

Barnes bestelde koffie en keek haar glimlachend aan. Hij leunde over de tafel, gaf een kusje op haar neus en zei: 'Er is me ineens iets duidelijk geworden.'

Een mededeling die niet zomaar werd gedaan. 'Wat dan?' Karen was uitgeput, maar voelde zich zeker en veilig.

'We hebben het steeds over de vragen van het leven, terwijl we de antwoorden hier pal onder onze neus hebben liggen. Dit is leven. Samenzijn met iemand van wie je houdt – en ik houd van je, lieve schat.'

Het was voor het eerst dat hij zo openlijk zei dat hij van haar hield. Later, in de auto op weg naar huis, vroeg ze zich af hoe een maaltijd die zo rampzalig was begonnen, zo verrassend had kunnen eindigen.

Toen ze de volgende dag op haar werk kwam, belde ze meteen naar de desbetreffende afdeling van het ziekenhuis om te vragen hoe het met de patiënt ging. 'Hij heeft het niet gehaald,' zei de dagzuster. 'Een vreemde geschiedenis. Ze hadden hem op een eenpersoonskamer gelegd en aangesloten op een beademingsapparaat en een monitor. Hij werd om de zoveel tijd door de nachtdienst gecontroleerd, maar in de vroege ochtenduren is het hem toch gelukt bij het beademingsapparaat te komen, en dat heeft hij toen afgezet.'

Karen legde de hoorn op de haak. Rodney had gelijk, dacht ze. De dood was onze vijand niet. De echte vijand was de mensonwaardigheid.

HOOFDSTUK 15

Vanaf zijn plaats achter in het kerkje kon de man alles goed overzien. Hij had gewone kleren aan, in tegenstelling tot de anderen, die trots rondstapten in laarzen en uniformen die varieerden van gewone kaki tot camouflagepakken. Onder de aanwezigen bevond zich een groep van ongeveer veertig leden van het Iron Fist (IJzeren Vuist) Battalion, een rechtse paramilitaire organisatie. De hoed die de man tot vlak boven zijn ogen had getrokken viel uit de toon bij de soldatenmutsen van de anderen, maar zijn dikke zwarte snor voldeed volledig aan de blijkbaar voorgeschreven haartooi van deze agressieve en militante aangelegenheid, want hij werd omringd door een grote verscheidenheid aan snorren en baarden.

Hij keek vol belangstelling naar al deze behaarde, uitdagende gezichten en naar de vlaggen die het podium versierden. Deze waren zwart en rood, met een witte cirkel in het midden waarin het cijfer zeven voorkwam, vele malen herhaald, in een patroon waarbij de stokken naar binnen waren gekeerd. Het resultaat had heel veel weg van het hakenkruis zoals dat door de nazi's was gebruikt. De muren waren gedecoreerd met de oude vierkleur van de Boerenrepubliek Transvaal. Er voer een schokje van opwinding door de man toen het ineens stil werd en een aantal in het zwart geklede mannen een erehaag vormde in het gangpad. Een stem riep: 'Allemaal opstaan voor uw Hoofdleider.'

Iedereen sprong overeind en keek in de richting van de deur. Een groepje mannen kwam door de ingang naar binnen. De man in het midden, zwaarlijvig en met een doorzakkende bierbuik, was gekleed in een camouflagebroek met een bijbehorend safari-jasje. De rand van zijn hoed stond aan één kant omhoog, met daarachter een witte struisvogelveer. Door vier in het zwart geklede lijfwachten geflankeerd, wapens duidelijk zichtbaar op de heupen, liep hij in stevige pas naar voren. Het groepje besteeg het trapje naar het podium en een donderend applaus barstte los. De man met de struisvogelveer op zijn hoed deed een stapje naar voren en hief beide armen in de lucht, als een priester die op het punt staat zijn zegen uit te spreken. Het was meteen doodstil. Met een dreunende stem, ieder woord zorgvuldig uitsprekend, begon hij zijn toespraak met een citaat uit *The Great Boer War* van Sir Arthur Conan Doyle.

'Neem een groepje Nederlanders van het soort dat zich vijftig jaar lang heeft verdedigd tegen de Spaanse overheersing in de tijd dat Spanje de sterkste grootmacht in de wereld was. Vermeng deze met een stelletje van die onbuigzame Franse hugenoten dat huis en haard opgaf en voorgoed haar land verliet in de tijd dat het Edict van Nantes werd uitgevaardigd.'

De toehoorders waren helemaal in de ban van de stem en van wat er werd gezegd. Met gloeiende ogen pauzeerde de leider even voor het effect, daarna ging hij verder. 'Het resultaat van deze vermenging was natuurlijk een van de ruigste, virielste en meest onoverwinnelijke rassen die ooit de aardbodem hebben gesierd. Neem deze mensen en train ze zeven generaties lang in een ononderbroken strijd tegen wilde volkeren en woeste beesten, onder omstandigheden waarin alleen de sterksten kunnen overleven, creëer de mogelijkheden waarbij ze zich optimaal kunnen bekwamen in het gebruik van wapens, en paard kunnen leren rijden als de beste, geef ze een land dat bij uitstek geschikt is voor de jager, de scherpschutter en de ruiter. Temper dan hun militaristische eigenschappen door middel van een strakke oudtestamentische godsdienst en een vurig en verterend patriottisme.' De leider keek om zich heen. De man in het zwart voelde zijn lichaam tintelen, vroeg zich af hoe het moest zijn om zich een Afrikaner te voelen en luisterde verder. 'Combineer al deze eigenschappen en drijfveren in één persoon en je hebt de moderne Boer – de meest geduchte tegenstander die ooit het pad kruiste van het Britse imperialisme.'

Een gebrul van goedkeuring steeg op. De leider stak een hand in de lucht en legde zijn toehoorders met één gebaar het zwijgen op.

'Deze woorden werden opgeschreven aan het begin van deze eeuw als waarschuwing aan het Britse Rijk om niet de bekwaamheid, het vakmanschap en de vastberadenheid van een handvol Boeren te onderschatten. Nu, meer dan een halve eeuw later, wil ik deze waarschuwing opnieuw laten klinken tegenover de communistische samenzwering. Probeer niet van de Boer weg te nemen waarvoor hij heeft gezweet, gezwoegd en gebloed.' Hij stopte en keek om zich heen alsof hij iedereen recht in de ogen wilde kijken. De stilte was bijna voelbaar.

Toen hief hij zijn gebalde vuist en schreeuwde: 'Vrijheid is meer waard dan vrede.'

Dit keer was de reactie oorverdovend. De man in het zwart ging, net als alle anderen, geheel op in de gebeurtenissen.

De leider veegde met een grote witte zakdoek zijn voorhoofd af en ging verder. 'Ik zou Joe Slovo en zijn communistische volgelingen willen vragen hoe het komt dat Zuid-Afrika in ieder denkbaar opzicht zo ver vooruitloopt op de rest van het Afrikaanse continent.'

Hij pauzeerde.

'Er zijn mensen die zullen zeggen: omdat jullie zoveel goedkope werkkrachten hebben.'

Het publiek wachtte op de clou.

'Als dat zo is, zou ik hun willen vragen: heeft de rest van Afrika dan zulke goedbetaalde krachten?'

Een golf van gelach en aanmoedigende kreten rolde door het gebouw. Hij stak een hand op voor stilte en ging wat minder luid verder. Het publiek spande zich in om hem te horen.

'Nee,' antwoordde hij zichzelf. 'Het komt omdat we beschikken over de knowhow van de Boer. De Boer heeft het zuidelijke gedeelte van Afrika gemaakt tot wat het nu is. Hij heeft tegen de wilden gevochten, en tegen de koloniale overheersing. Hij heeft de grond ontgonnen, de mijnen gegraven. Hij heeft in het voedsel voorzien dat de magen van de zogeheten meerderheid heeft gevuld. Hij heeft de basis gelegd voor de modernste economie en de gezondste infrastructuur van heel Afrika. Als we in Zuid-Afrika de Boer niet hadden gehad, waren chaos en burgeroorlog aan de orde van de dag geweest.' Hij was nu aan de kern van zijn betoog gekomen en moest ervoor zorgen dat die zijn doel bereikte. 'Nu we alles waarvoor onze voorouders hebben gezwoegd en zijn gestorven moeten overhandigen aan de meerderheid, lijkt het erop dat ons lijden en onze opofferingen niet meetellen. De communistische heren hechten geen waarde aan de levens van de duizenden vrouwen en kinderen die in de concentratiekampen van de Engelsen zijn gestorven. Moet het ultieme offer van de vijfentwintigduizend *burghers* dan maar worden vergeten?' Toen, met een stem die tot in de kleinste uithoeken doordrong, zei hij: 'Nee. We vergeten niet, we geven ons niet over.' Het publiek sprong overeind en gaf hem een donderend applaus.

Hij maande ze weer tot stilte. 'Onze geschiedenis betekent blijkbaar niets voor de volgelingen van de Satan. Zij menen dat deze hen niet in de weg mag staan bij hun streven chaos te creëren onder een communistische regering in het land van hun voorvaderen.' Hij was nu niet meer te stuiten. 'Ze praten over de Boer als een onderdrukker. Ze zeggen dat ze vrij willen zijn en een regering willen met mensen die gekozen worden via het iedereen-heeft-stemrecht-systeem.' Weer pauzeerde hij even. 'Ja,' schreeuwde hij toen, 'iedereen heeft stemrecht... voor één keer! Vrijheid zoals ze die kennen op Cuba. Vrijheid zoals ze die genieten in Albanië, in Roemenië en in moedertje Rusland.' Hij stopte even om zijn voorhoofd weer af te vegen. De hitte in de volgepakte kerk nam toe en niet alleen door het stijgen van de lichaamstemperatuur.

'Ze zeggen dat ze hun gewapende verzet zullen opvoeren als we niet aan hun eisen tegemoet komen. Gewapend verzet tegen wie? Vrouwen en kinderen? Oude mensen op hun verafgelegen boerderijen?'

Zijn ogen zochten de toehoorders alsof hij op een antwoord wachtte. 'Wat denken jullie dat er gebeurt als ons leger het zal opnemen tegen dit gespuis?' Hij balde zijn vuist en riep: *'Hulle sal vrek* – ze zullen sterven als beesten.'

Het publiek antwoordde als een congregatie in refrein: *'Hulle sal vrek* – ze zullen sterven als beesten.'

Hees, maar nog steeds luidkeels, vervolgde de leider zijn betoog. 'Er zal bloed gaan vloeien, net als op de zestiende december, meer dan anderhalve eeuw geleden. Toen de zwarte horden het waagden de moed van de Boeren te tarten.'

De toehoorders waren niet meer te houden. Er werd hier zoals altijd weer gerefereerd aan de slag bij Bloedrivier in Natal, in 1838, waarbij een kleine groep trekkende Boeren hun huifkarren in een cirkel had opgesteld en een gevecht aanging met tienduizend Zoeloestrijders die in één middag werden verslagen.

De man in het zwart vond het niet moeilijk om te besluiten aan wiens kant hij stond. Hij glipte ongezien het kerkje uit. Achter hem dreunde de stem van de leider: 'Ons recht op ons vaderland is niet voor onderhandeling vatbaar.'

Toen Kapinsky het lab binnenliep, keek Susan Bates op en wist zijn aandacht te trekken. Haar klassiek gevormde gezicht met het strak naar achteren gebonden zwarte haar stond gespannen. Ze keek eerst naar Nat Ferreira, die met zijn rug naar haar toe stond en verdiept was in de inhoud van een petrischaaltje, en maakte toen een hoofdbeweging in de richting van Kapinsky's kantoortje.

Kapinsky voelde een tinteling in het onderlijf. Ze was weer op jacht.

Ze liep achter hem aan het kantoortje binnen, deed de deur dicht en draaide zich naar hem toe. 'Kan ik u van dienst zijn, dokter?'

Ze had gelijk. God, wat had hij haar nodig. Ze wist griezelig goed wanneer hij op barsten stond. De spanning had zich al wekenlang opgebouwd, terwijl hij mevrouw Kapinsky's buik zag zwellen en het moment van de bevalling steeds dichterbij kwam.

'Vanavond, bij mij thuis, de gewone tijd.' Haar stem klonk staccato en vuurde de woorden in korte stootjes op hem af.

Hij knikte, zonder iets te kunnen zeggen. Zijn benen leken wel vloeibaar geworden en zijn hoofd zat vol beelden van haar priemende borsten en stotende heupen. Ze draaide zich om en vertrok. Hij bleef een paar minuten zitten, in gedachten verzonken en met vlinders in zijn buik.

Er lag een briefje op zijn bureau dat hij zelf had geschreven, een geheugensteuntje. Hij zag het liggen en kwam weer tot zichzelf. Het enige wat er op stond was Samuel Mbeki's naam, met een vraagteken.

Natuurlijk, de *kaffer* – het was tijd die zwarte kluns in te schakelen. Het zou geen probleem zijn hem de mond te snoeren.

Alle zwarten waren bijgelovig, en zij die een beetje hadden bijgeleerd helemaal. Zo had Kemble onlangs nog in de lunchroom van de staf zitten klagen over hoe zijn dienstmeisje erop stond dat haar bed werd verhoogd met bakstenen onder iedere poot om de *tokkolossie* af te weren – een wraakzuchtige geest in de vorm van een mannetje dat 's nachts verscheen om zijn slachtoffer te betoveren. De medicijnman had gezegd dat de enige manier om dit euvel te bestrijden, was het bed te verhogen zodat de *tokkolossie* er niet bij kon.

Na dit verhaal kwamen andere stafleden met een stroom van anekdotes over toverspreuken, magiërs, geloof in de medicijnman en zijn *muti* – medicijnen. Een arts die een tijdje had doorgebracht in een missiepost, vertelde dat de plaatselijke medicijnman bezoekende medici weer wist weg te krijgen door gewoon tegen de zwarte patiënten te zeggen dat ze thuis moesten blijven. 'Als je de medicijnman niet mee hebt, kun je het verder wel schudden,' zei de dokter.

'En jij kan het verdomme helemaal wel schudden, als je je zwarte bek niet houdt,' zei Kapinsky in zichzelf en keek naar Samuels naam op het briefje.

Samuel voelde een koude rilling over zijn rug lopen toen Victor tegen hem zei dat hij bij dokter Kapinsky op kantoor moest komen. Dit was het moment waarvoor hij altijd al bang was geweest. De witte dokter zou hem op de een of andere manier gaan straffen voor het feit dat hij het werk van een witte man deed. Tot nog toe had dokter Kapinsky zich nooit iets van hem aangetrokken anders dan voor het laten doen van de een of andere klus of om te laten merken dat hij niet van zwarten hield. De andere blanke dokters lachten en praatten veel, maar in deze man huisde een grote woede. En hij werkte alsof hij door de duivel was bezeten.

Toen Samuel de kamer binnenkwam, zat Kapinsky achter zijn bureau, gekleed in de blauwe overall van een schoonmaker. Zijn haar stond in plukken overeind, hij was ongeschoren en zag eruit alsof hij nachtenlang niet had geslapen. In het begin zag hij Samuel helemaal niet en zat met glazige ogen naar een dood computerscherm te staren. Hij was duidelijk met zijn gedachten ergens anders, dacht Samuel, misschien wel bij de dieren achter de deur die hij nu op slot deed.

'U wilde me spreken, Baas?' Samuel meldde zijn komst zo onopvallend mogelijk. Kapinsky draaide zich om, maar uit niets bleek dat hij zijn bezoeker herkende en hij keek uitdrukkingsloos voor zich uit. Samuel voelde een groot gevaar in de lucht hangen. Vroeger, toen hij nog klein was, en geiten hoedde, was er ineens met opengesperde bek een mamba vanonder een struik op hem af gekomen. Hij had nu hetzelfde gevoel.

Hij stond op het punt maar weer weg te gaan toen Kapinsky opeens glimlachte. De verandering van zijn gezichtsuitdrukking maakte hem nog bedreigender. Samuel voelde zich verstijven en kon zich niet meer bewegen.

'Hallo, Boots,' knarste Kapinsky. Hij schraapte zijn keel en probeerde het nog eens. 'Ik heb je hulp nodig. Als je goed je best doet, zul je daar wel bij varen. Misschien zit er zelfs wel beter werk voor je in.'

Samuel wist niet wat hij hoorde. Deze blanke dokter, die hem zo haatte, stelde hem beter werk in het vooruitzicht? Waarom zou hij? Wat zou hij van hem willen? Het gevoel van dreigend gevaar werd alleen maar groter. Hij moest goed opletten en zich niet bij verrassing te pakken laten nemen, zoals die dag met de mamba was gebeurd.

'Wat moet ik voor u doen, baas?'

Kapinsky haatte dit soort gesprekken. Praten met *kaffers* was alleen maar ellende. Ze waren zo stompzinnig dat alles wel zes keer moest worden uitgelegd, en dan deden ze het nog verkeerd. Hij probeerde zijn afkeer te verbergen en glimlachte opnieuw. 'Ik wil dat je een van mijn bavianen met een keizersnede verlost. Weet je hoe dat moet?'

Samuel wilde deze man niet laten blijken dat hij niet wist waarover hij het had. Hij voelde wel aan dat iemand als Kapinsky door zoiets alleen maar in woede zou ontsteken. Een voorzichtig antwoord was hier op zijn plaats. 'Baas, ik heb er nog nooit een gedaan, maar ik leer heel snel.'

Christus, hoe kan hij zoiets nou vlug leren, dacht Kapinsky. Ze hadden nog maar een week. Hijzelf zou de verdoving moeten doen en hij had deze zwarte kluns nodig voor de verlossing.

Alsof hij zijn gedachten kon lezen, vervolgde Samuel: 'Misschien kan dokter Louw me laten zien hoe...' Hij aarzelde, bang het woord dat hij zojuist had gehoord verkeerd uit te spreken.

Kapinsky sprong zo onverwacht uit zijn stoel dat Samuel een paar passen achteruit deed. 'Nee, nee. Ik wil niet dat ze iets over deze operatie te horen krijgen.'

Samuel keek nog verschrikter.

Shit, dat had ik anders moeten zeggen, dacht Kapinsky. 'Ik vertrouw ze niet,' zei hij. 'Daarom heb ik jou gevraagd. Zij willen mijn ideeën stelen, maar ik weet dat jij dat nooit zult doen, toch, Boots?'

'Nee, baas. Ik zal nooit iets stelen.' Dat klonk geruststellend. Kapinsky ontspande zichtbaar, en Samuel durfde het aan hem een vraag te stellen. Hij wilde graag meer weten over die snede. Het ging duidelijk om een soort operatie en zijn belangstelling was gewekt. 'Heeft de baas mischien een leerboek? Ik kan dan uit het boek leren.'

Waarom niet, dacht Kapinsky. Waarom geen boek voor de *kaffer*? Men zei dat hij goed met het ontleedmes kon omgaan en dit was een eenvoudiger klus dan allerlei chirurgische ingrepen die hij al zou hebben uitgevoerd – als hij al dat geklets dat Barnes over hem vertelde tenminste mocht geloven.

'Oké, Boots. Ik zal ervoor zorgen dat je alle informatie krijgt die je nodig hebt. Maar je moet wel hier intrekken. Het is kort dag, en ik wil niet dat je kostbare tijd verliest met het heen en weer reizen naar je township. Neem wat schone kleren mee en iets om in te slapen. We moeten dag en nacht aan het werk, en ik zal je wel leren wat je moet doen.'

Samuels enthousiasme overwon het van zijn angst. Hij mocht dokter Kapinsky nog steeds niet maar de baas bood hem, om welke reden dan ook, een mooie kans. Iedereen wilde weten wat er achter die gesloten deuren gebeurde en alleen hij, Samuel Mbeki, kreeg de kans daar achter te komen. Hij liep het lab uit, met zijn hoofd in de wolken.

Voor het eerst in dagen ging Kapinsky naar huis, zijn appartement in de buurt van het ziekenhuis. Hij bereidde zich zorgvuldig voor op het samenzijn met Susan Bates en douchte uitgebreid, zijn lichaam sidderend van verwachting. Hij schoor zijn dagen-oude baard af en trok een overhemd en vrijetijdsbroek aan. Erg lang zou hij deze niet dragen, dacht hij verlekkerd.

Dr. Susan Bates woonde luxueus met haar welvarende lesbische vriendin Carol in een dure voorstad, niet ver van de universiteit. Hun huis torende in drie verdiepingen boven een schitterend zwembad uit. Carol – niemand noemde haar blijkbaar ooit bij haar achternaam – zag erop toe dat haar twee hoveniers de omliggende tuin tot in de perfectie bijhielden, terwijl de huishoudster, die ze met enig kunst- en vliegwerk bij een van de tophotels van de wereld had weggehaald, ervoor zorgde dat de staf van gekleurde dienstmeisjes het huis voorbeeldig aan kant hield. De roodharige Carol had op een handige manier een fortuin vergaard in het supermodellen-circuit en had zich op het hoogtepunt van haar carrière teruggetrokken. Nu bood ze stijlvol vermaak, wentelde zich in de publiciteit en hield een soort salon voor bezoekende beroemdheden en de beau monde van de stad. En er waren nog andere dingen waar ze van hield. Een daarvan was Susan Bates. Maar er waren maar een paar mensen, waaronder Kapinsky, die precies wisten hoe de vork in de steel zat.

Een stuk of tien, vijftien auto's stonden links en rechts onder de bomen geparkeerd, toen Kapinsky te voet arriveerde. Er liepen allerlei stelletjes over het terras en er werd druk gezwommen. Carol houdt weer een van haar soirées, dacht hij. De huishoudster deed open en begroette hem. 'Goedenavond dokter Kapinsky. Dokter Bates en Miss Carol wachten op u in de suite.' Hij overhandigde haar zijn volgepakte attaché-koffertje. Dat stond dan weer voor hem klaar als hij wegging, de inhoud verwisseld voor bankbiljetten van grote waarde. Morgen zouden de laboratoriumfondsen op zijn vijf clandestiene bankrekeningen met minstens een kwart miljoen rand zijn gestegen. Barnes zou uit elkaar vliegen als hij wist waar zijn onderzoeksfondsen vandaan kwamen. Maar hij was dan ook zo'n vervloekte linkse slappeling, die dacht dat hij een aardige jongen was. 'En aardige jongens komen op de tweede plaats,' zei Kapinsky in zichzelf.

Hij glimlachte bij de gedachte hoe Barnes zou reageren als hij ontdekte dat een bepaald deel van zijn lab nu hoogwaardige drugs fabriceerde. En wat zou hij zeggen als hij erachter kwam dat in zijn laboratorium voor hartonderzoek de drie methyl-fentanyl derivaten waren ontstaan, gemaakt van basisch aceton, het spul dat overal in de ziekenhuiswinkels lag in tonnen van vijftig liter?

Deze samenstelling was niet zomaar een of andere rommel. Zij was sterker dan morfine, gaf een effect dat niet te onderscheiden was van heroïne, en – dit was het onderdeel waarbij Kapinsky zichzelf van blijdschap bijna omhelsde – het kon vrijelijk worden gebruikt. Het was een niet-erkend farmacologisch product en er bestond dus ook geen wet tegen. Beter nog, het liet geen sporen na bij de gebruikers. Hij wist dat hij met het maken van zo'n sterke chemische verbinding een groot risico nam – verkeerd gebruik zou de dood of verminking tot gevolg kunnen hebben – maar hij had vergaande voorzorgsmaatregelen genomen.

De suite bevond zich op de bovenste verdieping, ver verwijderd van de rest van het huis. De ruimte was, wist Kapinsky, geheel geluiddicht, had ramen met donker glas en was Carols pretplek. De deur stond open. Hij liep de gang in en stopte, in afwachting van orders.

'Deur dicht,' blafte Susans stem, hard en gebiedend.

Hij deed wat hem werd gezegd.

'Kom hier!' Ook nu weer een bevel.

Hij liep de grote kamer binnen, met bonzend hart en die verwachtingsvolle kriebel in zijn onderlijf.

Susan droeg rijlaarzen, een strak gespannen zwartleren short en was naakt vanaf haar middel. Lange blonde haren vielen tot aan haar schouders. Kettingen rond haar hals en middel waren vastgemaakt tussen haar geoliede borsten. Haar lipsticktepels priemden brutaal naar voren. Naast haar zat Carol, achterover in een leunstoel, gekleed in een zeer eenvoudige, zeer kostbare, zeer nauwsluitende zwarte jurk, met niets eronder. Hij wist dat ze er niets onder droeg, omdat de jurk tot halverwege was opgetrokken en ze haar benen had gespreid.

Een prachtig jong meisje – kleine borstjes, kort opgeknipt haar en spiernaakt op een paar rode handschoenen van kunstbont na – was bezig haar kruis te strelen.

Hij keek ernaar, likte zijn droge lippen en wist tot in detail wat er ging gebeuren, alsof hij het script zelf had geschreven.

Susans stem klonk precies op het goede moment. 'Sta niet zo naar me te kijken, gore smeerlap.'

Hij sloeg zijn blik neer. Hij kwam al bijna klaar van pure verrukking over haar bevelende stem, maar moest het nog even volhouden. De pijn moest nog komen en dat was het heerlijkste van alles. Zonder de pijn zou er ook geen verlichting zijn. En zonder verlichting werd hij gek.

Dit ging al jaren zo. Eerst zijn schuldgevoel over het verlies van zijn ouders, toen de angst dat iemand erachter kwam, de behoefte aan een vrouw die hem sloeg tot hij zijn zonden bekende, en de gezegende verlichting die hem op de been hield tot de volgende keer.

Susan en hij hadden elkaar ontdekt in dezelfde homobar. Toen ze merkte dat hij gek was op sado-masochistische seks nam ze hem opgetogen mee naar Carol. Samen hadden ze hem gebruikt en misbruikt en aan elkaars behoeften voldaan. Eén keer was het uit de hand gelopen, toen ze hem bewusteloos hadden geslagen. Hij had vanwege zijn zichtbare verwondingen bijna twee weken niet naar zijn werk gekund. Het jonge meisje was een nieuw element in hun normale triowerk. Ze had duidelijk iets gebruikt, amfetaminen of zo. Maar zijn verlichting was nabij, en het kon hem niets meer schelen hoeveel nieuwe variaties ze hadden bedacht.

'Pak het! Op je knieën!' blafte Susan.

Hij kroop over de grond naar de koffietafel, pakte met zijn tanden een dun metalen harnas en kroop weer naar haar terug. Carol begon ineens te kreunen, haar lichaam schokte bij het klaarkomen, en het meisje kuste haar op de mond.

'Toni!' Het meisje draaide zich om naar Susan. 'Trek die klootzak zijn kleren uit en stop hem in het harnas.'

Het meisje deed haar handschoenen uit, ontdeed hem met een paar ervaren handgrepen van zijn kleding en stopte hem in het harnas, waarbij ze zijn bovenlichaam insloot. Terwijl ze bezig was, reed ze met haar onderlijf tegen zijn dijen. Susan greep de kleine zweep die naast haar lag en trok een rode streep over de blote billen van Toni. Deze schreeuwde het uit, en schurkte nog harder tegen Kapinsky op. Susan sloeg opnieuw, maar Toni trok zich daar niets meer van aan. Ze kwam klaar op Kapinsky's dij en slaakte een diepe zucht.

Susan kreeg een gevoel van macht. Het trok op vanuit haar buik en verspreidde zich door haar hele lichaam, waardoor ze overal heerlijk warm werd. Ze had tegelijkertijd pijn en genot toegebracht en haar slachtoffers wilden meer.

Er liep een dunne draad van het harnas naar de koffietafel. Susan plugde een andere draad in het handvat van haar zweep en gaf Kapinsky een zacht klapje op zijn rug. Hij schreeuwde het uit. De elektrische schok, zijn eigen vinding, deed zijn lichaam verstijven.

Carol stond op, gleed uit haar jurk, pakte Toni vanachteren bij een van haar kleine borsten, trok haar tegen de grond, vorkte haar benen met die van het meisje, en begon langzaam ritmisch te bewegen.

De elektrische zweep veroorzaakte geen schade en liet geen sporen achter, maar gaf Kapinsky zijn pijn. Na de vorige, haast fatale keer hadden Susan en hij dit concept in het lab uitgewerkt. Tijdens het slaan schold ze hem uit, en joeg hem in kleine kringetjes rond het parende stel op de grond. Bij elke klap schreeuwde hij het uit, totdat het hem te veel werd en hij op de grond in elkaar zakte, alle passie uitgeraasd, alle spanning verdwenen.

Maar nu moest Susan haar hoogtepunt nog bereiken. Dat had ze voor Carol bewaard. 'Sodemieter op,' zei ze over haar schouder tegen Kapinsky, die op een elleboog leunde en toekeek. Hij deed wat hem was opgedragen, trok zijn harnas uit en pakte zijn kleren bij elkaar. In de gang kleedde hij zich snel aan, en deed de deur achter zich dicht toen Carol een luide doordringende kreet slaakte en daarna begon te kreunen.

HOOFDSTUK 16

Het scheerspiegelgesprek verloopt niet zoals het moet, dacht Barnes en trok een gezicht tegen zijn spiegelbeeld, dat natuurlijk een gezicht terug trok.

'We beginnen opnieuw,' zei hij, hardop. 'Jij bent Rodney Barnes, en arts. Je bent bijna veertig, gezond en fit, op het hoogtepunt van je zelfgekozen carrière, financieel zit het allemaal goed, en je bent gelukkig. En je bent gelukkig?' herhaalde hij in de spiegel.

Er kwam geen antwoord.

'Je bent toch gelukkig, verdomme?' zei hij nog eens, hij bracht zijn hoofd wat dichter naar de spiegel en trok een strijdlustig gezicht. De spiegel keek terug.

'Jouw probleem is,' zei hij, plotseling vol inzicht, 'dat je in hoog tempo bezig bent vast te groeien in het leventje van een zelfverzekerde vrijgezel die geen veranderingen meer wil. Alles draait zoals jij het hebt uitgestippeld. En over niet al te lang ben je gewoon een oud wijf.' De spiegel zweeg. 'Erger nog. Je loopt tegen jezelf te praten. Je woont al zo lang alleen, dat je denkt dat het normaal is om tegen jezelf te praten. En nu je een vrouw hebt die jou wil, ben je bang. Waarvoor? Dat ze dingen zal veranderen? Natuurlijk doet ze dat.' Hij keek om zich heen door de badkamer. 'Designer-handdoeken, verdorie nog aan toe. En klinisch schoon, geen vlekje of handafdruk te bekennen.'

Hij liep de huiskamer in, scheermes nog in de hand, en keek naar de meubels alsof hij ze voor het eerst zag. Alle kleuren waren op elkaar afgestemd, onopvallend en elegant, dacht hij, alles was duur, en afgerond met zorgvuldig geselecteerde kunstwerken. Het leek wel een museum. 'Kijk maar eens goed om je heen, Rodney. Dit is jouw leven. Besef nu maar eens dat je een overjarige yup bent, die ieder jaar truttiger wordt. Over niet al te lange tijd ben je dat waar iedereen van gruwt – een oude vrijgezel!'

Hij had deze stemming al dagenlang voelen aankomen, en vermoedde dat die was veroorzaakt door zijn liefdesverklaring aan Karen. In de afgelopen week had hij allerlei excuses bedacht om haar niet te hoeven zien, en zich 's avonds naar huis gespoed om zich in zijn appartement te verstoppen als in de moederschoot. 'Word eens volwassen, stomme-ling,' zei hij tegen zichzelf. 'Hou eens op de vrouw die je liefhebt in het onzekere te laten. Neem haar mee op vakantie – ergens waar je met zijn tweetjes kunt zijn – en laat dingen op hun beloop.'

Meteen na de zaalronde belde hij van zijn kantoor Karen. Haar stem was warm en uitnodigend. Ze ging graag in op zijn voorstel voor een rustig etentje bij hem thuis. Hij legde de hoorn neer, keek op en zag Fiona in de deuropening staan.

'Je hebt alles nog eens op een rijtje gezet, hè?' zei ze hartelijk.

'Het probleem met secretaresses is, dat ze zo verdomde nieuwsgierig zijn. Ik weiger te accepteren dat ze ook gedachten kunnen lezen, dus vraag ik me af hoe je daarbij komt.'

'Wij secretaresses hoeven geen gedachten te lezen. Lichaamstaal is meer dan voldoende. Je hebt de hele week al met je hoofd ergens anders gezeten.'

Hij glimlachte en ontspande zich. Ineens voelde hij zich een stuk beter. 'Dank je, Fiona. Dat had ik even nodig. Als je dan ook nog zo'n kopje heerlijks voor me kan regelen, is het wonder compleet.'

'Zeker m'neer,' zei ze, en zwierde het kantoor uit, hem achterlatend met de post en zijn gedachten bij de avond die in het verschiet lag.

Er heerste een aangename stilte tijdens het eten, beiden hadden geen zin om te praten. Later namen Barnes en Karen hun drankjes mee naar het balkon om het zonlicht uit de Tafelbaai te zien verdwijnen en daarna naar de ongelofelijke lichtshow van de berg te kijken. Ze wisten dat ze het stadium in hun relatie hadden bereikt waarin afspraken moesten worden gemaakt, dat voor beide partijen het moment was aangebroken om eerlijk en oprecht te zijn. Karen voelde zich zeker genoeg om gewoon te kunnen zeggen dat ze van hem hield, dat ze een man in haar leven nodig had en dat hij die man was. Barnes vond het nog steeds moeilijk om zijn gevoelens prijs te geven en dat zei hij ook. Ze omhelsde hem. 'Rod, je lichaam zegt genoeg,' zei ze. 'Meer hoef ik niet te weten.' Ze beminden elkaar op het open balkon – een rustige, ongehaaste ontmoeting van hun lichamen onder het licht van de opko-mende maan.

Later zaten ze dicht tegen elkaar aan in de warme avondlucht en keken hoe de maan een zilveren spoor trok over het water.

Hij stelde voor samen een paar dagen vrij te nemen en het binnenland in te trekken. Ze konden dan zijn ouders opzoeken, en dieren gaan bekijken in het Krugerpark.

Op de hartafdeling was het ongewoon stil – drie herstellende patiënten die binnenkort naar huis mochten en geen wachtende transplantatiegevallen. Barnes delegeerde al zijn werk aan Des Louw, vroeg Kemble opnieuw achter hun budgetverhogingen aan te zitten, schoof zoveel mogelijk administratief werk op de lange baan, en gaf de rest aan Fiona, die vreemd met haar ogen zat te knipperen.

'Wat is er?' vroeg hij verbaasd.

'Ach, treuzel toch niet zo. Als je hier nog langer rondhangt, loopt mijn make-up in de war.'

Ze vertrokken bij zonsopgang, als opgewonden kinderen, reden de hele dag door en zagen hoe de zacht golvende weiden van de Kaap plaatsmaakten voor de plateaurand van het Karoo-gebergte, en daarna voor de lege immense wijdsheid van de hoogvlakte zelf. Het afgelopen seizoen was extreem nat geweest en het gewoonlijk onbegroeide landschap was bedekt met een tapijt van wilde bloemen, grote plassen kleur die doorliepen tot aan de horizon. Ze reden kalm en gingen helemaal op in de schoonheid van de vlakten. Hier en daar stak een eenzame rots op een heuvel de kop op als een schildwacht, die al eeuwenlang de ontberingen van de natuur had doorstaan.

Karen keek naar de bloeiende halfwoestijn, en zag die als een symbool van haar eigen leven – tot voor een jaar een emotieloze woestijn, nu bloeiend van beloften. Als kind had ze altijd de gewoonte om, als ze iets geweldig leuk vond, zichzelf te omhelzen en te huiveren van plezier. Dat deed ze nu ook, haast onwillekeurig sloeg ze haar armen over elkaar en hield zichzelf stevig vast, terwijl haar lichaam schokte van pure verrukking.

Barnes keek haar van opzij aan, glimlachte en nam een hand van het stuur om haar aan te raken. Als er een paradijs bestond, dacht ze, kon dat nog wel even wachten.

Ze lunchten in een chauffeurscafé en moesten lachen toen ze naar het menu keken. 'Genoeg cholesterol om een paard te vellen,' merkte Barnes op, toen ze aanvielen op een enorme hamburger waar aan alle kanten de sauzen uitdrupten.

De middag was gehuld in een waas van tevreden rondrijden door zich langzaam ontvouwende prachtige uitzichten, aan de horizon afgebakend door lage heuvels. Zo nu en dan slingerde er een met bosjes afgezet watertje door het landschap. Karen zag een jakhals, die Barnes lachend afdeed als een loslopende hond van een boerderij. Ver van de weg lag hier en daar een afgelegen boerenbedrijf te trillen in de warmte. Van tijd tot tijd dreigde Karen in slaap te vallen, maar Barnes hield haar wakker met een enthousiast verhaal over het lopende onderzoek in zijn lab.

'Op de een of andere manier moeten we iets zien te vinden dat de functie van de hersenen in de donor kan overnemen zodat de rest van het lichaam kan blijven leven na de dood,' zei hij en staarde naar de rechte weg voor zich die, naar het leek, eindeloos bleef doorlopen over het platteland van de Vrijstaat. 'Stel je eens voor, Karen, een zaal vol levende doden – een overvloedige voorraad van donororganen.' Ze was blij dat hij geen antwoord verwachtte. Hij praatte maar door, zonder te beseffen wat hij met zijn woorden aanrichtte. Ze vroeg zich af wat ze ervan zou vinden als Johan ergens lag, niet in staat om te communiceren, maar met zijn lever, hart, nieren en diverse andere organen nog steeds in leven. De gedachte was te macaber, en ze schudde deze van zich af.

Plotseling, alsof hij ineens besefte wat voor uitwerking zijn woorden op haar hadden, hield hij op met praten. 'Genoeg over werk gepraat! We zijn tenslotte op vakantie.' Hij leunde opzij en kuste haar op haar wang.

Ze kwamen in de late namiddag in Bloemfontein aan en reden naar de Holiday Inn. 'Dokter – plotsklaps preuts – Barnes,' zei Karen, 'we nemen één kamer. Ik heb plannen met jou.'

'En als we nu worden herkend?'

'Des te beter. Dan kunnen ze komen kijken.'

'Nou zeg...' zei Barnes, een tikje geshockeerd.

Ze kuste zijn protesten weg en de zaak was geregeld.

De receptionist schatte ze met één blik in. Duidelijk op huwelijksreis, en net doen alsof het ze allemaal niets kon schelen. Hij glimlachte, riep een piccolo voor de bagage en gaf hun de kamersleutel.

'Uw kamer kijkt uit op het park en de stad, maar ligt een eind van de weg zodat u geen last van het verkeerslawaai heeft,' zei hij, en lachte ze toe.

Ze aten vroeg en maakten een korte wandeling door het stadspark. Daarna ging 'het bruidspaar', zoals de receptionist al had voorspeld, naar bed. Karen wist niet wat haar overkwam, en Rodney evenmin. Ze was zo hitsig dat zijn aanraking al voldoende was om allerlei veelkleurige genotsschokken door haar lichaam te laten flitsen. Barnes, die zichzelf als een gedisciplineerd minnaar beschouwde, moest tot zijn ontzetting vaststellen dat hij zich niet kon inhouden en was al binnen een paar seconden klaargekomen. Dat was hem nog nooit eerder gebeurd. Hij putte zich uit in allerlei verontschuldigingen, maar ze legde hem het zwijgen op en begon langzaam kronkelend over zijn hele lichaam ritmische bewegingen met haar borsten te maken. Tot haar grote genoegen merkte ze hoe ze steeds opgewondener raakte en hem maar tegen zich aan hoefde te voelen om klaar te kunnen komen wanneer ze wilde. Toen ze tegen hem op begon te schokken werd hij meteen weer hard. Hij maakte een beweging om haar te bestijgen. 'Wacht even, schat. Het is ook mijn feestje,' zei ze in zijn oor, en duwde hem terug in de kussens.

Later lagen ze dicht tegen elkaar aan, nat van het zweet en voldaan. Barnes deed even zijn ogen dicht, en zij voelde hoe zijn lichaam samentrok in een slaapreflex.

De volgende ochtend ontbeten ze uitgebreid in een wereld vol heerlijkheid. Alles wat ze aten, dronken of aanraakten gaf hun een goed gevoel. Ze voerden sprankelende gesprekken. Karens huid gloeide, Barnes vond dat ze er nog nooit zo prachtig had uitgezien en zei dat ook.

'Testosteron, schat,' zei ze met een guitige blik.

Ze barstten allebei in lachen uit, en de rest van het restaurant keek op, en vroeg zich af waarover dat knappe paar daar in de hoek zo'n plezier had.

Later reden ze naar Barnes' ouderlijk huis, even buiten Pretoria. Zijn vader had iedereen wijsgemaakt dat hij gek werd van de voortdurend terugkerende droogtes in West-Transvaal, had de boerderij van de hand gedaan en een huis gekocht in Pretoria. Hij woonde er nog geen jaar toen hij ontdekte dat een leven van nietsdoen in een stad voor hem niet te verdragen was. Hij deed zijn huis van de hand en kocht een paar kilometer buiten de stad een stuk grond van twaalfduizend vierkante meter. Hij had begrepen dat je iets te doen moest hebben in het leven. Als je geen doel meer hebt, kun je er net zo goed mee ophouden. Nu bracht de oude heer Barnes een groot deel van de dag door in de tuin, waar hij groenten kweekte die hij aan een winkel in de stad verkocht, terwijl zijn vrouw zich bezighield met de bloemen.

Karen kreeg het wat benauwd toen ze tussen de witte pilaren doorreden, die de ingang van het terrein markeerden. Ze had zich terughoudend gekleed, met weinig make-up, omdat ze een goede eerste indruk wilde maken. Rodney was hun enig kind, en ze vroeg zich af hoe ze op haar zouden reageren.

Toen ze dichter bij het huis kwamen begon haar hart te bonzen en werden haar handen klam. Niets voor mij, dacht ze, maar verdorie, dit is zo belangrijk.

Barnes voelde hoe zenuwachtig ze was en kneep haar eventjes bemoedigend in de hand. De auto nam een bocht en stopte voor een landhuis, met een aparte schoorsteen en aan drie kanten een veranda. Bloeiende gombomen aan de noordkant wierpen een schaduw over het huis, en twee kanten van de veranda verdwenen vrijwel helemaal onder de klimrozen.

Een aangebouwde garage bood onderdak aan een soort legerjeep met vierwielaandrijving, en een goed gepoetste oude Mercedes van een klassiek model. In de schaduw kwamen twee honden overeind, die een paar seconden lang dreigend blaften. Maar toen Barnes ze met hun naam aansprak, veranderden ze in een lawine van gesnuif, gepiep en kwispelende staarten. Karen onstpande zich al voordat ze uit de auto was gestapt. Aan alles was te merken dat hier gelukkige mensen woonden. De tuin getuigde van zorgende handen, en aan de bloembedden was te zien hoeveel uren van toegewijd tuinieren er aan was besteed.

En het bleek ook zo te zijn. Mevrouw en meneer Barnes waren van de oude stempel. Ze hadden de Depressie overleefd en een goed bestaan opgebouwd, gebaseerd op hard werken, spaarzaam leven en een hechte gezinsband. Eenmaal gepensioneerd, leefden ze eenvoudig maar aangenaam. Rodney en Karen kwamen zichtbaar tot rust in deze huiselijke sfeer. De gesprekken verliepen van zijn werk en Karens inbreng in het team tot de welkome regens die ze in West-Transvaal hadden gehad.

'Ik heb er nog steeds geen spijt van dat ik de boel daar heb verkocht, Rodney. Ook al was het niet gemakkelijk die oude boerderij daar achter te laten, die drie generaties lang in onze familie was geweest. Maar die droogtes zouden ons hebben geruïneerd.'

Barnes wist dat dat niet de echte reden was geweest. De oude man had de boerderij verkocht, omdat er geen Barnes was die hem zou opvolgen als hij doodging.

In de loop van de avond kwam het gesprek natuurlijk ook weer op de politiek terecht. De oude meneer Barnes was een godsdienstig man, die er nooit in was geslaagd de apartheid te rijmen met de bijbelse leer. 'Rodney,' begon hij, 'hoe kunnen mensen die beweren christenen te zijn nu akkoord gaan met deze schaamteloze discriminatie? Het belangrijkste gebod is dat je je naasten moet liefhebben als jezelf. Het is absoluut onmogelijk te gehoorzamen aan de wetten van de Nationale Partij en intussen te doen alsof je je naasten liefhebt als jezelf.'

'Maar zij beschouwen de zwarten helemaal niet als hun naasten,' legde

Rodney uit. 'Een aantal fanatiekelingen vindt in feite niet eens dat zwarten mensen zijn.'

De oude boer ging achterover in zijn stoel zitten en verklaarde toen, na een paar minuten waarin niemand iets had gezegd: 'Daar zullen ze dan wel achter komen! Daar ben ik zo zeker van als ik er zeker van ben dat morgen de zon weer opgaat.' En toen zei hij, zijn stem verheffend: 'Wacht maar af. Eens zullen de zwarten over hen regeren.'

Die nacht sliepen Karen en Barnes in verschillende kamers.

De volgende morgen vertrokken ze naar het Kruger National Park. Omdat het de eerste keer was dat Karen het wildpark bezocht, legde Barnes haar de grondregels uit: tussen de kampementen in onder alle omstandigheden in de auto blijven en de ramen dichthouden als een van de 'grote vijf' in de buurt was: de olifant, leeuw, neushoorn, buffel en luipaard. Hij bleek een welingelichte gids te zijn, dankzij de vele heerlijke vakanties die hij met zijn vader in het veld had doorgebracht. Hij wist welke drenkplaatsen favoriet waren bij welke dieren en op welke tijdstippen, en in de eerste twee dagen zagen ze vier van de grote vijf. Ze zagen kuddes van allerlei soorten bokken en een groep wilde honden. Ze hoorden na zonsondergang de jakhalzen huilen, en één keer zagen ze een hyena de struiken inschieten. Ze zagen geen nijlpaard dat een impala-hert redde, zoals Jan Snyman beweerde te hebben gezien, maar in de ochtend van de laatste dag ontdekten ze wel een luipaard in de vork van een grote boom. Barnes zag door de verrekijker dat het dier een impala aan het verslinden was die hij de nacht ervoor had gevangen en de boom in had gesleept, in de hoop dat hij daar veilig zou zijn voor andere roofdieren zoals de leeuw en de hyena.

Het wilde dieren kijken was heel opwindend, maar Karen keek toch altijd het meeste uit naar de avonden. De kampementen waar werd overnacht waren uitstekend verzorgd en op het luxueuze af. Ronda-vels met rieten daken stonden rond een gemeenschappelijke barbecue-plaats gegroepeerd. 's Avonds kwamen ook de andere parkbezoekers bij elkaar om over hun ervaringen te vertellen en te genieten van het leven in de buitenlucht.

Ze kwamen na korte tijd al in een ritme van laat eten, na zonsonder-gang, en genoten van hun gebraden vlees en rode wijn.

'Inkomensvoedsel' noemde Barnes het. Hij keek om zich heen naar de groepjes eters die in hun biefstukken zaten te prikken.

'Hun aders gaan open van de wijn, en raken daarna verstopt van het vlees. Dan betalen ze mij mijn inkomen om ze weer open te maken.' Hij hief zijn glas en tuurde er met halfgeknepen ogen doorheen. 'Wie geneest de geneesheer?' vroeg hij, en sloeg de wijn naar binnen.

Karen rilde even, deed een vestje aan – en besefte toen dat het eigenlijk een warme nacht was. 'Laten we het over ons hebben,' zei ze, van onderwerp veranderend. Hier in de wildernis, ver weg van huis en vrienden en bekenden, was het nu eenmaal wat gemakkelijker om over plannen en dromen te praten.

Toch had ze nooit verwacht dat Barnes bijna meteen over trouwen zou beginnen. Dat komt vast vanwege ons samenzijn van de laatste paar dagen, dacht ze. Dit was tenslotte voor het eerst dat ze zo lang bij elkaar waren geweest, dag en nacht in elkaars aanwezigheid hadden doorgebracht.

'Verder denk ik ook dat we niet te lang moeten wachten met een kind,' merkte hij op, nadat hij eerst naar de sterrenhemel had gekeken en toen naar de sterren in haar ogen.

Als ze 's nachts elkaar beminden, hier in de wildernis, gebeurde dat in alle rust en vol tederheid, alsof ze één waren geworden met de omringende natuur. Daarna lag ze dan vaak te luisteren naar de geluiden om haar heen en zijn rustige ademhaling naast haar. Daarbuiten golden de wetten van de jungle – waar alleen de sterksten overleefden, bij een voortdurend gevecht op leven en dood – hier was ze warm en veilig, samen met haar maatje.

Het was een idyllische vakantie, die maar al te vlug weer voorbij was. Op de terugweg overnachtten ze bij Barnes' ouders. Toen ze de volgende morgen vertrokken, was het nog donker. Barnes wilde nu zo gauw mogelijk weer aan het werk. Ze reden de achttienhonderd kilometer terug in dertien uur, en stopten alleen voor benzine, wat koude drankjes en snacks. Klokslag vijf uur 's middags hielden ze voor Karens huis stil.

'Zal ik even koffie maken?' vroeg ze, nadat ze de bagage uit de auto hadden gehaald.

'Nee dank je, schat, ik ben erg benieuwd naar wat er allemaal in het lab is gebeurd in de tijd dat wij Tarzan en Jane speelden.'

In het lab hoorde hij dat er problemen waren met Kapinsky's bavianen, iets wat te maken had met een abnormale zwangerschap. Hij deed nog vreemder dan gewoonlijk, en Barnes maakte zich zorgen.

Zowel Karen als hij hadden een grote achterstand in hun werk en ze zagen, met wederzijds goedvinden, elkaar een tijdje weinig – tot ze een telefoontje kreeg van het ziekenhuislab. Toen werd het voor haar belangrijk om binnen korte termijn wat tijd met hem alleen te kunnen doorbrengen, maar wanneer?

Maar ineens deed zich een gelegenheid voor.

Karen zat met een van de hoofdverpleegkundigen in de kantine, vertelde over de fantastische tijd die Barnes en zij in de natuur hadden doorgebracht en mopperde over het feit dat ze hem sindsdien zo weinig had gezien. Toen bood de verpleegkundige haar zomaar haar huisje aan voor het weekend. 'Veel wildernis is er niet, maar het is wel knus, aan de voet van de berg die uitkijkt over Houtbaai. Je zult er geen leeuwen zien, of olifanten, maar een bezoek van een groepje bavianen behoort tot de mogelijkheden.'

'Maar lopen we je dan niet in de weg?' vroeg Karen, die haar enthousiasme nauwelijks kon bedwingen.

'Helemaal niet. Ik was toch al van plan mijn ouders weer eens te gaan opzoeken en ik laat het huis niet graag alleen.'

Ze stonden op en liepen de kantine uit. 'Ik laat het je weten zodra ik Rodney heb gesproken. Je bent een schat!' zei Karen toen ze uit elkaar gingen.

Ze belde hem meteen op. Hij vond het een uitstekend idee. 'Als er niets tussenkomt, haal ik je vrijdagavond om zes uur op,' stelde hij voor en legde de hoorn neer. De vierentwintig uur die volgden duimde ze voortdurend dat er geen spoedgevallen hun snoepweekend zouden komen bederven. Haar onvolprezen oppas stond weer precies op het goede moment klaar om voor Kimberley te zorgen, maar Karen geloofde het allemaal pas toen ze Barnes' auto zag voorrijden.

Hij was twintig minuten te laat en leek nogal afwezig. 'Sorry,' zei hij en gaf een kusje op haar neus. 'Het verdomde lab staat op zijn kop – onze bavianen staan op het punt te bevallen en Kapinsky is helemaal over zijn toeren.'

Ze was zo blij dat ze hem zag, dat ze nauwelijks hoorde wat hij zei. Hun rit langs de slingerende kustweg met prachtige uitzichten was een genot. Het huisje was alles wat ze zich maar had kunnen voorstellen. Het stond in de duinen en werd alleen van het strand gescheiden door een eenrichtingsweg. Binnen brachten de grote ramen de zee bijna tot in de slaapkamer. De met hout beslagen plafonds werkten zeer ontspannend, en een bar tegenover de open keuken getuigde van uitgelaten middagen in de met zon en wijn overspoelde avonden.

Na het eten bleven ze zitten en keken hoe de laatste zonnestralen achter de heuvels verdwenen. Het was een fantastische plek. Eens op een dag zouden ook zij zo'n toevluchtsoord hebben, besloot ze. Er ontbrak nog maar één ding, voordat alles volmaakt werd.

'Rodney, ik ben zwanger,' zei ze, en vroeg zich af waarom het zo gewoontjes klonk. Had er nu niet trompetgeschal moeten losbarsten, of zoiets? Wervelende violen was ook wel goed. Ze had dit geheim nu meer dan een maand gekoesterd en kon nauwelijks geloven dat het waar was.

'Wat?' Hij keek verschrikt, niet begrijpend, zoals een jongetje aan wie op school een moeilijke vraag wordt gesteld. Eventjes zag hij er heel kwetsbaar uit, zó anders dan het beeld van de getalenteerde medicus en vakkundige chirurg, dat ze wilde glimlachen, haar armen om hem heen slaan en hem geruststellen.

'Schat, ik ben zwanger,' herhaalde ze. 'We krijgen een kind.'

Hij sprong van zijn stoel en gooide zijn wijnglas om. Hij negeerde de rode vlekken op het tafelkleed, pakte haar bij de schouders en trok haar overeind. Hij drukte haar eventjes zonder iets te zeggen tegen zich aan, begon toen ineens allerlei rare bokkensprongen met haar te maken en schalde: 'Een kind, een kind, we krijgen een kind.' Lachend zong ze met hem mee, tot ze struikelden en buiten adem op de grond vielen.

Barnes hield haar even stevig vast en keek haar toen heel diep in de ogen, alsof hij ergens naar op zoek was. Het leek wel of zijn hart op het punt stond te barsten uit liefde voor de vrouw die zijn leven van het ene op het andere ogenblik had vervolmaakt. Hij had nooit gedacht ooit vader te zullen worden. Nu snelden zijn gedachten al vooruit naar een leven met een opgroeiend kind. Verdraaid, met kinderen – waarom maar ééntje?

'Dit is een heel speciaal moment. Daar moet op gedronken worden,' zei hij. Met overdreven bezorgdheid tilde hij haar op en zette haar voorzichtig in de leunstoel.

Een paar minuten later kwam hij uit de keuken, wuivend met een fles Franse champagne. 'Ik zag dat je hem in de koelkast legde, maar had geen idee wat je wilde vieren, kleine boef.' De kurk vloog met een knal tegen het plafond en de wijn bruiste in haar glas. 'Op ons drieën,' zei hij en hield zijn boordevolle glas in de lucht. De drank was heerlijk koel en Karen had het gevoel dat ze nog nooit in haar leven zoiets zaligs had gedronken.

Barnes' gezicht betrok ineens. Hij keek ernstig. Er bestonden diverse voortekenen die Karen ten onrechte had kunnen uitleggen als zwangerschapsverschijnselen. Vrouwen deden dat wel vaker, had hij geleerd in de korte tijd dat hij huisarts was geweest.

'Lieverd, weet je wel zéker dat je zwanger bent?' vroeg hij.

Karens gezicht werd één grote glimlach. Zo mooi was ze nog nooit geweest. 'Honderd procent,' zei ze stralend. 'Tenzij de zwangerschapstest liegt.'

'Je hebt je bloed laten onderzoeken,' vervolgde Barnes.

'Ja. Toen we terugkwamen heb ik dokter Snyman gevraagd wat bloed af te nemen. Ik heb een lang verhaal opgehangen over dat ik altijd zo moe was en misschien bloedarmoede had.'

'En toen heb je het monster onder een valse naam aan het lab gegeven?' Barnes barstte in lachen uit.

Die nacht beminden ze elkaar heel teder, in het besef dat er een hele nieuwe dimensie aan hun leven was toegevoegd. Daarna vielen ze in een droomloze slaap, zeker van elkaars liefde.

Barnes werd gewekt door het zonlicht in de bladeren van de klimop die de ramen omzoomde. Hij begreep uit de regelmatige ademhaling naast zich dat Karen nog sliep en hij gleed het bed uit, op weg naar de keuken. Karen bewoog zich niet. Het gebeurde niet vaak dat hij werd losgelaten in de voedselafdeling, dacht hij. Tijd voor een vorstelijk ontbijt.

Hij brak twee eieren in een kom, voegde er wat melk aan toe, klopte het mengsel stevig op en goot het toen in de gloeiend hete boter in de koekenpan. Daarna stopte hij twee volkorenboterhammen in de toaster en goot de koffie op. Enkele minuten later vulde het hele huis zich met heerlijke geuren. 'Ontbijt op bed, mevrouw?'

Toen Karen langzaam overeind kwam, stond hij naast haar met een blad. Ieder schijfje toast was versierd met goudgeel roerei en de dampende koffie rook goddelijk. Ze wilde hem omhelzen, maar liet het bij een kop koffie toen bleek dat ze het gevaar liep zo het hele ontbijt in haar schoot te krijgen. Barnes ging op het bed naast haar zitten. De zwangerschap riep een paar vragen op, die ze bespraken tijdens hun eenvoudige ontbijt.

'Ik denk dat we zo gauw mogelijk moeten gaan trouwen,' zei hij, en schonk een tweede kop koffie in.

Karen deed een schepje suiker in haar koffie en roerde goed voordat ze hierop antwoordde. 'We hebben geen haast, schat. We kunnen ook pas trouwen als de baby al geboren is. Dezer dagen is dat heel gewoon voor mensen die met elkaar zijn.

'Ik weet het niet,' zei Barnes nadenkend. 'Mijn ouders zouden daar wel eens moeite mee kunnen hebben. Zij zijn Afrikaners van de oude generatie, en die zijn geen voorstanders van zwangerschappen voor het huwelijk.' Hij fronste bij de gedachte en voegde hieraan toe: 'Nee, we moeten zo gauw mogelijk trouwen, in de kerk.'

Karen onderdrukte een glimlach. Ze vond het maar een malle bedoening. Als je van elkaar hield, wat maakte het dan uit dat je zwanger werd? Betekende het huwelijk een vrijbriefje voor het bedrijven van seks?

Tegen hem zei ze, 'Ik trouw graag met je, wanneer je maar wilt. Maar is het voor jou niet moeilijk, met allerlei nieuwe patiënten die geopereerd moeten worden?'

'We kunnen in een weekend trouwen. Je vindt het toch niet erg als we de huwelijksreis dan even uitstellen, wel?' Hij klonk verontschuldigend.

'Wat mij betreft was onze eerste huwelijksreis in het Krugerpark, is ons weekend hier onze tweede huwelijksreis, en de derde kan nog wel even wachten,' zei ze en deed een poging om uit bed te komen.

'Een ogenblikje, mevrouw Barnes,' zei hij en hield haar zachtjes tegen. 'Wat denk je dat ons kind zal zijn – een jongen of een meisje?'

'Dat kan me niets schelen, zolang het maar gezond is,' zei ze. Ze zat rechtop in haar bed, haar borsten pront vooruit. Rodney probeerde zich niet van de wijs te laten brengen, maar dat mislukte. Hij pakte haar bij de schouders en schuurde met zijn ongeschoren kin langs haar tepels. Ze gilde, trok hem dicht tegen zich aan, rolde toen gauw naar boven en ging wijdbeens op hem zitten.

De ontbijtboel viel kletterend op de grond. De hete zon trok een spoor over het vloerkleed naar het bed en maakte ze een uur later wakker.

Ze douchten langzaam en zeepten elkaar tijdens hun luie naspel beurtelings in. Ze wisten dat ze hun hele leven samen hadden. Tijd om lief te hebben, bemind te worden, en opnieuw lief te hebben.

'Ik heb een fantastisch idee. Het is zo'n prachtige dag en ik ken een paar mooie bergtochtjes. Laten we naar de rijschool gaan en twee paarden huren. Dan kunnen we de ochtend besteden aan wat frisse lucht voor de baby.'

Karen begon te lachen. 'Lieverd, je vergeet dat ik niet zoals jij op een boerderij ben opgegroeid. Ik heb nog nooit van mijn leven op een paard gezeten.'

Barnes kuste haar zachtjes op het voorhoofd. 'Jij hebt mij net een paar rijlessen gegeven, nu is het mijn beurt. We zoeken de tamste oude merrie uit die ze hebben en gaan niet harder dan stapvoets. Het zal net zijn alsof je in een schommelstoel de berg op gaat.'

Karen wilde haar geliefde dolgraag een plezier doen, maar werd nu toch wel bang. 'Denk je niet dat het beter is als ik thuis blijf en een lekkere lunch maak, terwijl jij een stukje gaat rijden?'

'Zonder jou is het niet leuk,' drong hij aan.

'Dan doen we het gewoon niet. We gaan even naar het dorp en halen wat boodschappen. Daarna kan jij de medische tijdschriften lezen die ik in je tas zag zitten en probeer ik een paar culinaire hoogstandjes.'

Maar Barnes was niet te vermurwen. 'Doe toch niet zo truttig,' zei hij beschuldigend.

'Maar is het gebonk van zo'n paard dan niet gevaarlijk voor de baby?'

Hij barstte in lachen uit. 'Als je je baby zou kunnen verliezen door paard te rijden, zouden de wegen verstopt zijn door paardrijdende vrouwen! Kom op, trek je spijkerbroek en een trui aan, en laten we gaan. Je zult zien hoe leuk je het vindt.'

Karen gaf het op, en ging zich aankleden.

'We gebruiken deze oude dame om kinderen te leren rijden. Ze is zo mak als een lammetje,' zei meneer Hill, de eigenaar van de rijschool, toen de twee paarden, nu gezadeld, naar het terrein naast de stallen werden gebracht. 'U hoeft nergens bang voor te zijn, mevrouw Barnes, ze zal de hele weg alleen maar rustig lopen. Alleen op de terugweg, als ze in de buurt van haar huis komt, wil ze nog weleens even opleven.'

Karen klauterde onhandig op het paard. De eigenaar bracht nog een paar correcties aan in de lengte van de stijgbeugels en toen gingen ze op weg.

'Ik zou u eigenlijk niet mogen laten gaan zonder hoofdbescherming,' zei meneer Hill, 'maar u heeft gezegd dat u de paarden niet zult laten draven.'

'Geen zorgen,' riep Barnes over zijn schouder, 'we zullen voorzichtig zijn.' En tegen Karen: 'Als kinderen op de boerderij hebben we nog nooit een cap gedragen, en ik ben van meer paarden afgevallen dan ik me kan herinneren, zonder ooit iets serieus te hebben opgelopen.'

Na een minuut of vijf begon Karen door de rustige bewegingen van het oude paard wat te ontspannen. Het was niet zo erg als ze had gedacht. Ze begon het zelfs leuk te vinden, en keek naar de prachtige bloemen en struiken die op de hellingen van de berg groeiden. Rodney had gelijk.

Na een halfuurtje waarin ze weinig tegen elkaar hadden gezegd en genoten hadden van de bergen en elkaars aanwezigheid, riep Karen: 'Ik krijg pijn in mijn achterste. Zullen we nou maar weer eens naar huis gaan?'

'Gezien je sportieve gedrag van daarnet, vind ik het best,' zei Barnes en liet zijn paard omdraaien. De oude merrie volgde, zonder dat Karen ook maar iets hoefde te doen. Langzaam gingen ze weer langs het pad naar beneden, Barnes voorop, Karen achter hem. Ongeveer driehonderd meter voor de stallen draaide hij zich om in het zadel en riep haar toe: 'Lieverd, ik ga nu even in galop tot aan het hek. Jij blijft in hetzelfde tempo doorgaan.'

Zonder op antwoord te wachten spoorde hij met beide hielen zijn paard aan in de flanken en liet de teugels vieren. Het grote dier sprong weg als een racepaard na het optrekken van het starthek. Karens oude merrie dacht dat dit voor haar een teken was om te volgen, en zette het ook op een draven. Deze plotselinge verandering van snelheid overviel Karen volledig, en de enige manier om te voorkomen dat ze van de merrie afviel, was om de teugels los te laten en het zadel met beide handen vast te pakken. Ze had nu geen controle meer over haar rijdier. Toen Rodney het hek had bereikt, bracht hij zijn paard tot stilstand, draaide het rond en keek langs de weg terug. Hij begreep meteen wat er was gebeurd. Karens voeten waren uit de stijgbeugels geraakt en bij iedere stap van haar paard danste ze in het zadel rond. Haar blonde haar wapperde in de wind en de paniek was op haar gezicht te lezen. 'Zitten blijven, schat,' riep hij. 'Ze stopt zodra ze bij het hek is.'

En dat is precies wat de oude merrie deed. Barnes zou zich de volgende seconden in vertraagde beelden voor de rest van zijn leven herinneren. Door het plotselinge afremmen schoot Karen uit het zadel en zeilde met zwaaiende armen in een grote boog over het hoofd van het paard heen. Haar geschreeuw hield pas op toen haar hoofd met een ziekmakende klap tegen de paal van het hek aansloeg.

Barnes sprong van zijn paard en knielde meteen naast haar neer. Ze lag met haar gezicht naar beneden gekeerd en het bloed sijpelde uit een mondhoek. Hij kon heel goed met een crisis omgaan, als hij zijn emoties opzij kon zetten en de situatie methodisch benaderen, maar nu wist hij absoluut niet wat hij moest doen. Er kwam een wolk voor de zon en de schaduw viel over de twee beklagenswaardige figuren op de grond naast het hek.

Hij hoorde alleen nog maar Karens aandringen om niet te gaan rijden. Waarom, o, waarom had hij dan toch zijn zin doorgedreven?

Hij merkte dat er een man naast hem was geknield. 'Is het erg?' De stem van de rijschoolhouder bracht Barnes ineens terug naar de werkelijkheid. Hij kon weer helder denken en de toestand van Karen onderzoeken. Ze was bewusteloos, maar haalde nog wel adem. Haar polsslag was versneld, maar sterk genoeg om de bloedsomloop op gang te houden.

Maar haar ademhaling werd plotseling moeizamer. Ze zou waarschijnlijk al gauw kunstmatig moeten worden beademd. Hij kon niet op een ambulance wachten, het zou zeker een halfuur of langer duren voordat die er was.

Hij keek op. 'Mijn sleuteltjes zitten nog in de auto. Zou u de auto willen ophalen – vlug?'

Toen de Mercedes arriveerde, parkeerde de man naast Karen en deed beide achterportieren open. Toen legden de twee mannen haar op de achterbank, het hoofd voorzichtig ondersteunend om te voorkomen dat er nog meer verwondingen zouden ontstaan, en haar benen zo gebogen dat ze plat kon liggen. Barnes schoof de voorstoel naast de chauffeur zover naar voren als maar kon en kroop toen op de vloer, zo dicht mogelijk bij Karen. Hij pakte haar hoofd stevig vast en riep tegen meneer Hill dat hij zo snel als hij kon naar het Groote Schuur-ziekenhuis moest rijden.

Barnes herinnerde zich weinig meer van de race naar het ziekenhuis, behalve dat Karen twee keer ophield met ademhalen en hij haar mond-op-mond-beademing moest geven.

Eindelijk stopte de auto. Ze stonden bij de ingang voor Eerste Hulp. De ziekenbroeders tilden Karen van de achterbank op een brancard en reden haar de receptie binnen. Barnes liep ernaast en werd onmiddellijk herkend door een arts-assistent. De jonge arts zei iets, maar hij hoorde het niet. Het enige wat hij hoorde was zijn eigen stem, die smeekte, onderhandelde. 'Alstublieft lieve god, laat haar niet doodgaan.' Hij stikte haast in zijn schuldgevoel. 'Alstublieft, laat haar leven en mijn kind ook.'

HOOFDSTUK 17

In het afgesloten gedeelte van het dierenverblijf bereidde een opgewonden Kapinsky zich voor op de geboorte van zijn kind. Hij herinnerde zich levendig zijn gevoel van triomf, toen de scan liet zien dat de
tiende baviaan, die hij mevrouw Kapinsky had genoemd, zwanger
was – de foetus was een product van een bavianeneicel bevrucht met
zijn eigen sperma. Hij had er heel lang over nagedacht wat daar het
uiteindelijke resultaat van zou zijn. Het jong zou waarschijnlijk een
aantal menselijke trekken vertonen, en een aantal typische eigenschappen van zijn moeder hebben geërfd. Hij hoopte dat het de intelligentie
van een mens had en het gestel van een aap.
Mevrouw Kapinsky was nu uitgerekend en begon rusteloos te worden. Gisteren had ze haar tanden tegen hem ontbloot. De bevalling
moest binnen de komende vierentwintig uur plaatsvinden. Hij had
Samuel al gewaarschuwd, die nu bij hem in de kleedkamer van de
schoonmakers woonde en dag en nacht paraat stond.
'Het wordt een prachtig kind, mevrouw Kapinsky,' kweelde hij tegen
de hogelijk opgezwollen baviaan. Ze gromde, stak een klauw door de
tralies van de kooi en maakte aanmoedigende geluidjes. 'En slim ook,
lieve schat,' zei Kapinsky, en legde een appel in haar hand. Ze griste
die weg en ging achter in de kooi zitten. 'Maar ik ben bang dat je niet
veel van onze baby te zien krijgt. Ik moet hem bij je weghalen.'
De baviaan zat op de appel te kauwen en keek Kapinsky aan zonder
met haar ogen te knipperen.
'Ja, mevrouw Kapinsky. Wij zullen je kind verzorgen. Ik weet dat
bavianen goede moeders zijn, maar ik wil het risico niet lopen dat er
iets misgaat.'
Deze baviaan was heel gedwee, maar Kapinsky had bergen materiaal
over de diersoort gelezen, en wist dat ze vaak hun jongen afmaakten
als ze afwijkingen vertoonden, of zich anders gedroegen dan normaal.
En dat mocht hem met dit kostbare bavianenjong niet overkomen.
Hij keek om zich heen. Iedere denkbare voorzorgsmaatregel was genomen. In de hoek van het dierenverblijf stond een complete kinderkamer gereed, uitgerust met een couveuse, een wieg, luiers, kleertjes en

apparatuur om de flessen te steriliseren en eten klaar te maken. Een internationale topdeskundige op het gebied van zoogdieren, verbonden aan de Frankfurt Zoo, had hem de gegevens verschaft over de beste melkvoeding voor de zuigeling. Hij had deze een klein beetje aangepast, in de hoop dat die zo ten goede zou komen aan de menselijke component in het kind. Hij had heel veel informatie vergaard over kinderen die met de keizersnede waren verlost of te vroeg waren geboren, en deze dekte ongeveer alle problemen die zich zouden kunnen voordoen. Mevrouw Kapinsky had hem niet dicht genoeg in de buurt gelaten om de hartslag van de foetus te kunnen controleren, maar de voortekenen waren goed. Het werd tijd dat Samuel aan het werk ging.

Samuel voelde zich aanvankelijk niet helemaal op zijn gemak, toen hij naar de kleedkamer van de schoonmakers verhuisde. Zijn weerzin en angst voor Kapinsky werden getemperd door zijn grote wens meer ziekenhuiservaring op te kunnen doen. Als hij genoeg afwist van de blanke geneeskunst kon hij net zo machtig worden als de medicijnman. Dan kon hij teruggaan naar zijn thuisland, bij zijn volk gaan wonen en rijk worden.

Overdag deed hij zijn normale werk voor dokter Barnes, maar 's avonds, als de anderen naar huis waren, begroeven Kapinsky en hij zich onder stapels boeken en tekeningen over wat er gedaan moest worden. Hij herinnerde zich nog wel zijn verbazing toen hij ontdekte dat de operatie bedoeld was om een baby te halen via een opening in de onderbuik. Daar had hij nog nooit geopereerd, maar het zag er wel een stuk gemakkelijker uit dan het openen van een borstkas. Hij oefende de in de leerboeken beschreven technieken, door gebruik te maken van de dieren die naar de autopsie-afdeling werden gebracht. De incisie moest worden aangebracht tussen de twee lange spierkabels die aan weerszijden van de onderbuik liepen. De rest van de operatie vereiste verbazingwekkend weinig vakmanschap, en bestond voornamelijk uit het snijden in de baarmoeder en het verwijderen van de foetus. Kapinsky had hem gewaarschuwd dat hij dit deel van de operatie alleen moest doen, aangezien hijzelf geheel in beslag zou worden genomen door de handelingen rond de narcose. Het was blijkbaar heel moeilijk een baviaan net genoeg onder verdoving te houden dat hij kon worden geopereerd, en zonder de levensfuncties zo te onderdrukken, dat het leven van de baby er gevaar door liep.

Voor Samuel begon de dag als ieder andere. De routinewerkzaamheden van de dierenkamer hielden hem en de andere schoonmakers bezig tot na de lunch, toen dokter Kapinsky had gebeld om te zeggen dat het vanavond moest gebeuren.

'Lieve hemel, Boots!'

Hij werd met een ruk tot de werkelijkheid teruggeroepen door een geërgerde reactie van dokter Louw, die hem attendeerde op het bloed op het operatieveld.

'Maak dat schoon, Boots, en word wakker. Je zit met je hoofd ergens anders, man. Je moet er wel bij blijven,' zei dokter Louw.

Samuel mompelde een verontschuldiging en probeerde zich te concentreren, maar zijn gedachten gingen uit naar die avond.

Voor Kapinsky kroop de tijd voorbij. Het was onmogelijk het dierenverblijf overdag te gebruiken zolang de schoonmakers en de medische staf er nog waren. Erger nog, er waren wat vervelende complicaties ontstaan bij de transplantatie van die dag, die de boel alleen maar ophielden. Hij vloekte en ging zelf kijken wat er aan de hand was.

Het was even over vijf. De operatie was voorbij, maar het dier lag nog op de tafel. Zijn conditie was niet stabiel, en er was een probleem met het bloeden. Dit was een ramp. Het duurde hooguit nog een paar uur voordat mevrouw Kapinsky ging bevallen. Het stond wel vast dat de foetus te groot was voor de bekken-opening en onder zware druk kwam te staan als de baarmoeder niet van haar last werd bevrijd. Bij dieren duurde zoiets niet lang, en de foetus zou al dood kunnen zijn voor de bevalling plaatsvond.

Hij keek naar de baviaan op de tafel, verbonden aan het narcose-apparaat en beademd met een mengsel van zuurstof en lachgas om hem buiten bewustzijn te houden. Er was verder niemand in de buurt. Dit dier moest zo gauw mogelijk verdwijnen, naar de verkoeverkooi – of waar dan ook, als het maar niet hier bleef en de zo zorgvuldig geplande keizersnede van mevrouw Kapinsky in de weg lag. Een kleine bijstelling van de machine en het probleem was opgelost.

Hij draaide de zuurstoftoevoer uit, de lachgastoevoer omhoog, en verliet de kamer, de deur op een kier zodat hij de hartmonitor in het dierenverblijf kon horen. Het leek wel een eeuw te duren voor een toenemend aantal piepjes aangaf dat er een zuurstofgebrek was ontstaan. Na nog een minuut werd het signaal onregelmatig. Nu kon het niet lang meer duren, dacht Kapinsky. Maar het duurde twee volle, slopende minuten voordat het geluid drastisch veranderde en hij besefte dat het hart was gaan fibrilleren. Toen hoorde hij rennende voetstappen. Een of andere bemoeizuchtige druiloor die iets had gemerkt, en nu in de operatiekamer was. O god, ze probeerden waarschijnlijk het hart weer op gang te krijgen...

'Ik hoorde de monitor, wat is er aan de hand,' riep hij en rende de operatiekamer binnen.

Daar stond een bezorgd kijkende Victor. 'Dokter, de baviaan die door dokter Louw is geopereerd heeft problemen. Zijn hart slaat niet meer. Ik begrijp niet wat er mis is...' Hij keek verschrikt naar het scherm van de monitor.

Prima, die stomme sukkel heeft nog niet gemerkt dat de zuurstoftoevoer was afgesloten. 'Geef me een handpomp. Ik ga met de hand beademen,' zei Kapinsky hard – hoe harder je riep hoe zenuwachter deze minkukels werden.

Victor rende naar een kast, terwijl Kapinsky de luchtslang van de machine losmaakte. Victor gaf hem de handpomp. Hij bekeek het ding op zijn gemak, verbond het met het uiteinde van de luchtbuis en begon het samen te drukken. Iedere pompbeweging blies de longen op – maar kostte ook meer waardevolle tijd en bracht dit verdomde beest misschien wel weer tot zijn positieven. Hij moest er wel voor zorgen dat het hart niet weer op gang kwam.

Op dat moment kwam Samuel binnen, verbaasd Kapinsky daar te zien.

'Boots! Goede man, precies op tijd. Hier, neem eens over,' zei Kapinsky en gaf Samuel de handpomp. Hij nam deze zonder nadenken over en vroeg zich af waarom deze blanke dokter zo blij was hem te zien. 'Pompen, man, pompen,' zei Kapinsky en keek vertwijfeld de kamer rond. Het anesthesieplateau? Er moest iets van kalium zijn. Ja, daar had je het, en godzijdank lag het al klaar, met injectiespuit en al. 'Waarschijnlijk een kaliumtekort,' zei hij tegen Victor. Hij nam de spuit van het plateau, verbond die met de intraveneuze lijn en leegde de inhoud in de bloedsomloop van de baviaan.

Binnen een paar seconden werd het hart rustig. Kapinsky voelde een sprankje hoop. De dosis was groot genoeg om de hartspier te verlammen en het zou onmogelijk zijn hem weer op gang te krijgen.

'Vlug, de defibrillator,' riep hij uit. Victor schoot langs de verbijsterde Samuel en reed het apparaat naar de tafel. Samuel had de kalium naar binnen zien gaan en wist welke gevolgen dat kon hebben. Waarom, dacht hij, zou dokter Kapinsky een van dokter Barnes' experimentele dieren willen doden? En waarom zoiets nadat ze de hele middag aan een ingewikkelde harttransplantatie hadden gewerkt? Het sloeg nergens op – maar deze dokter deed wel meer vreemde dingen. Na bijna vijf minuten van herhaalde schokken en een aantal injecties legde dokter Kapinsky uiteindelijk met een verslagen gezicht de defibrillatorpaddles neer. 'Het heeft geen zin. De hersenen van het dier zijn intussen dood. Victor, jij en de anderen kunnen nu wel naar huis. Jullie hebben een lange dag achter de rug. Boots en ik ruimen hier verder wel op.'

Blij dat hun lange dag erop zat, trokken Victor en zijn twee schoonmakers hun overalls uit en vertrokken. Samuel Mbeki en deze boze blanke man konden het werk nu doen, grapten ze. Ze vonden het blijkbaar toch al leuk bij de dieren te wonen.

Kapinsky deed de deur achter ze op slot en zag toen dat Samuel nog steeds bezig was de dode baviaan te beademen. 'Wat ben jij nou in vredesnaam aan het doen?' krijste hij.

Samuel maakte een sprongetje van schrik. Hij deed wat hem was gezegd en nou was dokter Kapinsky alweer boos.

'Het stomme beest is dood. Haal het van de tafel en zorg dat het verdwijnt!' riep Kapinsky, tot het uiterste getergd. 'En maak die tafel in orde,' brulde hij over zijn schouder, op weg naar de dierenkamer.

Samuel kwam meteen in actie. Hij rolde de draden van de defibrillator op, stopte de met bloed besmeurde lakens die over het lichaam lagen in een waszak, rolde het verbazingwekkend zware dier op een afvalwagentje en bedekte het lijk met een wit laken. Victor en de anderen zouden daar morgen verder voor zorgen.

Hij sopte de tafel met een antiseptische vloeistof, legde een stapel steriele lakens bij het ene einde en schoof een plateau instrumenten in de sterilisator. Zijn hart bonsde, of dat van angst of van opwinding was wist hij niet. Wat hij wel wist, was dat hij op het punt stond zijn eerste keizersnede te gaan toepassen bij een levend dier.

Kapinsky vond mevrouw Kapinsky bewegingloos liggend op de vloer van de kooi. Hij keek stomverbaasd naar haar en kon zijn ogen niet geloven. Zij had haar ogen gesloten en er was geen beweging in haar borst. 'Dit kan je me niet aandoen,' kreunde hij, zijn keel schor van angst. Hij rommelde aan de veiligheidspen, kon de veerklem maar niet open krijgen en werd steeds wanhopiger. Zijn stem begon te smeken: 'Ons kind, ons kind moet geboren worden.' De pen schoot terug en de kooi zwaaide open. Mevrouw Kapinsky knipperde met haar ogen. Natuurlijk! Hij had het dier een kalmeringsmiddel gegeven zodat hij haar zonder tegenstribbelen kon verdoven. Hij was dat door al dat gedonderjaag in de operatiekamer helemaal vergeten. Er was niets met haar aan de hand! Hij controleerde haar pols. Die was langzaam en sterk. Ze haalde normaal adem. Mevrouw Kapinsky was in een uitstekende conditie om het leven te schenken aan een gezonde nakomeling. Hij deed de deur van de kooi weer dicht en haastte zich terug naar de operatiekamer. Samuel was de vloer aan het dweilen.

'Ik ben bijna klaar, baas, maar de instrumenten moeten nog ongeveer tien minuten in de sterilisator,' zei hij, vooruitlopend op Kapinsky's vragen.

'Heel goed, Boots.' Kapinsky was bijna mild gestemd. 'Ik haal het dier op een karretje hier naartoe. Zodra we haar op de operatietafel hebben, en ze is vastgemaakt kun jij je gaan wassen. Ik verdoof haar wel en leg de instrumenten klaar.'

Samuel voerde het inmiddels routineuze ritueel uit van het handen en armen wassen, en het aantrekken van jas, masker en handschoenen. Toen hij klaar was ging hij bij de tafel staan en keek naar Kapinsky. Het verbaasde hem te zien hoe ervaren deze de baviaan intubeerde en verdoofde. Dat moest hij al heel wat keren eerder hebben gedaan. Waarom opereerde hij het beest dan eigenlijk niet zelf?

De baviaan lag op haar rug, haar benen vastgebonden aan het ondereinde van de tafel. Beide armen waren uitgestrekt en aan de armsteunen vastgemaakt. Samuel kreeg ineens het gevoel dat het wel leek of ze gekruisigd was, haar gezwollen buik in die houding nog duidelijker zichtbaar. Hij had vroeger, in het wild, wel meer zwangere bavianen gezien, maar nooit een die zo bol stond.

Kapinsky plaatste het infuus op de rechterarm van de aap. Hij lachte naar Samuel. 'Ik maak nu het operatieveld voor je in orde en dan kun je je gang gaan.' Toen schoor hij heel voorzichtig en toegewijd de onderbuik, waste die met een antiseptisch preparaat, droogde hem zorvuldig met een steriele handdoek en smeerde deze toen in met een jodiumoplossing.

Zonder iets te zeggen dekte Samuel het operatieveld steriel af. 'Ik ben klaar, baas,' zei hij.

Kapinsky was druk bezig met het opnieuw controleren van de pols en de ademhaling. Hij wilde graag beginnen, maar was bang iets over het hoofd te zien. 'Oké, heel eventjes nog. Ik wil haar nog iets meer verdoven. Ze heeft maar een klein beetje gehad en beweegt zich misschien als je de huidincisie maakt.'

Na een paar minuten zei hij: 'Oké, begin maar.'

Samuel nam het ontleedmes en maakte een lange incisie over het midden van de buik. Hij sneed vakkundig door de huid en het vet tot waar de twee spierbundels elkaar ontmoetten. Met een doekje in zijn andere hand veegde hij de wond schoon om te kunnen zien waar het bloedde en schroeide die plekken al doende zorgvuldig dicht. Hij had elke handeling van deze operatie al wel honderd keer geoefend. Hij wist iedere keer precies wat de volgende stap was, maar kreeg het toch steeds benauwder naarmate de operatie vorderde. Het leek wel alsof hij toesneed op een groot kwaad.

Hoe dichter hij bij de gezwollen baarmoeder kwam, hoe sterker dat gevoel werd. Zijn handen begonnen te trillen.

'Wat is er met jou aan de hand?' vroeg Kapinsky.

Samuel draaide zich in zijn richting, het zweet parelend op zijn voorhoofd.

'Hier,' zei Kapinsky, met een opgerolde handdoek in zijn hand om het zweet weg te vegen. 'Je laat me nou toch niet in de steek!'

Samuel zag de ijskoude blik in zijn ogen, als van een cobra die op het punt staat toe te slaan. Zoiets had hij nog nooit eerder gezien. Mensen die boos waren, kwamen wel weer tot rede, maar de blik van deze man voorspelde niet veel goeds. Het was de blik van iemand die koste wat het kost zijn doel wilde bereiken.

Hij draaide zich weer om naar de operatietafel. Ik moet deze klus afmaken en zorgen dat ik wegkom, dacht hij. Hij ging niet nog een nacht alleen met Kapinsky doorbrengen. Hij ging terug naar de township, hoe laat het ook werd.

Met gebruikmaking van een spreidtang lichtte hij de schede van de onderliggende structuren en maakte een opening via het buikvlies naar de buikholte. Hij maakte de incisie groter met een schaar, en de zwangere baarmoeder kwam te voorschijn.

'Openmaken,' zei Kapinsky. Samuel herkende zijn stem haast niet. Die klonk toonloos, koud en gebiedend. 'Openmaken en kijken wat er inzit,' vervolgde Kapinsky.

Samuel plaatste een spreidhaak om de incisie open te houden. Hij werd overspoeld door een golf van steeds groter wordende afschuw, een voorgevoel van wat hij zo te zien zou krijgen.

Met vochtige gaasjes duwde hij de slingers van de kleine ingewanden weg en maakte voorzichtig een kleine incisie in de holte van de opgezwollen baarmoeder.

'Maak dat verdomde ding nou open,' zei de kille stem in zijn oor.

Gehoorzaam maakte hij met een schaar de opening groter en een straal vruchtwater spoot naar buiten, gevolgd door een kleine maar perfect ontwikkelde mensenhand.

Samuel gaf een gil en wilde zich uit de voeten maken, maar zijn benen weigerden dienst. Hij stond aan de grond genageld en staarde naar het volmaakte handje dat stukje bij beetje uit de baarmoeder werd gedrukt door de harige arm van een baviaan.

'Het hoofd, haal het hoofd eruit, idioot,' siste Kapinsky.

Dat deed het hem. Hij liet de schaar vallen, rukte zijn masker af en rende de operatiekamer uit. Hij denderde de trappen af, het gebouw uit, en rende doelloos over het terrein, tussen de schaduwen van de gebouwen door, tot hij struikelde over een stoepje en tegen de muur van het anatomiegebouw smakte.

Secondenlang stond hij in het donker naar adem te snakken, als de dood dat het monster in het dierenverblijf achter hem aan zou komen. Hij zakte door zijn knieën en ging op de stoep zitten, niet wetend wat te doen. Hij kon niet naar Langa gaan in zijn operatiejas met alleen zijn ondergoed daaronder. Moest hij dokter Barnes opbellen en vertellen wat hij had gezien? En hem ook zeggen dat dokter Kapinsky zijn transplantatiedier had vermoord?

Nee, dat zou niet verstandig zijn voor een zwarte man. Dokter Kapinsky zag eruit alsof hij gek was geworden. Samuel had hem wel eens vaker kwaad gezien en wist wel zeker dat hij hem zou vermoorden als er ook maar iets van dit alles zou uitlekken. Kapinsky had dit trouwens diverse keren tegen hem gezegd, toen ze in het dierenverblijf woonden. Hij had toen gedacht dat de blanke man hem alleen maar bang had willen maken, maar hij wist nu dat hij het wel degelijk had gemeend.

Allerlei gedachten dwarrelden door Samuels hoofd. Als hij hiervandaan in deze kleren ergens naartoe ging, werd hij zeker door de politie opgepakt. Die zou contact opnemen met het ziekenhuis en wie weet wat dokter Kapinsky dan zei? Als hij niet al in de gevangenis werd gegooid, raakte hij toch zeker zijn baan kwijt.

Hij bleef hier zitten tot het licht werd, hield zich gedeisd tot de dagploeg kwam en zag dan wel wat er gebeurde. Doodmoe, bezeerd en vol pijnlijke plekken, zakte hij weg in slaap.

Hij werd wakker omdat iemand zijn naam riep. Kapinsky stond voor hem, met het lichaam van de baviaan in zijn grote armen. Aan alles was te zien dat het dier dood was. Mijn einde is ook nabij, dacht hij, en bereidde zich voor op een aanval van de krankzinnige dokter.

Maar Kapinsky bewoog zich niet. Samuel stond voorzichtig op, klaar om te vluchten, en zag toen tot zijn verbazing dat Kapinsky stond te huilen. De tranen liepen over zijn wangen.

'Ze is dood,' snikte Kapinsky. Zijn schorre stem brak. 'Je bent midden in een operatie weggerend, dokter. Jij hebt haar vermoord.' Er klonk geen woede in zijn stem, alleen de constatering van het feit.

Maar dat hoorde Samuel niet eens. Hij had hem 'dokter' genoemd. Een blanke dokter had hem dokter genoemd. Dit was meer dan hij ooit had durven hopen.

Kapinsky liet het dier langzaam uit zijn armen op de stoep zakken, lange strepen bloed trokken over zijn groene operatiejas. 'Samuel, wil je haar alsjeblieft naar de verbrandingsoven brengen? Laat de vlammen haar lichaam verteren,' zei Kapinsky. Toen draaide hij zich langzaam om en verdween in de duisternis.

Samuel zei niets en werd door wroeging gekweld. Hij was getraind om een belangrijke operatie te verrichten. Men had hem het leven van een patiënt toevertrouwd en hij was gevlucht, de patiënt bloedend op de tafel achterlatend. Het dier was dood en dat was zijn fout. Hij had kunnen weten dat één persoon de operatie niet alleen aankon. Hij had de baviaan gedood, en ook de dromen van dokter Kapinsky om veel van deze operatie te leren.

Verdrietig nam hij het karkas van mevrouw Kapinsky op zijn schouders, en sjokte terug naar de verbrandingsoven van het proefdierenlab. Binnen legde hij het lijk op de tafel naast de oven, draaide het gas aan en drukte op de ontstekingsknop.

Toen de vlammen tot leven kwamen viel hem iets op aan de geschoren onderbuik van de baviaan. De grote incisie was met een doorlopende hechting ruw dichtgenaaid, alsof het achterliggende geheim voor eeuwig moest worden verborgen. Samuel keek naar de strak dichtgetrokken wond die zich over de opgezwollen buik van de baviaan uitstrekte. Het jong was dus ook dood. Dokter Kapinsky had die afschuwelijke hand weer door het gat van de baarmoeder teruggeduwd en de buikwand boven zijn monsterachtige creatie gesloten – nu godzijdank niets meer dan een levenloos uitgroeisel in het dode lichaam van zijn surrogaatmoeder.

Maar wat was het eigenlijk geweest, wat hij uit die opengesneden baarmoeder had zien verrijzen? Waarom niet even gekeken? Zien wat dokter Kapinsky de laatste maanden zo had geobsedeerd. Zelf zien wat deze blanke man met de krankzinnige ogen had gecreëerd. Hij tilde het lichaam op en droeg het naar de snijtafel in het mortuarium. Uit de instrumentenkast koos hij een schaar en ontleedtang. Hij knipte het knoopje eraf en verwijderde de hechtdraad met een stevige ruk aan het losse einde.

De wond spleet open en er drong iets naar buiten. Samuel sprong naar achteren en zag toen wat het was. In het volle licht van de snijkamer keek hij naar een plastic zak. Die was aan een kant opengegaan en bleek vol te zitten met oude kranten. Hij trok de zak uit de buikholte, duwde de ingewanden opzij en keek naar binnen. Daar was de incisie die hij in de baarmoeder had gemaakt, waardoor nu een afgebonden navelstreng naar buiten stak. Hij keek nog eens nauwkeuriger.

De schoot was leeg. Het ding, of wat het dan ook was aan wie de hand toebehoorde, was verdwenen.

In het laboratorium zat Kapinsky achter zijn bureau, nog steeds gekleed in handschoenen en operatiejas. Plotseling barstte hij in lachen uit. Ik had verdomme acteur moeten worden, dacht hij. Ik heb me voor niets zorgen gemaakt. Het had allemaal niet beter kunnen verlopen. Die arme stomkop dacht dat hij net had verbrand wat hij op de operatietafel had gezien.

Maar daarin vergiste Kapinsky zich danig. Toen Samuel de baviaan op de rollers legde en het dier in de vlammen schoof, nam hij een ferm besluit. Hij ging uitzoeken wat voor wezen dokter Kapinsky had gecrreëerd. Hij was nu een dokter, een medicijnman. Hij wist alles over leven en dood: hoe deze op te wekken en hoe deze te vernietigen. De kennis die dokter Kapinsky had opgedaan, was ook voor hem bestemd. Hij had tenslotte geholpen die tot leven te roepen.

In het huisje aan het strand zat Barnes en staarde naar de vuile ontbijtboel. Nadat Karen in het ziekenhuis was opgenomen, had hij met professor Anderson gepraat, het hoofd van de afdeling traumatologie, die hem had verzekerd dat alles werd gedaan wat maar binnen hun bereik lag. Tijdens al zijn jaren in het ziekenhuis had hij geleerd dat in de eerste cruciale uren van de behandeling vrienden of familie van patiënten alleen maar in de weg liepen, en in de wetenschap dat Karen in goede handen was, had hij zich teruggetrokken. Hij kon zich de reis terug naar het strandhuis niet meer herinneren, maar toen hij het onopgemaakte bed zag, werd hij overspoeld door een golf van wroeging en schuld.

Vol tegenzin liet hij haar verwondingen nog eens de revue passeren. Het meest onheilspellend vond hij het straaltje heldere vloeistof dat uit een oor was gelopen, een teken dat vocht uit het ruggemerg en de hersenholtes ontsnapte via een fractuur van de schedelbasis. Waarom bloedde ze uit haar mond? Alleen een scan kon aantonen hoezeer de hersenen waren beschadigd.

Hij voelde zich verschrikkelijk. Hij had de gebeurtenissen van die ochtend wel duizend keer doorgenomen en kon maar niet begrijpen waarom hij toch had doorgedrukt om te gaan rijden. Ze had gezegd dat ze geen ervaring had. Hij had moeten begrijpen dat ze alleen maar akkoord was gegaan om hem een plezier te doen. Waarom was hij aan het einde van hun rit bij haar weggeracet? Hij had toch kunnen weten dat de merrie zou volgen? Hij wist dat Karen het paard niet zou kunnen houden als het op hol sloeg. Wat de reden ook was geweest, Karen had er een afschuwelijke prijs voor betaald.

Laat in de middag zat hij nog steeds hun momenten samen te herleven – hun liefdesspel, haar genieten van hun eerste 'huwelijksreis' in het wildpark. En die avonden rond het kampvuur – de nacht dat hij had gezegd dat ze niet te lang moesten wachten met een kind.

Nu vocht ze voor haar leven – en het leven van hun kind. Zodra ze weer beter was, gingen ze trouwen en een omgeving creëren die goed was voor haar dochtertje en hun nu nog ongeboren kind. Ze zouden een warm gezinnetje vormen, vol liefde en geborgenheid.

Hij belde die nacht twee keer naar traumatologie om te vragen hoe het met haar ging. De volgende morgen belde een medelevende receptioniste om te zeggen dat professor Anderson hem wilde spreken. Hij vertrok meteen naar het ziekenhuis, maar zonder al te veel hoop.

'Ga zitten, Rodney,' zei John Anderson. Dat deed Barnes. Door de slapeloze nacht voelde hij zich doodmoe, duf en prikten zijn ogen. Anderson knikte naar iemand achter hem en er werd een kopje koffie op het bureau gezet. 'Melk? Suiker?' Anderson betoonde zich een voorbeeldig gastheer. Barnes deed automatisch wat er van hem werd verwacht en roerde zijn koffie alsof er niets belangrijkers in de wereld was. Een slokje bewees hoezeer hij deze oppepper nodig had en de warmte van de koffie verjoeg iets van de kilte in zijn binnenste.

Anderson wachtte tot zijn kopje half leeg was en pakte toen een groen mapje. Hij kwam meteen terzake. 'Rodney, ik ben bang dat ik geen goed nieuws heb. Karen heeft een ernstige hersenbeschadiging opgelopen, en een fractuur die over de hele basis van de schedel loopt.'

Barnes voelde vanbinnen iets verdorren. Zijn wereld stierf terwijl hij naar zijn collega luisterde, die zonder verder iets te verhullen de naakte medische feiten gaf over Karens conditie. Hij wilde om hulp schreeuwen – was er niet iemand, wie dan ook, die iets kon doen, wat dan ook, om te veranderen wat hij nu hoorde?

Hij dwong zichzelf kalm te blijven en vragen te stellen. 'Hoe zit het met het functioneren van de hersenen? Komt ze weer tot bewustzijn?'

'Ze blijft in leven, maar ik betwijfel of ze ooit weer tot bewustzijn zal

komen. Ook kan ze niet goed meer ademhalen. We hebben een tracheotomie moeten doen en haar aan een beademingsapparaat gelegd.'

Hij weigerde zich voor te stellen hoe Karen daar lag, de onderkant van
haar keel opengesneden, een buis ingebracht zodat een machine haar
longen met lucht kon vullen.

'Haar longen zijn erg vochtig, we moeten ervoor zorgen dat haar luchtwegen vrij blijven.'

Barnes deed zijn uiterste best zich in bedwang te houden. 'Is er nog
meer, John?' vroeg hij.

Anderson keek hem vol medelijden aan. Hij zag de man voor zijn ogen
in elkaar storten. 'Ik moet je ook nog mededelen dat Karen een paar
uur na binnenkomst een miskraam heeft gehad.'

Barnes sloeg zijn ogen neer en mompelde iets onverstaanbaars.

'Wat zeg je, Rodney?'

Hij staarde Anderson aan met ogen vol onpeilbaar leed. 'Ik wil haar
graag zien,' zei hij.

'Natuurlijk, beste vriend. Je kunt haar net zo vaak opzoeken als je wilt,'
zei Anderson. 'Kom maar mee.'

Karen lag alleen op een kleine kamer. Anderson vertrok en er was
verder niemand anders in de buurt. Het enige geluid was dat van de
hartmonitor, die een sterke hartslag aangaf. Bloed dat naar hersenen
circuleerde die nauwelijks in leven waren. Hij had altijd beweerd dat
het hart er alleen maar was om de hersenen in leven te houden. Als de
hersenen eenmaal dood waren, had dat orgaan verder geen functie
meer in het lichaam. Hij vroeg zich nu af of die theorie ook opging voor
patiënten van wie de hersenen niet helemaal dood waren, maar dusdanig beschadigd dat ze nooit meer tot bewustzijn kwamen.

Als het leven de essentie is van leven, heeft dat leven dan nog wel zin
voor iemand van wie het bewustzijn voorgoed is afgesloten?

'Karen?'

Er kwam geen antwoord. En dat kon ook niet. Ze was toch diep en
onherroepelijk buiten bewustzijn? Maar als ze het nu eens mis hadden? Een medische diagnose was niet onfeilbaar. Wat als er nu toch iets
was waar hij bij kon?

Hij kuste haar zachtjes op haar wang en begon te praten, eerst vertelde
hij haar snikkend over al zijn spijt, later fluisterde hij over alle plannetjes voor de toekomst. In het uur dat volgde liep er enige keren een
verpleegkundige in en uit, maar hij merkte daar nauwelijks iets van.
Hij praatte en praatte, met als enig antwoord de piep van de monitor
en de zucht van het beademingsapparaat.

Eindelijk nam de woordenvloed af. Ze lag daar stilletjes, haar ogen gesloten, zonder zich te bewegen. Hij nam haar hand, hield die vast en keek naar haar goedverzorgde vingernagels. Ze had er altijd goed verzorgd uitgezien, aandacht besteed aan haar uiterlijk en gezondheid. Nu zou dit prachtige lichaam geleidelijk aan wegteren. Hier in bed, elke paar uur door een verpleegkundige omgedraaid, soms mischien bezocht door een fysiotherapeut, zouden haar spieren langzaam maar zeker degenereren en de bindweefsels samentrekken. Binnen een paar weken al zou ze verkrampen tot in de foetale houding, haar lichaam zich helemaal oprollen. Erger nog, tenzij ze de allerbeste verzorging kreeg die maar mogelijk was, ging ze doorliggen – met afschuwelijke etterwonden als gevolg die haar vlees op den duur zouden opvreten tot op het bot.

Ineens, zeer geschokt, realiseerde Barnes zich dat hij wilde dat ze doodging. Deze emotie was zo krachtig, dat hij bijna flauwviel en hij bleef alleen maar overeind omdat hij Karen bij de hand had. Hij stopte haar hand zorgvuldig onder de dekens en ging bij haar vandaan. Met zulke gevoelens kon hij niet met haar in dezelfde kamer blijven.

Maar hij wist wel dat hij niet werkeloos kon toekijken hoe ze daar lag te sterven. Hij wist ook nog iets anders. Zijn hart leek wel van steen.

HOOFDSTUK 18

'Het is jouw verdomde schuld,' vloekte Kapinsky en keek Barnes ra- zend aan. 'Van jou en die zwarte klootzak, die jij hebt opgeleid tot een zogenaamde chirurg.'

Kapinsky's aanval was zo hevig en onverwacht dat Barnes een spron- getje maakte van schrik. Hij opende zijn mond, maar Kapinsky gaf hem geen kans.

'Jij zei dat hij goed met een mes kon omgaan. Nou, dat zal best, maar dan zeker alleen bij zijn dronken knokpartijen.'

Kapinsky kwam vlakbij Barnes staan en keek hem doordringend aan. Hij was bleek, onverzorgd alsof hij met zijn kleren aan had geslapen, zijn haren stonden alle kanten op. 'Die verrekte *kaffer* van jou,' zei hij langzaam, 'heeft mijn dieren afgemaakt.'

Barnes had ineens een stoel nodig. Hij was hier gekomen om Kapinsky te vertellen over de verschrikkingen van de laatste tijd, en nu kreeg hij de wind van voren vanaf het moment dat hij binnenkwam. Hij voelde dat hij niet veel meer kon hebben.

Kapinsky tierde maar door en gaf een gedetailleerd verslag van de rampzalige gebeurtenissen van de vorige avond. Barnes ging op in zijn eigen leed en hoorde nauwelijks wat hij zei.

Kapinsky stopte. Barnes had geen woord gezegd. Had hij hem net zo voor de mal kunnen houden als die nikkerdokter? Hij keek hem wat scherper aan. Er was duidelijk iets met Barnes aan de hand. Misschien had die stomme *kaffer* hem alles al verteld. Hij wachtte.

Barnes keek op. 'Het spijt me, Louis,' zei hij zachtjes. 'Ik heb mijn eigen problemen. Karen is gisteren van een paard gevallen. Ze ligt op de trauma-afdeling met zeer ernstige hersenbeschadigingen.'

Kapinsky was geschokt en begon zijn vriend allerlei vragen te stellen. Het leek wel of hij de sluizen had opengezet.

Kwetsbaar en op zoek naar wat steun, stortte Barnes zijn hart uit. Hij vertelde over zijn liefde voor Karen, hoe goed ze bij elkaar pasten, hun reis naar het wildpark, zijn stompzinnige doordrijverij bij het paardrij- den die ertoe geleid had dat ze nu in een diep coma lag.

'En wat is de prognose?' vroeg Kapinsky.

'Slecht, vrees ik,' zei Barnes. 'Het ziet ernaar uit dat ze niet meer bij kennis komt. En het afschuwelijke is dat ik, toen ik haar zo zag liggen, eigenlijk liever wilde dat ze dan maar dood was.'

'Misschien is dat ook wel het beste. Je hebt zelf altijd gezegd dat de dood onze vijand niet is.'

'Ik neem aan dat het ervan afhangt aan welke kant van het bed je staat.' Hier had Kapinsky geen tijd voor. Dit soort emotionele kletskoek hield minder valide, mentaal verzwakte en waardeloze oude mensen in leven, die intussen wel de plaats innamen van andere. 'Onzin. Een patiënt is een patiënt, ongeacht of het je vrouw, je kind of je vijand is. Emoties mogen geen rol spelen bij een beslissing over het lot van die patiënt.'

Barnes wist dat Kapinsky gelijk had, maar hij was toch ook maar een mens. 'Maar zelf handel je toch ook niet altijd volgens deze opvattingen, Louis,' zei hij. 'Waarom ben je zo boos over die baviaan en haar foetus? Er zijn in de loop van de jaren zoveel van jouw dieren doodgegaan, maar ik heb je nog nooit zo zien reageren als nu.'

Kapinsky dacht razendsnel na. Ze begonnen nu op gevaarlijk terrein te komen. 'Het gaat hier om wat anders. Het beest stierf door de stompzinnigheid en slordigheid van die nikker die jij zo had aanbevolen.'

Deze opmerking maakte Barnes nijdig. 'Hou nou eens op met die kreten als "nikker" en "kaffer". Die slaan nergens op en klinken buitengewoon racistisch.'

Voor het eerst tijdens hun gesprek glimlachte Kapinsky. 'Racistisch? Realistisch, zul je bedoelen. Deze mensen zijn van een minderwaardig ras. Kunnen zij niets aan doen, natuurlijk. Ze hebben gewoon de pech dat ze inferieure genen hebben geërfd.'

'Dat zeiden de nazi's ook over de joden en je weet waar dat toe heeft geleid.'

Kapinsky schrok van deze vergelijking. Ze kwamen nu wel erg dicht bij zijn diep verborgen gevoelens. Opnieuw onderging hij een van zijn fameuze veranderingen van stemming. 'Sorry, Rodney.'

'Er is nog meer slecht nieuws. Karen was zwanger en Anderson vertelde me net dat ze het kind gisteravond is kwijtgeraakt.'

'Het was maar een embryo en je wilt toch geen kind van een moeder die in coma ligt, wel? Onder de omstandigheden is dit het beste wat had kunnen gebeuren.'

'Dus jij beschouwt een embryo niet als iets dat leeft? Wanneer begint het leven dan wel?'

Op dit gebied had Kapinsky zeer uitgeproken meningen en hij zag er geen been in die te verwoorden. 'Het gaat niet om de vraag wanneer het leven begint, maar wanneer je het recht van leven hebt.'

'Het recht van leven?' vroeg Barnes, oprecht verbaasd, en ondanks zijn verdriet door deze discussie meegesleept.

'Ja, dat is de essentie van het hele debat. Dat is van toepassing op alles wat leeft, *homo sapiens* inbegrepen. Een levend wezen heeft het recht op leven als het van waarde is voor zijn eigen groep.'

'Je bedoelt dat het ongeboren kind en geestelijk gestoorden geen recht op leven hebben, maar jouw bavianenfoetus wel?'

'Precies.'

'Net zoals de zigeuners en de mongooltjes tijdens het nazi-bewind?' hield Barnes vol. Hij vond dat Kapinsky nu maar eens met zijn ideeën voor de dag moest komen.

Maar Kapinsky liet zich daartoe niet verleiden. Hij had te veel moeten doen om zijn afkomst te verbergen en wilde nu niet door een losse opmerking zijn status als gerespecteerde, in Engeland opgeleide, medische wetenschapsman van Poolse afkomst in de waagschaal stellen.

'Rodney, ik heb je gezegd wat ik vind. Maar wat vind jij? Jij velt voortdurend oordelen. Maar waar baseer je die eigenlijk op?'

Het was de beste uitvlucht die hij kon bedenken, en Barnes hapte toe.

'Louis, een leven dat op een bepaald moment als waardeloos wordt beschouwd, kan zich ontwikkelen tot iets van grote waarde als het daartoe de kans krijgt. Neem bijvoorbeeld de foetus in de schoot van Beethovens moeder. Volgens jouw theorie had die geen recht van leven, en zie eens wat Beethoven heeft bijgedragen aan de wereld van de muziek.'

'Ja, en kijk eens wat er gebeurd is met de foetus in de schoot van Stalins moeder,' zei Kapinsky bits. Dit was een kinderachtige discussie, maar toch wel leuk.

Barnes ploegde verder. 'Dat is helaas het risico dat moet worden genomen. Maar je zult toch ook moeten toegeven dat er meer Beethovens zijn dan Stalins. De ongeboren foetus heeft een onbekend potentieel, en wij hebben het recht niet te bepalen of dat een kans moet krijgen of niet.'

'Ben je dan helemaal tegen abortus?'

'Nee, ik zeg dat het doel van de geneeskunst is de kwaliteit van het leven te verbeteren. Als aantoonbaar blijkt dat de continuering van een zwangerschap kan leiden tot een verslechtering van de kwaliteit van het leven van de moeder, of dat het kind geboren wordt met weinig vooruitzicht op een leven van kwaliteit, moet de zwangerschap kunnen worden beëindigd – maar niet omdat het de skivakantie van de ouders kan bederven.'

'Rodney, dit is net zo'n discussie als over het bestaan van God. Je gelooft in God of je gelooft er niet in. In dit geval accepteer je abortus of je blijft stug doorzaniken over het recht op leven. Wat vind je dan van de moeder die zegt: 'Het is mijn lichaam en mijn leven, ik beslis?'

'Ik ben het eens met die moeder en vind toch dat de foetus het recht heeft te leven. Maar je hebt gelijk, we zitten te twisten over heel existentiële principes. Logica is niet de oplossing om harde en vaste regels te bedenken, die opgaan voor iedere situatie die zich voordoet.'

Kapinsky keek op zijn horloge. De baby moest over een kwartier te eten krijgen. Misschien was het nu het moment om Barnes te vertellen over zijn ongelofelijke succes bij het fokken van een baviaan met menselijke genen. Hij kon het toch niet nalaten een laatste sarcastische opmerking te plaatsen.

'Het zal je genoegen doen te horen dat er binnen afzienbare tijd een aantal bavianen geboren wordt die van onmeetbare waarde zijn voor de maatschappij.'

Barnes hapte niet.

Kapinsky leunde vertrouwelijk naar voren. 'En nu ga ik je iets vertellen dat van zeer groot belang is. Het moet wel tussen ons blijven. Ik denk dat de wereld nog niet helemaal klaar is voor deze grote bijdrage. Laten we praten in de computerkamer.'

De telefoon ging. Kapinsky nam op, luisterde even en gaf de hoorn aan Rodney. 'Voor jou.'

Barnes verbleekte tijdens het luisteren. Hij sloot zijn ogen, alsof hij probeerde buiten te sluiten wat hij hoorde. 'Ik moet naar het ziekenhuis,' zei hij kortaf, en vertrok.

Bij traumatologie trof Barnes professor Anderson in zijn kantoor aan. Anderson wees op een stoel.

'Het spijt me je dit te moeten zeggen, Rodney, maar Karen gaat hard achteruit. Ze zakt steeds dieper weg in haar coma.'

Barnes zat vol schuldgevoelens. Zou ze zijn gedachten hebben aangevoeld? Zou ze het hebben opgegeven omdat hij haar dood wilde hebben? *Wilde hij dan echt dat ze doodging?*

Het antwoord kwam met een verblindende helderheid. *Nee, dat wilde hij niet!* Hij wilde koste wat het kost alles doen wat binnen zijn macht lag om het leven van de vrouw die hij liefhad te redden.

'Is er iets wat ik voor je kan doen?'

Barnes knipperde met zijn ogen. Hij was even vergeten waar hij was. 'Heeft ze familie?' hield Anderson vol.

'Ja, ik heb haar ouders in Londen gebeld, maar die namen niet op.' God, hij had helemaal vergeten het nog eens te proberen.

'Ik denk dat je weer moet bellen en ze op de hoogte moet brengen.' Hij was blijkbaar niet in staat om vragen te beantwoorden, laat staan om beslissingen te nemen, dacht Anderson, maar hij had wel wat achtergrondinformatie over zijn patiënt nodig. 'Ik vind wel dat je ze moet vertellen wat er aan de hand is.'

'Gaat ze dood?'

'Rodney, dat kan ik je echt niet zeggen. Waar leven is, is hoop. Het is best mogelijk dat de negatieve neurologische reacties veroorzaakt worden door haar hersenoedeem. Ik heb haar medicijnen gegeven om dat tegen te gaan.'

Waar leven is, is hoop. Het oude ziekenhuiscliché, maar Barnes klampte zich eraan vast. Hij stond op, nu toch wat zekerder van zijn zaak. 'Dank je, Andy. Ik houd je niet langer op. Ik zal Karens ouders inlichten.'

Anderson keek hem na. Hij had Barnes altijd gemogen – een uitstekende chirurg en een eersteklas wetenschapsman. En nu had hij nog weer een andere positieve eigenschap van hem ontdekt: hij kon hevige emoties aan en bleef toch functioneren.

Barnes ging naar zijn kantoor, dat in het weekend onbemand was, en rommelde in Fiona's onberispelijke opbergsysteem. Hij vond wat hij zocht: Karens cv, werknemersverklaring, en papieren van haar pensioenfonds van de universiteit, waarin haar ouders als naaste familieleden stonden vermeld. Hij belde meteen en realiseerde zich pas dat het even na middernacht was in Londen, toen bleek dat hij haar vader had wakker gemaakt. Hij vertelde wie hij was en viel toen meteen met de deur in huis.

Gareth Jones was een gepensioneerde majoor van de landmacht en nam al na korte tijd de leiding van het gesprek. Zijn vrouw en hij kwamen met de eerstvolgende vlucht. Barnes kon ze van het vliegveld halen. Zij zouden hun intrek nemen in Karens huis en voor Kimberley zorgen. Kimberley? Lieve God, hij was Kimberley helemaal vergeten, dacht Barnes. Majoor Jones zei dat hij hun aankomsttijd nog zou laten weten zodra hij hun vlucht had geregeld en hing op.

Barnes keek op. Fiona stond in de deuropening. Ze liep om het bureau heen en omhelsde hem woordeloos. Door dit gebaar brak zijn weerstand en hij barstte in tranen uit. Ze hield hem vast terwijl hij huilde om

Karen, om zichzelf, om de verwoesting aangericht in het leven van een klein meisje, en om de zinloosheid van dit alles.

Fiona zei dat ze over het ongeluk had gehoord op de radio en meteen naar kantoor was gekomen. 'Laat Kimberley maar aan mij over,' zei ze. 'Ik ga nu meteen naar hun huis en praat wel met Grace. Wij regelen wel dat er continu iemand is tot de grootouders er zijn. Desnoods blijf ik daar.'

Het hartteam en alle andere medewerkers van de afdeling stonden als één man achter Barnes. Hij was diep onder de indruk van de steun en de sympatie die hij van hen ondervond.

Des Louw en Alex Hobbs namen de lopende medische zaken van hem over, terwijl hij uren aan het bed van Karen doorbracht.

De twee volgende weken waren kritiek. Op een gegeven moment leek het erop dat het coma ging verdwijnen, maar toen kreeg Karen een aantal epileptische stuiptrekkingen die haar nog meer verzwakten. Professor Anderson werd ze door middel van zware verdovingen uiteindelijk de baas, maar het werd daardoor moeilijker vast te stellen hoe diep het coma nu eigenlijk was.

Majoor Jones en zijn vrouw waren gearriveerd. Voor Barnes waren en bleven ze vreemden, die zijn leven verder niet beïnvloedden. Na een week van bezoeken aan Karen en diverse besprekingen met professor Anderson begrepen ze dat hun dochter niet mëer beter zou worden. Na veel heen-en-weer gepraat lieten ze Barnes weten dat ze Kimberley meenamen naar Londen. De vraag rees wie er in de toekomst zou beslissen over wat er met hun dochter ging gebeuren. Dit probleem was opgelost nadat de oude heer een officieel papier had getekend waarin hij deze verantwoordelijkheid aan Barnes overdroeg.

Een verantwoordelijkheid die zwaar woog. Wat als Andy zou adviseren de behandeling stop te zetten? Hij zou het Karen vragen. Reageerde ze immers niet op zijn bezoeken door in leven te blijven, terwijl ze toch, volgens alle medische rapporten al dood had moeten zijn?

Dit besef betekende het begin van een nieuwe dagelijkse procedure voor Barnes, van zeer regelmatige bezoeken aan Karen waarbij hij haar de medische rapporten voorlas, vertelde over de behandelingen die ze onderging, hoezeer ze vooruitging en dat Kimberley in goede handen was. De ziekenzalen en het laboratorium waren vergeten.

Kapinsky was in eerste instantie niet erg gelukkig over Barnes' afwezigheid, maar na een tijdje beviel het hem heel goed dat hij aan niemand verantwoording hoefde af te leggen. Hij maakte zichzelf wijs dat Barnes eigenlijk alleen maar een lastpost was. Deze hele verdomde medische faculteit was welbeschouwd niet meer dan een middel, waardoor hij zijn onderzoeksresultaten en bevindingen ten goede kon laten komen van de mensheid. Samuel was een probleem. Hij mocht nog steeds opereren, nu onder de supervisie van dokter Louw – maar het succes lag nu binnen Kapinsky's bereik.

Met zijn creatie ging het uitstekend. Deze had aapachtige trekken, maar ook een hoop menselijke. Het hoofd was groter dan dat van een aap en de schedelholte leek meer capaciteit te hebben – dat duidde op intelligentie, bedacht hij.

Andere bavianenvrouwtjes hadden recentelijk immuuntolerante foetussen geproduceerd. Hij had deze graag onder zijn hoede gehouden, maar dat ging nu eenmaal niet, en ze daarom overgebracht naar het dierenverblijf in de kelder waar de moeders hun eigen nakomelingen konden verzorgen. Maar voor Josef zorgde hij zelf. Dat was de naam die hij voor zijn eigen creatie had gekozen, dezelfde als van de man die hij als kind altijd zo hevig had bewonderd – Dr. Josef Mengele, de arts van de medische experimenten met geïnterneerden in de concentratiekampen.

Josef had zich de laatste weken op indrukwekkende wijze ontwikkeld en het enige aspect dat Kapinsky enige zorgen baarde was dat hij huilde als een menselijke baby. Als men dat geluid buiten deze speciale afdeling zou horen, konden er wel eens vragen worden gesteld, met name als professor Thomas erachter kwam. Het was plezierig te zien hoe Josef zich, jong als hij was, lichamelijk ontwikkelde. Hij kon al op zijn achterbenen staan en zijn mensachtige handen hadden een stevige greep. Het project was een evident succes. Nu kon hij voort met zijn plannen om broers en zusters voor Josef te creëren.

Samuel kon dat beeld van die harige arm met de mensenhand maar niet vergeten. Evenmin als de lege baarmoeder met de placenta er nog in. Dat en de dichtgebonden navelstreng wezen erop dat het wezen was gebaard. Hij wist wel zeker dat het nog in leven was en de enige plek waar dat kon zijn was in de speciale, afgesloten afdeling.

's Nachts droomde hij dat de arm door een opening in het plafond te voorschijn kwam en hem langzaam naar de keel greep. Hij werd dan wakker en probeerde te schreeuwen, maar kon geen geluid uitbrengen. Hij wilde opspringen en wegrennen, maar zijn benen weigerden dienst.

Erger nog was dat hij er met niemand over kon praten. Aanvankelijk was hij bang voor Kapinsky, maar geleidelijk aan werd hij steeds banger voor het monster. Wat zou dat hem aandoen als hij erover praatte met anderen? Uiteindelijk besloot Samuel Kalolo te raadplegen, een machtige medicijnman naar wie iedereen in Langa toeging. Men zei dat zijn medicijnen erg krachtig waren. Misschien kon hij daarmee het kwaad afweren. Samuel had heel wat verhalen gehoord over de krachten van Kalolo en hoe hij hen die zijn klanten lastig vielen had afgestraft.

Hij dacht lang en diep na. Hij wilde de witte dokter Kapinsky geen kwaad doen, maar als dat wezen ergens in het dierenverblijf zat, moest het worden vernietigd. Hij maakte een afspraak met Kalolo voor zaterdagmiddag. Toen het eenmaal zover was, waste en schoor hij zich en trok hij zijn beste kleren aan: voor een man met zoveel macht dien je respect te tonen.

Toen Samuel bij Kalolo's huis kwam, een klein optrekje met *muti*-tekenen op het hek, werd hij opgevangen door een oude vrouw die hem, zonder iets te zeggen, naar de kamer bracht waar Kalolo op hem zat te wachten.

Oud en breekbaar zat de medicijnman op zijn hurken in het midden van de kamer, gekleed in een luipaardhuid en een lendendoek van dierenvel. Rond zijn nek hingen diverse beenderen, waaronder de schedel van een konijn. Toen Samuel binnenkwam keek hij op. De vrouw gebaarde Samuel tegenover Kalolo op de grond te gaan zitten.

Met een krakende stem zong de medicijnman gedurende enige minuten vreemde woorden en hield toen stil. Hij keek Samuel strak aan en zei in het Xhosa: 'Jij bent de onderwijzer die dieren opensnijdt voor de witte dokters, en je hebt je een groot onheil op de hals gehaald.'

Samuel snakte naar adem. Hoe wist die oude man dit allemaal? Hij was duidelijk een groot medicijnman.

'Ja, wijze man, ik ben de onderwijzer die nu dokter is,' antwoordde hij, trots op dat woord 'dokter'. Kalolo zou hierdoor begrijpen dat ook hij een man van aanzien was.

'Jij hebt bange dromen over dieren.'

Er viel nu angst te lezen in Samuels ogen. De medicijnman kon in zijn hoofd kijken. Hij wist alles. 'Ja, Kalolo. Deze dromen maken mij heel bang. Zij komen altijd als ik slaap. Ik droom dan dat dit dier zijn hand op mijn keel legt en me doodt. Ik ben ook bang voor de witte dokter die het dier heeft gemaakt.'

'Het moet een raar dier zijn, dat aanvalt als een mens.'

Samuels hoofdhuid kriebelde van angst. De medicijnman las iedere gedachte als een boek. Hij wilde wegrennen, maar zijn benen deden het niet. Het was net zoals in de droom.

Daar klonk de krakende stem weer. 'Het verbaast je dat ik dit allemaal weet?'

'Ja, wijze man.'

'Ik kan in je hoofd kijken. Maar je hebt me niet verteld wat je wilt. Wil je dat het wezen wordt vernietigd en de witte dokter ook?'

Geschrokken sprong Samuel overeind. De oude man stak een magere hand op en gebaarde hem weer te gaan zitten. 'Wat wil je, mijn zoon?' Samuel had spijt dat hij was gekomen. Deze man was te machtig, machtiger dan het wezen en de witte dokter. Hij kon Samuel veel kwaad doen – of misschien ook wel veel goeds? Hij moest voorzichtig zijn. Dokter Kapinsky moest niet vernietigd worden. En het wezen? Als dokter Kapinsky het zo verschrikkelijk graag wilde hebben, moest het wel van grote waarde zijn. Maar voor wat?

Hij keek Kalolo strak aan. 'Ik wil meer weten over de aap die eruitziet als een mens.'

Kalolo sloot zijn ogen om niet te laten zien hoe verbaasd hij was. Een aap die eruitzag als een mens? Hier was iets heel bijzonders aan de gang. Dat kon deze onderwijzer, Mbeki, waarover zijn huishoudster hem zoveel had verteld, ook niet zijn ontgaan. Waarom zou hij hier anders zijn gekomen en om hulp hebben gevraagd?

Na enige minuten stilte zei hij: 'Witte mensen kunnen soms dingen doen die moeilijk te begrijpen zijn. Ik kan je er meer over vertellen als jij me iets brengt dat het wezen heeft aangeraakt.' Hij zei niets meer en liet het hoofd zakken alsof hij in slaap was gevallen.

De huishoudster kwam de kamer binnen en hield haar hand op. Samuel betaalde haar en haastte zich naar buiten, blij uit de drukkende omgeving van Kalolo weg te zijn. Maar hoe kwam hij aan iets dat de mensaap had aangeraakt? Alleen Kapinsky zelf had toegang tot de speciale afdeling.

Na twee maanden van verdoving waarbij de aanvallen van Karen waren weggebleven, begon professor Anderson deze vorm van medicatie geleidelijk aan te verminderen. Barnes was er iedere dag bij, biddend dat ze haar ogen zou openen. Ze begon langzaam maar zeker weg te teren, haar haar had zijn glans verloren en was dof en levenloos geworden. Het gebruinde, gezonde gezicht was verbleekt en haar huid was schilferig. De gemanicuurde vingernagels waren kort afgeknipt, wat makkelijker was voor de verpleging. Het was hem opgevallen dat ze vandaag zelfs anders rook: een vleugje ontsmettingsmiddel maskeerde iets anders. Rotting? Hij liet deze gedachte meteen weer varen. Ze mocht dan haar fysieke aantrekkelijkheid hebben verloren, maar Barnes hield meer van haar dan ooit en kon de gedachte niet verdragen dat ze hem ging verlaten. Hij nam haar hand in de zijne en kneedde deze tot haar vingers wit zagen, maar er kwam geen reactie.

Hij voelde een sterke behoefte om weer eens met Kapinsky te praten. Ze hadden elkaar al in weken niet gezien en Barnes wilde Karens conditie met een wetenschapsman bespreken. Hij liet haar hand los en ging naar het lab.

Hij trof Kapinsky aan in een joviale stemming en werd, tot zijn verbazing, begroet met een onstuimige omhelzing. Ook de jonge Ferreira was haast aandoenlijk in zijn gemeende blijdschap hem weer te zien en zelfs de ijskoude Susan Bates gunde hem een lachje.

'Hoe gaat het met Karen?' vroeg Kapinsky.

'Niet best, vrees ik. Ze wordt iedere dag een beetje minder. Over niet al te lange tijd zal Anderson me wel vragen of ik het beademingsapparaat wil uitzetten. Dit is geen simpel traumageval meer, en ze hebben het bed nodig voor urgentere gevallen met een grotere kans op een positief resultaat.'

Kapinsky zei niets. In zijn achterhoofd begon een idee te groeien.

'Ik kan haar niet zomaar laten doodgaan, Louis, maar haar hersenen laten het afweten en haar lichaam evenzeer.'

Kapinsky keek hem verwonderd aan. Deze man kon niet meer rationeel denken. Hij was helemaal door die verdraaide vrouw geobsedeerd.

'Alles op zijn tijd.' Kapinsky veranderde van onderwerp. 'Je weet nog dat ik je heb verteld over die bavianen die geboren werden nadat de foetus was blootgesteld aan menselijke antigenen.' Kapinsky's enthousiasme was bijna voelbaar. 'Nou, kijk maar eens naar deze foto's.' Hij pakte een enveloppe uit zijn bureaula en spreidde de inhoud uit over het blad.

Barnes bestudeerde de foto's, allemaal van jonge bavianen, ieder met een stuk blanke huid, zonder haar, aan de zijkant van hun onderbuik. Hij keek naar zijn collega. 'Ik denk dat ik weet wat dit is, maar het is te fantastisch om waar te zijn.'

'Het is waar, beste vriend. Twee weken geleden heb ik huidmonsters van menselijke donors op deze immuuntolerante bavianen overgebracht en er is er niet één afgestoten. Wat vind je me daarvan?'

Ineens viel Barnes iets op en hij vroeg: 'Heb je alleen blanke donors gebruikt?'

'Nee, het is niet wat je denkt. Bij dit experiment gelden geen racistische vooroordelen. Ik heb alleen maar blanke huid gebruikt omdat die beter zichtbaar is.' Kapinsky glimlachte. 'Nu ben ik dus klaar voor het hart. Deze bavianen zijn nog te klein voor een volwassen hart, maar ze groeien snel. Ik geef ze injecties met groeihormomen. Over ongeveer een maand zijn we klaar voor de harten van de misdadigers.'

'Je bent een stinkerd, maar geniaal,' antwoordde Barnes, voor het eerst in dagen met een lach.

Plotseling vroeg Kapinsky: 'Zou je haar lichaam in leven willen houden, zelfs als je zeker wist dat de hersenen nooit helemaal volledig meer kunnen functioneren?'

Barnes knikte alsof hij deze vraag al had verwacht. 'Haar fysieke aanwezigheid betekent alles voor mij.'

Kapinsky kreeg een ontzettend opgewonden gevoel vanbinnen. Het was duidelijk dat Barnes zijn contact met de werkelijkheid aan het verliezen was. Hij had nooit eerder met een geval van obsessief denken te maken gehad, maar dit leek veel op wat hij indertijd had geleerd tijdens een jaarcursus psychiatrie toen hij nog studeerde. Maar dit was Barnes' probleem. Ze moest fantastisch zijn geweest in bed, dacht hij. De sukkel verlangde nog steeds naar haar lichaam.

'Rodney, er is misschien wel iets te verzinnen,' zei hij.

Barnes keek hem verrast aan. 'De chemische boodschappers? Heb je ze gevonden?'

'Nee, maar ik heb nog wat beters. Herinner je je het Eiseman-experiment van een paar jaar geleden, waarbij een varkenslever werd gebruikt om het bloed te ontgiften van een patiënt van wie de lever niet meer functioneerde?'

Barnes knikte peinzend.

'Het punt is dat de lever direct was verbonden aan de bloedsomloop van de patiënt. In het begin ging het goed maar na korte tijd werd de lever door afstoting buiten werking gesteld.'

'Ga verder.'

'Ik heb een plan voor een soortgelijke benadering, waarbij we dan hersenen gebruiken, dit keer zonder gevaar van afstoting.'

Kapinsky legde uit waar zijn werk en dat van professor Volkov elkaar raakten, met als doel de creatie van een baviaan met organen die compatibel waren met die van mensen. Barnes stond perplex, opende zijn mond om iets terug te zeggen, maar Kapinsky stak een hand op, knoopte zijn laboratoriumjas open en trok zijn overhemd omhoog waardoor zijn witte buik zichtbaar werd. In het midden zaten verscheidene lapjes donkere, harige huid. Barnes keek ernaar, zonder het te begrijpen, totdat ineens tot hem doordrong dat het om huidtransplantaten ging – huid van bavianen, overgezet op de buik van Kapinsky. Hij zag ruwe hechtingen, maar de transplantaten zelf waren gezond en goed geheeld.

'Jezus, Louis! Wie heeft dat gedaan?'

Kapinsky giechelde. 'Ikzelf, onder plaatselijke verdoving. Niet gek voor een laboratoriumgeleerde, hè?'

Ze moesten allebei lachen en dat gaf een goed gevoel.

'Waarom vertel je me dit allemaal, Louis?' vroeg Barnes, die zijn opwinding probeerde te verbergen.

'Ik vertel je dit omdat we klaar zijn om onze ziekenzalen te vullen met levende doden. De hersenen van deze bavianen verschaffen de chemische boodschappers die het lichaam van de donor in leven zullen houden.'

Barnes dacht meteen aan de technische problemen van zo'n transplantatie, hoe de verschillende organen op elkaar moesten worden aangesloten, maar aan de andere kant genoot hij. Hij kwam weer helemaal tot leven en begon positief te denken.

'Stop, stop. Ik heb een antwoord op al je vragen.' Kapinsky liep naar een kast, deed die van het slot en pakte een zwarte doos, ongeveer ter grootte van een mensenhoofd. 'Ik heb hier lang over nagedacht. De hersenen worden opgeslagen in deze doos, gebed in dezelfde zeewiergelei die ik bij de kloonexperimenten gebruikte voor het kunstmatig vlies rond de celkern. De temperatuur in de doos wordt gecontroleerd door een thermostaat.'

'Hoe werkt dat dan in de praktijk?' vroeg Barnes geïntrigeerd.

'Zullen we alles eens van het begin af aan doornemen?'

Kapinsky haalde een klembord te voorschijn met een dikke stapel notities.

'Dit is een ruw overzicht en moet hier en daar worden worden aangepast. Maar de belangrijkste stappen staan erin.' Hij sloeg een blad om. 'Kijk hier maar,' zei hij.

'Zodra de transplantatie-coördinator het lab laat weten dat er een donor beschikbaar is...'

Barnes sloot zijn ogen: de transplantatie-coördinator was tot voor kort Karen geweest. 'Ga verder, Louis,' zei hij.

'... beginnen we meteen de baviaan voor te bereiden – verdoven, borstkas openen, aansluiten op de hartlongmachine, koelen. Tijdens het koelingsproces leggen we de halsslagaders en de keelvenen in de nek bloot. Tot zover duidelijk?' Barnes knikte. 'Deze vaten worden voorzien van buisjes en verbonden met een separate perfusor en een kleine membraan-oxygenator zodat we alleen de hersenen kunnen perfunderen en koelen. Als de hersen-absorptie is bereikt, zetten we de hartlongmachine stil, worden de hersenen verwijderd en in de zwarte doos geplaatst.'

Barnes maakte een beweging. 'Als ik het goed begrijp blijven de hersenen, ondanks dat ze gekoeld zijn, doortrokken worden met zuurstofrijk bloed.'

'Juist. Het endocrien stelsel van de hersenen is bevattelijk voor een zuurstoftekort. Het is belangrijk dat de omstandigheden zo optimaal mogelijk blijven.'

Barnes zat boordevol twijfels. Dit idee lag te zeer voor de hand, was te eenvoudig. 'Goed, de hersenen liggen in de zwarte doos. Hoe gaan we nu verder?' vroeg hij.

'Zoals ik je al eerder vertelde. We gieten er zeewiergelei omheen ter bescherming. De doos wordt afgesloten, met vrijlating van de buisjes die de inhoud met de perfusor verbinden. Het is wel de bedoeling dat de inhoud van de doos geheim wordt gehouden. Ik denk niet dat de wereld, en vooral je vriend Thomas, al klaar is voor deze ontwikkeling.'

'En verder?' vroeg Barnes.

'De doos gaat naar de donor. Dan wordt het hele proces in spiegelbeeld uitgevoerd. We openen de halsslagaders en keeladers van de donor, brengen er buisjes in aan en koppelen ze door middel van silicium-buisjes aan de hersenen in de zwarte doos, via de reeds aanwezige buisjes.' Hij keek naar Barnes die instemmend knikte. 'De doos is nu aangesloten op de bloedsomloop van de patiënt. De hersenen van de baviaan krijgen zuurstof van de patiënt, en de chemische regulering van de vitale organen van de patiënt wordt nu verzorgd door de hormonen die worden afgescheiden door de hersenen van de baviaan.'

'En hoe zit het met stolsels? Een dergelijk circuit vraagt om zulke problemen.'

'Is voor gezorgd! Het infuussysteem injecteert heparine ter hoogte van de halsslagaders en neutraliseert de anti-stollingsmiddelen weer als die terugstromen in de keeladers. Op die wijze blijft de patiënt vrij van de anti-stollingsmiddelen die voor de hersenen zijn bedoeld.'

Barnes floot. Kapinsky was een genie. Dit systeem zou best weleens goed kunnen werken. Maar zou de ziekenhuisdirectie en vooral de Ethische Commissie hem toestaan over een zaal te beschikken die gevuld was met levende doden?

HOOFDSTUK 19

De man met de grote zwarte snor trok zijn hoed tot vlak boven zijn ogen, kwam uit een van de nissen van het faculteitsgebouw te voorschijn en begaf zich in de richting van de grote weg. Hij bleef in de beschaduwde gedeelten, sloeg linksaf en zette er toen stevig de pas in. Het was veiliger om te lopen, dacht hij. Ze kenden zijn auto in deze buurt en hij zou herkend kunnen worden. Nu hij lid was geworden van de IJzeren Vuist kon hij niet voorzichtig genoeg zijn.

De gedachte vervulde hem met een gevoel van macht. Hij was een IJzeren Vuist! Een vuist geheven tegen de plaag van het communisme die dit land in zijn greep kreeg. De dingen die de leider op die fantastische avond had gezegd, hadden hem een hoop duidelijk gemaakt. De blanken zouden voor hun lijfsbehoud moeten vechten en hij zou daar zeker niet lijdzaam bij blijven toekijken.

Het was niet zo gemakkelijk geweest om in deze organisatie door te dringen. Zijn contactpersoon, van wie hij alleen wist dat hij Henk heette, had hem uitputtend ondervraagd.

'Ik heb het allemaal al eerder zien gebeuren,' had hij tegen Henk gezegd. 'Deze goddelozen verspreiden hun communisme als kanker, todat ze in het diepste binnenste van dit land zijn doorgedrongen. De zwarten zijn te stom om te begrijpen dat ze worden misbruikt. Alleen de hamer en sikkel zullen de vruchten plukken van hun zogenaamde vrijheidsstrijd.'

'Mooi gezegd,' zei Henk ironisch, toen hij verklaarde gereed te zijn zich in de strijd te werpen tegen de communistische overname van Zuid-Afrika. De IJzeren Vuist zou zijn achtergronden natrekken. Als ze ook maar enige reden vonden om aan zijn goeder trouw te twijfelen... Hij had de zin niet verder afgemaakt.

Een paar weken gebeurde er niets, toen gingen alle deuren voor hem open. 'We moeten voorzichtig zijn,' legde Henk uit. 'Hoe raar het ook klinkt, maar we hebben zelfs vijanden bij de politie. Er zijn blanke politiemensen die ons helemaal niet zien zitten. Ze hebben geprobeerd onze organisatie te infiltreren met geheim agenten. Verleden jaar hebben we er drie betrapt.'

De man kon het haast niet geloven. Hoe konden intelligente, goed opgeleide blanken in Zuid-Afrika zich zonder slag of stoot overgeven aan een vorm van communisme die zich inzette voor de ongeschoolde zwarte massa?

'Het is waar, het gebeurt, en we proberen ook niet meer om ze tot rede te brengen. Politiek werkt het niet. Nu proberen we het met oorlog,' zei Henk.

En oorlog, dacht de man, terugdenkend aan een middelbare schoolcursus filosofie van vroeger, was eenvoudigweg de voortzetting van de politiek, maar dan met andere middelen. Dit was zijn zesde vergadering. De Organisatie had in het hele land kerngroepen gevormd en hij was een gewaardeerd lid van de Observatory-kerngroep, genoemd naar de blanke arbeiderswijk waarin deze zich bevond. Hij voelde zich veilig, machtig en onkwetsbaar. Ook hij had vijanden, maar nu hij eenmaal de Organisatie achter zich had, zouden ze hun verdiende loon krijgen.

Een stevige wandeling van twintig minuten bracht hem in een straat van kleine terraswoningen, elk met een klein stukje door onkruid verstikte grond aan de voorkant, omheind met een smeedijzeren hekje. Hij wachtte enige minuten in de schaduw van een portiek op de hoek van de straat, alvorens hij het gangetje aan de achterkant van de huizen inglipte. Hij telde nauwkeurig zeven deuren. Op de achtste gaf hij het afgesproken signaal van drie klopjes. Een oog inspecteerde hem door een kijkgaatje en de deur ging open, net wijd genoeg om hem door te laten. De vrouw achter de deur bracht hem zwijgend naar een van de achterkamers.

Een open luik en een trap leidden naar een kamertje beneden. Melodramatisch, dacht hij, maar effectief. Het rook er vochtig. De andere vijf leden van de kerngroep stonden op en verwelkomden hem met de nazi-groet. Hij groette terug en ze gingen rond de tafel zitten.

De vergaderingen werden elke keer ergens anders gehouden, maar door dezelfde zes leden bijgewoond. Ze waren onopvallend gekleed, hadden geen baarden en waren niet gewapend.

'Kleed je zoals alle anderen, trek niet de aandacht, houd je mond dicht en je ogen open,' had Jan, de groepsleider hen gewaarschuwd.

Hij opende de vergadering, prees hen voor hun steun en solidariteit en ging meteen over naar het hoofdonderwerp van die avond. 'Ons volgende doelwit is vastgesteld. Dit keer gaat het om een Vijand van het Volk.'

De groep schrok op. Dit was een grote stap. Tot nog toe hadden ze de elektriciteitsvoorziening en de spoorwegbeveiliging van de townships gesaboteerd met de bedoeling de zwarte migranten te ontmoedigen naar de voorsteden de verhuizen. Nu hadden ze voor het eerst een menselijk doelwit.

'Hij heet Joe Dubofsky en we noemen hem van nu af aan JD.'

De ogen werden groter. Dat was een bekende naam.

'Ja, het is die advocaat die altijd in het nieuws is – de verdediger van de terroristen die onze vrouwen en kinderen vermoorden, die de rechtszaal gebruikt om de Boer te beledigen en af te schilderen als een onontwikkelde hansworst. Zijn zaken trekken niet alleen heel veel aandacht van de media hier, maar ook in het buitenland, waar hij gezien wordt als een soort voorvechter van de underdog.'

'Hij is zo goed als dood,' gromde een van de groepsleden.

'Niet zo vlug, Hannes,' zei Jan. 'Zijn dood zal leiden tot grote internationale verontwaardiging. We moeten dit festijn dus heel zorgvuldig plannen. Laten we eerst eens kijken wat we van die schoft afweten.' Hij bladerde in zijn notities en vertelde hun dat JD was geboren in Letland, uit joodse ouders. Zijn familie had het op de een of andere manier klaargespeeld de pogrom van de jaren dertig te overleven en was zonder een cent op zak naar Zuid-Afrika gekomen, naar Johannesburg. JD's vader Sammy was met een handkarretje groente en fruit van deur tot deur gaan venten. Al doende pikte hij voldoende Engels op om zich te kunnen behelpen. Sammy Dubofsky bleek een geboren verkoper en na een tijdje wist iedereen in de buurt wie hij was. Door zuinig te zijn en hard te werken, wist hij in twee jaar tijds genoeg geld te sparen om twee van zijn ambities waar te maken: het zenden van zijn zoon naar een joodse school en het openen van een groentestal.

Na een aantal jaren begon hij een groothandel in fruit en groenten en bouwde hij zelfs zijn eigen koelhuis. Niet lang daarna reed een stoet koelwagens zijn verse producten en de naam Dubofsky naar alle uithoeken van het land.

JD betoonde zich een briljante leerling, die een beurs won om rechten te studeren aan de Universiteit van Witwatersrand. Daar ontwikkelde hij grote belangstelling voor politiek en werd na korte tijd studentenleider.

Jan stopte met voorlezen en keek om zich heen. Iedereen zat aandachtig te luisteren. 'Het is belangrijk dat je je vijand kent en dat kun je doen door in je geest een beeld van hem op te bouwen,' zei hij. 'Onze vrind JD werd voorzitter van de studentenafdeling van de Communistische Partij en organiseerde een aantal demonstraties in de stad ten behoeve van zwarte migranten die geen werkvergunning hadden gekregen. Toen de Partij werd verboden, ging hij in het geheim verder met zijn activiteiten.

'Na zijn afstuderen ging hij bij een joods advocatenkantoor werken, gespecialiseerd in strafrechtelijke zaken, en werd al gauw bekend om zijn verdediging van mensen die werden beschuldigd van terrorisme. Zijn door alle media verslagen gevechten in de rechtszaal gaven hem zo'n status, dat de autoriteiten in veel gevallen maar van verdere acties afzagen.'

'Onvoorstelbaar,' zei Hannes, die onrustig heen en weer zat te schuiven.

'Maar uit informatie die door de politie werd vergaard, blijkt dat zijn werk verder ging dan alleen maar dat van een strafpleiter. Het lijdt geen twijfel dat hij het brein was achter een aantal bomexplosies, die hebben geleid tot de dood van vrouwen en kinderen.'

'*Die vark moet vrek*,' zei Henk en sloeg met zijn vuist op de tafel.

'Ja,' zei Jan. 'Ik vind ook dat dit zwijn dood moet, maar we moeten eerst weten hoe zijn dagindeling is. Karel, jij hebt contacten bij de telefoondienst.'

'Ja, ik zal er voor zorgen dat zijn telefoon wordt afgetapt,' zei Karel.

'De reden dat het Oppercommando dit onder onze aandacht heeft gebracht, is dat de politie niet aan voldoende bewijsmateriaal kan komen om hem achter de tralies te krijgen. Ze hebben hun probleem doorgegeven aan de Organisatie en het is nu verder aan ons. Zijn er nog vragen?'

'De politie weet niet wat ze met deze Vijand van het Volk moet doen, maar wij weten dat heel goed,' zei de man met de hoed. De anderen gromden instemmend en een van hen gaf hem een klap op zijn schouder.

De vergadering ging verder met een les in het omgaan met en het opslaan van explosieven, de problemen die kunnen ontstaan bij het in brand steken van een gebouw en het vervaardigen van eenvoudige tijdinstelbare apparaatjes uit simpele huishoudelijke voorwerpen. De man voelde de adrenaline door zijn bloed stromen tijdens de behandeling van al deze onderwerpen. Dit was macht zoals hij die nog nooit eerder had meegemaakt.

Toen Jan de vergadering sloot was het al vroeg in de morgen. Over een maand zouden ze weer bij elkaar komen om de informatie die Karel intussen had verzameld te analyseren. Daarna zouden ze de plaats en de tijd vaststellen voor de aanslag op hun doelwit.

De man met de hoed wandelde terug naar de medische faculteit, zijn hoofd gonzend van de gedachten. Het was niet te geloven dat een moordenaar als JD niet alleen ongestraft kon rondlopen, maar zich ook nog opstelde als een respectabel advocaat die internationaal werd toegejuicht. Als de leden van de Wereldraad van Kerken eens wisten dat het zondagse collectegeld werd gebruikt om plasticbommen voor zwijnen als JD te kopen... Hij schudde deze gedachtenstroom van zich af. JD was zo goed als dood.

Na aankomst op de faculteit liep hij naar zijn kantoor om zijn dagelijkse kleren aan te trekken en zich voor te bereiden op zijn volgende vergadering.

Barnes kwam als laatste aan op de speciale vergadering van de Ethische Commissie. Hij was op weg daar naartoe eerst langs Karen gereden. Iedereen zat al rond de tafel en Kemble keek op zijn horloge.

'Het spijt me, voorzitter,' zei Barnes. Kemble bromde afkeurend, maar de anderen groetten hem toen hij ging zitten, met uitzondering van professor Thomas die een wat wazige blik in zijn ogen had. Waarschijnlijk de hele nacht door het lab lopen wroeten in de hoop iets te vinden wat hij ter vergadering kan brengen, dacht Barnes. Hij bleek naast Kapinsky te zitten, die uitgenodigd was om zijn plan toe te lichten.

JJ dankte alle aanwezigen dat ze de tijd had gevonden deze speciale vergadering bij te wonen, waarschuwde ze dat het plan nogal ongewoon van aard was, en vroeg iedereen niet te vlug te reageren.

'Het woord is aan u, dokter Barnes.'

Barnes deed verslag over zijn ervaringen tijdens de transplantatie van David Rhodes' hart, de snelle aftakeling van de conditie van het donorhart en de redenen waarom hij dacht dat dit te wijten was aan het ophouden van chemische boodschappers naar de hersenen. 'Twee jaar geleden heeft dokter Louw een onderzoek gedaan naar de hersendood en het effect daarvan op de productie van het schildklierhormoon. Hij toonde aan dat er na de hersendood een opvallende verandering plaatsvond in de afscheiding van de schildklier en dat dit weer leidde tot een aangetaste aerobe stofwisseling van de vitale organen. De daardoor ontstane weefselbeschadigingen waren zo ernstig dat de organen geen levensvatbaarheid meer hadden.'

Professor Bill bewoog zich onrustig. Hij probeerde JJ's aandacht te trekken. Hij had deze morgen wel belangrijker dingen te doen dan te luisteren naar een lezing over de basale chemische processen van het menselijk lichaam.

'Mijne heren, het schildklierhormoon is slechts één van een waarschijnlijk grote reeks van nog onbekende chemische boodschappers. We staan nog maar aan het begin van de zoektocht hiernaar, die de medische wetenschap decennia lang zal bezighouden,' vervolgde Barnes.

JJ's aandacht bleef op Barnes gericht en hij knikte hem bemoedigend toe. Hij hoorde het geschuifel van Bill wel, maar weigerde diens kant op te kijken. Barnes en Kapinsky hadden duidelijk iets te melden en dit zou wel eens een van de meer gedenkwaardige vergaderingen van deze commissie kunnen worden.

Thomas had pas op het laatste moment ontdekt dat Kapinsky deze vergadering bijwoonde en zat dreigend naar hem te kijken. Als hij vandaag een spaak in het wiel van deze Poolse smeerlap kon steken, zou hij dat zeker niet nalaten.

'Met uw goedvinden, voorzitter, zou ik nu dokter Kapinsky het woord willen geven,' zei Barnes.

Bills' ergernis verdween. Barnes en Kapinsky hielden zich vaak niet erg aan de regels van het spel, dacht hij, maar welke wetenschapper van niveau deed dat wel? Ze hadden heel wat waardevol onderzoekswerk op hun naam, en wat ze vandaag te zeggen hadden zou zeker de moeite waard zijn.

'Zeker, dokter Barnes,' antwoordde JJ. 'Dokter Kapinsky?'

Kapinsky stond op en beschreef zijn mislukte onderzoek naar de chemische boodschappers afgescheiden door de hersenen. Hij koos zijn woorden zorgvuldig en vermeed iedere verband met zijn half-menselijke baviaan.

'Ik moest uiteindelijk toegeven dat, zelfs na een diepgaande oriëntatie in de bestaande literatuur en wat voorbereidend experimenteel werk, het nog steeds een onoverkomelijke taak bleek te zijn,' vervolgde hij.

'Dat verbaast me niets,' onderbrak Thomas. Dit was zijn kans Kapinsky te vernederen en Barnes ook een veeg uit de pan te geven. 'U bent geen biochemicus. Ik sta er eerlijk gezegd nogal van te kijken dat dokter Barnes u toestaat onderzoeksgelden te verspillen op een gebied waar u helemaal geen verstand van heeft.'

Kapinsky gaf geen krimp. Hij vond deze onderbreking wel vermakelijk en nam vol zwier opnieuw het woord. 'Ja, ik zie nu wel in dat ik mij beter niet op een terrein had kunnen begeven waar ik helemaal geen verstand van heb. U bent het vast wel met me eens, dokter Thomas, dat men zijn tekortkomingen moet toegeven.'

Dat was een schot in de roos. Thomas werd bloedrood en snoof verachtelijk, terwijl de andere commissieleden hun best deden hun gezicht in de plooi te houden.

Maar Barnes wilde verdere woordenwisselingen vermijden. 'Ga verder, Louis,' drong hij aan.

Kapinsky vertelde over zijn werk met professor Volkov en de huidtesten bij het selecteren van bavianen met een minder acute afweerreactie tegenover menselijke antigenen. Zijn gedetailleerde verslag over de voorbereiding van het bavianenembryo met een menselijk gen, met als resultaat een dier waarvan de organen ook door de mens werden verdragen, deed de leden van de commissie recht overeind zitten en Kapinsky kreeg de volle aandacht.

Thomas probeerde een paar keer te onderbreken, maar op een gegeven ogenblik kon hij zijn woede niet meer inhouden, stond op en wees naar Kapinsky. 'Deze man kletst maar een eind weg. Hij probeert u af te leiden van de duistere experimenten die in zijn laboratorium plaatsvinden.' Hij keek de commissieleden aan en verhief zijn stem. 'Niemand, maar dan ook niemand, kan bavianen fokken waarvan de weefsels en organen niet acuut worden afgestoten door de mens.'

Kapinsky grinnikte. 'Ik kan dat wel en heb dat ook gedaan,' zei hij.

Thomas zwaaide zijn kant op en riep: 'Je liegt – vuile communist!'

Deze aantijging was zo onverwacht en zo irrelevant, in ieder geval voor medische oren, dat er een joelend gelach opsteeg.

Kapinsky stond langzaam op. Het gejoel stierf weg. Een geschrokken Barnes legde een hand op zijn arm, maar Kapinsky schudde die van zich af. Hij keek over de tafel naar de commissie en deed zijn overhemd omhoog. De anderen zaten als versteend. De meesten wisten niet wat ze zagen. 'Dit zijn transplantaten van bavianenhuid, genomen van het dier waarvan professor Thomas zegt dat het niet bestaat,' zei Kapinsky. 'Zoals u ziet zijn de transplantaten uitstekend aangeslagen en leven vreedzaam samen met mijn immuunsysteem, zonder een spoor van afstoting.' Hij trok aan een lange haar die uit een van de lapjes groeide, keek naar Thomas en voegde eraan toe: 'Tenzij, natuurlijk, de professor twijfels heeft over mijn menselijkheid.'

Thomas sprong weer overeind en strekte zijn armen naar Kapinsky uit. 'De hemel verhoede het. Ik weet dat de communisten geen respect hebben voor God of de mens, noch voor het leed dat ze de dieren berokkenen, maar u, dokter Kapinsky, woont niet meer in Polen. U woont hier in Zuid-Afrika, in een beschaafde maatschappij.'

Kapinsky voelde zich ineens heel opgelucht. Het was duidelijk dat Thomas geen idee had wat er in het lab aan de gang was.

'Professor Thomas?' Dat was JJ. 'U gaat te ver. Persoonlijke aanvallen zijn geen onderddeel van onze discussies. Dit zijn overigens zware beschuldigingen en u zou moeten weten dat de Communistische Partij in dit land verboden is.'

'Dat weet ik heel goed,' zei Thomas, 'maar dat betekent nog niet dat er hier geen communisten rondlopen.'

Woedend sloeg JJ met zijn hamer op tafel. 'Als u verder niets bij te dragen heeft dat op ethische of wetenschappelijke gronden is geschoeid, moet ik u verzoeken te gaan zitten,' zei hij scherp. Rond de tafel stegen instemmende geluiden op en Thomas ging zitten, vol dreigende blikken in de richting van Kapinsky. Eerste ronde, dacht Barnes. Als Thomas zo doorgaat zullen ze ons steunen, al was het maar om hem op zijn nummer te zetten.

'Gaat u verder, dokter Kapinsky,' zei JJ.

'Het is algemeen bekend dat donororganen niet voor langere tijd kunnen blijven functioneren zonder tussenkomst van de hersenen. Dit is een klinische realiteit die veel problemen oproept, met name op het vlak van de transplantaties. Te vaak hebben we vitale organen in donors zien degenereren voordat de ontvanger klaar was ze te ontvangen. Het gebeurt regelmatig dat chirurgen donors moeten laten schieten omdat er geen ontvangers op de wachtlijst staan. Zelfs als we de organen verwijderen, is er geen opslag mogelijk voor langere termijn.'

Professor Bills ging uit het raam zitten kijken.

Zeg wat je te zeggen hebt, Louis, dacht Barnes. Hun aandacht begint te verslappen.

Kapinsky pauzeerde tot hij ieders aandacht had.

'Heren, wij hebben deze beletsels uit de weg geruimd. We kunnen de donor in leven houden met de hersenen van een transgene baviaan. Ik bedoel daarmee het lichaam van de donor in leven houden vanaf de hals naar beneden, de organen in een levensvatbare staat bewaren binnen het lichaam.'

Tijdens de voelbare stilte die hierop volgde, probeerde ieder commissielid te verwerken wat hij zojuist had gehoord. Er was heel wat verbeeldingskracht nodig om het belang van deze mededeling naar waarde te kunnen schatten, maar het was iedereen, inclusief Thomas, duidelijk dat ze hier werden geconfronteerd met een buitengewoon revolutionaire ontwikkeling in de medische wetenschap.

'De praktische uitvoering van dit concept is niet erg ingewikkeld,' vervolgde Kapinsky. 'Als het transplantatie-team een donor krijgt aangeboden, verwijderen we de hersenen van een compatibele baviaan.

Deze worden geprepareerd en opgeslagen in een speciaal door ons ontworpen, beveiligde container. We houden ze tijdens de transfer in leven door een kunstmatige perfundering en zuurstoftoediening vanaf het moment dat ze uit het dier worden gehaald tot het moment dat ze worden aangesloten op de bloedsomloop van de donor.'

'En hoe gebeurt dat?' vroeg JJ.

'Gewoon via buisjes in de hals van de donor.'

'Mag ik hier even een opmerking bij maken, voorzitter?' vroeg Barnes.

'Ja?'

'Het is wel belangrijk dat u beseft dat dit project het transplantatie-onderzoek verder heeft gevoerd dan waar ook ter wereld . Ik zou daarom de commissie willen verzoeken alles wat we bespreken als vertrouwelijk te behandelen. We hebben nog niets van onze werkzaamheden op papier gezet en dus ook nog niets erover gepubliceerd. Het ligt daarom voor de hand dat we om allerlei redenen, waaronder de werving van de nodige fondsen, moeten voorkomen dat er iets bekend raakt voor we kunnen aantonen dat dit ons initiatief is van wat toch wel een uniek project mag worden genoemd.'

Er klonken instemmende geluiden, van iedereen behalve Thomas, die zijn hoofd schudde.

JJ keek bezorgd. 'Uw mening, professor Thomas?' vroeg hij.

Thomas keek naar Kapinsky. 'Maakt u zich geen zorgen, ik zal nooit iemand laten weten dat ik op de hoogte was van dit goddeloze werk. Ik zou me daarvoor te veel schamen,' zei hij.

'Het doet me genoegen dat te horen,' zei Kapinsky sarcastisch.

'Maar dat betekent nog niet dat ik ermee akkoord ga,' zei Thomas vlug. Hij keek rond de tafel. 'Heeft iemand van u heren overwogen wat deze travestie van de wetenschap de baviaan aan lijden veroorzaakt? Vergeet niet dat, volgens dokter Kapinsky, de hersenen nog leven en dus pijn en angst kunnen beleven.'

Een slimme zet uit onverwachte hoek, dacht Barnes. Met dit argument kon die ouwe rakker de Dierenbescherming erbij slepen. Iedere oude dame die iets met dieren heeft, en een zee van tijd, zou de straat opgaan. Hij moest iets doen – en vlug.

Thomas voelde de sfeer veranderen, liet zijn blik over de tafel dwalen en richtte zich beurtelings tot iedere aanwezige. 'Hoe zouden deze hersenen reageren op opsluiting in een doos zonder te kunnen horen of zien? Zouden ze honger en dorst voelen? En hoe zit het met herinneringen, opgeslagen in dat gedeelte dat daarvoor is bestemd?'

Kapinsky zag de grappige kant van wat Thomas zei en proestte het uit bij de gedachte aan die hersenen, die zich herinnerden hoe ze eens door het lab heen en weer sprongen.

JJ keek hem met een ijzige blik aan.

Barnes sprong in om te voorkomen dat de sfeer nog meer zou verslechteren. 'Voorzitter, er is geen sprake van dat het dier moet lijden.'

'Hoezo niet, dokter Barnes?' JJ gaf hem het woord, maar zijn stem klonk kil.

Barnes legde uit hoe men plaatselijk heparine wilde toedienen om te voorkomen dat het bloed ging stollen, en benadrukte dat er tegelijkertijd intraveneus een verdovingsmiddel aan het systeem zou worden toegevoegd om ervoor te zorgen dat de bavianenhersenen ononderbroken in slaap bleven. Hij voelde de spanning bij de groep verdwijnen. De volgende vraag ging over de compabiliteit van de bloedgroep en hij wist dat Thomas was verslagen.

Na nog een uur van vraag-en-antwoord legde JJ het onderwerp voor aan de hoogleraar medisch recht, Dr. Leonard Hertz, die verder nog niet aan de discussie had deelgenomen, maar de situatie samenvatte door te zeggen dat hij 'geen uitgesproken juridische bezwaren' had. 'Het komt erop neer dat we ons hier buiten de grenzen van de menselijke kennis hebben begeven,' zei hij. 'De donors zijn hersendood en vallen daardoor buiten de jurisdictie. Voor proefdieren is er een wetgeving in de maak. Als de dieren tijdens het hele proces onder narcose blijven, kunnen er op dat gebied geen bezwaren worden gemaakt. Wat nog moet worden verwoord, is de ethische positie.'

Len Hertz genoot van deze ochtend. Als iemand hem zou hebben gezegd dat hij plezier zou beleven aan een vergadering van de Ethische Commissie, zou hij aan het verstand van deze persoon hebben getwijfeld. Maar de jonge Barnes en die verknipte Kapinsky hadden de knuppel in het hoenderhok gegooid. Deze club hoopte natuurlijk dat hij allerlei juridische bezwaren zou opperen, zodat ze allemaal weer naar hun afdelingen terug konden zonder een besluit te hoeven nemen, maar zo gemakkelijk zou hij ze dit keer niet laten gaan.

'De vraag die we moeten beantwoorden, is welke ethische code we schenden als we donororganen in leven houden via de hersenen van een dier. In het verleden hebben we onderzoeken geautoriseerd op het gebied van het behoud van donororganen volgens diverse methodes, die geen van alle succes hebben gehad. Het principe van het kunstmatig behouden van donororganen is dus al geaccepteerd. Wat kan in dit geval dan het probleem zijn?'

Hij liet de vraag onbeantwoord.

Tot groot genoegen van Barnes sprong Thomas in met een donder-preek tegen de commissie over het verlenen van medewerking aan het werk van de duivel. Dit was de katalysator waar iedereen op had zitten wachten. De handen gingen de lucht in ten gunste van het project. Thomas onthield zich van stemming, maar zei verder niets. Je had niets aan die idioten van de Ethische Commissie. Het waren bijna allemaal academici, goddeloze wetenschapsmensen die elkaar de hand boven het hoofd hielden en met alles akkoord gingen zolang het maar wat miserabele duiten opbracht voor de onderzoekskas van de faculteit. Hij wierp niet langer meer paarlen voor de zwijnen. Met behulp van de goddelijke macht zou hij zelf wel stappen ondernemen om Kapinsky en zijn satansproject tot de orde te roepen.

JJ sprak namens de meerderheid van de Ethische Commissie door te zeggen dat het werk voortgang kon vinden. Hij zou de medisch direc-teur vragen een van de kleinere zaaltjes ter beschikking te stellen voor het onderzoeksteam.

Toen Kapinsky en hij samen naar de lift liepen, hield Barnes plotseling stil.

'Wat is er?' vroeg Kapinsky.

Barnes wachtte tot ze in de lift waren. Hij sloeg op de knop, zag de deuren dichtschuiven en fluisterde toen op vertrouwelijke toon: 'Ik heb nog eens nagedacht over de technische kant. Ik zie geen enkele reden waarom we niet het hele hoofd kunnen gebruiken.'

HOOFDSTUK 20

Samuel was bang – en niet alleen voor het ding dat zich in Kapinsky's laboratorium schuilhield. Hij was ook bang voor Kalolo.

Het was al meer dan een maand geleden dat hij bij de medicijnman was geweest en hij had het voorwerp dat Kalolo wilde hebben nog niet gevonden. Aanvankelijk had hij gedacht altijd wel iets te kunnen vinden dat het wezen had aangeraakt tussen de rommel die uit Kapinsky's dierenruimte kwam. Maar de stroom voedselresten, injectiespuiten, verbandgaasjes en andere afval was opgedroogd. Hij had dagenlang in de vuilnis van de afdeling zitten wroeten, maar zonder resultaat. Kapinsky had, ontdekte hij, zijn eigen vuilverbrandingsoven geïnstalleerd. Hij wist nu dat er niets anders opzat dan het gebied te betreden waar het bordje 'privé' hing. Hij kreeg pijn in zijn maag bij de gedachte alleen al, maar er zat niets anders op.

Het eerste probleem was dat de deur maar één sleutel had, en die was in het bezit van Kapinsky. Deze zat aan de sleutelring die hij aan zijn broekriem droeg, waarmee hij ongetwijfeld zelfs sliep. Misschien had meneer Murphy, de conciërge, een reservesleutel. Hij zou hem thuis opzoeken en het hem vragen, maar Murphy zou willen weten waarom een schoonmaker een sleutel nodig had voor een plek waar hij iedere dag werkte. Samuel besloot de man om te kopen met een fles drank. De oude Murphy rook altijd naar cognac en zou het zeker prettig vinden zijn voorraad aan te kunnen vullen. Op een avond verzamelde hij moed en ging bij de conciërge op bezoek. Deze woonde in een klein huis met een tuintje aan de rand van het terrein van de faculteit. De vrouw die de deur opendeed herkende hem als een van de schoonmakers en toen Samuel naar meneer Murphy vroeg, liet ze hem binnen in een overgemeubileerde zitkamer. De oude man zat diep onderuit gezakt in een leunstoel met een lege fles naast zich. Het was duidelijk dat hij al een paar glaasjes had genoten. Hij keek Samuel wazig aan en zei op onduidelijke toon: 'Wamoeje?'

Samuel begreep dat de conciërge te ver heen was om te weten wie hij voor zich had, wat mooi uitkwam, meende hij, want dan zou Murphy hem de volgende morgen zeker zijn vergeten. Hij reikte in de plastic tas die hij bij zich had, pakte er een fles goedkope cognac uit en zette die naast de lege fles op tafel. De oude man zette zijn blik op scherp en kwam plotseling tot leven. 'Meneer Murphy, ik zou graag de sleutel willen hebben van dokter Kapinsky's dierenverblijf,' zei Samuel.

Murphy graaide de fles naar zich toe, draaide de dop eraf, schonk wat van de bruine vloeistof in en sloeg die in één slok naar binnen. Hij staarde naar zijn glas en zei: 'Alleen dokter Kapinsky heeft een sleutel van die deur.' Hij keek naar Samuel, probeerde hem scherper in beeld te krijgen, maar gaf het op. 'Waarom wil je daar naartoe? Izzeen enge plek, hoor. Gebeuren rare dingen.'

Hij vulde zijn glas weer, terwijl Samuel uitlegde hoe hij dokter Kapinsky had geholpen bij het opereren van allerlei dieren. Hij wilde alleen maar kijken hoe het met ze ging. Hij was bang dat ze vannacht misschien ziek zouden worden en hij wilde controleren of alles in orde was.

Terwijl hij zat te praten, vielen Murphy's ogen dicht. Zijn hoofd zakte langzaam opzij. Samuel schudde hem wakker. 'Ik heb geen sleutel. Alleen dokter Kapinsky,' mompelde de man.

'Dat is dan jammer,' zei Samuel. 'Want als u me kon helpen mijn dieren te zien, had ik daar wel twee flessen cognac voor over.'

Murphy ging rechtop zitten. 'Ik heb geen sleutel, maar ik kan je wel naar binnen helpen,' zei hij.

Samuel schonk hem nog eens in. Murphy stak zijn hand uit maar Samuel hield het glas net buiten zijn bereik. 'En hoe doet u dat dan, meneer Murphy?'

Murphy deed een uiterste poging, ging rechtop zitten, probeerde het glas te pakken, maar zonder resultaat. 'Dris nog een ingang, via de kleedkamer van de schoonmakers.'

Met het glas in de lucht wist Samuel uit hem te krijgen dat toen Kapinsky de kleedkamer van de schoonmakers had ingericht als zijn slaapkamer, hij gevraagd had de deuropening naar het dierenverblijf op slot te doen en er een kast voor te zetten. Dat had Murphy gedaan en die sleutel had hij nog. Nu herinnerde Samuel zich die deur weer: waarom had hij daar niet eerder aan gedacht?

'Wat staat er nu aan de dierenkant van die deur?' vroeg Samuel.

'Weetuk niet – misschien kooien van debafianen.'

Alle kooien stonden op wielen en konden gemakkelijk worden weggeduwd. 'De sleutel, meneer Murphy. Waar is de sleutel?'

Murphy keek naar het boordevolle glas en dacht diep na. 'M'jas,' zei hij, en wees naar een stofjas aan een haak in de gang.

Samuel nam het glas met zich mee, liep naar de jas, klopte op de zakken, pakte een ring met heel veel sleutels en gaf die aan de oude man.

Murphy tuurde er aandachtig naar en pakte er toen met duim en wijsvinger eentje uit. 'Datizzum,' zei hij triomfantelijk.

Samuel gaf hem zijn glas, haalde de sleutel van de ring en stopte die weer terug in de jaszak. 'Dank u wel, meneer Murphy,' zei hij.

'Voormekaar. Vergeet niet hem terug te brengen – ennog een vles.'

Samuel verliet het huis. Hij had de sleutel naar de geheime kamer, en de oude man zou zich hem nooit meer herinneren als hij de volgende dag wakker werd.

Barnes liep zachtjes Karens kamer binnen, waar haar aanwezigheid sterk voelbaar was. Hij ging naast het bed zitten, pakte haar hand en zag hoe mager die was geworden.

Hij moest twee moeilijke keuzes maken.

Kapinsky's stem dreunde nog in zijn oren na. 'Neem een besluit, Rodney. Je moet iets doen. Of je gaat ermee akkoord dat verdere behandeling geen zin meer heeft en dan moet je haar laten sterven, of je verklaart Karen tot hersendode donor en geeft schriftelijk toestemming haar als eerste patiënt te laten opnemen in onze zaal van levende doden.'

Ze hadden wel een uur lang gediscussieerd, tot Kapinsky zijn geduld begon te verliezen.

'Rodney, jij beweert dat haar fysieke aanwezigheid zoveel voor je betekent. Je zegt dat het feit dat haar lichaam er nog is om naar te kijken en om aan te raken voor jou een essentieel deel van je leven is geworden. Maar je ziet blijkbaar niet dat ze intussen voor je ogen in elkaar aan het storten is. Je babbelt heel aardig, maar wilt intussen de consequenties niet aanvaarden.'

'Wat wil je daarmee zeggen, Louis?'

'Ik vind dat je drie keuzes hebt. Je kunt haar een keurige begrafenis geven, iets waar ieder mens recht op heeft. Je kunt haar balsemen, zoals Stalin of Lenin. Of je gunt mij een kans.'

'Wat?'

Ze stonden in Kapinsky's kantoor. Kapinsky had een stoel naar voren getrokken en Barnes daar ingeduwd. 'Waarom geef je haar de kans niet de eerste mens te worden die in leven is gebleven met behulp van bavianenhersenen?'

Barnes had hem een klap willen geven, maar dat leek vanuit een zittende positie een wat potsierlijk gebaar. Hij had geprobeerd op te staan, maar Kapinsky had hem weer teruggeduwd.

'Denk na, Rodney!' drong hij aan. 'Weeg je opties nu eens serieus tegen elkaar af. Je gedraagt je als een stomme, verliefde tiener en niet als een verantwoordelijk medicus. En besef dat niets doen geen optie is.'

Diep vanbinnen wist Barnes dat er een besluit genomen moest worden. Na de vergadering van de Ethische Commissie van een paar dagen geleden had hij geprobeerd de gevolgen daarvan niet onder ogen te hoeven zien. Bij iemand anders zou het niet zo'n probleem zijn geweest, maar hoe kon hij zijn lief zoiets aandoen, zijn Karen? Hij kon het beeld niet verdragen haar zo bewegingloos te zien liggen, gekoppeld aan een zwarte doos.

'Rod!' Kapinsky had hem bij de schouders gepakt. 'Op dit moment is ze aan het doodgaan, cel voor cel. Zonder hersenen degenereren haar vitale organen. Jezus man, je kunt het zelf zien. Ieder uur... nee, iedere minuut van uitstel voert haar dichter naar het moment dat ze niet meer terug kan.'

Nu, naast haar bed en met haar hand in de zijne, besefte hij dat er een sprankje hoop was. Kapinsky had gelijk: niets doen was geen optie. Dat leidde alleen maar tot alternatieven die helemaal geen opties meer waren.

Haar begraven betekende dat haar lichaam door de wormen zou worden opgevreten. Een crematie zou haar doen veranderen in een handvol as. Hij huiverde bij al deze macabere gedachten.

'Wat wil je dat ik doe, liever?' vroeg hij Karen.

Ze opende haar grote donkere ogen en keek hem aan. Langzaam vertrok haar gezicht zich tot een glimlach. 'Ik wil bij jou zijn, Rodney. Ik wil ons kind.'

Zijn hoofd tolde. Hij slaakte een verschrikte kreet, sprong overeind om de bel in te drukken, maar hield zich in.

Karen lag erbij zoals voorheen, een krimpend lijkkleurig lichaam, de stilte slechts verstoord door de bliep van de monitor. O god, hij had dit alles alleen maar gedroomd. Hij begroef zijn hoofd in haar handen. Hij trilde. Dit was afschuwelijk, dacht hij. Hij was een emotioneel wrak, dat zichzelf nauwelijks in de hand kon houden, laat staan dat hij voor een ander kon zorgen.

Iets wat hij jaren geleden had gelezen over het functioneren van de hersenen schoot hem nu te binnen. Iemand, hij was vergeten wie, had een experiment uitgevoerd om aan te tonen dat ervaringen niet alleen in de hersenen werden opgeslagen als gevolg van elektrische impulsen, maar ook van chemische reacties. Als dat van toepassing was op herinneringen, waarom dan ook niet op bewustzijn? Het lag voor de hand dat, bij de juiste chemische ambiance, het bewustzijn ook terug zou komen.

Misschien had het wel te maken met de chemische boodschappers die werden afgescheiden door de hersenen.

Barnes had zijn besluit genomen. Ja – Karen was de eerste patiënt die werd opgenomen in de zaal van de levende doden.

De oude Murphy herinnerde zich er niets meer van dat hij Samuel de sleutel had gegeven, zodat die de tijd had zijn waagstuk te plannen. Ook hoefde Samuel nu geen twee flessen cognac te kopen, zoals hij had toegezegd.

Samuel wist dat Kapinsky tegenwoordig het lab nog maar zelden verliet. Voor die tijd ging hij weleens naar het cafetaria van de faculteit om te lunchen, maar nu hij zijn eigen voorzieningen had getroffen in de kleedkamer van de schoonmakers, kwam dat haast niet meer voor. Soms ging hij wel eens op vrijdagavond weg, in vrijetijdskleding en met zijn attaché-koffer. Dan bleef hij meestal zo'n drie uur weg. In die periode zou hij zijn bezoekje moeten afleggen.

Samuel plande het heel zorgvuldig. Het was hem opgevallen dat dokter Kapinsky, als hij in het gebouw aanwezig was, nooit zijn verblijfsruimte afsloot. De enige obstakels waarmee hij te maken kreeg waren de hoofddeuren die naar het dierenverblijf leidden en de speciale deur naar het afgesloten gedeelte. De hoofddeuren waren geen probleem. Daarvoor had hij al een sleutel van dokter Barnes gekregen, zodat hij iedere ochtend het gebouw kon openen. Dokter Barnes' sleutel bracht hem binnen het gebouw en Murphy's sleutel op de geheime plek.

Samuel wist dat de onderneming een succes zou worden en was met zichzelf ingenomen – tot het moment dat de oude vrouw hem toesprak vanuit de schaduw bij zijn voordeur. 'Ik zie je wel, Samuel Mbeki.'

Hij probeerde niet te laten merken hoe geschrokken hij was en groette haar koeltjes. 'Gegroet, oude vrouw.'

'Ik heb een boodschap voor je van Kalolo.'

Samuels voelde zijn hoofdhuid steken en hij huiverde in de warme zomernacht. 'Ja, oude vrouw? Wat wil de Wijze Man?'

'Hij wil dat je je belofte nakomt. Hij zegt dat zijn krachten om je te kunnen helpen afnemen en dat zijn woede toeneemt.'

O lieve Jezus, help me, dacht Samuel. Deze zin – die hij zich herinnerde van een gebed dat de nonnen hem als kind hadden geleerd – bleef hem door het hoofd spoken. Zijn tijd was op. Deze vrijdag moest hij inbreken.

Toen de oude vrouw weer weg was, doorzocht hij zijn hele kamer tot in de kleinste uithoekjes. Als hij de *doekem* kon vinden die de oude vrouw daar had achtergelaten zodat de medicijnman zijn krachten op hem kon richten, had hij nog wat tijd. Hij zocht naar een doek of een stok, of misschien wel een voorwerp van klei, een steen of een bot met tekenen.

Hij vond niets, wat nog niet betekende dat er niets was. Het kon onzichtbaar zijn, of in de muur geblazen. Het werkte misschien nu al, doodde hem vanbinnen uit, maakte hem steeds zieker, tot hij zou sterven. Hij kon niet slapen. Het duurde nog twee dagen voordat hij een poging kon wagen, en hij lag nu al te rillen van de angst. 'O lieve Jezus, help me,' smeekte hij.

Het duurde eeuwen voor het dag werd. Tijdens het eten van zijn gebruikelijke ontbijt moest hij overgeven. De kou in zijn binnenste werd voortdurend erger. Samuel wist dat hij in levensgevaar verkeerde. Bij aankomst op het instituut kreeg hij diarree. Kalolo was bezig hem te doden.

'Boots, je ziet eruit alsof je doodgaat,' zei Nat Ferreira tijdens zijn voorbereidingen voor de eerste operatieronde. Samuel schrok enorm van die opmerking. In twee uur tijd moest hij drie keer naar de wc. Tijdens de lunchpauze zat hij diep ongelukkig in een hoekje van het dierenverblijf, de armen rond zijn lijf.

'Hier, neem deze maar,' zei een stem in zijn oor. Hij keek op. Daar stond Ferreira, een glas water in zijn ene hand, twee kleine pilletjes in de andere. Gehoorzaam stopte Samuel de pillen in zijn mond en spoelde ze weg met water. Ze zouden geen effect hebben tegen de krachten van Kalolo, maar hij vond deze blanke dokter aardig en hij wilde hem niet teleurstellen. Dokter Ferreira bedoelde het goed, maar dit was niet iets dat je met de medicijnen van de blanke mensen op kon lossen. Samuel moest zijn lot aanvaarden, niemand kon hem daarbij helpen. Ferreira zei dat hij een uurtje moest gaan liggen en dat Victor in de tussentijd voor hem zou invallen aan de operatietafel.

'Waar is Boots?' vroeg Barnes, toen hij even binnenliep om de operaties van de vorige dag na te lopen.

Ferreira grinnikte, wees naar het andere eind van het dierenverblijf en zei: 'Hij kwam vanochtend op het werk met een gierende diarree. Ik heb hem genoeg lomotil gegeven om de Titanic te stoppen. Hij slaapt nu zijn roes uit.'

'Let wel even op dat hij niet te veel vocht verliest,' zei Barnes. 'En stuur hem anders door naar de polikliniek, als het straks nog niet over is.'

Samuel sliep als een blok. Ferreira was een paar keer bij hem gaan kijken en maakte hem vlak voor het einde van de werkdag wakker. Samuel keek stomverbaasd om zich heen. Hij leefde nog. De andere schoonmakers stonden om hem heen en lachten. Hij voelde zich voortreffelijk en was uitgehongerd. Hij bedankte Ferreira en stond op, enerzijds in verlegenheid gebracht dat hij had liggen slapen, anderzijds zeer opgelucht dat Kalolo het bij een waarschuwing had gelaten. Hij kreeg nog een kans. Dit keer moest hij ervoor zorgen dat de oude man kreeg wat hij wilde.

Toen het eindelijk vrijdag was, nam Samuel wat eten mee naar het instituut – misschien zou hij die nacht wel moeten overblijven. Het openbaar vervoer naar zijn township hield er al vroeg mee op, en het was te gevaarlijk om na zonsondergang naar huis te lopen.

Vlak voor het einde van de werkdag schoof hij zijn tas om zijn schouder, pakte zijn jack en groette de anderen. Toen ging hij naar de toiletten en sloot zich op in een van de hokjes. Hij bleef zitten tot het gebouw om hem heen stil werd. De slepende voetstappen van de oude Murphy op zijn laatste ronde deden zijn hart even sneller kloppen, maar daarna was het overal stil.

Hij schrok wakker van een plotseling geluid en keek op zijn horloge. Het was precies negen uur. Kapinsky verliet het gebouw en Samuel was alleen met de bavianen – en het gevaarlijke wezen. Vanavond zou hij het monster ontmoeten. Zijn hart sloeg al over bij de gedachte. Hij wachtte nog een halfuur, opende voorzichtig de deur van het toilet, liep de gang op en luisterde. Nergens klonk een geluid. Zelfs de dieren sliepen.

Nu liet hij geen seconde meer verloren gaan. Hij liep direct naar de kamer waar hij al die onaangename nachten had doorgebracht in afwachting van de geboorte van het wezen. Daar had hij geen licht meer nodig. Hij kende de kamer op zijn duimpje en liep zonder aarzelen op de kast af. Hij greep deze aan weerszijden vast en probeerde hem van de muur te trekken.

Er was geen beweging in te krijgen.

Hij onderdrukte een opkomend gevoel van paniek. Hij moest de kast verplaatsen, de deur erachter openen en het dierenverblijf binnengaan. Hij probeerde het opnieuw. Dit keer ging hij met zijn rug tegen een zijkant staan, zette zich met beide voeten schrap en duwde uit alle macht. Met een schrapend geluid dat door het hele gebouw leek te echoën begon de kast stukje bij beetje bij de deur vandaan te schuiven. Samuel stopte even om op adem te komen. Hij voelde in het donker langs de randen van de deur en merkte dat die naar binnen opende – hij hoefde er geen kooien mee opzij te duwen. Hij vond het sleutelgat en stak de sleutel erin. Die wilde niet draaien. De oude Murphy had hem de verkeerde sleutel gegeven.

Drijfnat van het zweet, naar adem snakkend van wanhoop, wist hij de sleutel met veel moeite weer los te krijgen en probeerde het opnieuw. Eindelijk klikte deze rond. Hij duwde de deur open en de warme, bekende geur van het dierenverblijf kwam hem tegemoet.

De ruimte werd verlicht door een enkel peertje dat onder een metalen kapje aan het plafond hing. Zoals Murphy had gezegd was de deuropening geblokkeerd door een kooi. Deze stond op wieltjes, maar de bodemplaat was hoog genoeg om er onderdoor te kunnen kruipen. Hij stond op het punt dat te doen, toen hij aan het wezen dacht. Het was mischien beter een wat toegankelijker vluchtweg achter te laten. Hij duwde tegen de kooi. Deze bewoog langzaam en stilletjes. Hij stapte door de deuropening en liep de verboden plek binnen.

Toen zijn ogen aan het schaarse licht waren gewend zag hij hoe onberispelijk schoon de vloer was. Dat moest de blanke dokter allemaal zelf hebben gedaan. Het moest wel heel belangrijk voor hem zijn de mensen buiten de deur te houden. Hij, Samuel Mbeki, stond op het punt te ontdekken waarom.

Plotseling begon een mannetjesbaviaan hele harde geluiden uit te stoten. Een waarschuwing aan de troep dat de vijand in de buurt was. 'Je kunt roepen zo hard je wilt. Niemand zal je horen,' zei Samuel, ineens opgetogen.

Maar hij had het mis. Er was wel degelijk iemand die het hoorde.

Kapinsky had besloten die avond langer door te werken. Hij was een nieuw ontwerp aan het maken van de zwarte doos, zodat de hele bavianenkop erin kon en niet alleen de hersenen. Barnes had gelijk. Chirurgisch gezien was het beter de complete kop van de baviaan te verwijderen. Daardoor kon ook het belangrijke kleine endocriene orgaan, de hypofyseklier, intact blijven.

Hij hoorde de roep van de baviaan heel duidelijk en ging meteen rechtop zitten. Kwam die van een van zijn dieren? Hij liep naar de deur van zijn kantoor en luisterde. Daar klonk dat geluid weer. Het kwam uit het dierenverblijf.

Kapinsky pakte de sleutel en deed zachtjes de deur van het slot. De meeste andere dieren waren nu ook wakker en liepen te schreeuwen en te springen in hun kooien. Samuel moest opschieten. Maar waar kon hij in deze wirwar van kooien het monster vinden? Waar was dat wezen dat hij voor het laatst had gezien in de moederschoot? Hij zag een rijtje bedjes in de kraamafdeling achter in het verblijf. Daar zou het weleens kunnen zijn.

Nu waren alle dieren wakker en het lawaai was onvoorstelbaar. Godzijdank was het instituut op dit uur van de avond verlaten.

Op de kraamafdeling lag ieder baviaantje in zijn bedje ingestopt als een mensenbaby. Samuel wilde hun handjes zien. Hij boog zich over het rek van het eerste bedje om de deken opzij te duwen, toen zijn hoofd plotseling van achteren werd vastgepakt in een houdgreep. Hij kon zich niet omdraaien om te zien door wie hij werd aangevallen, maar toen hij naar beneden keek zag hij een harige voorarm die zijn armen tegen zijn lichaam drukte. Godallemachtig, kon het monster in een paar weken tijd zo groot zijn geworden?

Hij worstelde om aan de houdgreep te ontsnappen. Het begeleidende koor van de andere dieren zwol aan, alsof ze de aanvaller aanspoorden en zijn hulpgeroep werd volledig overstemd.

De hand en de arm die hem vasthielden bogen zijn hoofd langzaam naar achteren tot hij de adem van het dier kon voelen. Wat een nachtmerrie. Een verscheurende pijn schoot door hem heen. Het dier had zijn tanden in zijn nek laten zinken. Samuel begon zwak en duizelig te worden. Even kon hij weer helder zien. Tijdens hun worsteling waren ze bijna de hele ruimte doorgetold en uit zijn ooghoeken zag hij dat ze zich bij de deur bevonden waardoor hij was binnengekomen. Dit sterke beest drukte zijn hoofd in elkaar als een rijpe tomaat. Hij moest maken dat hij wegkwam, anders was hij verloren. Wie niet sterk was, moest slim zijn. Hij gaf alle verzet op en deed alsof hij dood was, slap hangend in de harige armen van het monster. De klemmende greep werd minder om nieuwe kracht te verzamelen. Dit was zijn enige kans. Hij zwiepte met zijn hoofd naar voren en voelde hoe hij, zijn voorhoofd kletsnat van het zweet, uit de houdgreep glipte. Hij was vrij!

Hij stoof als door een adder gebeten door de deuropening, schoot de gang door, de brandtrap af en het souterrain in. Daar keek hij om zich heen, schuilend in de schaduwen van de straatverlichting. Een lege wasmand! Hij sprong erin en trok het deksel dicht. Hij wist nu dat zo'n monster zich zo stil kon bewegen als een kat. Het was verschrikkelijk sterk en viel aan zonder geluid te maken. Hij zou in de wasmand blijven tot de dag aanbrak en hoopte dat niemand hem voor die tijd vond.

Omgolfd door het geschreeuw in het dierenverblijf ging Kapinsky eerst naar de opgewonden Josef en controleerde daarna alle kooien. Er was niets weg. Hij stond een tijdje voor de open deur en zag toen dat er nog een sleutel in het slot zat. Hij deed de deur dicht, sloot die af, stak de sleutel in zijn zak en schoof met zijn krachtige armen in één ruk de kast weer op zijn plaats. Nog een vlugge blik om zich heen. De indringer was verdwenen, en duidelijk zo geschrokken dat hij niet meer terugkwam. Tijd om naar bed te gaan.

Samuel bracht een hoogst ongemakkelijke nacht door in de wasmand, en durfde pas naar buiten te komen toen hij de geluiden om zich heen hoorde van het dagpersoneel. Hij besloot zich ziek te melden. Des Louw vond ook dat hij er niet best uitzag en stuurde hem door naar de polikliniek, waar de dokter zei dat hij misschien een griepje onder de leden had, en hem naar huis stuurde met een flesje pilletjes plus het advies een paar dagen in bed te blijven.

Samuel kwam in de loop van de ochtend thuis. Hij vond het raar om in de township te zijn met alleen maar vrouwen, kinderen en werklozen. Hij deed zijn deur op slot en ging op bed liggen. Zijn nek deed pijn van de beet die hij had gehad. Met zijn vingers kon hij de gaten voelen die de hoektanden hadden gemaakt. Zijn leven was ondraaglijk geworden. Hij had bewezen dat hij aan het monster kon ontsnappen, maar hoe zat het met de medicijnman? Hij kon weggaan en bij zijn vrouw en kinderen in het thuisland gaan wonen. In de loop der jaren had hij daarvoor genoeg geld gespaard, maar hoe kon hij de medicijnman ontlopen?

Kalolo was niet te ontlopen. De oude man kon hem overal bereiken. Hij kon hem en zijn gezin betoveren, zodat ze allemaal langzaam dood gingen. Wat zou zijn vader hebben gedaan?

Samuel ging rechtop zitten. Zijn vader was in ieder geval niet op bed gaan liggen, met de deur op slot. Hij stond op. Zijn shirt zat hem niet lekker. Hij trok het over zijn hoofd en rook een vreemde lucht. Het monster had vanachteren tegen hem aan gestaan. Hij had wat Kalolo wilde, iets wat door de aapmens was aangeraakt. Hij kon wel dansen van vreugde. Hij waste zich, trok een schoon overhemd aan en stopte zijn andere shirt in een plastic zak. Toen kleedde hij zich zorgvuldig in zijn pak en das en gepoetste schoenen. De zon stond hoog aan de hemel en hij ging op weg naar het huis van de medicijnman.

De oude vrouw deed open. Ze zei dat ze blij was hem te zien. De Wijze Man had hem al dagen geleden verwacht, en hield er niet van te moeten wachten.

Kalolo zat in dezelfde houding en was net zo gekleed als de vorige keer. Samuel kreeg ineens het rare gevoel dat de man zich nog helemaal niet had verplaatst sinds hij hem het voor het laatst had gezien. Hij hurkte op de vloer tegenover Kalolo en wachtte.

Eindelijk sprak de oude man. 'Ik zie je wel, Samuel Mbeki.'

'Goedendag, wijze man.'

'Je bent lang weggebleven, mijn zoon. Heb je meegenomen waar ik om heb gevraagd?'

Samuel pakte zijn bebloede shirt uit de plastic tas. 'Dit shirt is door het monster aangeraakt,' zei hij, een beetje trots alsof hij een heldendaad had begaan. Hij gaf het aan de oude man.

Kalolo spreidde het shirt uit op de vloer, haalde het leren zakje van zijn riem, opende dat en nam er een stuk of tien botjes uit. Samuel voelde de huid achter in zijn nek kriebelen. Kalolo schudde de botjes in zijn handpalmen, mompelde een paar woorden en strooide ze uit over het shirt. Toen begon hij met zijn ogen dicht voor- en achterover te wiegen en zong hij in een vreemde taal. Twee keer stopte hij en keek naar Samuel, daarna begon hij weer opnieuw. Bij de derde poging opende hij zijn ogen en onderzocht de botjes, met een verbaasd gezicht.

Hij staarde lange tijd naar de botjes, strekte zijn arm en raakte er een aan met zijn vinger, hief toen langzaam het hoofd en keek Samuel met stijgende woede aan. 'Je hebt me bedrogen,' zei hij met zijn droge, fluisterende stem.

Samuel schudde het hoofd. Hij kon zijn oren niet geloven.

'Je hebt tegen me gelogen,' zei Kalolo, nu wat harder. 'Dit shirt is alleen maar aangeraakt door menselijk vlees.'

'Nee, nee, wijze man,' zei Samuel wanhopig. Hij trok zijn das los en knoopte zijn overhemd open. Toen boog hij zich voorover en liet Kalolo zijn wond zien.

De oude man zei niets. Hij negeerde de wond en staarde Samuel aan. 'Dat zijn de afdrukken van menselijke tanden. Je bent niet door een dier gebeten. Dit is door een mens gedaan.'

Weer protesteerde Samuel.

'Genoeg,' riep Kalolo, met een stem die bijzonder hard klonk in die kleine ruimte. Hij stak een hand uit, liet die langzaam zakken en wees naar Samuel. 'De beenderen liegen nooit. Ga heen en keer binnen een week terug met waar ik om gevraagd heb. Als je dat niet doet, zweer ik je bij de ziel van je vader, dat je door een dodelijke ziekte zult worden getroffen, een ziekte zo afschuwelijk dat zelfs je kinderen niet meer in je buurt willen komen. Sla acht op wat ik zeg en doe wat ik je vraag of je zult veel pijn kennen voor je oog in oog met de dood komt te staan.'

Samuel krabbelde haastig overeind, en vertrok. Op straat stond hij met zijn shirt in de ene hand en zijn das in de andere, terwijl de hele buurt naar hem keek.

Hij liep zonder verder iets te zien terug naar huis. Dit was het einde van de wereld. Hij ging wanhopig op zijn bed zitten, het shirt nog steeds in zijn hand. Langzaam hield hij het dichtbij zijn neus en snoof. Uit de stof steeg sterk en onmiskenbaar de geur van een dier op.

HOOFDSTUK 21

'Jij wilt lijken in leven houden? Jij vraagt mij toestemming in dit ziekenhuis een zaal vol levende kadavers te kunnen houden?' Het idee leek zo vergezocht, dat medisch directeur Michael Webber had besloten te doen alsof hij het niet begreep. 'Is dit een grap? Je houdt me voor de gek! Hè, Rodney?'

Webber stond zo beduusd te kijken dat Barnes er haast om moest lachen, maar een onbewogen gezicht was beter op zijn plaats geweest. De Ethische Commissie had voor dit project dan wel het groene licht gegeven, maar dat maakte verder geen indruk op de ziekenhuisdirectie. Dit was een door de staat gesubsidieerd ziekenhuis, een instelling die geregeerd werd door gelimiteerde begrotingen en bestedingsvoorschriften die via dikke lagen bureaucratie teruggingen tot regeringsniveau. Het was net een trein – op een recht traject dat nooit afweek van het gezondheidsbeleid, vastgelegd door carrière-ambtenaren. Zoals al dit soort instituten bestond het zowel ter meerdere eer en glorie van zichzelf, als van de machteloze patiënten die er dag in dag uit doorheen trokken.

'Nee, het is geen grap,' antwoordde Barnes. 'Het betreft een serieus onderzoeksproject dat het laboratoriumstadium is ontgroeid en nu een aantal waardevolle diensten kan bewijzen aan het transplantatieprogramma.'

Tot voor een paar minuten was dit een prettig gesprek geweest, dacht Webber. Hij mocht Barnes wel, ondanks alle publiciteit die zijn hartteam altijd opriep. Maar ambtenaren hielden niet zo van publiciteit en dit project zou de hele wereldpers op hun achterste benen zetten. Jammer dat JJ niet wat gedetailleerder was geweest met zijn informatie, toen hij hem vertelde dat de Ethische Commissie toestemming had gegeven voor Barnes' donor-pool. Een 'donor-pool' klonk nogal gematigd en paste goed in het verlengde van de transplantatie-chirurgie, maar dit idee sloeg helemaal nergens op – een zaal vol opgewarmde lijken? Als hij dit toeliet zou het ministerie van Volksgezondheid hem levend villen.

Na een vol uur argumenteren wist Barnes zijn weerstand geleidelijk aan te verminderen, en ging hij er tenslotte mee akkoord dat een deel van een oud gebouw dat al lang leeg stond kon worden ingericht om 'lijken in leven' te houden, zoals hij het noemde. 'Maar je zult het op eigen kosten moeten opknappen en inrichten,' zei hij nadrukkelijk.

God weet waar dát geld nou weer vandaan moet komen, vroeg Barnes zich af. Misschien dat Kapinsky's weldoeners hier konden inspringen. Na de worsteling met Webber was het hartteam de volgende horde die moest worden genomen. Barnes wist dat hij hun medewerking nodig had, wilde het project enige kans van slagen hebben. Het beste was de informatie wat te doseren en die stukje bij beetje toe te dienen. Het idee van de zwarte doos zou geen problemen opleveren. Niet iedereen hoefde te weten dat er bavianenhersenen in zaten. De Ethische Commissie was volledig geïnformeerd en dat was voldoende.

Hij riep een vergadering bijeen in zijn kantoor om de inbreng van de staf aan dit project te bespreken. Deze vergadering vond vlak voor de lunchpauze plaats. Niet veel mensen konden al te scherp nadenken met een lege maag. Hij wilde instemming, geen ontstemming.

Iedereen was er, met uitzondering van Alex Hobbs die bezig was in de intensive care. Ook uitgenodigd waren dokter Ohlsen en de hoofdzuster, Julie Meadows. Zonder de steun van zuster Meadows waren ze nergens, dacht Barnes.

Karen had niet veel tijd meer te verliezen. Kapinsky en hij moesten snel handelen, als ze nog enige hoop wilden hebben haar te redden. Zonder een goed uitgeruste ziekenzaal en een getrainde staf konden ze haar nooit meer op tijd aansluiten op het nieuwe ondersteuningssysteem. Deze vergadering was van vitaal belang.

Kapinsky zat naast hem – nieuwsgierig aangestaard door de verpleegkundigen, die hem zelden zagen en hem maar een mysterieus type vonden. De beslotenheid en drukte in Barnes' kantoor gaven een indruk van urgentie aan de situatie. Uitstekend, dacht Barnes. Medische mensen reageren over het algemeen heel goed op noodsituaties. Hij besloot het kort te houden en pas vragen toe te laten als het project al van de grond was gekomen. Hij had zich geen zorgen hoeven maken. Het was een gemakkelijke overwinning. De staf bleek zo gestimuleerd door het idee een bepaalde werkwijze in de onderzoekssfeer te kunnen omzetten naar de praktijk, dat iedereen zich verdrong om mee te mogen doen.

Vanaf het moment dat hij Kapinsky's basisidee over dit project uitlegde, hing men aan zijn lippen. Zijn beschrijving van Kapinsky's 'hersenbemiddelingssysteem' deed Des Louws ogen oplichten. Toen hij de klinische toepassingen benadrukte, die werden ondersteund door wat hij Kapinsky's 'poppetje gezien, kastje dicht'-methode noemde, ging er een applausje op. Dit was te mooi om waar te zijn, dacht Barnes en besloot dat het nu tijd werd voor de andere kant van de zaak.

'Ik wil jullie er van meet af aan op wijzen dat dit een hoop extra uren gaat kosten, boven op de zware werklast die jullie al hebben.' Overal klonk gekreun, gevolgd door instemmende lachjes. Toen verwachtte hij protesten over het gebruik van een zaalruimte in het leegstaande gebouw, maar zijn staf vertrok geen spier. 'We gebruiken de vierde verdieping en we noemen de zaal D7, omdat zeven mijn geluksgetal is, en de bureaucraten deze dan kunnen terugvinden in hun papierwinkel.' Iedereen lachte. Voor hen was D7 een realiteit. Nu moesten ze nog worden doordrongen van de noodzaak dit project geheim te houden.

Elke aanwezige, met Barnes als getuige, zette zijn handtekening onder een plechtige belofte geen enkele informatie te verstrekken over enig onderdeel van dit project.

Het wekte wel enige verwondering toen hij een grote bijbel te voorschijn haalde, en ieder staflid vroeg een eed te zweren nooit enige mededelingen te doen over zaal D7 of degenen die erbij betrokken waren.

'Jezus, wel een beetje melodramatisch, vind je ook niet?' fluisterde Kapinsky in zijn oor.

'Jij ook,' antwoordde Barnes, legde Kapinsky's hand op het boek en tilde zijn andere hand in de lucht. 'Herhaal wat ik zeg. Ik zweer hierbij plechtig...'

Nat Ferreira wilde weten hoe de patiënten op zaal D7 werden gevoed. Barnes legde uit dat er een dun kunststof slangetje zou worden ingebracht, dat via de neus naar de maag liep. Dit slangetje zat niets in de weg en veroorzaakte weinig tot geen irritatie. De ziekenhuisdiëtist, vertelde hij Ferreira, had een speciaal soort vloeibaar voedsel samengesteld, dat continu in de maag werd gedruppeld. Dit voedsel bevatte alle benodigde vitaminen, mineralen, aminozuren en calorieën om te voorkomen dat de patiënten in een katabole staat zouden raken en hun weefsels zouden afbreken. 'De diëtist heeft me verzekerd dat de patiënten door dit voedsel eerder zullen aankomen dan wegteren,' zei Barnes.

Hij vertelde hun dat dokter Ohlsen had aangeboden de beademing te regelen. Aangezien de patiënten geen hoestreflex hadden, waren ze niet in staat op de normale wijze afscheidingsprodukten van hun bronchiën te verwijderen en het regelmatig afzuigen werd een van de taken van het verplegende personeel. 'Dokter Ohlsen geeft de voorkeur aan een zachte intertracheale buis door de mond, maar het kan best zijn dat een tracheotomie minder complicaties geeft,' voegde hij daar nog aan toe.

Hoewel hij daar niets over zei, hoopte Barnes in stilte dat de bavianenhersenen de hormooncontrole van het lichaam zodanig overnamen, dat er weer een spontane ademhaling ontstond.

Zuster Meadows zei dat ze over te weinig goed opgeleide verpleegkundigen beschikte, daardoor maar een paar mensen voor het project kon vrijmaken en zich zorgen maakte over de regelmatige verlegging van de patiënten om het doorliggen te voorkomen. Ze reageerde opgelucht toen Barnes zei dat hij voldoende fondsen had om elke patiënt te voorzien van een computergestuurd waterbed, dat zich automatisch op steeds verschillende plekken opblies en weer leeg liet lopen, zodat er nergens een langdurige druk ontstond op het lichaam van de patiënt. 'Er zijn alleen verpleegkundigen nodig voor de afzuigsystemen van de patiënten en voor een dagelijkse wasbeurt,' zei hij tegen haar. 'O – en ik kan hier nog aan toevoegen dat we via een computergestuurde perfusor hebben gezorgd voor een automatische medicijntoediening, waardoor er niet meer dan één verpleegkundige in functie hoeft te zijn.'

Het was een blijde en opgewonden groep die uiteindelijk ging lunchen, vol ideeën en plannen en popelend om met de uitvoering van dit nieuwe project van start te kunnen gaan. Barnes was moe en leunde met gesloten ogen achterover in zijn stoel. Hij was, te beginnen met Mike Webber, de hele dag bezig geweest iedereen uit te leggen wat hij wilde en was nu bekaf.

Kapinsky's stem riep hem weer tot de orde. 'Je bent zo druk bezig geweest te zorgen dat je grietje er niet tussenuit knijpt, dat je blijkbaar bent vergeten dat er nog wel wat andere belangrijke dingen moeten worden gedaan.'

Barnes werd woedend. De totaal onnodige pesterij over zijn relatie met Karen was weer typisch iets voor Kapinsky met zijn rothumeuren. Er was hem vanochtend zeker weer iets in het verkeerde keelgat geschoten. Misschien had hij hem wel te weinig eer gegund tijdens zijn uitleg aan de staf. Krijg de zenuwen, ik heb er schoon genoeg van altijd maar met zijn kinderachtige gedoe rekening te moeten houden, dacht Barnes, en opende zijn mond om hem van repliek te dienen.

Kapinsky was hem voor. 'Ik heb een hoop tijd, energie en geld besteed om op jouw verzoek immuuntolerante bavianen te leveren. Nu is het jouw beurt om aan dit project bij te dragen.'

'Hoe dan?' vroeg Barnes verbaasd.
'De toelevering van de harten, verdomme. Hangen ze opeens geen mensen meer op?'

De valluiken sloegen met een klap open en vijf lichamen stortten naar beneden in de ruimte waar Barnes, dokter Rood en twee bewakers stonden te wachten. De touwen om hun nekken stopten hun val met een ruk. Vier hingen vrijwel bewegingloos, op het zwaaien van het touw na. Eén ging over tot een *danse macabre*, waarbij de voeten cirkeltjes draaiden op zoek naar de steun die er niet was.

Het was net een week geleden dat Kapinsky had geklaagd over het stilliggen van zijn onderzoek naar de implantatie van de harten van geëxecuteerde gevangenen in immuuntolerante bavianen. Barnes had 'geluk', zei de gevangenisdirecteur toen hij belde. Er zouden vijf jonge zwarte mannen worden opgehangen. Als de familieleden akkoord gingen, mocht hij de harten hebben.

Na de eerste wilde zwaaien kwamen de lichamen tot rust. De ruwe geur van uitwerpselen vulde de lucht. Deze onverwachte donors waren in de bloeitijd van hun leven, dacht Barnes. Nu moesten ze boeten voor wat hun cultuur en geloof van hen had verlangd. Gistermiddag had hij de verbijsterde familieleden ontmoet, nadat ze voor het laatst afscheid hadden genomen van hun zonen. Eerst wilden ze niet ingaan op zijn verzoek de schriftelijke toestemming te ondertekenen, ze eisten uitleg waarom hun kinderen ter dood werden gebracht. Waarom, vroegen ze, wilden de blanke mensen hun zonen doden voor het gehoorzamen van het bevel van de medicijnman.

Ze hadden hem verteld dat het dorpshoofd ziek was geworden. De medicijnman had gezegd dat het enige geneesmiddel dat hun leider kon redden voorkwam in de verse lever en hart van een mens. Tijdens een dorpsvergadering hadden de ouderen vijf jongemannen aangewezen, en hun de opdracht gegeven deze organen te halen. Die middag trokken ze naar een andere kraal, waar ze een jongen gevangen hadden genomen die geiten aan het hoeden was. Ze hadden hem de bosjes ingesleept, de keel doorgesneden, zijn lever en hart eruit gehaald en de organen direct naar de wachtende medicijnman gebracht. Het dorpshoofd was vrijwel meteen hersteld. Wat was daar nou verkeerd aan?

Een maand later had de politie ze alle vijf gearresteerd en ze van moord beschuldigd. Niet begrijpend hadden alle vijf gezegd dat ze niet schuldig waren.

De familieleden vertelden Barnes dat dit soort rituele doden al eeuwenlang gebruik was bij verscheidene stammen. Het slachtoffer stierf een nobele dood en zijn ziel rustte bij die van zijn voorvaderen. Door de jongen te offeren, leefde het dorpshoofd. En wilden de witte mannen hun zonen ophangen voor wat hun ouders hun hadden opgedragen? Hun kinderen, zeiden ze, konden onmogelijk een opdracht van hun ouders weigeren.

Barnes had het echt met ze te doen. De blanken, legde hij uit, kenden de gewoonten van de zwarten lang niet altijd, en maakten hun wetten zonder de zwarten te vragen wat zij wilden.

De groep was zeker twintig minuten lang druk in gesprek, wild gebarend, soms praatten ze allemaal tegelijk, soms luisterden ze naar wat eentje te zeggen had. Op een gegeven moment werd het stil en keken ze naar Barnes. De oudste, een magere grijsharige oude man, zei hem dat ze een besluit hadden genomen. Iedereen was ertegen dat de harten van hun zonen zouden worden verwijderd. Hoe, vroeg hij Barnes, konden zij naar de andere wereld gaan en hun voorouders opzoeken, als ze geen hart hadden?

Barnes had geen privé-straalvliegtuig gehuurd en was niet helemaal naar Pretoria gekomen om met lege handen weer naar huis te gaan. 'Maar wist u,' zei hij, 'dat ook blanke mensen het vlees van andere mensen nodig hebben om goede medicijnen te kunnen maken?'

'Hau!' riep de man uit en vertaalde dit voor de anderen. Op alle gezichten viel verbazing te lezen. Het verschil was, legde Barnes uit, dat de blanken voor dit doel geen mensen dood maakten. De organen bedoeld als medicijn werden alleen gebruikt na de dood. 'Als u het goedvindt dat ik het hart van een van uw zonen meeneem, gebruik ik dat om iemand die ziek is weer beter te maken.' Dat het in het lichaam van een baviaan werd geplaatst, vertelde hij ze maar niet.

Opnieuw ontstond er enige discussie. Na een tijdje deelden ze Barnes mee dat ze het onderling niet eens konden worden.

Hij merkte wel dat er niet veel meer nodig was om ze over de streep te trekken. Hij besloot het nog eens te proberen. 'U vertelde me dat het kind bij wie uw zonen om medische redenen het hart en de lever hebben weggehaald een nobele dood is gestorven. En dat om die reden zijn ziel die van zijn voorvaderen zal ontmoeten. Dankzij hun nobele gift zal de ziel van uw zonen ook naar het land van hun voorvaderen gaan.' Opnieuw ging de groep in vergadering. Dit keer duurde de discussie veel korter en kreeg Barnes te horen dat ze allemaal akkoord gingen. Hij legde hun de benodigde papieren voor en iedereen zette een kruis op de daarvoor bestemde plaats.

Samuel stond klaar met zijn operatiejas en handschoenen aan. Het was een hele klus geweest hem zover te krijgen. Tot Barnes' verbazing had hij er niets over willen horen. Zelfs toen Barnes hem erop wees dat het opereren van menselijke lichamen voor hem de volgende stap was op weg naar het dokterschap, leek hij alleen maar bang te zijn. Samuel had allerlei slappe smoesjes bedacht, want hij kon Barnes immers niet vertellen dat hij al genoeg zorgen aan zijn hoofd had met Kalolo en de aapmens, om daar ook nog de zielen van gehangenen bij te kunnen gebruiken.

Barnes had zijn uiterste best gedaan hem over te halen en hem verzekerd dat hij niet bij de executies aanwezig hoefde te zijn. De met lakens bedekte lichamen zouden na hun dood naar een speciale operatiekamer worden gereden, en hij hoefde niet eens hun gezichten te zien. Het mocht allemaal niet baten. Het zag ernaar uit dat hij het werk in zijn eentje moest doen.

Samuel leek echt bang te zijn en Barnes vroeg zich af of het misschien iets te maken had met het een of andere taboe. Als hij de man dwong met hem mee te gaan, had hij waarschijnlijk toch niets aan hem. Hij legde zich bij het onvermijdelijke neer.

'Hmmm, het ziet ernaar uit dat ik me bij je weigering zal moeten neerleggen, Boots,' zei hij. 'Ik vertrek donderdag. Laat me weten als je voor die tijd van mening verandert – ik denk echt dat je het werk interessant zult vinden.'

Samuel had geknikt, zonder iets te zeggen.

'Dokter Kapinsky regelt alle routine-werkzaamheden terwijl ik er niet ben,' zei Barnes nog, op weg naar de deur. 'Hij heeft ook wat extra hulp nodig in het dierenverblijf. Dat vind je vast wel leuk.'

Samuel stond als door de bliksem getroffen, zijn ogen rond van schrik. Dit was het ergste wat hem kon overkomen. Sedert die afschuwelijke nacht was hij niet meer in de buurt van Kapinsky geweest. En nu moest hij met hem het dierenverblijf in? Dan maar naar Pretoria en kijken hoever hij kwam met die dode moordenaars.

'Dokter Barnes,' zei hij en wurgde de woorden uit zijn droge keel, 'Ik heb veel gehoord over die gevangenis en de ophangingen. Ik weet dat zwarte mannen daar sterven. Ik ben bang om daar naartoe te gaan, maar voor u wil ik het wel doen.'

Barnes wist zijn opluchting te verbergen. Boots had blijkbaar nog meer de pest aan Kapinsky dan hij had gedacht. Hij had uitgelegd dat hij het daar niet alleen aankon zonder kostbare tijd te verliezen. Hij zou de heparine injecteren en het hart masseren om te voorkomen dat het bloed ging stollen, dat alles tussen het moment dat het lichaam van het touw werd gehaald en het moment dat het hart werd verwijderd. Alles wat Boots moest doen was klaarstaan om het hart eruit te halen.

Samuel was zowel gefascineerd als bang: dit betekende inderdaad een grote stap voorwaarts in zijn medische loopbaan, maar wat voor risico's haalde hij aan door een zojuist gestorven hart uit een moordenaar te snijden?

Hier stond hij nu, klaar om aan het werk te gaan. Het was niet moeilijk te raden wat het afschuwelijke dreunende geluid in de ruimte hiernaast had betekend. Daar waren zojuist vijf mannen gestorven. De gedachte deed hem huiveren. Hij zou het gebouw zijn uitgerend als hij geweten had waarheen, maar dit was een gevangenis en niet het soort plek waar zwarte mannen rond konden rennen. Het was veiliger dicht bij dokter Barnes te blijven.

Dokter Rood reed een platform met treden aan een kant voor de hangende lichamen. Alle tollende bewegingen waren gestopt en de ledematen hingen slap, terwijl de lichamen zachtjes heen en weer zwaaiden aan de touwen. Rood beklom het platform en plaatste zijn stethoscoop beurtelings op ieder lichaam. Barnes werd steeds ongeduldiger. De tijd was nu hun vijand. Iedere seconde telde. Maar die ouwe kluns deed alles precies volgens de regels, zoals die al eeuwenlang werden toegepast, op zoek naar levenstekenen in een lichaam dat was losgemaakt van de hersenen.

Rood controleerde het derde lichaam twee keer, draaide zich om naar Barnes en zei: 'Deze is klaar voor u,' en gaf de twee bewakers een teken. Op vrijwel hetzelfde ogenblik werd het lichaam naar beneden gelaten en op het platform neergelegd. Op verzoek van Barnes werden de kap, handboeien en het gevangenishemd verwijderd. Hij vond een ader, injecteerde de heparine en begon het hart van buitenaf heftig te masseren om het anti-stollingsmiddel te laten circuleren. Het was geen goed idee geweest de kap weg te nemen. Boots zou zeker door de knieën gaan als hij de verwrongen gelaatstrekken van de gehangene zag, dacht Barnes. Hij probeerde de oogleden te sluiten, maar de oogballen puilden zo ver uit de kassen dat dat onmogelijk bleek. De gezwollen tong, bijna blauwzwart van kleur, stak uit de open mond. Er zat een brandplek van de strop rond de nek die tot een onnatuurlijke lengte was uitgerekt.

Na een kort woord tot de bewakers ging de kap weer over het hoofd, werd het lichaam op een rolwagentje getild en door de dubbele deuren gereden, waarachter Samuel stond te wachten.

Zijn gezicht was uitdrukkingsloos. Hij pakte het plateautje met alcohol en jodium, klemde een verbandgaas in de tang en veranderde ineens in een bedrijvig chirurg die alleen geïnteresseerd was in de klus die hij moest doen. Barnes zag die verandering meteen. Hij ging zich wassen, maar tegen de tijd dat hij zijn handschoenen aanhad, had Samuel het operatieveld al steriel afgedekt en de borst blootgelegd. Hij ging met de cirkelzaag door het midden van het borstbeen, zette de spreidhaak en sneed het pericardium open waar het hart inzat.

Barnes sprong in, en met op elkaar afgestemde bewegingen spoelden ze het hart gedurende vijf minuten met een koude zoutoplossing, die medicijnen bevatte om de hartspier te verlammen en deze te beschermen tegen de gevolgen van een zuurstofgebrek. Het hart werd verwijderd, in een steriele plastic zak gedaan en verpakt in de speciaal aangepaste transportbox op een bed van ijs.

Tegen de tijd dat Barnes klaar was te vertrekken, had Samuel het borstbeen van de donor weer samengebonden en de huid met een doorlopende hechting dichtgenaaid. Barnes voelde even een steek van ongeduld, toen Samuel erop stond het lijk zijn hemd weer aan te trekken. Hun tijdschema was buitengewoon beperkt.

Ze gooiden hun operatiekleding en materiaal op een hoop en liepen zo hard ze konden het gebouw uit. Onderweg kwamen ze langs het gevangeniskerkje. Het zat stampvol familie en vrienden van de overleden gevangenen, hun stemmen weerklonken in een gezang. Ondanks hun haast stopte Barnes, als aan de grond genageld door het gezang. Begeleid door de sonore klanken van het orgel, harmonieerden de diepe mannenstemmen perfect met de hoge tonen van de vrouwen. Een onvergetelijk requiem voor de zojuist gestorvenen.

Samuel trok hem dringend aan zijn arm en Barnes huiverde. Hij probeerde de kilte die in zijn botten optrok van zich af te schudden.

Ze tilden het hart in de transportbox met twee handvatten in de wachtende auto, die onmiddellijk vertrok, achter de politie-escorte aan. De sirenes bliezen al het verkeer aan de kant en ze waren in een mum van tijd op het vliegveld. Na de escorte te hebben bedankt, stapten ze zondere verdere omhaal in hun privé-jet. Zodra de piloot op hoogte was en zijn koers had ingezet belde Barnes met zijn stoeltelefoon het ziekenhuis en vroeg naar Des Louw. 'We zijn over twee uur binnen,' zei hij. 'Maak het dier klaar en begin over negentig minuten te snijden.'

Hij zakte achterover in zijn stoel en keek op zijn horloge. Niet slecht, dacht hij. Het was precies vijfenveertig minuten geleden dat het valluik was opengeklapt.

Samuel zat naar het wolkenlandschap te staren, zijn gezicht vertrokken in een glimlach. Toen hij klein was hadden de nonnen hem verteld over deze machines, die konden vliegen zonder met hun vleugels te klappen, maar hij had nooit – zelfs in zijn wildste dromen niet – durven denken dat hij op een dag in zoiets zou zitten en de wolken beneden zich zou zien.

'Wat is er?' vroeg Barnes, benieuwd naar wat Samuel zo leuk vond.

Samuel keek hem aan. Hij kon dokter Barnes niet zeggen dat hij zich hier veilig voelde voor Kalolo, zo hoog in de lucht. 'Heel mooi, die wolken,' zei hij. Dat meende hij ook. Op de een of andere manier vormden ze een barrière tussen hem en de kwade krachten die beneden op de grond op hem wachtten.

Barnes grinnikte. Het was prettig Boots te zien lachen. Dat had hij de laatste tijd niet zoveel gedaan. 'Jazeker,' zei hij. 'Dit is het hoge leven, van verschillende kanten bezien. Misschien moesten we dat maar eens wat vaker doen.'

Iets meer dan anderhalf uur later landden ze op het vliegveld van Kaapstad en taxieden naar de plek waar al een helikopter met draaiende wieken stond te wachten. Tien minuten later stonden ze op het terrein van het ziekenhuis, waar Kapinsky met de auto klaarstond om ze naar de faculteit te rijden, vijfhonderd meter verderop.

In het lab lag de baviaan al op tafel, borstkas geopend en bloedsomloop gekoppeld aan de hartlongmachine, klaar om het hart te ontvangen van een man die drie uur tevoren was geëxecuteerd, op bijna tweeduizend kilometer afstand.

Samuel waste zich en trok zijn jas aan om Des Louw te kunnen helpen. Het donorhart was in korte tijd vakkundig vastgeregen aan het hart van de baviaan, zodat beide harten dezelfde bloedsomloop konden delen. Zodra de laatste hechtingen waren verricht, werden de klemmen verwijderd en sloegen de harten in een perfect ritme.

'Dat ziet er prima uit,' zei Barnes, die aan het hoofd van de tafel stond toe te kijken.

'We weten nu dat we een hart dat een paar uur geleden uit een donor in een andere stad is verwijderd, weer op gang kunnen brengen, maar hoe stellen we vast tot op welke hoogte het de volledige circulatie aankan?' vroeg de altijd voorzichtige Des Louw.

'Goeie vraag,' sprong Kapinsky hem bij.

Barnes voelde zich bijna vrolijk. Het was prettig voor de verandering eens de antwoorden te weten. 'Daar heb ik al over nagedacht,' zei hij. Louw fronste zijn voorhoofd en wachtte. 'Jij, dokter Louw, bevestigt

twee elektroden aan het hart van de baviaan en brengt de verbindings-
draden via de huid naar buiten. Over een paar weken gebruiken we
deze elektroden om het hart te fibrilleren. Op die wijze kunnen we zien
wat het donorhart doet als zij het zelf moet opknappen.'

'Bedoel je dat we het bavianenhart naar willekeur kunnen stopzetten
door wat stroom door de elektroden te jagen, alsof we gewoon een
knopje omdraaien?'

'Les één van de cursus hartchirurgie, dokter Louw,' zei Barnes.

Ze moesten allemaal lachen, inclusief Louw die het een briljante methode vond om erachter te komen hoe de gedragingen van een donorhart zouden zijn.

'Daarnaast controleren we de afstotingsverschijnselen door iedere
week weefselmonsters van het hart te nemen. Op die manier kunnen
we dokter Kapinsky's theorie over de immuuntolerantie van de baviaan testen.'

'Er wordt niets afgestoten, dat kan ik jullie verzekeren,' zei Kapinsky
en keek de tafel rond. 'Als dit dier de menselijke huid niet heeft afgestoten, stoot het zeker het menselijke hart niet af.'

HOOFDSTUK 22

'Rodney, het spijt me je hierover te moeten bellen, maar we kunnen Karen niet onbeperkt in traumatologie houden. Je weet dat deze bedden voor acute gevallen zijn en Karen is hier nu bijna drie maanden. Heb je al een ander onderkomen voor haar gevonden?'

Het was het telefoontje waarvoor hij bang was geweest. Andy Anderson klonk verontschuldigend, maar resoluut. Hij moest haar deze week verhuizen, dacht Barnes. De onderhoudsdienst was net klaar met het schilderen van D7. De waterleidingen en de elektriciteit waren intussen in orde en de vloerbedekking werd morgen gelegd.

'Dank je, Andy,' zei Barnes. 'Ik ben van plan haar deze week te verhuizen. Ik kom vanmiddag langs en zal het dan met haar bespreken.'

Professor Anderson legde de hoorn neer, niet helemaal zeker of hij het goed had gehoord. Een verspreking, besloot hij. Barnes had natuurlijk bedoeld dat hij langskwam om het met *hem* te bespreken.

Na aankomst op de afdeling traumatologie ging Barnes meteen door naar Karens kamer. Ze was alleen. In haar luchtpijp had zich slijm verzameld en ze moest worden afgezogen. Hij koppelde de beademer los en bevestigde een schone catheter aan het afzuigapparaat om haar luchtwegen te kunnen reinigen. Al die tijd kuchte ze niet, en haalde ook geen adem. Hij sloot de machine weer aan en werd plotselling overvallen door een enorm moedeloos gevoel. De vervoering van de afgelopen dagen was verdwenen. De succesvolle transplantatie van de baviaan, die hem tot een paar minuten geleden volledig had gemotiveerd, gaf hem nu een vieze smaak in de mond. Al deze dingen waren niets waard, zolang de vrouw die hij liefhad hier in bed lag dood te gaan.

Hij trok de dekens weg en onderzocht haar. Haar beide hielen vertoonden doorligplekken en een groot deel van de huid op haar onderrug was ontstoken. Hij wilde zo graag dat ze weer die prachtige vrouw werd die ze was geweest, en daar lag ze nu voor zijn ogen weg te rotten.

Hij legde de dekens weer terug en stopte haar in, haar verkrampte handen voorzichtig onder het laken. Er begon zich, ver in zijn achterhoofd, een gedachte te vormen. Hij verdrong dat gevoel en hield zijn verstand op nul, terwijl hij rond het bed liep te rommelen, de verbindingen van het beademingsapparaat controleerde en de druppelaar van het infuus. Toen hij uiteindelijk ging zitten, drong de gedachte zich onstuitbaar aan hem op. De zaal van de levende doden was waarschijnlijk helemaal niet nodig. Het getransplanteerde donorhart had tot dusver nog geen enkel teken van afstoting vertoond en als dit een levensvatbare optie zou blijken, konden menselijke organen met succes worden opgeslagen in Kapinsky's resistente bavianen. Financieel, moreel en ethisch gezien zou het verreweg de voorkeur verdienen menselijke organen te bewaren in een levende baviaan, in plaats van in een hersendood mens.

O god, als er ergens anders ook nog iemand op dit idee kwam, was Karen verloren! Hij moest haar met grote spoed naar D7 verhuizen en haar bloedsomloop aansluiten op het transgene dier.

Hij kuste haar op het voorhoofd en vertrok. Toen hij wegliep rook hij iets dat hem vagelijk bekend voorkwam. Pas bij de verbindingsgang naar het hoofdgebouw van het ziekenhuis wist hij wat het was. Het luchtje uit het lijkenhuis, dat langzaam een weg zocht naar de kamer van zijn lief om haar weg te komen halen.

Hij haastte zich verder. Nu meer dan ooit moest ze zo spoedig mogelijk worden gekoppeld aan een stel levende hersenen, zodat haar systeem zich weer kon reinigen. Terug op kantoor belde hij Kapinsky en legde hem het probleem voor. 'Je bent een bofkont,' zei Kapinsky opgewekt. 'Ik heb het frame voor de bavianenkop juist vandaag binnen gekregen. Het kost maar een paar uur om de verbindingen van de zwarte doos te controleren en de klemmen aan te brengen waarmee de kop in het frame moet worden bevestigd. Morgenochtend zijn we klaar voor onze eerste patiënt. Het beste.'

Hij legde de hoorn op de haak. Barnes belde Alex Hobbs, vroeg hem D7 klaar te maken voor de eerste patiënt en hing op voor deze kon vragen wie dat was. Die avond zat hij alleen aan de eettafel, die voor twee was gedekt vanaf de dag van Karens ongeluk. Hij verwachtte bezoek, had hij steeds tegen de huishoudster gezegd. Hij schonk twee glazen wijn in en zette er een aan de overkant van de tafel.

'Op jou, lief,' zei hij, en hief zijn glas. Hun scheiding duurde niet lang meer. Hij wist dat Karen spoedig weer bij hem zou zijn.

Het groepje stond rond Karens bed. Barnes had alle officiële papieren getekend die de weg vrijmaakten om alle systemen te ontkoppelen en haar juridisch dood te verklaren. Professor Arnold de Wet, hoofd neurochirurgie, en een van zijn specialisten in opleiding waren aanwezig voor het onderzoek en om vast te stellen of de hersenen hun activiteiten hadden gestopt.

De Wet was een opgeblazen mannetje, overtuigd van zijn eigen belangrijkheid, en niet een van Barnes' favorieten. Hij stond erop dat zijn staf tijdens de zaalrondes een paar passen achter hem liep, beantwoordde nooit zelf de telefoon en ontving nooit iemand zonder afspraak, ongeacht de urgentie van het bezoek. Barnes vroeg zich af of hij wel tijd voor God zou hebben, als die toevallig langskwam,

De Wet keek vluchtig naar Karen. 'Wordt ze als donor gebruikt?'

Die gedachte was niet bij Barnes opgekomen. Maar hij wist dat hij het niet zou kunnen verdragen het hart van de vrouw die hij liefhad te verwijderen en in een vreemde te transplanteren. 'Dat weet ik niet, professor. Ik heb daar niet echt een antwoord op,' zei hij, haast stotterend.

'Wel, als er aanleiding bestaat te veronderstellen dat ze een organendonor wordt, mogen leden van het transplantatieteam niet aanwezig zijn bij het opstellen van de overlijdensverklaring – dat staat in de wet,' zei De Wet, opgeblazener dan ooit.

Barnes wist niet wat hij moest zeggen. Deze ontwikkeling had hij helemaal niet voorzien. Wat moest hij nu doen? Hij was niet zomaar een lid van het transplantatieteam, hij was Karens beschermer en minnaar.

'Doe niet zo stompzinnig, Arnie,' zei Anderson, in een poging deze impasse te doorbreken. Hij had deze kamer dringend nodig, maar zag dat Barnes en De Wet het niet zo best met elkaar konden vinden en vond De Wet een stoerdoenerige windbuil. 'Dokter Barnes is zeer bij deze patiënt betrokken, en ik ben er zeker van dat hij alles in het werk stelt haar belangen optimaal te behartigen,' zei hij verzoenend.

De Wet zei niets, keek naar Barnes en stak zijn kin vooruit. Iedere afdeling had een idioot en wat hem betrof was Anderson er daar een van. Als hij de wet niet kende, ging hij, professor Arnold de Wet, de topneurochirurg van het land, hem die zeker niet uitleggen.

Barnes verliet de kamer en ging in Andersons kantoor zitten. Waarom hadden ze in vredesnaam die De Wet erbij gehaald? De enige vragen die deze ochtend moesten worden beantwoord waren of het zinvol was haar kunstmatig in leven te houden en zo niet, of de behandeling dan moest worden voortgezet? Anderson was heel goed in staat om deze vragen zelf te beantwoorden. De angst kneep zijn keel dicht en hij kon haast niet ademen. Voordat De Wet die ochtend was gearriveerd, had Anderson gezegd dat Karen het punt van een mogelijk herstel intussen was gepasseerd. Het zou voor haar het beste zijn, zei hij, om de beademer af te zetten en haar te laten sterven.

Barnes' zwijgen maakte duidelijk dat dit niet was wat hij wilde. In dat geval, zei Andy, was de oplossing haar hersendood te laten verklaren en haar aan te melden als donor. Onder die omstandigheden konden ze blijven doorgaan met beademen.

Er kwam een kil gevoel van eenzaamheid in hem op. Hij probeerde aan iets anders te denken dan aan de kamer waar De Wet waarschijnlijk inmiddels de beademer had afgesloten. Dat opgeblazen betwetertje zou de regulatie drie minuten ophouden om zich ervan te verzekeren dat ze niet uit zichzelf kon ademhalen. Eenmaal daarvan overtuigd, zou hij de beademer weer aanzetten, voordat het hart stopte wegens gebrek aan zuurstof.

Hij probeerde terug te denken aan betere tijden, aan hoe Karen vroeger was. Daar stond ze ineens voor hem, in levendige kleuren. Ze rende blij door de plassen op het strand, had haar rok hoog opgetrokken, en schopte water in zijn richting, gebarend dat hij naar haar toe moest komen. Moest hij haar laten gaan? Maar ze had onlangs nog tegen hem gezegd dat zij bij hem wilde zijn. Dood was zo definitief. Hij wist wel zeker dat, als de bavianenhersenen eenmaal hormonen gingen afscheiden in haar bloedsomloop, ze weer tot bewustzijn zou komen. Al was het maar heel eventjes, zodat hij haar zou kunnen zeggen hoeveel hij van haar hield.

'Dokter Barnes? Dokter Barnes!' Ze riep hem. Vreemd, ze noemde hem toch altijd bij zijn voornaam. 'Dokter Barnes. Ze hebben u dringend nodig. Haar hart staat stil... Dokter Barnes?' Een hand schudde hem wakker. Hij zag aan het gezicht van de zuster wat er aan de hand was, en sprong overeind.

Met een paar grote passen rende hij de gang door en Karens kamer binnen. Ze lag op haar rug, gekoppeld aan de beademer. Hij keek naar het scherm boven haar bed en zag de getande strepen: deze toonden een ventrikelfibrilleren. Haar hart was opgehouden met pompen en weggezakt tot een sidderende massa spiervezels, niet meer in staat te synchroniseren tot een enkelvoudig ritme.

De Wet en zijn assistent stonden toe te kijken, De Wet met een voldane uitdrukking op zijn gezicht. Anderson stond aan de andere kant van het bed, duidelijk in de war gebracht. De wereld om Barnes heen vertraagde. Ze gaat dood, dacht hij, en niemand steekt een vinger uit om haar te helpen.

Met moeite kwam hij weer tot zichzelf. 'Ziet u niet dat ze fibrilleert?' schreeuwde hij tegen De Wet. 'Doe iets. Het hart moet snel weer op gang worden gebracht.'

De Wet glimlachte en zei niets. Er brak iets in Barnes. Medische regels, professionele gedragsnormen, procedurele overeenkomsten vlogen allemaal het raam uit. Hij deed een stap in de richting van De Wet. 'Jij hebt haar vermoord, klootzak. Donder op! Sodemieter op!' schreeuwde hij.

De Wet en zijn assistent liepen haastig naar de deur, waar ze zich nog een keer omdraaiden om naar Barnes te kijken en vertrokken daarna.

Meteen gekalmeerd en vastbesloten vroeg Barnes om de defibrillator en begon regelmatig op Karens borstbeen te drukken om het bloed weer in de slagaders te krijgen. 'Geef haar tien cc bicarbonaat, alsjeblieft, en doe wat elektrolyte-pasta op de paddles.'

Anderson en zijn verpleegkundige haastten zich om hem te helpen. 'Klaar', verkondigde Anderson, de paddles in zijn hand.

Barnes stopte met masseren, plaatste de ene paddle naast Karens linkerborst – waar nu niet veel meer van over was dan een huidplooi – en de andere voor het hart. 'Klaar,' antwoordde hij.

Het tengere lichaam sprong op en de rug trok krom toen de stroomstoot door de spieren schoot. Barnes keek op de monitor. Het hart begon te slaan. Hij wist wel dat ze hem niet zou teleurstellen. Opnieuw een bewijs dat ze bij hem wilde blijven.

Ze keken toe hoe haar bloedsomloop weer op gang kwam. Binnen een paar minuten was ze stabiel. Barnes zei: 'Andy, als je daar geen bezwaar tegen hebt, wil ik haar nu meteen overbrengen naar mijn afdeling.'

Anderson knikte. 'Ze is hersendood verklaard, dus ze valt nu verder onder jouw verantwoordelijkheid. Moet ze worden overgebracht naar jouw intensive care-afdeling?'

'Nee, naar zaal D7.'

Anderson keek verbaasd. Van D7 had hij nog nooit gehoord.

'Geen zorgen,' zei Barnes, die zijn probleem begreep. 'Mijn mensen halen haar wel op. Welbedankt voor al jullie goede zorgen, beste vriend.'

Hij schudde Anderson de hand en liet hem alleen, vol vragen over hoe het hartteam nu weer aan een nieuwe zaal was gekomen.

Die nacht sliep Barnes nauwelijks. Morgen, na de koppeling aan het hersenbemiddelingssysteem, zou Karen op weg zijn naar haar herstel.

Voortdurend trokken er beelden aan zijn geestesoog voorbij van haar, achter haar bureau, rennend over het strand, glimlachend, gezond en gelukkig.

In gedachten doorliep hij de operatie wel honderd keer. Nu ze de hersenen niet verwijderden, maar de complete kop van de baviaan gebruikten, was de operatie een stuk eenvoudiger geworden.

Ondanks zijn gebrek aan slaap was hij vroeg op. Na zich gedoucht en geschoren te hebben, voelde hij zich een stuk beter en was klaar de dag te beginnen. Hij kleedde zich aan en dronk als volgend opkikkertje voor die dag zijn kop koffie op het balkon, met het uitzicht op de Tafelberg die langzaam uit de ochtendmist over de baai te voorschijn kwam.

Een beetje muziek, dacht hij. Net wat we nodig hebben om deze perfecte morgen te vervolmaken, de eerste dag van de rest van ons leven samen. Hij draaide de draagbare radio aan, die op een nieuwsstation stond afgestemd. Hij stond op het punt een andere zender te zoeken, toen hij werd getroffen door een bericht.

'De mensenrechten-advocaat Joe Dubofsky werd vanochtend vroeg neergeschoten voor de ingang van het Royal Hotel in Kaapstad. Hij verbleef in de Moederstad om twee zwarte mannen te verdedigen die worden beschuldigd van de autobom-explosie van vorig jaar, tegenover het parlementsgebouw. De politie zegt dat de aanslag gelijkenis vertoont met andere, die door rechtse paramilitaire groepen werden uitgevoerd. De vluchtauto, een oude Chevrolet zonder nummerplaten, werd door een ooggetuige gevolgd tot aan het gebouwencomplex van de medische faculteit van de Universiteit van Kaapstad. Daar verloor men hem uit het oog. De politie doet een beroep op iedereen die informatie kan verschaffen en hulp kan bieden bij hun onderzoek.'

'Kapinsky!' riep Barnes uit, terwijl hij een groot gevoel van naderend onheil in zich op voelde komen. Wie kon het anders zijn dan die Pool? Hij was een extreme racist, die er nooit voor terugschrok zijn afkeer te tonen van alles wat progressief, joods, of zwart was, of van ieder ander die het niet eens was met zijn theorieën over raciale superioriteit.

De gedachten flitsten Barnes door het hoofd. Alles viel nu op zijn plaats. Kapinsky had zich teruggetrokken op het lab, waar hij door niets of niemand zou worden gestoord. Hij hield iedereen, inclusief Barnes, bij zijn speciale dierenverblijf en zijn mysterieuze bezigheden op vrijdagavond vandaan. Het klopte allemaal precies. Hij had de ideale omstandigheden gecreëerd voor het verbergen van wapens, explosieven en andere zaken die hij bij zijn moordpartijen nodig had.

Het moest Kapinsky wel zijn, maar waarom in hemelsnaam nu? Waarom afbreuk gedaan aan al die jaren van onderzoek precies op het moment dat hun werk vruchten begon af te werpen? Juist nu was zijn aanwezigheid en kennis onontbeerlijk. Ze betekenden leven en dood voor Karen. En niets was belangrijker dan dat.

Hij liet zijn koffiekopje in de gootsteen vallen, waar het in stukken brak, pakte zijn tas en stoof de deur uit.

Het leek wel of de lift er een eeuw over deed om de ondergrondse parkeergarage te bereiken. Hij sprong in zijn auto, gooide de aktentas achterin en reed met gierende banden weg, zichzelf verwensend dat hij niet meer aandacht had geschonken aan Kapinsky's merkwaardige gedrag.

Als Kapinsky werd gearresteerd en opgesloten, kwam het hele project van de levende doden niet van de grond. En liepen alle andere onderzoeksprojecten ook vast. Kapinsky's aanwezigheid was essentieel.

Hoe had hij, Barnes, zo stom, zo vol vertrouwen kunnen zijn? Hij had er toch op zijn minst op moeten staan dat Kapinsky een assistent had opgeleid...

Hij maakte zich de hele weg naar de faculteit verwijten, en verminderde alleen even snelheid bij een krantenkiosk waar met grote letters stond aangeplakt: ARTS ALS HOOFDVERDACHTE. Hoe konden ze nu een arts verdenken, puur en alleen omdat zijn auto het laatst was gezien bij zijn faculteit? Of wist de politie iets wat ze nog niet had vrijgegeven? Met stijgende angst trapte hij het gaspedaal in.

Het terrein van de faculteit was bezaaid met agenten en politie-auto's. Er stond zelfs een auto met zwaailicht in zijn parkeervak.

Barnes parkeerde in het vak van professor Thomas – die was een week met vakantie en het lag niet voor de hand dat hij zijn plaats zou komen opeisen. Dat was mischien maar wel zo goed, dacht hij, anders zou die verknipte oude gek de jacht op Kapinsky persoonlijk hebben aangevoerd.

Plotseling viel het missende stukje van de puzzel op zijn plaats. Thomas was natuurlijk van het begin af aan de verklikker geweest. Barnes was ervan overtuigd dat Thomas, toen deze vanochtend het nieuws hoorde, anoniem de politie had gebeld om ze te vertellen over Kapinsky's merkwaardige gedrag van de afgelopen maanden. Dat was precies wat ze nodig hadden. En de politie had deze informatie natuurlijk getoetst aan wat de anderen van de onderzoeksafdeling allemaal te vertellen hadden.

Maar waarom zou Thomas, die Kapinsky altijd had uitgemaakt voor communist, hem nu beschuldigen, als de man die gisteravond was vermoord zelf lid was geweest van de Zuid-Afrikaanse Communistische Partij? Barnes besloot meteen door te gaan naar de derde verdieping om te zien of zijn vermoedens bewaarheid werden.

Hij had gelijk. Er stond een geüniformeerde politieman bij de deur en een man in burger zat achter Kapinsky's bureau. Van Kapinsky zelf was geen spoor. Barnes kreeg het nog kouder vanbinnen.

'Ik ben brigadier Du Toit,' zei de politieman in burger, met een zwaar Afrikaans accent.

Barnes besloot te bluffen. 'Ja brigadier, wat kan ik voor u doen?'

'Werkt u hier?' vroeg Du Toit.

'Ik ben Dr. Barnes, hoofd hartchirurgie en dit hier zijn de onderzoekslaboratoria van mijn afdeling.'

'Het spijt me u lastig te moeten vallen, dokter Barnes,' zei de brigadier, die er helemaal niet spijtig uitzag. 'Wij zijn op zoek naar dokter Novitsky.'

'Er werkt hier geen dokter Novitsky, brigadier. U heeft zich vast vergist,' zei Barnes en keek Du Toit recht aan. Die stomkoppen wisten niet eens hoe Kapinsky heette. Misschien klopte de rest van hun informatie ook wel niet. Hij kreeg weer wat hoop.

Maar toen kwam er een politieman binnenlopen die Samuel bij de arm hield. 'Deze hier zegt dat er een dokter *Kapinsky* is, die met bavianen werkt in het dierenverblijf naast zijn laboratorium, maar de deur is op slot en hij is de enige die een sleutel heeft.'

Barnes zag dat Boots doodsbenauwd was.

Du Toit wendde zich tot Barnes. 'Dokter Barnes, u zegt dat u hier de leiding heeft. Wij moeten die kamer in en met de verdachte praten. Misschien maakt hij zich achter deze gesloten deuren wel uit de voeten.'

Barnes had ineens de neiging om de brigadier uit te lachen om zijn accent, maar bedwong die onmiddellijk. Hij moest het goed spelen, als hij ze de aanhouding van Kapinsky uit het hoofd wilde praten. 'U mag naar binnen na ondertekening van een formulier waarin u verklaart dat u dat op eigen risico doet,' zei hij tegen Du Toit.

'Risico? Dokter Barnes, het is ons werk de gemeenschap te beschermen, ongeacht het risico. Het tekenen van een formulier verandert niets aan het risico,' zei Du Toit en hij keek Barnes minachtend aan.

'Voor mij wel, brigadier Du Toit,' zei Barnes. 'Het betekent dat u ons niet verantwoordelijk kunt stellen voor het oplopen van de een of andere dodelijke ziekte die u wellicht in het dierenverblijf inademt.'

Du Toits gezichtsuitdrukking veranderde zichtbaar en hij keek dreigend in de richting van de politeman die Samuel vasthield. 'We hebben geen haast, dokter,' zei hij.

'Kan ik dan nu gaan?'

'Ja, maar het kan zijn dat we u nog wat vragen willen stellen. Waar kunnen we u bereiken?'

Barnes stond op het punt te antwoorden, toen de deur van het dierenverblijf openging en Kapinsky naar buiten kwam en meteen de deur weer achter zich op slot deed. Hij droeg een blauwe overall van een schoonmaker en reageerde niet toen hij de politie zag. Barnes probeerde hem te waarschuwen. 'Goedemorgen, Louis. Dit is brigadier Du Toit van de politie. Hij wil je graag spreken.'

Kapinsky leek zich geen zorgen te maken, verzocht de brigadier achter zijn bureau vandaan te gaan en ging zitten. 'Wat wilt u weten? Ik heb niet veel tijd.'

Barnes stond versteld. Of Kapinsky was een uitstekend acteur, of hij wist inderdaad niet wat hem boven het hoofd hing.

De brigadier gaf de geüniformeerde agent een kort teken. Deze pakte een notitieboekje en ging bij de deur staan. Du Toit verspilde verder geen tijd en kwam meteen ter zake. 'Wat kunt u mij zeggen over de moord op Joe Dubofsky?'

'Wie?'

Kapinsky keek verbaasd. Barnes' maag kwam weer wat tot rust.

'Joe Dubofsky,' herhaalde Du Toit. 'Die is vanmorgen vroeg voor het Royal Hotel neergeschoten.'

'Waarom zou ik daar iets vanaf moeten weten?' vroeg Kapinsky geërgerd.

'Wij hebben redenen om aan te nemen dat u er iets mee te maken kan hebben.'

Kapinsky stond op, voordat hij antwoord gaf. 'Heren, u verdoet mijn tijd, en die van uzelf. Ik was de hele nacht in het lab, bezig een zeer belangrijk experiment voor te bereiden dat we vandaag hopen uit te voeren – als de politie ons tenminste met rust laat.' Hij begaf zich in de richting van zijn onderkomen.

'Niet zo vlug, dokter. Als u de hele nacht hier was, zoals u beweert, kunt u dat vast wel bewijzen.'

'Nee. Dat kan niemand. Ik was hier alleen, als u de dieren niet meetelt en die kunnen niet praten,' zei Kapinsky. 'Nog niet,' zei hij zachtjes in zichzelf.

'Dat komt u mooi van pas, dokter. Of juist helemaal niet. U zegt dat u de hele nacht in het lab was, heeft u daar dan ook geslapen?'

'Jazeker.'

'En die onzin moet ik geloven?,' zei Du Toit dreigend.

Kapinsky explodeerde.

'Tegen wie denk je eigenlijk wel dat je het hebt, stompzinnig stuk vreten!' snauwde hij tegen Du Toit.

Barnes vond de tijd gekomen om het geheel een beetje te sussen. 'Brigadier, dokter Kapinsky heeft u verteld dat hij de hele nacht in het lab is geweest, en niets van de dood van Dubofsky afweet. Als u geen verdere vragen heeft, kunt u misschien maar beter vertrekken.'

De brigadier pakte zijn hoed van het bureau en keek naar Kapinsky.

'Ja, ik weet het. Niet de stad verlaten en zorgen dat je bereikbaar blijft,' zei Kapinsky sarcastisch. 'Voor het geval het u interesseert, ik ga nergens naartoe – tenminste, niet voordat dit project is afgerond en dat kan wel jaren duren.'

De brigadier zei niets en vertrok, de agent voor zich uit duwend.

Barnes keek ze na tot ze het gebouw uit waren, deed toen de deur dicht en wendde zich tot Kapinsky. 'Louis, toen ik vanochtend het nieuws hoorde, was ik bang dat je er iets mee te maken had. De vluchtwagen was het laatst gezien bij de faculteit en ik denk dat de politie daarom hier de hele boel overhoop haalde.'

'Ik heb wel wat beters te doen dan een joodse communist dood te schieten, maar de werkelijke dader heeft dit land wel een grote dienst bewezen,' zei Kapinsky, met een scheef glimlachje.

Barnes begon weer onzeker te worden. 'Misschien moesten we de operatie maar tot morgenavond uitstellen,' stelde hij voor, zonder verder op dit onderwerp te willen ingaan.

'Ik ben klaar, Rodney, maar als je nog wilt wachten, vind ik het verder best.'

'Het barst hier overal van de politie, maar ook van de journalisten. Het is misschien niet het beste ogenblik om de kop van de baviaan te verwijderen. Die journalisten zijn nog gevaarlijker dan de politie. Wat vind jij ervan?'

Kapinsky haalde zijn schouders op, duidelijk nog knorrig van de woordenwisseling met de brigadier. 'Rodney, ik ben bekaf. Het kan me niets verdommen.'

Het was niet het juiste moment om met Kapinsky dingen te plannen, en Barnes besloot de handeling uit te stellen. 'Sorry, Louis. Waarom ga je niet even slapen? Ik bel je na de lunch, als we de politie-invasie tenminste van het terrein kunnen krijgen.'

Kapinsky bromde wat en liep naar zijn afdeling, en Barnes vond dat het tijd was geworden om eens te gaan kijken op zaal D7 en een praatje te maken met Karen.

Door alle activiteiten van de politie vergat Samuel voor een paar uur zijn zorgen. Een paar heerlijke ogenblikken lang had hij gehoopt dat ze Kapinsky mee zouden nemen, maar de agenten vertrokken met lege handen.

'Wat had je dan gedacht? Kapinsky heeft de verkeerde kleur. Ze zullen nooit een blanke arresteren,' zei Victor toen ze gingen lunchen.

Samuel moest meesmuilend toegeven dat de blanken inderdaad elkaar de hand boven het hoofd hielden. Zijn angsten hingen nu boven zijn hoofd als een zwerm *assegaaien* die ieder moment naar beneden konden vallen. Hij moest met iemand praten, maar Victor was een kleurling, een van die halfbloeden die beter werden betaald dan de zwarten. De meeste kleurlingen hadden een betere opleiding en leefden onder aangenamere omstandigheden. Als het tot een politieke confrontatie kwam, zouden veel kleurlingen zich aansluiten bij de blanken, dacht Samuel. Maar als hij zijn angsten niet met iemand kon delen, werd hij gek of zou hij iemand vermoorden. Hij kon de last niet langer meer dragen.

'Ik heb een probleem, Victor,' zei hij, zonder op te kijken.

Victor mocht Samuel graag. In het begin nam hij aanstoot aan diens bliksembevordering van schoonmaker tot eerste laboratoriumassistent, en de duidelijke voorkeur die dokter Barnes had voor zijn vaardigheden. Maar Samuel was eerlijk en had altijd hard gewerkt, en in de loop der jaren was Victor hem steeds meer als een vriend gaan beschouwen. Hun culturen lieten een al te grote toenadering niet toe, en hij zou hem nooit kunnen opzoeken in zijn township zonder het risico te lopen op straat te worden aangevallen, maar hij stelde hun gesprekken altijd zeer op prijs.

'En wat voor probleem mag dat dan wel zijn, meneer Mbeki,' zei hij plagerig en gebruikte het woord 'meneer' om aan te tonen dat hij het tegen Samuel de chirurg had.

'Alsjeblieft, Victor. Ik zit diep in de moeilijkheden. Je moet me helpen,' zei Samuel.

Victors gezicht betrok. Dit klonk ernstig. Hij kon zich niet voorstellen hoe een hardwerkende, zuinige niet-drinker als Samuel moeilijkheden kon hebben. Hij ging naast hem zitten en wachtte.

Samuel vertelde hem over zijn belevenissen van de laatste paar maanden en zijn sterke vermoeden dat er een monster in het dierenverblijf huisde, waarbij hij alleen het verhaal van de operatie wegliet. Ook vertelde hij over zijn bezoeken aan de medicijnman, zijn falen bij het vinden van een voorwerp dat door het monster was aangeraakt en die afschuwelijke nacht toen het wezen hem te grazen had genomen in het dierenverblijf.

Victor luisterde, lachte een paar keer, maar floot zachtjes toen Samuel hem de plekken in zijn nek liet zien.

'Samuel, tot nog toe heb ik allerlei praatjes gehoord over iets vreemds dat in het dierenverblijf zou huizen, maar dit is het eerste bewijs dat er ook werkelijk iets zit. Kapinsky praat daar met iets. Een paar andere schoonmakers hebben het gehoord. We weten dat er verder niemand anders is en dat de dieren niet kunnen praten, dus moet het iets zijn dat hij heeft gecreëerd, iets wat hij leert praten.'

Zoals de meeste Europeanen, geloofden ook de kleurlingen niet zo in de volksgeneeskunst, en Victor was daarom nogal sceptisch over de medicijnman. 'Ik geloof er niets van dat deze oude grappenmaker je meer over het monster kan vertellen door iets te onderzoeken dat in aanraking is geweest met Kapinsky's schepping. Maar als je hem wat moet brengen om hem tevreden te stellen, waarom neem je dan niet een van Kapinsky's overalls mee? Als hij met het wezen bezig is, zal dat vast zijn overall wel hier of daar aanraken.'

Samuel sprong overeind. Dat was het! Hij kon haast niet geloven dat de oplossing zo voor de hand lag. Hij zou vanavond nog een van Kapinsky's overalls naar Kalolo brengen. Hij stamelde een bedankje tegen een geamuseerde Victor en haastte zich naar de wasmand waarin Kapinsky iedere dag zijn vuile laboratoriumkleding gooide.

Hij slaakte een zucht van opluchting toen hij tussen allerlei andere spullen inderdaad een overall van Kapinsky vond. Nu had hij wat de oude man wilde en zou hij binnenkort de waarheid vernemen.

Kalolo gaf een gil toen de botjes in een bepaald patroon vielen over de overall die op de vloer lag uitgespreid. Samuel bevroor. De medicijnman had bijna een halfuur lang een lied zitten zingen in een vreemde taal, wiegend op zijn hurken en meeknikkend op het ritme.

Nu waren de bewegingen van het hoofd gestopt en hadden zijn blikken zich gefixeerd op de overall. 'Ik zie het,' kraakte hij.

'O, geesten van de voorvaderen, bescherm ons tegen deze creatie van de boze machten.'

'Wat ziet u dan, wijze man?' vroeg Samuel, bang om het antwoord te horen.

'Ik zie de aapmens. Hij staat rechtop, maar op de poten van een baviaan.'

'Zijn armen en handen. Kunt u die ook zien?'

'De handen zijn die van de mens, maar de armen die van de aap.'

Dus het ding dat zijn hand uit de baarmoeder had gestoken, was hetzelfde dat hem bij zijn hoofd had gepakt in het dierenverblijf, dacht Samuel. 'Kunt u me nog meer vertellen?' vroeg hij, terwijl zijn angst langzamerhand minder werd.

De oude man begon voorover te hangen en Samuel moest overeind springen om te voorkomen dat hij met zijn gezicht tussen de botjes terechtkwam.

De oude vrouw kwam naar binnen schuifelen met een drinkkom. 'Je moet hem met rust laten. Je vragen vergen te veel van zijn krachten. Ga nu weg en neem die kwalijke lap met je mee.'

Samuel rolde de overall op, stopte hem in een plastic zak, en vertrok. Zelfs de Wijze Man had hem geen behoorlijke beschrijving kunnen geven van het monster dat Kapinsky in zijn laboratorium hield, maar hij had zijn bange vermoedens in ieder geval bevestigd.

Toen Samuel de volgende avond thuiskwam, trof hij de oude vrouw weeklagend voor zijn deur. Toen ze een beetje was gekalmeerd, vertelde ze hem dat de medicijnman die nacht was gestorven. Ze had hem vanochtend gevonden, zijn lichaam vol kneuzingen en verwondingen, alsof hij door een of ander groot beest was aangevallen.

'Kapinsky!' zei Samuel. 'Hij stuurt zijn monster blijkbaar op iedereen af die iets van diens gruwelijke bestaan afweet.'

Hij gaf de oude vrouw wat geld en werkte haar de deur uit. Daarna deed hij de deur op slot en voelde zich wanhopig worden. Als de medicijnman zich niet tegen het monster kon verweren, waren zijn eigen dagen ook zeker geteld.

HOOFDSTUK 23

Zes bedden, drie aan iedere kant, flankeerden zaal D7. Karen lag in het bed in de verste hoek. De komvormige matras liep met lange, geleidelijk aan oplopende rollende vormen van links naar rechts en van boven naar beneden, en bood haar lichaam zo van alle kanten bescherming. Daarnaast varieerden bepaalde gedeeltes van het matras in compactheid, waardoor de verdeling van haar lichaamsgewicht veranderde en er werd voorkomen dat er te lang te veel druk zou ontstaan op één specifieke plaats. Deze computergestuurde bedden kwamen van Kapinsky, en waren een idee dat hij had opgedaan bij een van zijn zwerftochten langs de elektronische snelweg. Ze waren ontworpen door iemand in Nieuw-Zeeland, die ze daar met goed resultaat op de markt had gebracht. Kapinsky was altijd in voor een nieuw snufje en was trots op zijn ontdekking van deze Elektronische Verpleegster, zoals het bed werd genoemd.

Barnes was blij dat Kapinsky zo tevreden was. 'Prima werk, Louis. Onze patiënten zullen er zeer bij gebaat zijn – maar kunnen we ons dit wel permitteren? Wat moet zo'n ding niet kosten?' vroeg hij, zittend op de rand van een van de bedden.

Een rib uit je lijf, dacht Kapinsky, maar wat kan het je schelen. De verslaafden betalen. 'Onze weldoener fourneerde het geld en gaf ons dit bed cadeau, en nog twee andere op afroep. Ze liggen niet in de supermarkt, weet je,' zei hij en porde Barnes goedgemutst in zijn arm. 'Wie is toch die mysterieuze weldoener van ons?' Kapinsky's opgewektheid en enthousiasme werkten aanstekelijk en Barnes wilde hun donateur graag bedanken voor zijn vrijgevigheid. 'Hoe heet hij? Heb je zijn telefoonnummer? Ik wil graag eens met hem praten. Ik denk dat het langzamerhand tijd wordt dat we op de een of andere manier onze dankbaarheid tonen...'

'Het spijt me, maar dat gaat niet,' zei Kapinsky.

'Hoezo?'

'Ik heb je al eerder gezegd dat hij anoniem wil blijven. Ik denk dat hij bang is het doelwit te worden van iedereen die een goed doel voor ogen heeft of geld zoekt voor het een of andere project. Hij wil zelf uitmaken waaraan hij zijn geld besteedt en ik denk dat we ons heel gelukkig mogen prijzen dat hij ons daarvoor heeft uitgekozen.'

'Daar kan ik heel goed inkomen, maar ik zou hem graag persoonlijk willen bellen en bedanken -'

'Dat heb ik al gedaan,' onderbrak Kapinsky. 'Hij heeft er blijkbaar geen moeite mee het aan mij over te laten en ik ben hem daarbij graag ter wille. Het is tenslotte zijn geld en hij kan het net zo rondstrooien als hij zelf wil.'

'Dat is zo,' zei Barnes, maar half tevreden. 'We hebben natuurlijk nog wel het probleem van de jaarlijkse ziekenhuislijst van activa. De bureaucraten willen graag weten wat er gebeurt, en met name over hoeveel uitrusting iedere afdeling beschikt.'

'De bureaucraten kunnen de zenuwen krijgen. Maar dat is jouw afdeling, Rodney. Verzin jij maar hoe we ze een rad voor ogen kunnen draaien. Waarom maak je niet een fotokopie van de lijst van vorig jaar? Zij weten van voren toch niet hoe ze van achteren leven.'

Einde discussie. Kapinsky onderging weer een van zijn beruchte stemmingswisselingen en wilde verder niets meer zeggen.

'En zo komt het, lieve schat, dat je er hier nu zo goed bijligt,' zei Barnes tegen Karen, tijdens zijn eerste bezoek na haar overplaatsing van de afdeling traumatologie.

Hij keek om zich heen. De onderhoudsafdeling had fantastisch werk afgeleverd, in zo'n korte tijd. Het gebouw was vanbinnen en vanbuiten geschilderd. De dakreparaties, nieuwe ruiten, vloerbedekking, vernieuwing van waterleiding en elektriciteit daarbij opgeteld, moest een lieve duit hebben gekost. Kapinsky had de organisatie van dit alles op zich genomen en gezegd dat hun filantropische vriend betaalde. Hij moest niet vergeten bij gelegenheid eens naar de rekening te vragen, dacht Barnes.

Karens conditie was zichtbaar vooruitgegaan. Haar bloedcirculatie was verbeterd en ze had weer wat kleur gekregen. Het leed geen twijfel dat ze bij traumatologie was verwaarloosd, dacht Barnes, afgeschreven als een hopeloos geval en aan haar lot overgelaten in afwachting van haar dood. Als hij haar niet dagelijks had opgezocht en onophoudelijk had aangedrongen op een betere verzorging, was ze er allang niet meer geweest. 'Dat zal je hier niet gebeuren,' verzekerde hij haar. Hij had Des Louw uitvoerige instructies gegeven hoe deze patiënt moest worden verzorgd.

In een andere hoek van de zaal zat zuster Helen de Villiers aan een splinternieuw bureau waar ze werkte met de speciaal daarvoor aangeschafte computer aan de opzet van een archief. Ze wist niet helemaal zeker of ze dit werk wel wilde doen. Ze had zich vrijwillig voor dienst op zaal D7 gemeld, omdat ze aanvankelijk was geïntrigeerd door wat Rodney Barnes had verteld. Maar er bleek maar heel weinig werk te zijn, en daarnaast waren er die veronrustende dagelijkse intermezzo's, waarbij de dokter langskwam om met de volledig bewusteloze patiënt te praten.

'Zuster!'

Ze keek op. Dokter Barnes had haar nodig. Ze liet alles voor wat het was en haastte zich naar het ziekbed.

'Zuster, ik zou het erg op prijs stellen als u deze deken wilde omdraai-en. Het patroon loopt de verkeerde kant op en mevrouw Van der Walt wil het liever andersom.' Hij draaide zich om naar Karen en zong zachtjes: 'Hè, lieve schat?'

Helen de Villiers liep al jaren rond in het vak en had geleerd zich over niets meer te verbazen. Als er in deze nieuwe, smetteloos witte deken al een patroon te vinden was, was dat nauwelijks te zien, en zeker niet door een patiënt in coma.

Barnes hielp haar met het omdraaien van de deken en mompelde nog een paar liefkozingen tegen het lichaam in het bed. Karen verkeerde in een uitstekende conditie om te worden geopereerd.

Vanavond zouden Kapinsky en hij haar vastkoppelen aan het hersen-bemiddelingssysteem en morgen kwam het keerpunt in haar gene-zing. Hij klopte haar op haar hand, glimlachte tegen Helen en vertrok.

Helens bezorgdheid nam toe. Gebeurde er iets waar ze niets van af-wist? Deze patiënt werd nooit meer beter, maar had dokter Barnes niet gezegd dat ze deel uitmaakte van een onderzoeksproject? Misschien waren die eenrichtingsgesprekken wel een onderdeel van de behande-ling. Helen schudde haar onbehaaglijke gevoelens van zich af en ging weer aan het archief werken.

Barnes besloot nog eens bij het lab langs te lopen om te zien of er nog verdere politie-activiteiten waren geweest.

Bij het opengaan van de liftdeuren liep Des Louw, het hoofd gebogen, hem met grote passen bijna van de sokken. 'Sorry, dokter,' riep hij uit.

'Niets aan de hand. We zullen hier een paar verkeerslichten zetten,' grinnikte Barnes. 'Vanwaar die haast?'

'Geen haast, meer in gedachten verzonken, denk ik. Er is iets vreemds in het gedrag van de baviaan die het hart van de terechtgestelde gevan-gene kreeg.'

272

'Oh ja, wat dan?'

'Hij heeft zich goed hersteld van de narcose en alle andere functies zijn ook in orde, maar hij verkeert in een grote staat van opwinding. Hij lijdt zo te zien geen pijn – maar meer aan een soort emotionele stress, als we dat zo mogen noemen. Blijft maar aan zijn nek krabbelen alsof hij iets probeert weg te halen. Ik heb hem een licht kalmerend middel gegeven, en hoop dat deze reactie van voorbijgaande aard is.'

'Hmmm, ik kijk er wel even naar. Dank je, dokter,' zei Barnes, en haastte zich naar het souterrain waar de andere dieren van de afdeling hartchirurgie huisden.

Hij trof de baviaan slapend aan, beide voorpoten beschermend rond zijn nek. Kapinsky was nergens te bekennen. Een blik op de status liet een bijna perfect herstel zien en een goede vooruitgang. Hij vroeg Victor het dier goed in het oog te houden en vertrok.

De baviaan droeg het hart van een geëxecuteerde moordenaar, zei hij tegen zichzelf. Dat kon van geen enkele invloed zijn op zijn huidige conditie. Het hart was uiteindelijk alleen maar een pomp. Los daarvan kon er op het moment toch niets worden gedaan. Maar de gedachten aan het dier hielden hem de hele dag bezig, en hij kon zich niet aan het gevoel onttrekken dat hij ergens iets over het hoofd had gezien. Er zou een dag komen dat hij hier spijt van kreeg.

'Waarom ben je vanavond toch zo verdomde zenuwachtig?' vroeg Kapinsky over de schouder van Barnes, die de keel van de verdoofde baviaan had blootgelegd en de vacht eromheen aan het wegscheren was. Dit werkje ging hem niet goed af en uit diverse grote kerven in het vlees welde bloed op. Kapinsky had deze baviaan uitverkoren voor het hersenbemiddelingssysteem en het was daarom een beetje zijn baviaan.

'Louis, hou op met om me heen te lopen moederen als een broedse hen. Ik ga dit beest zijn stomme kop afsnijden en dat is meer dan genoeg om me zenuwachtig te maken,' zei Barnes, verbaasd over zijn felheid. Hij probeerde meteen zijn woorden meer als een grapje te laten klinken. Ze waren nu al meer dan een uur in de dieren-operatiekamer, bezig zich voor te bereiden op, wat hij zich nu pas realiseerde, de eerste hersen-transplantatie in de wereld.

Deze moest in twee stadia worden uitgevoerd. Eerst moest de kop van de baviaan worden verwijderd, een perfusie ondergaan met zuur-stofrijk bloed, en in de zwarte doos geplaatst worden. Het tweede stadium vond plaats nadat de doos, verbonden aan een draagbare perfusor, in zaal D7 was geïnstalleerd om op Karens circulatie te worden aangesloten.

Bij het verstrijken van de tijd merkte hij dat Kapinsky steeds geconcentreerder en kalmer werd, terwijl hijzelf iedere minuut meer gespannen raakte. Het leek haast wel of hij plankenkoorts had. Ze hadden besloten geen hulp in te roepen bij deze nachtelijke operatie: hoe minder mensen wisten wat ze aan het doen waren, hoe beter.

Toen hij klaar was met scheren, gaf Barnes zijn incisies aan en trok een streep over de huidflap die gehecht moest worden over de stomp aan de onderkant van de kop.

Kapinsky had geen hulp nodig bij het verdoven van het kleine dier en hij wist dat Barnes de vaten in de hals van canules kon voorzien en met de membraan-oxygenator verbinden.

Barnes pakte een scalpel en maakte een cirkelvormige incisie rond de onderkant van de nek, precies over de aangegeven strepen. Hij sneed het uitgekozen stuk huid los van de nekspier en klapte dat terug voor later gebruik. Bij een wat stompere ontleding kwamen de binnenste keelvena en halsslagader bloot te liggen, eerst aan de rechter- en toen aan de linkerkant. De aan de oppervlakte liggende vaten werden afgebonden en doorgesneden. De twee aders werden voorzien van dunne plastic canules en gekoppeld aan een Y-vormig verbindingsstuk, aangesloten op de plastic slang die naar de oxygenator leidde. De slagaders ondergingen eenzelfde behandeling, waarbij Kapinsky de buis kreeg aangereikt om hem aan te sluiten op de slagader-uitgang van de oxygenator.

'Start perfusie. Langzaam opbouwen,' zei Barnes. Terwijl dit gebeurde, naaide hij de catheters van de aders en de slagaders in de diepgelegen weefsels van de nek vast, zodat die niet meer konden bewegen.

Zijn volgende taak was de kop van de romp te scheiden. Hij sneed iedere nekspier heel zorgvuldig door en stopte iedere bloeding voor hij een nieuwe incisie maakte. 'Zet de beademing maar af. Ik snijd nu de luchtpijp en slokdarm door.'

Kapinsky gehoorzaamde. Het gesuis van de beademer stopte. De borst van het dier sidderde even en was toen stil.

Beide buizen van de luchtpijp en de slokdarm zouden via een opening in de huidflap naar buiten worden gebracht zodat slijmvorming kon worden verwijderd door de afzuigpomp buiten de zwarte doos. De halswervels, vrij van alle musculatuur, waren nu nog de enige constructie die het hoofd en de nek met het lichaam verbonden. Barnes vond de ruimte tussen de lagere halswervel en hogere wervelkolom

274

aan de borstkant en scheidde het ruggenmerg in een enkele snee. Het lichaam van de baviaan schokte toen de zenuwverbinding met de hersenen werd verbroken. Er begon meteen ruggenmergvocht, een strogele vloeistof, uit de wervelkolom te vloeien. En de intervertebrale slagaders begonnen te bloeden.

Barnes stopte het bloeden vakkundig met twee snelle hechtingen en naaide een spierflap stevig over het ruggenmergkanaal om verder lekken van de vloeistof te voorkomen. Hij deed alles heel voorzichtig, ging langzaam van plek naar plek, inspecteerde en stopte alle bloedende punten aan de rauwe stomp van de nek. Pas toen hij helemaal tevreden was sloeg hij de flap van de huid naar beneden om de wond te bedekken en hechtte die netjes op zijn plaats.

Toen hij eindelijk rechtop ging staan en zich uitstrekte, zijn gehandschoende handen in de lucht, was de operatie voorbij. Het enige wat nog op de tafel lag, was de kop van de baviaan met de stomp van de nek waaruit de verschillende catheters staken. Deze waren direct verbonden met de perfusor die zachtjes stond te zoemen op een stelling. Kapinsky had de romp van het beest al weggehaald.

'Het is erg jammer dat we de vitale organen niet kunnen gebruiken,' zei hij, na terugkeer van de verbrandingsoven.

Barnes keek op, maar was te zeer verdiept in een laatste controle van de kop om hierop te reageren.

'Gisteravond bedacht ik me dat we nu drie bevoorradingsbronnen hebben,' droomde Kapinsky hardop.

'Wat zeg je nou?' vroeg Barnes, nog steeds bezig met de hechtingen in de nek.

'We hebben nu drie soorten donors voor menselijk gebruik.'

Er trok een koude rilling door Barnes. Kapinsky was er nu ook achter. 'Hoe bedoel je?' vroeg hij met een achteloos gezicht, terwijl zijn hart begon te bonzen.

'We hebben de menselijke organen die we opslaan in de immuuntolerante baviaan. Dan beschikken we over de organen van hersendode patiënten, zoals Karen, die in conditie worden gehouden door de zwarte doos, en ten slotte hebben we nog de transgene baviaan. De dierendonor zal van onschatbare waarde zijn bij het leveren van organen die een omvang hebben van die van pasgeboren kinderen.' Hij keek naar Rodney die nog steeds over de bavianenkop gebogen stond en gaf hem een por met zijn elleboog. 'Denk eens goed na, Rod. We hebben die hele peperdure rotzooi die we hier in D7 opzetten helemaal niet nodig als die andere twee bronnen goedkoper zijn.'

'Organen direct afkomstig van een menselijke donor zijn altijd de beste,' zei Barnes, die rechtop ging staan en Kapinsky aankeek. Het werd hoog tijd zijn belangen te verdedigen.

'Dat weet ik nog niet zo zeker, beste vriend,' zei Kapinsky, meegesleept door dit onderwerp. 'Genetische manipulatie zal het antwoord hierop zijn. Vergeet niet dat er geen afstoting plaatsvindt als het dierenorgaan volledig is gecamoufleerd en de aanwezigheid ervan niet kan worden opgespoord door het immuunsysteem van de patiënt.'

'Laten we de kop in de doos leggen,' zei Barnes kortaf. Die Poolse rotzak begon zich nu wel op heel dun ijs te begeven.

Met glanzende ogen zette Kapinsky de zwarte doos op tafel en opende het scharnierende deurtje. In de doos waren allerlei naaldpunten bevestigd, die bijgesteld konden worden. Ze waren precies geplaatst volgens de maten van de levende baviaan, zouden door de huid dringen tot op het bot, en zo de kop op zijn plaats houden. Barnes hield de kop voorzichtig vast, terwijl Kapinsky ieder schroefje vastdraaide met een kleine elektrische schroevendraaier. De ogen in de bavianenkop begonnen te knipperen. 'Ik denk dat ik hem beter wat kan verdoven, voordat hij me in mijn vinger bijt,' zei Kapinsky lachend.

Op de bodem van de doos werd een los plastic bordje gezet voor de afscheiding uit luchtpijp en keelgat, en Kapinsky had de kop zo geplaatst dat hij met zijn gezicht naar het deurtje lag. 'Voor het geval hij zo nu en dan eens naar buiten wil kijken,' grapte hij.

Barnes zei niets. Hij vond Kapinsky's humor niet altijd even subtiel.

Kapinsky verlegde de diverse slangetjes zo dat ze via een kleine opening aan de onderkant van het deurtje naar buiten liepen en sloot toen af. 'Nu weten alleen wij tweeën wat er in de doos zit,' zei hij. Hij koppelde de heparine- en protamine-infuzen aan de perfusor en sloeg toen symbolisch het stof van zijn gehandschoende handen. 'Eerste ronde achter de rug, Rod. Hoe ziet jouw programma eruit?'

'De operatiekamer is gereed en de staf staat op afroep klaar om morgenvroeg te beginnen. Des Louw heeft Karen geprepareerd tegen de tijd dat jij de zwarte doos overbrengt. En dat is het dan wel ongeveer.'

'Prima. Dan hebben we daarvóór nog even tijd om de kop te controleren op bloedingen of andere problemen,' antwoordde Kapinsky. 'Verder nog iets?'

'Ja,' zei Barnes. 'Koffie – heet en zwart.'

'In mijn kantoor. Over een paar minuten,' zei Kapinsky. Hij stroopte zijn handschoenen af en vertrok richting dierenverblijf. Een paar minuten later kwam hij terug met twee koppen koffie en een bord met sandwiches.

'Heb je daar een keukentje?' vroeg Barnes, wijzend in de richting van de deur die Kapinsky achter zich op slot had gedaan.

'Ja, ik maak er vaak iets te eten. En natuurlijk ook voedsel voor de pasgeboren transgene baviaantjes.'

'Wat heb je daar nog meer?' Barnes probeerde de vraag achteloos te laten klinken.

'Niets wat je niet allang weet,' zei Kapinsky vlug. 'Hoezo?'

Barnes zette zijn kopje neer en keek Kapinsky aan. 'Ik maak me zorgen over je gedrag van de laatste maanden. Je hebt je vrijwel geheel geïsoleerd van de rest van de wereld. Je laat niemand toe in het afgesloten gedeelte van het dierenverblijf en er doen de wildste verhalen de ronde. Verdomme, Louis, het moet jou toch ook zijn opgevallen dat jij boven aan het lijstje van de politie stond.'

Kapinsky lachte schaterend. 'Om te beginnen maak ik me nooit enige zorgen over roddelpraatjes – en zeker niet als die worden rondverteld door het stelletje randdebielen dat hier overdag rondloopt.'

'Maar waarom heb je je zo teruggetrokken? Dat is niet goed voor je, Louis.'

'Dat zeiden ze waarschijnlijk ook tegen Michelangelo toen hij het plafond van de Sixtijnse Kapel aan het schilderen was.' Barnes grinnikte om die vergelijking en ook Kapinsky moest weer lachen. Hij leek heel ontspannen en maakte zich duidelijk geen zorgen over het bezoek van de politie die ochtend.

'Mijn enige zwakke punt, of misschien juist wel sterke punt, is dat ik niemand vertrouw,' zei Kapinsky langzaam, hij dronk met kleine slokjes van zijn koffie en staarde voor zich uit.

Barnes zei niets, bang om zijn gedachtengang te onderbreken.

'Ik ben hier ingetrokken om meer tijd voor mijn werk te hebben,' vervolgde Kapinsky. 'Jij besteedt zeker een uur aan het heen-en-weer rijden naar je werk, nog een uur om te eten en ongeveer acht uur om te douchen en te slapen. Dat zijn iedere dag tien van de vierentwintig uur.' Hij pauzeerde even en nam nog een slokje koffie. 'Als je dat bij elkaar optelt kom je tot drieduizend en zeshonderd uren per jaar waarin je helemaal niet productief bent. Oftewel honderd en vijftig dagen van niets doen.'

'Jezus, er bestaat nog wel iets anders in het leven dan werken,' zei Barnes, gniffelend bij het idee dat slapen als tijdverlies werd beschouwd.

'Voor mij niet. Toen de communisten mijn moeder en mijn vader hadden vermoord, heb ik gezworen dat ik hun dood zou wreken.'

Barnes kreeg een koud gevoel vanbinnen. Hij zette zijn kopje neer en keek naar het onbewogen gezicht van Kapinsky. De man meende wat hij zei. 'Zeg eens, Louis. Wat bedoel je precies met wreken?' vroeg hij voorzichtig.

Kapinsky knipperde met zijn ogen en keek Barnes aan. Hij had zijn mond voorbij gepraat. 'Niet wraak in de letterlijke zin des woords,' zei hij vlug. 'Ik bedoel wraak in de vorm van dat de naam Kapinsky nooit meer door iemand zal worden vergeten.'

Barnes keek hem recht in de ogen. Zijn vriend zag er opstandig uit. 'Zeg eens eerlijk, Louis. Heb jij iets te maken met de dood van Joe Dubofsky?'

'Helaas niet.'

'Wat bedoel je daar nu weer mee? Als je in de problemen zit, zeg dat dan. Misschien kan ik je helpen.'

'Ik heb Dubofsky niet vermoord en ik weet niet wie dat wel heeft gedaan. Ik heb er helemaal niets mee te maken gehad. Maar ik vind wel dat die schoft zijn verdiende loon heeft gekregen. Duidelijk?'

Kapinsky keek Barnes aan zonder met zijn ogen te knipperen, net zo lang tot deze zijn blik moest neerslaan. Als hij loog, deed hij dat voortreffelijk.

'Denk je dat er iemand van de faculteit bij betrokken is?' vroeg Barnes, meer om Kapinsky wat af te leiden dan dat hij een antwoord verwachtte.

'Ik was de hele nacht in het lab, dus ik weet er minder van dan wie dan ook. Waarom vraag je het niet aan Thomas? Hij weet ongeveer alles wat er hier gebeurt.'

Barnes besefte dat dit gesprek verder tot niets leidde. Als er iets niet in orde was met Kapinsky's bezigheden, zou hij daar niet achter komen door vragen te stellen. 'Laten we eens gaan kijken hoe het met de kop staat,' stelde hij voor.

Ze liepen terug naar het lab en de operatiekamer waar de zwarte doos nog op de verhoging naast de tafel stond. Kapinsky deed het deurtje open. De kop sliep. Niets wees op bloedingen. Hij trok de onderlip naar beneden om het tandvlees te bekijken. Dat was warm en roze en wees op een goede perfusie en zuurstoftoevoer.

Kapinsky deed het deurtje weer dicht en op slot, en stopte de sleutel in zijn zak. 'Voor het geval iemand hier in de verleiding zou komen de doos open te maken,' zei hij en klopte op zijn broekzak.

'Hoe ga je het ding verplaatsen?' vroeg Barnes.

Kapinsky veranderde plotsklaps weer van stemming. Vol trots liet hij zien hoe het door batterijen gevoede perfusor samen met de zwarte doos bevestigd waren op een metalen plaat en onder een kap vastgeklemd om gemakkelijk te kunnen worden getransporteerd.

Barnes was opnieuw onder de indruk van Kapinsky's vindingrijkheid. Hij feliciteerde hem daarmee en zag hoeveel plezier hem dat deed. Niet alleen zijn vindingrijkheid was grenzeloos, dacht Barnes, maar ook zijn stemmingswisselingen.

'Goed, dat is het dan voor vandaag, Louis. Het wordt nu tijd om een paar uur een uiltje te gaan knappen. Morgen is het weer vroeg dag.'

Hij liet Kapinsky achter, die nog steeds naar de zwarte doos zat te staren, en liep naar de parkeergarage. Rare vogel, dacht hij. Nu begrijp ik waarom hij nooit slaapt.

De operatie verliep als een droom. Op nadrukkelijk verzoek van Barnes hield Ohlsen Karen onder narcose en controleerde hij constant alle gegevens over de vitale organen. Het hele team was ter observatie aanwezig en Des Louw assisteerde. Iedereen was duidelijk onder de indruk en vroeg Kapinsky honderduit over de werkwijze van de zwarte doos. Hij wuifde alle vragen weg. Toen men bleef aandringen, zei hij: 'Je kunt er binnenkort alles over lezen in de vakliteratuur.'

Barnes wist dat een tracheotomie een probleem kon worden, met name waar de ademhalingsslang Karens luchtpijp binnenkwam, onder in haar keel. Dit was een potentieel geïnfecteerd gebied. Als bacteriën daarvandaan de plastic catheters besmetten, ontstond er een levensbedreigende infectie, die grote complicaties kon veroorzaken. Het was beter ader met ader en slagader met slagader te verbinden. Technisch was dat eigenlijk niet mogelijk, tenzij hij Karens hoofd verwijderde. Hij kon deze gedachte niet verdragen, maar vroeg zich wel af of er in dit project een tijd zou komen dat zoiets een routinehandeling werd.

Voorzichtig legde hij de vaten aan de rechterkant van haar hals bloot, en zorgde ervoor dat hij niet in de buurt van het tracheotomie-gebied kwam. Hij voorzag de venae en de slagaders van canules en bracht de catheters naar buiten via een huidincisie. Daarna naaide hij de spieren over het gebied waar de canules uit de vaten kwamen. Hij verbond een kort stukje dunne silastische slang met iedere catheter en gaf de uiteinden aan Kapinsky, die de corresponderende catheters aan de oxygenator losmaakte. Hij wachtte een paar seconden tot de slangetjes vol bloed waren gelopen, alvorens hij ze over elkaar schoof.

'Oké, klemmen los,' zei hij tegen Louw. Toen deze dat deed, was het even stil. Karens hart zat nu in de kringloop en pompte bloed van haar lichaam naar de hersenen van de baviaan en haalde dat terug via het veneuze systeem.

'Prima. Alles reageert uitstekend,' zei Ohlsen, vanachter het scherm.

Barnes' ogen vulden zich met tranen. Hij voelde hoe dicht ze op dit moment bij hem was, bijna alsof ze op het punt stond haar ogen te openen. Misschien gebeurde dat ook wel zodra Ohlsen de anesthesie verminderde. 'Dit is allemaal voor jou, liefste,' zei hij in zichzelf. 'De chemische boodschappers komen nu in je lichaam en dan zul je al snel weer tot bewustzijn komen.'

'Dokter Barnes?' Dat was Des Louw. 'Wil je haar hier in intensive care houden, of brengen we haar meteen naar D7?'

'Ze moet naar D7. Alles is geregeld zoals we hebben besproken. Dokter Kapinsky zal haar begeleiden, want hij heeft de leiding over het bemiddelingssysteem.'

Alles verliep gesmeerd. Binnen een paar minuten was Karen, omringd door het halve hartteam en een aantal gefascineerde verpleegkundigen, in de lift op weg naar de vierde verdieping en D7. Daar werd ze uiterst zorgvuldig in het waterbed gelegd en was het Kapinsky's beurt. Hij zette de zwarte doos op de standaard die aan de muur naast het hoofdeinde van het bed was bevestigd en verzekerde zich ervan dat de heparine- en verdovings-infusen met de slagaders werden verbonden en de protamine met de aders. Nog een blik op het computerprogramma en de medicijntoevoer werd aangezet.

Helen de Villiers keek onzeker toe. Ze wilde best helpen, maar wist niet hoe. Ze was een van de drie vrijwilligsters voor een vierentwintig-uurs bewaking. Dokter Barnes had het al gezegd, veel werk was er niet, maar er moest wel constant worden opgelet.

Ze voelde zich een stuk beter toen dokter Barnes arriveerde. Dokter Kapinsky wist dan wel wat hij deed, maar er was iets aan hem wat haar niet aanstond. Ze wist niet wat – misschien was het wel omdat hij dwars door haar heen leek te kijken als hij iets tegen haar zei.

Ze was nog een uurtje bezig, terwijl dokter Barnes rond het bed liep te rommelen, slangetjes controleerde, en sussend tegen de patiënt praatte. Hij verkeerde duidelijk in een euforische stemming. Het was blijkbaar een heel belangrijk moment voor hem, dacht ze.

Later, toen iedereen weg was en zij alleen op zaal zat, kwamen haar twijfels terug. Dit was het onaangenaamste deel van de baan, het isolement. De rust in deze zaal, op de bovenste verdieping van het verlaten gebouw, stond in schrille tegenstelling tot de bedrijvigheid die normaal in een groot ziekenhuis heerste.

En dan was er die zwarte doos. Ze bekeek die nog eens goed. Er liepen allerlei slangetjes in en uit die aansluiting gaven op de circulatie van de patiënt. Maar wat zat erin?

HOOFDSTUK 24

Barnes zat naast Karens bed en hield haar hand vast. Die was warm en stevig. Hij zag dat haar vingernagels keurig waren gemanicuurd. De verpleging volgde zijn instructies over haar persoonlijke verzorging klaarblijkelijk nauwgezet op. Haar donkere haar was geborsteld tot het een lichte, gezonde glans had gekregen en haar gezicht was een beetje opgemaakt. Ze zag eruit alsof ze zojuist in slaap was gevallen. Iedereen die D7 had bezocht was het erover eens hoe snel haar conditie was verbeterd, nadat ze was aangesloten op het hersenbemiddelingssysteem. Binnen een maand was haar volledig verstoorde endocriene stelsel teruggekeerd en weer bijna normaal. Een paar dagen daarna was ze gaan menstrueren. Dat deed Barnes nog het meeste plezier van alles. Hij had intussen al een plannetje gemaakt. Ze zou haar kind krijgen. Zodra ze weer tot bewustzijn was gekomen, zouden ze het erover hebben. Hij wist dat dit was wat Karen het allerliefste had. In al hun gesprekken na haar ongeluk was dit altijd het enige waar ze naar had gevraagd.

Hij keek om zich heen. Zuster De Villiers zat achter haar bureau. Ze was een goede verpleegkundige, dacht hij, maar Karens snelle herstel scheen aan haar voorbij te gaan. Zij en de andere twee zuster hadden niet gemerkt dat Karen haar ogen had geopend. Hij had ze gevraagd elke beweging van het lichaam of de ogen te rapporteren, maar ze beweerden niets te hebben gezien. Vreemd dat het alleen gebeurde als hij er was. Mischien was het Karens manier van zeggen dat ze met hem samen wilde zijn. 'Wij begrijpen elkaar, lieve schat,' zei hij tegen haar, en klopte haar op de hand. Hij voelde hoe haar vingers hem eventjes vasthielden, voordat haar hand weer op de deken viel. Ze wist dat hij er was en dit was weer een andere manier om met hem te communiceren. Zijn hele lichaam verlangde ernaar haar vast te kunnen houden, te liefkozen en te zeggen hoeveel hij van haar hield. 'Gauw, liefste, gauw,' fluisterde hij.

Zuster De Villiers stond op en ging op zaalronde. Sinds het spectaculaire herstel van Karen had Andy Anderson enthousiast gereageerd en meteen drie andere patiënten naar D7 laten overbrengen. De eerste

was een jong meisje met hersenbeschadigingen door overmatig drugs-
gebruik. Een week later kwam traumatologie met een vrouw van middelbare leeftijd die in coma lag vanwege een hersenbloeding. De derde
was een zwarte man met ernstige hersenbeschadigingen, ontstaan na
een pistoolschot in het hoofd.

Barnes stond op. Hij merkte dat zijn gesprekken met Karen de staf
onrustig maakten, alsof er iets verkeerd mee was dat hij met haar
praatte. Hij had ze uitputtend uitgelegd dat comateuze patiënten bleven horen en heel vaak in staat waren te begrijpen wat er om hen heen
gebeurde. Hij had ze dan ook aangemoedigd met Karen te praten als ze
hun dagelijkse werkzaamheden bij haar verrichtten, maar ze leken dat
niet te durven waar hij bij was. Het gaf niet. Over niet al te lange tijd
was ze zelf in staat een gesprek te voeren en zou de staf begrijpen
waarom hij al deze maanden met haar had gepraat.

'Is er nog iets bijzonders, zuster?'

Verschrikt keek Helen op van haar klembord. 'Ja, dokter Barnes. Alle
drie de nieuwe patiënten gaan goed vooruit,' zei ze, blij dat hij iets
tegen haar zei, in plaats van in een volgende eindeloze monoloog met
Karen te verzinken.

Hij bekeek de klemborden en zag hoe snel iedere patiënt aan het bete-
ren was. Aanvankelijk zag het ernaar uit dat ze hard achteruit gingen,
maar ze begonnen alledrie te herstellen op het moment dat ze verbonden werden aan een zwarte doos.

Kapinsky had miniscule stukjes hersenweefsel verkregen door een
naaldbiopsie te verrichten via een piepklein gaatje in de schedel van de
baviaan. Bij onderzoek onder de microscoop was nergens enig histolo-
gisch bewijs van afstoting gevonden. 'Nu hebben we donors op afroep,' kraaide hij.

Barnes had het hele team erbij betrokken door iedere dokter een patiënt toe te wijzen. Hijzelf zorgde voor Karen, Alex Hobbs deed de
zwarte man, Des Louw het jonge meisje en Jan Snyman de vrouw van
middelbare leeftijd. Kapinsky had de leiding over de zwarte dozen,
waarvan hij tweemaal daags de perfusors controleerde. Hij was vierentwintig uur per dag oproepbaar voor het geval er iets verkeerd zou
gaan.

De volgende vergadering met de Ethische Commissie, waarbij verslag
moest worden gedaan over het verloop van zaken, verliep even storm-
achtig als de vorige. De leden waren nog maar net gaan zitten toen
professor Thomas overeind sprong. 'Ik eis een gedetailleerd verslag
over dit bemiddelingssysteem en weiger absoluut mee te gaan met het

belachelijke idee dat de hersendode patiënten bestemd zijn als opslag-plaats voor organen en, nog ernstiger, als potentiëel materiaal voor experimenten.'

Rond de tafel werd verbaasd gereageerd. Over experimenten uitvoeren op hersendode lichamen hadden ze het de vorige keer helemaal niet gehad.

'En waar heeft u al deze informatie vandaan?' vroeg Kemble, Thomas strak aankijkend.

'O, ondanks het feit dat ik als gerespecteerd lid van de medische faculteit geen toegang heb tot Kapinsky's poel van verderf of delen van dokter Barnes' ziekenzaal, heb ik, als er met duivelse bedoelingen te werk wordt gegaan, toch allerlei methodes om te ontdekken wat er aan de hand is,' antwoordde Thomas spottend.

Kemble keek naar Kapinsky en zei: 'Ik moet u vragen precies uit te leggen waar u mee bezig bent.'

Barnes antwoordde voordat Kapinsky iets kon zeggen. 'Heren, ik denk dat u het er allemaal mee eens bent dat het veel beter is de werking van een nieuw medicijn uit te proberen op mensen dan op dieren...'

Maar Kemble onderbrak hem. 'Experimenten die zonder toestemming op mensen worden uitgevoerd doen te veel denken aan het gedrag van de nazi-dokters, die dit deden onder het mom van de wetenschap.'

'Ik weet heel goed welke verschrikkingen zich toen hebben afgespeeld,' antwoordde Barnes. 'Maar er werden in die kampen ook experimenten uitgevoerd op mensen die dood waren verklaard.'

Kapinsky zat zonder een spier te vertrekken naar deze discussie te luisteren. Wat wist dit stelletje nu van wat er in die kampen was gebeurd.

Met een domineesstem verkondigde Thomas: 'De mens werd geschapen naar het evenbeeld van God en zelfs na de dood mag dit evenbeeld niet worden geschonden.'

'Dan zult u ook met lijkschouwingen moeten stoppen,' zei professor Bills tegen de voormalige hoogleraar pathologie. 'Het aan stukken snijden van lijken is in alle opzichten evenzeer een schending van Gods evenbeeld als het werk dat dokter Barnes voor ogen heeft.'

Thomas begreep dat hij klem zat en ging zitten pruilen.

Kemble ging verder met de rechtsgeldigheid van de voorgestelde experimenten, en legde de vraag voor aan de deskundige Dr. Leonard Hertz, die antwoordde: 'Zo voor de vuist weg, zie ik geen juridisch beletsel waardoor deze experimenten niet zouden kunnen worden uitgevoerd. Maar ik zal de zaak onderzoeken en het dokter Barnes laten weten als ik van mening verander.'

Na nog een paar vragen kreeg Barnes de gewenste toestemming. Blij dat het zo goed was gegaan, riep hij meteen een vergadering van het hartteam bijeen, maar belandde midden in een hoogopgelopen conflict.

Alex Hobbs had een patiënt opgenomen, die zeer dringend aan een harttransplantatie toe was. Onderzoek had uitgewezen dat hij compatibel was met Des Louws patiënt in D7, het jonge meisje. Louw weigerde haar als donor te laten gebruiken, waarna de dokters bijna met elkaar op de vuist waren gegaan.

Barnes suste ze door erop te wijzen dat Kapinsky werkte aan een alternatieve bron voor donororganen. Intussen, zei hij, werden de proefpersonen van zaal D7 gebruikt voor niet-fatale experimenten. 'Vier projecten hebben de zegen gekregen van de Ethische Commissie en ik heb ieder van jullie er één toegewezen. Er moet per geval een dossier worden opgesteld en te zijner tijd een stuk over jullie bevindingen worden gepubliceerd. Ik kan jullie verzekeren dat dit werk van het hoogste niveau is en, als de beginresultaten veelbelovend zijn, een belangrijke geldstroom op gang zal brengen.'

Hij had nu iedereen met zich mee.

'Ik heb dokter Louw een interessant project toegewezen, waarbij de werking moet worden getest van een nieuw antibioticum met de naam amomycine voor de behandeling van een gramnegatieve micro-organismen.' Louw fronste maar gaf geen commentaar. 'Dit antibioticum is een metaboliet van een schimmel die alleen maar aangetroffen wordt in de bodem van de oerwouden in het Amazonegebied, vandaar de naam.' De Zwitserse maatschappij die het geneesmiddel heeft geprepareerd, beweert dat dit het antwoord is op gramnegatieve infecties die zo vaak fataal zijn.' Hij wachtte. Er waren geen vragen. 'Dokter Hobbs is een project toegekend op verzoek van onze eigen oncoloog. Hij vroeg of we het cytotoxisch effect willen testen van een kruid dat door een Hongaarse arts wordt gebruikt om kanker te behandelen. Er zijn berichten over haast miraculeuze genezingen, maar er is geen wetenschappelijk bewijs dat deze onderbouwt.' Hobbs zei niets, maar vroeg zich in stilte wel af hoe hij ervoor moest zorgen dat zijn patiënt kanker ontwikkelde. 'Het derde project, waarvan ik graag zag dat dokter Snyman dat behandelde, is het testen van een geneesmiddel met de naam AZS bij de behandeling van myocardiale prikkelbaarheid, vooral bij ventriculaire ritmestoornissen.' Hij pakte drie mapjes en gaf er ieder een. 'Hier is alle informatie. Ik heb de apotheek al laten weten dat jullie alles kunnen krijgen wat je nodig hebt. Ik wil jullie verslag graag over maximaal twee weken, daarna kunnen we beginnen met het opzetten van de experimenten.'

Er kwam een golf van vragen, maar Barnes schudde zijn hoofd en verwees ze naar het geschreven materiaal. Ze konden pas verder praten als ze zich eerst wat meer in de achtergronden hadden verdiept, zei hij. Ze vertrokken, niet tevreden gesteld, maar vol verwachting. Niemand dacht eraan naar het vierde project te vragen.

Kapinsky was in stille woede terug naar zijn laboratorium gegaan. Hij had tijd en moeite besteed aan het ontwikkelen van een efficiënte methode voor de opslag van organen, het in leven houden van donors zodat er een permanente organenbank ontstond, en dat werd nu eventjes door elkaar gegooid door al deze flitsende plannetjes van dokter Barnes.

Barnes had zonder overleg met hem op een andere golflengte ingesteld. Het oorspronkelijke plan was de bronnen van D7 te gebruiken voor orgaan-opslag. Nu werden de donors gebruikt voor riskante experimenten die net zo goed konden worden uitgevoerd op vervangbare dieren. Door dit soort onzin was de patiënt van dokter Hobbs gestorven, in afwachting van een donor. Wat mankeerde Barnes ineens? Dat had Barnes hem gemakkelijk kunnen vertellen, zij het dat hij niemand in vertrouwen wilde nemen. Zijn blijdschap over de verbazingwekkende vooruitgang van Karen werd bedorven door een groeiende angst dat ze haar nodig konden hebben als donor. Iets wat hij nooit zou toestaan. Nu hij ze allemaal aan het werk had gezet met hun eigen projecten, kon hij Karen claimen als zijn eigen onderzoeksproject en alle pogingen die haar overlevingskansen bedreigden verijdelen.

Samuel was een kooi aan het dweilen en vroeg zich af of het misschien tijd werd de stad vaarwel te zeggen en terug te gaan naar zijn thuisland, zijn vrouw en kinderen. Hij had geld genoeg om de eindjes aan elkaar te knopen en het enige wat hij nu deed was zichzelf rijker maken dan zijn buren. Het leven in de stad was niet meer zo avontuurlijk als voorheen, het werk als chirurg voor de blanke dokters werd langzamerhand een last en leidde voor zijn gevoel ook verder nergens toe.

Hij voelde zich niet bedreigd door het monster. Na de dood van Kalolo had hij wekenlang iedere nacht liggen wachten tot het 'ding' door de deuropening naar binnen zou stormen. Maar na verloop van tijd zakte zijn angst, stopten de nachtmerries en kwam hij weer wat tot rust. Hij had uiteindelijk, bedacht hij, met deze hele geschiedenis niets te maken. Waarom zou hij wakker liggen en misschien zelfs zijn leven wagen om meer te weten te komen over deze halfmens? Als hij gewoon zijn werk deed, werd het leven vanzelf weer aangenaam.

En dat was ook zo. Er volgde een heerlijke tijd met prettig werk. Tot dokter Barnes bericht kreeg over een executie. Toen had hij het genoegen onder luxueuze omstandigheden naar Pretoria te mogen vliegen, wat echter bedorven werd door zijn angst de ziel van de dode te moeten verstoren. Maar dingen waren aan het veranderen. Het aantal immuuntolerante bavianen nam voortdurend toe, tot dokter Kapinsky begon te klagen dat hij te veel dieren onder zijn hoede had. Barnes weigerde iedere hulp, behalve die van Samuel. De bavianen waarvan het afweersysteem inmiddels immuuntolerant was, zei hij, moesten na hun operatie worden ondergebracht in het proefdierenlab van de afdeling. Het waren waardevolle beesten en ze werden daarom toegewezen aan Samuel. Vanaf dat moment grapte Victor voortdurend over 'de privé-patiënten van dokter Mbeki'.

In het begin was Samuel trots dat hem deze eer te beurt was gevallen. Dokter Barnes had hem dan toch maar uitgekozen en dit verantwoordelijke werk toevertrouwd. Hij had zelfs de meeste van 'zijn' dieren geopereerd. En zelfs de excuties konden worden afgehandeld zonder al te veel persoonlijke betrokkenheid, ontdekte hij. Zonder iets anders van de dode te zien dan zijn onbedekte borst, had hij een professionele houding ontwikkeld bij de verwijdering van het hart, alsof het om een gewone donor ging.

En nu had hij het toezicht op een 'ziekenzaal' vol dieren. Het programma was zo'n klinisch succes dat een aantal dieren al een hart in zich had opgeslagen, en andere bavianen bewaarden nieren en levers. Dokter Barnes had hem een pittige opslag gegeven en hij verdiende nu een bedrag waarvan hij vorig jaar niet eens had durven dromen. Als zijn vrouw en kinderen niet in het thuisland hadden gewoond en hij in het township, zou zijn leven rijk en vol zijn geweest.

Waarom had hij dan toch dat gevoel van naderend onheil, die voordurende angst die zijn gedachten vertroebelde? Hij had niets concreets, maar er was iets in het gedrag van sommige dieren dat hem tot nadenken stemde. Zodra ze bijkwamen uit hun narcose grepen ze zenuwachtig naar hun keel.

De opslag van harten in de immuuntolerante bavianen bleek zo'n succes, dat Barnes besloot dezelfde techniek toe te passen met harten van verkeersslachtoffers, voor zolang er nog geen geschikte ontvanger voorhanden was. In het verleden waren zulke harten verloren gegaan. Samuel stond te kijken naar een van de dieren die bijkwam uit narcose, toen hij het koud kreeg vanbinnen. Hij begreep ineens waarom dat merkwaardige gedrag alleen plaatsvond bij de dieren die een hart van een terechtgestelde gevangene hadden gekregen: deze dieren probeerden een denkbeeldige strop te verwijderen. Het moest de laatste impuls van de gehangene zijn geweest, voor hij het bewustzijn verloor.

Toen hij zijn waarnemingen aan de artsen rapporteerde, lachten ze hem uit en plaagden hem met zijn bijgelovigheid. Een hart, zei dokter Barnes, was gewoon een pomp. Maar na verloop van tijd ging hij toch geloven dat er iets aan de hand was dat de blanke dokters niet begrepen. Hij was ervan overtuigd geraakt dat tegelijk met het getransplanteerde hart bepaalde herinneringen aan de dieren werden overgedragen. Hij geloofde niet in de bewering van de blanke dokters dat het hart alleen maar een pomp was. Daarom sprong het zeker op en neer in de borstkas als iemand een sterke emotie onderging, zoals de liefde bedrijven met een vrouw, of bij angst, of zelfs blijdschap. Hij wist dat de oude man gelijk had gehad – en daarom probeerde Samuel te achterhalen waarom de gevangenen waren geëxecuteerd. Alle mannen waren opgehangen voor een of andere misdaad, meestal moord. Maar het geval van de laatste gevangene zat hem het meeste dwars. De man had in een aanval van razernij zijn vrouw met een bijl doodgeslagen. En zoals Samuel al had gevreesd, bleek de baviaan met het hart van deze man gemeen en gevaarlijk te zijn.

Een paar weken later praatte hij hierover met Victor, die moest lachen, maar wel naar de baviaan wilde komen kijken. Ze zagen het beest te keer gaan in zijn kooi, zwiepend van links naar rechts, rukkend aan de tralies en iedere keer met zijn tanden bloot als hij ze zag. 'Dit dier,' zei Victor, terwijl hij wegliep van de kooi, 'is een moordenaar.'

Barnes, die altijd een groot aanhanger van het werk in het laboratorium was geweest en het een onschatbare bron van aanmoediging vond, was niet meer geïnteresseerd en bij tijd en wijlen zelfs vijandig. Dat kwam allemaal door die vrouw. Kapinsky had het gedrag van zijn vriend nauwkeurig in de gaten gehouden en het was hem intussen duidelijk geworden dat Barnes het contact met de werkelijkheid aan het verliezen was: hij dacht waarachtig dat de levende hersenen van de baviaan Karen zodanig zouden helpen dat ze weer tot bewustzijn kwam. Barnes wilde Kapinsky's argument niet accepteren dat de staat van bewustzijn afhing van het normaal functioneren van een speciaal centrum in de middenhersenen.

'Weet je, Barnes, de vraag is niet waarom we bewust zijn, maar eerder waarom we niet onbewust zijn. We zijn niet onbewust omdat er een ononderbroken stimulering tot bewustzijn is vanuit dat deel van de middenhersenen.'

'Maar als de herinnering een chemische component bevat, waarom dan het bewustzijn niet?' hield Barnes vol.

'Natuurlijk bevat het bewustzijn een chemische component, aangezien er voor dit deel van de hersenen neurale overbrengers nodig zijn om voortdurend te kunnen afvuren, maar de zenuwcellen moeten in leven zijn voor deze chemicaliën om losgelaten te kunnen worden en de responderende cellen moeten evenzeer in leven zijn om te kunnen reageren.'

Kapinsky concludeeerde dat er, voordat zijn vriend in de vernieling zou draaien en het onderzoeksprogramma zou moeten worden stopgezet, actie moest worden ondernomen. Hij schopte tegen een prullenbak, die over de vloer van het kantoor wegstuiterde. Maar wat moest hij doen? Hij keek op zijn horloge. Het zou een lange dag worden. Kalm begon hij aan zijn plan te werken. Indien mogelijk moest het vannacht gebeuren, en het moest lijken op een natuurlijke dood.

Plotseling realiseerde hij zich dat het vrijdag was. Hij had een bezoekje aan Carols luxe woonplek gearrangeerd en moest dan ook zijn laboratoriumproduct afleveren, het heroïne-substituut.

Verdraaid nog aan toe. Nu hij eenmaal een actieplan voor Karen had, voelde hij niet zoveel meer voor een feestje, maar de onderzoeksfondsen moesten nodig worden aangevuld. Zaal D7 bleek een stuk duurder dan hij had voorzien. En dan was er het probleem van Susan. Hij keek door het kantoorraam. Ze stond, het hoofd licht gebogen, verdiept in de centrifuge, haar ongelooflijke borsten prominent in haar witte laboratoriumjas. Toen ze zich wat voorover boog, kroop de jas wat op en onthulde haar perfecte benen en de bolling van haar strakke billen.

Het maakte niets uit hoe ze eruitzag, dacht hij. Zoals alle potten kon ook zij behoorlijk lelijk worden als je haar dwarszat. In het lab altijd de ijskoude professional, maar ze had hem wel een keer bij zijn zaakje gepakt toen hij haar vertelde dat hij voor een paar weken naar Europa ging. Hier op kantoor, terwijl de rest van de staf nietsvermoedend aan het werk was.

Bij deze gedachte nam zijn weerstand af. Ze had hem stevig beetgepakt, zijn gezicht verwrongen van pijn, en hem fluisterend uitgevloekt tot hij bijna door de knieën ging. Niet te geloven, maar toen ze hem liet gaan, kwam hij klaar en moest gaan zitten. Zij kon hem naar haar pijpen laten dansen, dacht hij, en daarom was ze zo'n verdomd goede meesteres.

'U wilde me spreken, dokter Kapinsky?' Ze stond in de deuropening van zijn kantoor, een klembord in de hand.

Die trut is vast helderziend, dacht hij. Hij keek naar haar. Ze zag er keurig netjes uit, haar naar achteren, geen opmaak, lippen getuit. Meteen maar terzake komen, dacht hij. 'Ja, Susan. Ik red het vanavond niet, maar de bestelling wordt wel afgeleverd.'

Ze zei niets, haar ogen stonden ijskoud. Hij werd helemaal week vanbinnen. Langzaam liep ze zijn kantoor binnen, zwaaide de deur achter zich dicht en ging recht tegenover hem staan, met haar rug naar de deur. Met de ene hand drukte ze het klembord stevig tegen haar borsten, met de andere hand reikte ze naar beneden en maakte ze, hem intussen strak aankijkend, de onderste knoop van haar jas los. Ze sloeg de jaspand terug om te laten zien dat ze daaronder naakt was. Ze wenkte hem naar zich toe tot hij vlak bij haar was. Toen greep ze hem plotseling bij zijn haar en trok zijn hoofd naar beneden. Haar schaamhaar glansde blond in het licht. Toen haar orgasme opgolfde slaakte ze een diepe zucht en liet hem los. 'Dank u, dokter,' zei ze, knoopte haar jas dicht en draaide zich om naar de deur. Over haar schouder zei ze nog: 'Volgende keer ben ik misschien wel wat minder inschikkelijk.'

Godzijdank, dacht Kapinsky. Hij had haar zonder al te veel toestanden weten af te wimpelen. Ze was zo'n wispelturig wijf waardoor je nooit wist waar je met haar aan toe was. Hij had een keer gezien hoe ze in een razende woedeaanval over Carol het hele appartement aan duigen sloeg.

De dag kon wat hem betrof niet vlug genoeg voorbij zijn. Toen Susan en Nat Ferreira aan het einde van de middag naar huis gingen, bleef hij op kantoor. 'Ik kom eraan, mijn zoon,' riep hij.

Deze samenkomsten met Josef in het afgesloten gedeelte van het dierenverblijf naast zijn lab verschaften hem zoveel genoegen, dat hij het steeds moeilijker vond zijn dagen op de werkvloer door te brengen. Josefs fysieke ontwikkeling was door het groeihormonenprogramma dat hij van jongs af aan gekregen had zo gestimuleerd dat hij bijna even groot was als Kapinsky. En nog krachtiger, had Kapinsky tijdens hun worstelpartijtjes ontdekt.

Josef bleek een zekere aanleg voor taal te hebben en beschikte over een vocabulaire van een achtjarig kind. Kapinsky besteedde heel veel tijd aan zijn taallessen. Hij kon de woorden nog niet goed uitspreken, maar begreep gesproken opdrachten en antwoordde in een reeks van brom- en knorgeluiden.

Tot Kapinsky's grote blijdschap wilde Josef van het begin af aan alleen maar, op een mensenmanier, rechtop lopen. Zijn gezicht, voeten en handen leken op die van zijn vader, maar hij was bedekt met een lichte haarvacht. In de ogen van Kapinsky was hij een knappe jongeman, ondanks zijn kleine ogen, prominente wenkbrauwen, platte neus en uitstekende bovenkaak. Alleen als Josef lachte en zijn grote ondertan- den toonde, waren zijn aapachtige trekken duidelijk zichtbaar.

Op een vrijdag was hij een keer met Kapinsky mee geweest op zijn missie naar Carols huis. Hij had de omgeving nauwkeurig in zich opgenomen en trots het koffertje gedragen. Toen Kapinsky binnen was wachtte hij buiten, in de schaduw, tot zijn vader terugkwam. Zijn vader beloofde hem toen dat hij op een dag alleen zou mogen gaan, en het zag ernaar uit dat dat vanavond was. Toen Kapinsky hem dat vertelde, kreeg hij een verheugd gepiep en geknor als antwoord. Hij zei dat hij alleen maar hoefde te kloppen, de tas bij de deur te zetten, en meteen weer te vertrekken, zonder te worden gezien.

Na nog meer gepiep van Josef en een kort worstelpartijtje liet Kapinsky Josef zijn nieuwe kleren zien – een berg oude schoenen van zijn vader en wat afdankertjes. Een paar minuten later was hij getooid in een pak met een das en een hoed, diep over zijn voorhoofd, en kon hij gemak- kelijk doorgaan voor een gewone meneer. Zijn tenue werd afgerond met een zonnebril en Josef was klaar voor zijn eerste uitstapje alleen. Kapinsky legde hem nog eens uit hoe hij moest lopen en wat hij moest doen. De jongen beschikte over een zekere dierlijke intelligentie die in sommige opzichten superieur was aan die van de mens en had niet veel moeite te begrijpen waar het allemaal om ging.

Ze wachtten tot het donker was voordat Kapinsky hem zachtjes via de achterdeur van het onderzoeksgebouw naar buiten liet. Opgewonden en enthousiast ging Josef op pad, zijn hoofd vol half gevormde gedach- ten. Het was hem op het hart gedrukt uit de buurt van mensen te blijven en met niemand te praten. Hij was nog geen honderd meter onderweg toen hij besefte dat hij niet alleen was. Hij was meteen op zijn hoede, keek niet om maar snoof in de lucht naar een vleugje geur dat hem een aanwijzing zou geven met wie hij van doen had. Een licht briesje gaf hem al de informatie die hij nodig had. Zijn achtervolger was een man, agressief en bang, en onzichtbaar. Daar moest verande- ring in komen.

Hij stopte in de schaduw van een grote boom en klom als een aap langs de stam omhoog. Hij verborg zich in het lover en ging op een grote tak zitten. Nu was hij de jager. De adrenaline stroomde hem door de aders, waardoor de haren op zijn bast rechtop gingen staan.

Enkele tientallen meters achter hem hield de man met de snor stil en haalde een revolver te voorschijn. Hij had de aangename taak toegewezen gekregen deze Poolse smeerlap uit de weg te ruimen. Hij had al weken op dit moment gewacht, iedere vrijdagavond... Hij had de gangen van zijn doelwit heel precies gevolgd, zoals de groepsleider hem had gezegd. Het was beter hem nu de pas af te snijden en te grazen te nemen, nu hij nog op het verlaten campusterrein was.

Hij zette zich schrap. Hij was nu een zeer gerespecteerd lid van de Observatory-groep, een man die op tijd zijn doelwit had gespot en geëxecuteerd, en precies volgens de voorschriften. Het kwam wel slecht uit dat de faculteit zo in de belangstelling van de politie stond, maar de telefoontjes had ze wel uit zijn buurt gehouden. Het geval Dubofsky had heel wat aandacht in de pers gekregen. Men verweet de politie dat die te weinig deed om de schuldige aan het gerecht over te leveren, terwijl de regering het slachtoffer als staatsvijand had beschouwd. Hij glimlachte bij de gedachte.

Deze handlanger van de duivel, een eindje verderop, stond op het punt zijn Schepper te ontmoeten, en dat God zijn ziel moge hebben. Spoedig zou hij zich weer kunnen melden bij de groep, waar hij in aanzien zou stijgen, vanwege de volgende taak die was volbracht. De groepsleden hadden opengestaan voor zijn verzoek een oordeel te vellen over deze dokter uit Polen, die het werk van de duivel uitvoerde in zijn helse laboratorium. Aanvankelijk, toen hij ze vertelde dat de Pool mensen in leven hield met bavianenhersenen, hadden ze dat wel leuk gevonden, en hij veroorzaakte een grote uitbarsting van plezier toen hij opmerkte dat als de dokter op deze manier zwarten in leven hield, niemand het verschil ooit zou merken. Maar toen hij ze vertelde dat Kapinsky bevruchte eitjes van blanke vrouwen geïmplanteerd had bij vrouwtjesbavianen, werd iedereen woedend. Velen ontploften al bij het idee dat een menselijke baarmoeder een kind van een andere kleur zou dragen. Hoeveel erger was dan niet de gedachte aan een baviaan die een mensenkind in zich droeg? Vooral als het een blank kind was. De man met de snor kreeg toestemming de gangen van de krankzinnige dokter na te gaan. Hij rapporteerde dat deze iedere vrijdagavond het lab verliet en te voet naar een huisfeestje ging in een gegoede buitenwijk. Twee uur later ging hij dan altijd weer terug naar het lab, iedere keer in het bezit van dezelfde attaché-koffer. Hij was meestal alleen, op een keer na, toen hij begeleid werd door een onbekende jongeling. Wat er in dat koffertje zat, wist hij niet, maar hij ging ervan uit dat het om notities van zijn werk ging, die hij niet onbewaakt wilde achterlaten.

De groep was het erover eens dat de man moest sterven. Dit was erger dan alle pornografische rotzooi die het land binnenstroomde en de jeugd bedierf. Dit was genetische manipulatie op zijn slechtst, een vorm van bederf die tot in de diepste wortels van de natie tastte.

Maar waar was het doelwit gebleven? De man hield stil, stopte de revolver in zijn zak en tuurde in de duisternis om zich heen. Hij vervloekte de zuinigheid van de universiteit, die bespaard had op de campusverlichting, waardoor er grote plekken duisternis tussen hen in waren. Hij haastte zich verder en stopte bij de boom waar hij zijn doelwit voor het laatst had gezien. Er was niemand te zien op de donkere weg die voor hem lag. Er ritselde iets boven hem. Hij keek op, net toen er een zwarte schaduw naar beneden viel, hem plat op zijn rug gooide en beetpakte.

De maan kwam achter de wolken vandaan en de man keek in een gezicht met een uitstekende snuit en diepliggende, kleine oogkassen. Ineens had hij zijn adem weer terug. Hij gilde en sprong overeind. Het monster, dat bijna zo groot was als hij, opende zijn mond en onthulde twee rijen enorme tanden. De man schreeuwde weer toen het monster naar zijn keel greep. In een pure angstreactie, de revolver helemaal vergeten, wierp hij zich achterover. De hakkende tanden misten zijn keel en ploften in zijn lichaam, net onder het borstbeen, en scheurden hem open tot zijn schaambeen, waarbij zijn ingewanden in een slordige hoop naar buiten puilden. Krijsend van pijn en angst graaide de man ze met beide handen bij elkaar en hield ze stevig vast. Het monster aarzelde even en nam toen de benen, en verdween in de duisternis.

Intussen zat Kapinsky op zijn kantoor en concentreerde zich op wat hij zijn zaal-D7-probleem was gaan noemen. Er was maar één manier om dat op te lossen. Hij moest alleen besluiten volgens welke methode. Het moest onfeilbaar zijn, er mocht geen speld tussen te krijgen zijn en het moest allemaal heel natuurlijk lijken.

Hij stond op, liep naar de medicijnkast van het lab en deed die van het slot. Hij stopte een injectiespuit-setje en een flesje kalium in zijn jaszak en zette koers naar de Zaal van de Levende Doden.

Barnes was opgetogen. Er was nu geen twijfel meer mogelijk. Karen had haar ogen geopend en tegen hem gepraat. Hij staarde naar haar mooie gezicht en smeekte: 'Nog één keer, liefje, alsjeblieft, heel eventjes.' Ze reageerde niet, maar hij wist dat hij tot middernacht de tijd had. Zuster Cathy Browne kon haar geluk niet op toen hij haar aanbood de rest van haar dienst over te nemen, zodat zij naar het vrijdagavond-feestje op de zusterafdeling kon.

'Ik wil tot middernacht op bepaalde tijden alle instrumenten aflezen, zuster Browne,' had hij gezegd. 'Het heeft geen zin dat we hier met zijn tweeën zijn, dus waarom neemt u de rest van de avond niet vrij?'

Wie kan je beter zoiets vragen dan het hoofd van de afdeling, dacht ze, en vertrok meteen.

Zodra ze de deur uit was deed Karen haar ogen open en lachte hem toe. Dit was het bewijs, als dat nodig was, dat ze alleen maar op hem reageerde. Hij ging bij haar bed zitten en vertelde haar over zijn plan voor hun kind. Ze lachte hem intussen enige malen toe. Toen hij zei dat hij haar cyclus had bijgehouden en ze nu het meest vruchtbaar was, zei ze: 'Ja, Rod, dat weet ik. Ik heb op je gewacht.' Hij sloeg zijn armen om haar heen. Ze voelde warm en ontvankelijk aan. Dit was hun moment, hun ogenblik samen. Hij had zo lang gewacht en zoveel moeten doorstaan. Vanavond zou hun liefde het kind scheppen dat ze allebei wilden.

Kapinsky kon zijn ogen niet geloven. Op zijn weg naar binnen was hij even gestopt bij de klapdeuren van D7 en had door de ruitjes gekeken om te zien wie er dienst had. Hij had maar een paar seconden met Karen nodig en dan was de klus geklaard. Alles zou heel natuurlijk lijken. Maar niet zuster Browne was op zaal, maar Barnes. Hij was spiernaakt en neukte zijn vriendinnetje. Kapinsky stond versteld. Er was geen vergissing mogelijk, dat was wat die achterlijke idioot aan het doen was.

Dus dat was het verdomde project van hem – haar zwanger maken! Hij bleef kijken tot alles achter de rug was en liep toen zachtjes weer terug naar de liften.

Dit gaf een heel andere kijk op de zaken. Hij kreeg een opwindend gevoel. Barnes was op het ziekelijke af gebiologeerd door het idee dat Karen weer beter kon worden en had zelfs fictieve momenten van bewustzijn voor haar bedacht. Dat was zijn probleem, de grote sukkel, maar dit leidde natuurlijk wel tot wat interessante gevolgen.

Kapinsky's ogen glommen. In de vakliteratuur werden diverse gevallen beschreven van hersendode vrouwen die een kind kregen, maar die waren toen de hersendood optrad altijd in de laatste stadia van hun zwangerschap geweest. Hij had nooit gehoord van een vrouw die zwanger werd na haar dood en dan de baby helemaal voldroeg. Dit zou de eerste keer zijn dat er leven werd *gecreëerd* na de dood. Leven vanuit de dood! Wat een fascinerend idee. Deze ontwikkeling zou hij zeker stap voor stap volgen. Hij ging zijn lab weer binnen en deed het licht aan. Nu werd het tijd om zijn kennis van de vakliteratuur weer wat op te frissen.

Hij liep naar de boekenkast en verzamelde een stapeltje van de kopietjes over hersendood die hij de laatste weken bij elkaar had gezocht. Daarna nestelde hij zich in zijn stoel en was zijn omgeving na korte tijd vergeten. Zo nu en dan schoot er wel eens een gevoel van angst door hem heen als hij aan Josef dacht. Hij had zijn zoon er alleen op uitgestuurd en er kon hem van alles overkomen – hij had geen besef van het verkeer en kon gemakkelijk onder een auto komen. Erger nog, als een patrouillewagen van de politie hem in de gaten kreeg, kon hij wel worden neergeschoten.

Hij kon zich uiteindelijk niet meer concentreren. Kapinsky sloeg zijn handen voor zijn gezicht en huilde. Nooit meer zou hij zich zo in de war laten brengen. En dat allemaal vanwege die stomme teef van Barnes. Misschien was er nog steeds tijd om haar naar de andere wereld te helpen.

Een jankend geluid bij de deur deed hem overeind springen. Hij rende het lab en de gang van de onderzoeksafdeling door naar de achterdeur, deed die van het slot en vond Josef buiten, in elkaar gedoken. Hij trok hem naar binnen en omhelsde de jammerende jongen. Hand in hand liepen ze terug naar de speciale afdeling, terwijl Kapinsky de deur achter hen op slot deed.

'Wat is er aan de hand? Hoe is het gegaan? Ging alles goed? Heb je de tas afgegeven?'

Josef deed zijn handen over zijn oren. Hij praatte te veel. Eén vraag tegelijk, alsjeblieft. De jongen leek in orde, alleen een beetje bang. En waarom niet, zo in zijn eentje, in de nachtelijke stad.

'Zeg eens, Josef. Is alles goed gegaan?'

Josef barstte ineens los in een stortvloed van brom- en knorgeluiden en zwaaide met zijn armen. Stukje bij beetje bouwde Kapinsky het verhaal op. Hij was gevolgd door een man. Hij was in een boom geklommen en op de man gesprongen. Daarna had hij de weg genomen zoals hem was verteld, de aktentas en het briefje afgegeven, en was hij weer naar huis gegaan.

'Heb je hem gedood?'

Het was van belang dat niemand Josef had gezien. Althans nu nog niet. Kapinsky ondervroeg hem verder. Nee, hij had de man niet gedood, maar wel pijn gedaan, misschien wel erg veel.

Kapinsky trooste hem en maakte wat warme melk, Josefs favoriete drankje. Toen hij gekalmeerd was, begon Kapinsky na te denken. Hij moest die man zien te vinden. Josef vertelde hem waar de aanval had plaatsgevonden. Dat was niet ver. Misschien was de man nog wel in de buurt. Kapinsky pakte een zaklantaarn, sloot Josef op in zijn kamer en ging op onderzoek uit.

Bij de boom vond hij wat bloed. Een paar meter verder vond hij meer bloed. De man was blijkbaar nog bij kennis en in staat om te lopen. Hij volgde het spoor dat van de omgeving van het faculteitsgebouw heuvelopwaarts ging in de richting van het ziekenhuis. Natuurlijk! De man was op weg naar een plek waar hij medische verzorging kon krijgen, en dat was de Eerste Hulp. Kapinsky versnelde zijn pas.

De eerstejaars arts-assistent Dave Gill had dienst toen de man kwam binnenstrompelen. Hij hield zijn uitpuilende darmen tegen met zijn handen, was totaal in de war en hysterisch, en schreeuwde iets over een man met tanden als een beest die hem had opengescheurd.

'Ik ben dokter Gill.'

Verder kwam hij niet voordat de man opnieuw begon te schreeuwem en hem opzij duwde. Dit was duidelijk een geval voor de ziekenbroeders, dacht Gill. Als ik hem niet snel behandel, raakt hij in shock door het bloedverlies.

'Zac! Willem! Direct hierkomen!' riep hij over de intercom.

Ze waren er meteen, worstelden de man op een brancard en hadden hem binnen een paar seconden vastgebonden. Toen hij eenmaal was verdoofd, waren er verder geen problemen meer. Voor hen, bij Eerste Hulp, was dit een gewone vrijdagavond.

Dave constateerde dat de wond door alle lagen van de buikwand ging tot in de buikholte. Het grootste deel van de kleine en een deel van de grote darmen waren door de opening naar buiten gekomen. De darmen zelf waren onbeschadigd, maar zaten vol vuil. De patiënt moest een paar keer zijn gevallen, op weg naar het ziekenhuis.

De inhoud van de buikholte moest absoluut worden schoongemaakt voordat deze weer werd teruggeplaatst. Gelukkig was de traumachirurg van dienst al binnen, dacht Dave. Dit geval hier hield hij liever niet al te lang bij zich. De shock door het bloedverlies en de wond waren zo ernstig dat hij de patiënt een infuus gaf. Hij stelde de bloedgroep vast, bestelde een paar liter bloed en reed hem naar de operatiekamer waar de chirurg en zijn staf al klaar stonden.

Aangezien de darmen nog intact waren, stopte de chirurg ze weer in de buikholte, nadat hij ze enige keren had gewassen met een warme zoutoplossing om al het vuil te verwijderen. Daarna naaide hij de wond laag voor laag dicht en werd de patiënt doorgestuurd naar de ziekenafdeling.

De verpleegkundige die verantwoordelijk was voor de opnames doorzocht zijn zakken, op zoek naar identificatie en voorwerpen van waarde die weggesloten moesten worden. Het enige wat ze vond was zijn polshorloge, een valse snor en een geladen revolver, waarvan de haan nog gespannen was. Zodra ze de zaal had verlaten om deze voorwerpen naar de hoofdzuster te brengen, kwam er een arts binnen, in operatiejas en met een masker voor.

De patiënt kwam weer bij zijn positieven bij het horen van een bekende stem. Waar had hij die toch eerder gehoord? Hij deed zijn ogen open en keek in een gezicht waarvan de mond en de neus door een groen katoenen masker werden bedekt. Hij lag blijkbaar al op de operatietafel. Nee, dat was al achter de rug en de anesthesist kwam kijken of hij alweer was bijgekomen. De dokter trok zijn masker weg. 'Vaarwel, professor Thomas.' Kapinsky glimlachte, duwde de lange naald tussen Thomas' ribben door tot diep in zijn hart en drukte de vloeistof naar binnen. Zijn hart stond stil voordat Kapinsky de deur van de zaal had bereikt, op weg naar de faculteit om Josef het goede nieuws te vertellen.

HOOFDSTUK 25

Barnes genoot van zijn ochtendkoffie, leunde met een hand op de railing van het balkon en staarde over de baai. Voor de rest van de stad was het weer een mooie Kaap-ochtend. Voor Barnes was het een dag als geen andere: de eerste dag van zijn vaderschap.

De gedachte alleen al deed hem rillen van geluk. Hij was vader! Dat wist hij zo zeker als twee maal twee vier was. Daar hoefden geen testen voor genomen te worden. Karen en hij hadden een kind verwekt en konden de rest van hun gezamenlijke leven van hun nakomeling genieten. Hij ging nu meteen met haar praten. Er was zoveel te bespreken.

Hij zette zijn kopje neer, pakte zijn jasje en tas en liep naar de lift, waar hij de codeknop indrukte die hem non-stop naar de ondergrondse garage bracht.

Toen hij zich in het verkeer mengde, bekroop hem een gedachte die hem niet meer losliet. Hoe kon hij haar zwangerschap verklaren aan zijn staf? Welke oorzaak moest hij geven? Hij moest ineens weer denken aan de diepgaande discussies uit zijn studententijd over partheno-genese, voortplanting zonder voorafgaande bevruchting. Hij schudde het hoofd. Dat was het niet. Niemand geloofde meer in de onbevlekte ontvangenis.

Er was maar één manier. Hij zou het team bijeenroepen en zeggen dat het herstel van Karens hormoonhuishouding moest worden gemeten. Zwangerschap was het ultieme bewijs van een normale hormoonfunc-tionering, en kon worden bewerkstelligd door kunstmatige insemina-tie. Ja, dat was het antwoord. Hij ging eerst met Kapinsky praten. Die hoefde niets te weten van wat er gisteravond was gebeurd.

Hij was verzonken in zijn eigen gedachtenwereld en luisterde met een half oor naar de zachte muziek uit de autoradio. Plotseling werd hij tot de werkelijkheid teruggeroepen door een nieuwsbericht. 'Zojuist werd bekendgemaakt dat een staflid van het Groote Schuur-ziekenhuis van-nacht ernstig werd gemolesteerd op weg van de medische faculteit naar huis. De desbetreffende arts heeft een spoedoperatie ondergaan maar overleed later aan een hartaanval. De naam van het slachtoffer is nog niet vrijgegeven.

Plotseling bedacht Barnes zich dat het zaterdagmorgen was. 'Alsjeblieft, lieve god, niet Kapinsky,' mompelde hij. Maar wie zou er anders op vrijdagavond in de buurt van de faculteit rondlopen? Dat moest Kapinsky zijn geweest, die weer op een van zijn geheimzinnige tochten was.

De angst greep hem naar de keel. Karen. Hoe had hij Karens leven aan deze man kunnen overlaten? Hij wist toch wat een rare kwibus Kapinsky was? Hij trapte het gaspedaal in, snelheidslimieten negerend. Als hij werd aangehouden, zou hij om een escorte naar het ziekenhuis vragen.

Hij kreeg een déjà vu-gevoel toen hij het terrein van het instituut opreed en daar een aantal politie-auto's zag staan, met knetterende radio's. Zijn parkeervak was gelukkig nog vrij. Hij stopte met gierende banden, zwaaide het portier open en rende naar het onderzoeksgebouw. Hij vloog met twee treden tegelijk de trappen op, holde de gang door en stormde het lab binnen. Achterin waren Nat Ferreira en Susan Bates bezig het automatisch analyse-apparaat aan te vullen met proefflesjes. Ze stopten en keken hem verschrikt aan. 'Sorry,' zei hij half verontschuldigend, 'maar ik ben op zoek naar Louis – dokter Kapinsky.'

Susan Bates fronste haar wenkbrauwen en keek hem aan alsof hij een of andere indringer was. 'We hebben dokter Kapinsky nog niet gezien, dokter Barnes,' zei ze koeltjes, en ging weer aan het werk.

Ferreira glimlachte en voegde hier nog aan toe: 'Goedemorgen, dokter. Het is nog vroeg. Heeft u het dierenverblijf al geprobeerd? Misschien dat dokter Kapinsky daar nog is.'

Deze twee hadden het nieuws duidelijk nog niet gehoord. Hij bedankte Ferreira en ging achter Kapinsky's bureau zitten. Wat nu te doen? Het ziekenhuis bellen. Dat hij daar niet eerder aan had gedacht. Eerste Hulp zou hem wel aan de naam van de gestorven patiënt kunnen helpen. Toen hij de hoorn van de haak pakte, hoorde hij Kapinsky's stem aan de andere kant van de deur die toegang gaf tot zijn dieren. 'Dag, Josef. Geen lawaai maken en je netjes gedragen,' zei hij.

Barnes voelde zich enorm opgelucht. Kapinsky was niet aangevallen. Maar als het Kapinsky niet was, wie dan wel? En tegen wie liep Kapinsky in vredesnaam te praten?

Kapinsky kwam te voorschijn, deed de deur achter zich op slot, zag Barnes en glimlachte. 'Goedemorgen, Rodney. Waar heb ik deze eer aan te danken? Het is heel lang geleden dat je me zo vroeg in de ochtend bent komen opzoeken. Er is toch niet weer iets verschrikkelijks gebeurd, naar ik hoop?'

'Welke dokter is er gisteravond aangevallen?' vroeg Barnes, zonder aandacht te schenken aan wat Kapinsky zei.

'Dokter aangevallen? Wie? Je weet meer dan ik. Ik ben hier de hele nacht geweest.' Kapinsky leek echt bezorgd, en vroeg: 'Was jij gisteravond niet in het ziekenhuis?'

'Eh – nee. Ik ben vroeg naar bed gegaan.' Barnes moest er haast van stotteren, en hij vroeg zich af waarom hij loog. Kapinsky kon er via Helen makkelijk achterkomen dat hij het grootste deel van de avond op D7 was geweest.

Achter hen klonk een bescheiden kuchje. Des Louw stond in de deuropening. 'Stoor ik?' vroeg hij beleefd.

'Nee, helemaal niet. Kom binnen,' zei Barnes, blij dat hij er was. 'We probeerden er net achter te komen wie er vannacht is aangevallen.'

'Hebben jullie dat nog niet gehoord?' vroeg Louw verbaasd. Ze keken hem vol verwachting aan. 'Of je het gelooft of niet, maar het was onze oude aartsvijand en criticaster, professor Thomas.'

Barnes keek naar Kapinsky, maar die toonde alleen maar bezorgdheid. 'Wat is er gebeurd?' vroeg hij aan Louw.

Deze vertelde het verhaal zoals hij het van Eerste Hulp had gehoord. 'Maar het wordt allemaal nog vreemder,' zei Louw, en pauzeerde even om de spanning op te drijven. 'De zuster die zijn persoonlijke spullen bij elkaar zocht, vond een revolver en een valse snor in zijn jaszak.'

'Waarom heeft hij zijn aanvaller dan niet neergeschoten,' vroeg Kapinsky.

'Dat weet niemand. En het was blijkbaar geen beroving, tenzij de aanvaller werd gestoord. Thomas had zijn gouden Rolex nog om en een paar honderd rand op zak. En nou nog eens wat! Een van de verpleegkundigen heeft een politieman horen zeggen dat de gevonden revolver hetzelfde kaliber had als het wapen waarmee Joe Dubofsky werd vermoord.'

'Wel, allemachtig,' zei Kapinsky, en schudde geamuseerd het hoofd. 'Wie had zoiets nu verwacht van zo'n godvrezende heer.'

'Waarom zou Thomas zich met dit soort activiteiten hebben beziggehouden?' vroeg Barnes zich af.

'Hij had iets tegen communisten in het algemeen en Russen in het bijzonder,' zei Des Louw. 'Ik hoorde dat hij de Russen verantwoordelijk achtte voor de dood van zijn vader, tijdens de oorlog.'

'Hoe zit dat dan?' vroeg Kapinsky, die plotseling besefte dat hij en zijn zakelijke tegenstander aan dezelfde kant hadden gestaan.

'Ik heb dit allemaal vanochtend in het kantoor van de verpleegkundigen gehoord, dus het moet wel met een korreltje zout worden genomen. Men zegt dat Thomas' vader de Noordzee-bevoorradingsroute naar Rusland bevoer. Zijn schip werd door een torpedo getroffen, maar hij wist met veertien anderen in een reddingsboot te ontkomen. Na drie dagen van barre kou werden ze gevonden door een Russische patrouilleboot, die hun smeekbeden om gered te worden negeerde en voorbijvoer. Twee dagen later werd slechts één overlevende gered door een Britse torpedobootjager. Hij heeft dit verhaal aan Thomas' moeder verteld.' Barnes en Kapinsky hingen aan Louws lippen. 'Thomas was nog maar een jongetje, maar hij zwoer de dood van zijn vader te wreken en is vanaf dat moment een fervente anti-communist geweest.'

'Ik heb hem nooit goed leren kennen,' zei Barnes berouwvol. 'Hij was altijd zo vijandig, dat er haast niet met hem viel te praten.'

'Nu is het mij wat duidelijker geworden,' zei Kapinsky, met een starende blik. 'Hij dacht dat ik een communist was, vanwege mijn Poolse komaf, en daarom zijn we vanaf de eerste dag af aan met elkaar in oorlog geweest.'

'Sorry, ik wilde niet roddelen, maar ik vond het wel een interessant verhaal,' zei Louw. Hij draaide zich om, op weg naar buiten, maar zei nog: 'O, nog meer problemen. Samuel vroeg of ik vanochtend bij hem langs wilde komen. Hij wil dat ik naar de bavianen kijk waar we de mensenharten in hebben opgeslagen.'

'Wat is er dan aan de hand?' vroeg Kapinsky, plotseling op zijn hoede.

'O, het bekende verhaal, dat een moordlustig hart leidt tot een moordlustige baviaan. Ik praat wel met hem. Ik denk dat hij gewoon wil dat er even iemand naar hem luistert,' zei Louw, glimlachend.

'Die zwarte heeft allerlei waandenkbeelden,' snoof Kapinsky minachtend. 'Hij hangt tegen de schoonmakers verhalen op over getransplanteerde organen die nergens op slaan.'

Barnes besefte dat dit een steek onder water was in zijn richting, maar hij zei niets en wachtte tot Louw was vertrokken, voordat hij zei: 'Louis, ik heb een fantastisch onderzoeksproject bedacht, waarbij Karen ons geweldig goed van pas kan komen. We hebben, na aansluiting op de levende hersenen, bestudeerd hoe de diverse systemen in de donorlichamen weer terugkeerden naar normaal. Ik dacht ineens dat een van de beste manieren om het niveau van herstel van het endocriene systeem te testen, is om te zien of de hersendode donor zwanger kan worden.'

Kapinsky zei niets, en Barnes haastte zich verder. 'Ovulatie en bevruchting – en de ontwikkeling van het embryo in de baarmoeder – hangen tenslotte allemaal af van het normaal functioneren van de endocriene systemen.'

Kapinsky grinnikte. 'En hoe denk je haar dan zwanger te kunnen maken?' vroeg hij, zijn glimlach nog groter.

'Door kunstmatige inseminatie, natuurlijk,' zei Barnes vlug.

'Waarom neuk je haar niet gewoon?'

Barnes kreeg een kleur, maar verbeet zijn woede. Hij had deze man nodig om ervoor te zorgen dat Karen gezond bleef, zodat ze op een dag weer helemaal hersteld zou zijn en op een normale manier haar kind ter wereld kon brengen. 'Doe niet zo grof, Louis,' zei hij, en forceerde een licht afkeurend lachje.

Zo dacht je er gisteravond niet over, beste vriend, dacht Kapinsky, maar hij zei niets.

'Ik zou dit eigenlijk met Aubrey Miller moeten bespreken,' zei Barnes, die opstond om weg te gaan. 'Je kent hem waarschijnlijk niet. Hij werkt parttime bij het ziekenhuis en is een autoriteit op dit gebied.'

'Ja, moet je doen,' zei Kapinsky mild, en wachtte tot Barnes weg was, voor hij terugging naar het dierenverblijf.

Daar aangekomen, ontspande hij zich. Hier met Josef en de andere dieren voelde hij zich thuis. Thomas was dood. Nu moest er alleen nog met Karen en Boots worden afgerekend. Hij zou dit eens met Josef bespreken. Toen hij de deur van diens kamer opendeed, bleek Josef vast in slaap.

Hij schonk een kop koffie in en zette alles nog eens op een rijtje. Ineens kreeg hij een idee dat zo voor de hand lag, dat hij zich afvroeg waarom hij er niet eerder aan had gedacht. Karen moest een kind krijgen van Josef! Dát was nog eens een project. Hij ging nog een keer bij de slapende Josef kijken en zei zachtjes: 'Je weet het nog niet, mijn zoon, maar jij gaat pappie worden.'

Laat in de middag riep Barnes het hartteam bij elkaar voor wat hij een evaluatie van de D7-projecten noemde. Ze groepten bijeen in zijn kantoor en keken hem vol verwachting aan.

'Het wordt tijd voor een verslag van de vorderingen bij de projecten die we een week geleden kregen toegewezen,' zei hij. 'Wie wil er beginnen?'

Er klonk wat geritsel van papier, maar niemand reageerde.

'Wat heb jij te zeggen, dokter Hobbs?'

'Wel, ik heb wel een paar ideeën hoe je het anti-kankereffect bij de

Hongaarse kruiden kunt testen,' zei hij. Kapinsky dacht dat hij een hele lichte ondertoon van sarcasme in zijn stem bespeurde. 'De eerste horde die moet worden genomen, is hoe we een kwaadaardig gezwel in de proefpersoon produceren. Ik denk dat jullie het allemaal met mij eens zijn dat dit geen uitzaaiende tumor moet zijn, en wel om twee redenen. Ten eerste zal de reactie moeilijk te meten zijn, ten tweede zijn we een waardevolle donor kwijt als de kruiden niet die miraculeuze geneeskundige eigenschappen bevatten die aan ze worden toegeschreven.'

Alex pauzeerde en keek om zich heen. Er waren geen vragen. 'Vanwege de redenen die ik jullie gaf, heb ik besloten dat huidkanker de laesie van onze keuze wordt.'

Barnes, met zijn gedachten bij Karen, luisterde maar met een half oor, en knikte.

Hobbs keek eerst in zijn notities voor hij verderging. 'Uit uittreksels van de recentste publicaties op dit gebied blijkt dat het aanbrengen van een anthraceen derivaat, zoals koolteer, op een deel van de huid, de meest effectieve wijze is om een kwaadaardige laesie te veroorzaken.'

Natuurlijk, dacht Kapinsky, het oude schoorsteenvegersverhaal. In vroeger tijden kwam het veel voor dat schoorsteenvegers kanker kregen aan de huid van hun scrotum, vanwege het voortdurende contact met roet, waarvan anthraceen de basis was.

'Hoe lang duurt het voordat de proefpersoon een laesie heeft ontwikkeld?' vroeg Des Louw.

'Maanden, of zelfs jaren,' antwoordde Hobbs. 'Maar deze periode kan aanzienlijk worden bekort als het gezwel wordt gestimuleerd, bijvoorbeeld door middel van een wond of de toepassing van een groeistimulans zoals crotonolie.'

'De kwaadaardige eigenschappen kunnen ook worden bevorderd door de afweerreactie te onderdrukken,' onderbrak Louw.

Hobbs bevestigde dat, maar wees erop dat dit ook algemene gevolgen had, waardoor het leven van de proefpersoon in gevaar werd gebracht.

Er ontstond een algemene discussie, die Barnes geduldig toeliet. Die was nodig om het team in de juiste stemming te brengen, want hij wilde dat het onderzoeksaspect van D7 werd benadrukt.

'Dit project wordt voor mijn gevoel weldoordacht benaderd,' zei hij tegen Hobbs. 'Gefeliciteerd. Zullen we verdergaan?'

'Eén vraagje, dokter,' zei Hobbs. 'Heb je enig idee hoe je het kruid moet toedienen?'

'Nee, maar ik zal alle informatie die je nodig hebt bij Oncologie opvragen. Je moet je plan wel eerst aan ze voorleggen, voor je ermee verder gaat.'

Hobbs knikte en Barnes richtte zich weer tot de groep. 'Wie volgt? Dokter Louw? Ja, vertel maar eens.'

'Zoals dokter Hobbs al zei, moeten we voorkomen dat er een algemene laesie ontstaat die een gevaar voor de patiënt kan vormen,' zei Louw, en tuurde in zijn notities.

Jezus, ze zijn allemaal gek geworden, dacht Kapinsky, met hun geleuter dat ze de levens van levende personen in gevaar brengen. Ze beseffen niet dat hun kostbare goed wat het leven betreft van mij afhankelijk is. Een kleine bijstelling aan de zwarte doos en het is dag met het handje naar de patiënt.

'Ik maak een incisie in de rechterkuit van mijn proefpersoon en roep een infectie op met de pseudomonas- of klebsiella-bacterie. Als de infectie er is, ga ik die behandelen met het amomycine.' Net als in de kampen, dacht Kapinsky.

'Als het antibioticum de infectie niet geneest, kan ik het been amputeren en het leven van de proefpersoon redden.'

'Is dat niet wat drastisch?' vroeg Barnes. 'Waarom maak je de wond niet gewoon schoon door het geïnfecteerde vlees weg te snijden?'

'Heb je overwogen het gramnegatieve organisme via het bloed te verbreiden?' vroeg Hobbs.

'Ja,' zei Louw. 'Daarom wil ik gentamicine proberen zodra blijkt dat amomycine geen uitwerking op de infectie heeft. Het is een risico, maar heeft iemand een beter idee?'

Dat was een aanleiding tot een ferme discussie, die Barnes na een tijdje afbrak. 'Heren, dokter Snyman moet ook een kans krijgen.'

Jan Snyman keek met een berouwvol lachje op uit zijn notities. 'Ik heb tot mijn verbazing ontdekt dat het buitengewoon moeilijk is hartritmestoornissen op te wekken in een gewoon hart.' Hier en daar werden wenkbrauwen gefronst. Hij was duidelijk niet de enige die zich verbaasde.

'Daarom ben ik van plan een omkeerbare laesie toe te passen,' zei Snyman, die genoot van de aandacht van zijn meerderen.

'Hoe zit het met een bèta-stimulans als isoprenaline?' vroeg Alex Hobbs.

'Daar heb ik over gedacht,' zei Snyman. 'Maar zoiets werkt alleen als er ergens in de hartspier een gebied van ischemie of verminderde bloedtoevoer voorkomt.'

'Ga verder,' zei Barnes.

'Dit is het plan. Ik breng een kleine balloncatheter in bij een van de slagadervertakkingen, en blaas die op om de bloedtoevoer af te sluiten naar een klein gedeelte van de hartspier. Daarna infuseer ik de isoprenaline, en als er dan een hartritmestoornis ontstaat, injecteer ik de AZS.'

'Ontstaat er dan geen beschadiging van het hartspierweefsel?' vroeg Barnes bezorgd.

'Nee, zo lang hoef ik die ballon niet opgeblazen te houden,' zei Jan Snyman met een zelfverzekerd gezicht.

Kapinsky zat zich te ergeren. Waarom konden ze in vredesnaam al deze experimenten niet op dieren uitproberen? Waarom hersendode mensen gebruiken met het risico ze als donors te verliezen? Het had allemaal te maken met Barnes' obsessie voor die verdomde vrouw. Pas als hij Karen uit de weg had geruimd, zou Barnes weer tot zijn positieven komen. Hij dacht aan Josef en besefte dat hij het spelletje moest blijven meespelen. Hij mocht Josef de kans niet ontnemen vader te worden, en het zag ernaar uit dat Karen daarvoor het meest geschikt was.

Zijn gedachten werden onderbroken door Barnes. 'Jullie hebben je misschien afgevraagd wat ik met mijn proefpersoon van plan ben,' zei hij, Karens naam zorgvuldig vermijdend, en keek daarbij de groep rond.

Nu krijgen we de echte reden voor al deze flauwekul, dacht Kapinsky wrokkig.

Barnes gaf een uitgebreide inleiding over het belang van het endocriene stelsel en de noodzaak de terugkeer naar de normale functies te onderzoeken.

Kapinsky constateerde tot zijn genoegen dat het hartteam nogal onrustig reageerde. Ze waren het niet gewend op een studentenniveau te worden toegesproken, en vroegen zich af waar Barnes op uit was.

'Om die redenen ben ik van plan te onderzoeken of de proefpersoon kan worden bevrucht en zij het leven kan schenken aan een normaal kind.'

Er viel een doodse stilte. De groep leek geschokt.

Kapinsky schrok op: misschien was Barnes te ver gegaan. Barnes en hij waren al zo lang zo intensief met dit project bezig geweest, dat ze de grenzen tussen normaal en uitzonderlijk wellicht een beetje uit het oog hadden verloren. Misschien werd het tijd in te springen en Barnes bij te staan.

'Dat kan niet waar zijn.' Alex Hobbs was de eerste die zijn tong weer terugvond.

'Jawel, hoor. Ik heb dit plan al met dokter Kapinsky besproken en hij heeft geen bezwaren.'

Alle hoofden draaiden in de richting van Kapinsky. Deze knikte Barnes bemoedigend toe.

'Hoe denkt de Ethische Commissie hierover?' vroeg Louw ongemakkelijk.

'Volledig akkoord. Ze hebben ons toestemming gegeven D7 te gebruiken voor elk experiment dat wij nodig achten.'

Er heerste opnieuw stilte. Barnes legde uit dat de situatie alleen maar ongewoon was omdat ze met hersendode mensen werkten, proefpersonen die juridisch als lijken werden beschouwd. Dankzij het succes van Kapinsky's hersenbemiddelingssysteem verkeerden de lichamen in een gezonde staat, waardoor men misschien in de verleiding kwam de proefpersonen te persoonlijk te benaderen.

Een aantal belangrijke vragen werd niet gesteld – zoals hoe de proefpersoon zou worden bevrucht en wat er met de foetus ging gebeuren. Het leek erop dat ze allemaal beseften hoe dun het ijs was waar ze op stonden, en niemand durfde zich te bewegen.

Toen iedereen weg was bracht een uiterst zwijgzame Fiona Barnes zijn thee. Hij vroeg zich af wat ze allemaal had gehoord. Hij was heel tevreden over het resultaat van de vergadering. Morgen zou hij een monster van zijn zaad aan Kapinsky geven, zodat Karen daarmee kunstmatig kon worden bevrucht. Dokter Miller was zeer gefascineerd door het idee en wilde graag helpen. Barnes wist dat hij het hele theaterstuk tot aan het einde toe moest volhouden, maar zag niet in waarom hij zichzelf moest uitsluiten als zaaddonor – hij had genoeg van Kapinsky's grove opmerkingen.

Kapinsky had ongeveer dezelfde gedachten, maar beleefde er veel meer plezier aan. Het was natuurlijk doodeenvoudig het zaadmonster van Barnes te verwisselen met dat van Josef. Als Karen eenmaal was bevrucht, was het een speling van het lot wie de vader van het kind werd – Josef of Barnes. Maar dat Kapinsky overwon, was voor hem een uitgemaakte zaak.

Aan het einde van de volgende dag kwam Barnes met een monsterflesje in een bruine papieren zak naar het lab. 'Hier is het zaadmonster voor de donor. Kun je dat vanavond klaar hebben?' zei hij, en deed zijn best het als een routinevraagje te laten klinken.

'Geen probleem,' zei Kapinsky, 'zal ik het naar D7 brengen?'

'Nee, nee. Ik haal het zelf wel op, zo rond acht uur,' antwoordde Barnes, en vertrok.

Zodra hij de deur uit was, nam Kapinsky het flesje uit de zak, spoelde de inhoud door de gootsteen en zette het in de sterilisator. Daarna haalde hij een ander flesje uit zijn bureaula en hield dat tegen het licht. Josefs zaad was al gecondenseerd. Met een pipetje voegde hij een voedingsbodem toe, bracht de inhoud over naar een centrifugebuisje en liet dat tien minuten ronddraaien. Daarna bleek zich op de bodem een klein bolletje sperma te hebben gevormd. Hij schonk de overbodig geworden vloeistof af, voegde weer voedingsbodem toe en herhaalde het proces. Dit keer plaatste hij het resulterende bolletje op een glazen plaatje en druppelde er voedingsbodem overheen. Daarna stopte hij het gedurende twintig minuten in de incubator, net iets onder bloedtemperatuur, zodat het mobiele sperma de vloeistof in kon zwemmen. Tevreden met het resultaat, zoog Kapinsky de vloeistof op in een injectiespuit. Dat was het monster dat Barnes die avond trots kwam ophalen.

Zuster Helen de Villiers had die avond dienst. Toen Barnes en Miller die avond binnenliepen, was ze niet geïnteresseerd in de reden van hun bezoek en blij dat ze een uurtje koffiepauze kreeg.

Ze wachtten tot ze weg was, voordat Barnes Karens benen optrok, met de knieën omhoog, en ze spreidde. De verloskundige bracht een speculum in de vagina in om de baarmoederhals vrij te maken en Barnes gaf hem de injectiespuit met het zaad. Miller bevestigde er een catheter aan en goot de inhoud zorgvuldig door de ingang van de baarmoederhals en over de baarmoeder zelf. Daarna keek hij naar Barnes. 'Een stuk gemakkelijker dan de werkelijkheid, hè?' zei hij glimlachend.

'Misschien. Maar veel minder leuk,' zei Barnes, met een geforceerd lachje.

In zijn lab probeerde Kapinsky zich voor te stellen hoe het zou verlopen. Hij twijfelde er niet aan of Miller deed zijn werk goed, maar hij zou veel gelukkiger zijn als de inseminatie niet aansloeg. Dan kon hij ervoor zorgen dat de volgende keer alleen Josefs sperma werd gebruikt.

In de maand die volgde, hield hij de patiënt nauwkeurig in de gaten. Ze menstrueerde niet en een paar dagen nadat ze ongesteld had moeten worden, toonde een bloedtest aan dat ze zwanger was.

Kapinsky vloekte. Nu moest hij wachten tot het kind geboren was, voordat hij zeker kon zijn dat het van Josef kwam. Pas dan wist hij of hij grootvader was geworden.

Helen de Villiers had geweldig de pest aan avonddienst. Ze kreeg overdag al de zenuwen van zaal D7, maar na zonsondergang was het een nachtmerrie. In het begin vond ze het prima nachtdienst te draaien, vanwege het extra geld. Brent en zij wilden voor het einde van het jaar trouwen en elke cent was meegenomen. Maar dat was nu allemaal voorbij, en hier zat ze nu, zonder de man die ze liefhad en met werk dat ze haatte. Ze bleek de breuk met Brent veel minder goed aan te kunnen dan ze had gedacht, maar gelukkig had de hoofdzuster haar wat meer passend werk beloofd bij het hartteam, weg van D7.
Dit was haar laatste avond. Ze was druk bezig met de computer. Elk kwartier moest ze al deze zinloze registraties doorlopen, ondanks het feit dat de computer op alle monitors was aangesloten. Alles was geautomatiseerd, maar dokter Kapinsky stond erop dat hij een uitdraai kreeg, elke keer als hij de zaal binnenliep. Er hoefden geen medicijnen te worden toegediend, niemand moest worden verlegd, er was alleen maar dit administratieve werk en wat typische verpleegstersklusjes.
Er klonken voetstappen in de gang. Daar was dokter Kapinsky, die glimlachte en knikte. Ze glimlachte terug. Normaal gesproken vond ze het niet prettig als hij in de buurt was, maar vanavond was iedereen welkom.
'Ga maar even koffiedrinken, zuster. Ik ben hier minstens een halfuur,' zei hij. Ze kon hem wel omhelzen, na een halfuur pauze was het bijna middernacht en zou ze worden afgelost.
Kapinsky controleerde iedere zwarte doos zorgvuldig, keek of de canules goed op hun plaats bleven zitten, onderzocht de lijnen en hun verbindingen. Hij had zijn routineuze inspectietocht verheven tot een schone kunst. Gerustgesteld sloot hij alle dozen af en liet zijn blik over de computeruitdraaien glijden. Alles leek in orde. Hij stond op het punt zuster De Villiers te bellen dat hij wegging, toen ze binnenliep. Op de terugweg naar het lab had hij het gevoel dat hij iets was vergeten.
Helen maakte zich op voor het laatste halfuurtje van haar dienst. Ze pakte een boek uit haar tas. Lezen was absoluut verboden voor een intensive care-verpleegkundige en ze voelde zich heerlijk schuldig.
De computerklok zoemde zachtjes. Tijd voor het zuigen van de patiënten. Ze stond op, maar bleef halfgebogen staan. Een van de patiënten

maakte geluid. Misschien stikte hij wel. Ze liep snel naar het bed, en merkte dat het geluid uit de zwarte doos kwam. Het was een soort gorgelen, bijna alsof er iets in die doos zat.

Kapinsky doorliep in gedachten nog eens wat hij die dag allemaal had gedaan, totdat hij het zich herinnerde. Hij had de anesthesie vergeten aan te zetten toen hij de zwarte doos van Hobbs' patiënt afsloot. Het hoofd zou wakker worden! Hij draafde het gebouw uit en zocht in zijn zakken naar zijn autosleuteltjes. Het ziekenhuis lag een paar honderd meter verder en was vlugger bereikbaar met de auto.

Zijn vingers raakten iets dat in zijn zak zat. Hij haalde het te voorschijn en geloofde zijn ogen niet. Hij had vergeten de anesthesie aan te zetten èn vergeten de doos af te sluiten.

In zaal D7 stond Helen als gehypnotiseerd door het geluid. Moest ze Kapinsky bellen? Het was ten strengste verboden de dozen aan te raken. Plotseling begon de doos heen en weer te schommelen, het deurtje klapte open en de kop van de baviaan staarde haar aan – met knipperende ogen en ontblote tanden.

Ze stond aan de grond genageld van angst. Het hoofd begon ineens te grommen. Ze begon te gillen en rende in blinde paniek de deur uit en de gang door naar de lift, waar ze hulpeloos op de deuren begon te slaan.

Een paar verdiepingen lager, in de snel omhoogschietende lift, hoorde Kapinsky het kabaal en hij vloekte binnensmonds. Die stomme trut had in de doos gekeken. Nu was ze een gevaar geworden.

Volslagen in paniek draaide Helen zich om en zag dat de deur naar het balkon openstond. Ze rende er zonder na te denken naartoe, hing over de leuning en begon weer te schreeuwen – een doodsbange roep die weerkaatste tegen de omringende gebouwen en de nachtelijke lucht doorkliefde.

De liftdeuren gingen open en Kapinsky sprong naar buiten. Het geschreeuw kwam via de open deur vanaf het balkon. Helen merkte niet dat er iemand achter haar stond, totdat krachtige handen haar bij de enkels grepen en ze met maaiende armen en benen door de lucht tuimelde.

Haar roep werd hoger en dunner en hield ineens op toen haar lichaam vier verdiepingen lager tegen de weg smakte.

Kapinsky keek niet over de rand maar haastte zich meteen naar de zaal waar hij het open deurtje van de zwarte doos zag. 'Stouterik! Wat heb jij dat meisje aan het schrikken gemaakt,' zei hij tegen de bavianenkop, toen hij het deurtje weer sloot en de anesthesie aanzette. Het gegrom hield bijna meteen op.

Hij controleerde alles nog een keer. Alle dozen op slot, alle apparaten aan. Hij hoorde de lift naar boven komen, besefte dat hij vlug moest zijn en haastte zich via de brandtrap naar buiten.

Dat stomme wijf had haar verdiende loon gekregen, zei hij tegen zich-zelf.

HOOFDSTUK 26

Brigadier Du Toit was in een niet al te beste stemming. Dit was de derde keer dat hij naar het ziekenhuis was geroepen in verband met een gewelddadige dood en hij kwam ook nu weer, net als bij zijn twee vorige bezoeken, geen stap verder. En tot overmaat van ramp was hij nu ook nog opgezadeld met inspecteur Pienaar.

Hij keek zuur naar Barnes, die met evenveel afkeer naar hem terugkeek. Ze hadden het afgelopen uur de gebeurtenissen doorlopen die hadden geleid tot de dood van Helen de Villiers. Hij had iedereen van de afdeling het vuur na aan de schenen gelegd die ook maar in de verste verte met de dode vrouw contact had gehad op de dag van haar overlijden, inclusief dat rare Poolse warhoofd dat zijn leven scheen door te brengen bij de bavianen in het dierenverblijf.

Hij bladerde door zijn notities. Op de achtergrond zat inspecteur Pienaar, die net deed of hij verdiept was in de ingelijste diploma's die aan de muur van Barnes' kantoor hingen. Brigadier Du Toit liet zich niets wijsmaken. Pienaar zou die avond nog, voordat hij naar huis ging – áls hij die avond nog naar huis ging – een gedetailleerd verslag van hem willen, en dan de rest van de week bezig zijn dat onderuit te halen. Hij zuchtte. Pienaar was uit op promotie. Misschien was het verstandig hem daarbij te helpen, door erop te letten dat alle succesjes bij deze zaak op zijn conto kwamen. Op die manier zou hij hem dan niet de hele dag voor zijn voeten lopen.

Hij klapte zijn notitieboekje dicht. Volgens zijn aantekeningen was er een simpele, niet-criminele verklaring voor de val van de zuster. Ze had op het punt van trouwen gestaan, was door haar verloofde gedumpt, was in een zware depressie terechtgekomen, had met zelfmoord gedreigd, en was, in plaats van iedereen voor de mal te houden door te doen alsof alles weer in orde was, tijdens haar eenzame avonddienst, vanaf het balkon van de vierde verdieping van het ziekenhuis naar beneden gesprongen. Dat was wat zijn aantekeningen zeiden. Zijn ervaring zei dat dit hele verhaal kletskoek was.

Iedereen die hij had ondervraagd, had een pasklare uitleg gehad. Het klopte allemaal veel te goed. Zo zat het echte leven niet in elkaar.

Pienaar kuchte. Die slijmerd had nu al een uur in die stoel gezeten, zonder een woord te zeggen. Nu maakte hij duidelijk dat het tijd was te vertrekken. Krijg de zenuwen dan ook maar. Het heeft geen zin je te barsten te werken aan een zaak waarvan je meerdere vindt dat die is afgerond.

Du Toit stond op, stopte zijn notitieboekje in zijn zak, keek naar Pienaar, die naar Barnes knikte. Beide heren dankten Barnes en zijn staf voor hun medewerking en vertrokken.

Helens lichaam werd vrijgegeven na de lijkschouwing, die had aangetoond dat de dood onmiddellijk was ingetreden na de verwondingen die door de val waren ontstaan.

Alle leden van het hartteam en de verpleegafdeling die geen dienst hadden woonden de crematie bij, waar ze een paar woorden wisselden met haar verwarde en treurende ouders. Kapinsky zei dat hij geen tijd had, maar stuurde bloemen en een briefje, waarin hij Helens uitzonderlijke talenten als verpleegkundige benadrukte en haar prees voor haar zorg voor de patiënten.

Later, in het speciale dierengedeelte, besprak hij de situatie met Josef, die instemmend bromde. Josef raakte ook heel opgewonden toen Kapinsky de kwestie Samuel naar voren bracht. Die sufkop had verder geen belangstelling getoond voor wat zich in hun domein afspeelde, zei Kapinsky, maar hij was toch gevaarlijk en moest worden geëlimineerd.

Josef blafte luid en goedkeurend en moest tot stilte worden gemaand door Kapinsky, die al aan een plan aan het uitbroeden was om met Samuel af te rekenen.

De weken verliepen en Karens zwangerschap werd zorgvuldig gevolgd. Barnes was zich niet bewust van de geruchten die circuleerden onder de leden van zijn team over deze buitengewone gang van zaken. Hij overwoog een vruchtwaterpunctie om eventuele afwijkingen in de chromosomen te onderzoeken, maar Abrey Miller praatte hem dat uit het hoofd.

'Ze is een stuk jonger dan de leeftijd waarbij dit soort afwijkingen tot de mogelijkheden gaat behoren. Ik stel voor een echoscopie te maken, die geen risico's oplevert voor de patiënt en de foetus.'

Barnes ging akkoord. Tot zijn vreugde toonde de scan, die werd gemaakt door een apparaat met geluidsgolven langs de buitenkant van Karens gezwollen buik te bewegen, dat de foetus niet alleen gezond was, maar ook van het mannelijke geslacht. Mijn ouders hebben altijd een mannelijke erfgenaam gewild, dacht hij. Maar het was nu nog te vroeg om ze in te lichten. Hij zou wachten tot Karen weer bij bewustzijn was.

Barnes was niet de enige die Karens zwangerschap met grote belangstelling volgde. Kapinsky deed net of hij het heel druk had, toen ze hem vroegen het afnemen van de echoscopie bij te wonen. Het was beter om een beetje afstand te bewaren. God weet hoe Barnes zou reageren als het kind werd geboren, maar dat probleem loste hij wel weer op als het eenmaal zo ver was. Ook hij was heel blij te horen dat het kind een jongetje was. Weer een Kapinsky! Daarna begon de twijfel weer te knagen. Misschien had Josefs sperma Karen helemaal niet bevrucht. Hij lag er nachten wakker van. Hij vervloekte Miller dat hij Barnes de vruchtwaterpunctie uit het hoofd had gepraat, anders had hij nu zeker geweten of het kind van Josef was. Anderzijds was de kans groot dat Miller de resultaten van het onderzoek heel anders had uitgelegd – met de kans dat Barnes dan op een abortus had aangedrongen.

Er kwamen hoe dan ook problemen, dacht hij. Rustig afwachten maar, en kijken wat er gebeurt.

De zwangerschap had Barnes' werk weer nieuw leven ingeblazen. Hij had maandenlang nauwelijks enige aandacht geschonken aan de dagelijkse routine-werkzaamheden, en het meeste ervan overgelaten aan zijn team, maar nu was hij weer de oude – vitaal, betrokken en enthousiast. De donorpool van de bavianen begon ook vruchten af te werpen: er was nu geen tekort aan organen meer, waardoor het transplantatie-programma ingrijpend kon worden uitgebreid.

Binnen een paar maanden werd de transplantatie-afdeling een van de drukste ter wereld. Hun werk stond opnieuw in het middelpunt van de belangstelling, maar Barnes wist de vragen van de media over de afkomst van de organen moeiteloos af te wimpelen, door zich te verschuilen achter de wetten van de persoonsbescherming, die na de eerste transplantaties waren afgekondigd.

'Ik had nooit gedacht dat ik het ooit eens zou zijn met iets wat de nationalisten in de regering doen,' zei hij tegen Fiona, toen hij de hoorn op de haak legde na een gesprek met de eerste minister.

'Hoezo?' vroeg ze, in de deuropening van zijn kantoor.

'Ze kwamen als de bliksem in actie toen wij met de transplantatie-afdeling begonnen en hebben de wet op de persoonsbescherming van orgaandonors aangenomen. Dat is ongeveer het slimste wat ze in vijfentwintig jaar regeren hebben gedaan. En het helpt ons enorm in het geval er weer allerlei rare vragen komen over onze donorbronnen.'

Fiona's gezicht betrok. Ze draaide zich om en keek hem aan. 'Het probleem, denk ik, is niet die rare vragen. Wat we hier wel eens kunnen gebruiken is een paar antwoorden.'

Hier stond Barnes nogal van te kijken. Dit was een heel andere Fiona. Ze was de laatste tijd inderdaad erg veranderd. Er kon geen grapje meer af, ze deed haar werk punctueel, maar ook niet meer dan dat. Ze was een schaduw van die toegewijde, joviale Fiona van vroeger.

'Kom nou, Fiona. Je weet heel goed dat het publiek er niets van zal snappen. Er doen toch al zoveel merkwaardige verhalen de ronde. Nog geen eeuw geleden mocht je een lijk niet eens opensnijden, nu hoort het tot de basisopleiding van iedere medische faculteit.'

Fiona stak haar kin in de lucht en Barnes begreep dat het hier niet om een simpel meningsverschil ging. Wat ze dan ook gezien of gehoord mocht hebben, ze was duidelijk niet erg gelukkig met het hele project. Hij glimlachte. 'Wees niet zo somber, meid. Dit is geen hekserij, dit is geneeskunst. We werken hier aan de grenzen van het menselijk kunnen, en worden om precies die reden door de onwetenden bekritiseerd.'

'Heb je weleens bedacht dat je ook werkt aan de grenzen van de menselijke ethiek?' vuurde ze terug en draaide zich om.

Geschrokken stond Barnes op vanachter zijn bureau, zijn handen kalmerend omhoog. 'Wacht nou even, Fi. We hebben duidelijk een communicatie-probleem. Je weet heel goed dat dit project werd goedgekeurd door de Ethische Commissie, inclusief de methodes van orgaan- en lichaamsopslag. Je weet ook dat het ministerie van Justitie ons toestemming heeft gegeven de familieleden van terechtgestelde misdadigers te benaderen voor orgaandonaties.'

Ze keek hem een paar seconden zwijgend aan. Barnes sloeg na een tijdje zijn ogen neer. Toen zei ze: 'Dokter Barnes, ik ben me heel goed bewust van wat er hier aan de gang is. Ook weet ik heel goed wat er allemaal niet staat vermeld in uw officiële rapporten. Wat u en dokter Kapinsky aan het doen zijn, is verkeerd. U mag dan mischien uzelf voor de gek kunnen houden, bij mij lukt dat niet.' Ze draaide zich om, stopte, keek hem weer aan en zei nog: 'Verwacht niet van me dat ik dit goedkeur.'

Kapinsky zat in het lab en bladerde door de woonpagina's van het ochtendblad. Josef moest hier weg. Het dierenverblijf en het lab trokken de laatste tijd zoveel bezoekers, dat zijn werkzaamheden hier op een gegeven moment aan het licht zouden komen. Het was een stuk moeilijker bezoekende wetenschapsmensen buiten een geïsoleerde ruimte te houden dan een paar slechtbetaalde politiemannen af te schrikken.

Een aankondiging van een definitieve veiling trok zijn aandacht. Het perceel van de oude Buchinsky werd verkocht. Het lag tussen de hellingen van de Tafelberg, hoog boven de stad, had jarenlang leeg gestaan en was door diverse zaakwaarnemers onderhouden. Het ging om veertig hectare grond en werd nu aangeboden als de droom van elke projectontwikkelaar. De veiling zou volgende week plaatsvinden, tenzij zich in de tussentijd een koper aan zou dienen. Hij pakte de telefoon en sprak na een paar minuten al met de veilingmeester, die meteen in de gaten had dat hij met een serieuze koper te maken had. 'We zien elkaar over een halfuur bij het huis,' zei hij.

Vanaf het moment dat hij door de massieve ijzeren poort reed wist Kapinsky dat dit was wat hij zocht. Het hele terrein was stevig omheind met een oerdegelijk smeedijzeren hek van zeker twee meter hoog. Het huis was een echt Victoriaans relikwie, had drie verdiepingen en was heerlijk onpraktisch. Het was solide gebouwd en duur afgewerkt, en getuigde van een tijd waarin het ware vakmanschap nog hoogtij vierde. Achter bevonden zich stallen, een aantal garages en een werkplaats met een smeerkuil, met opmerkelijk schone betonnen vloeren. Het land was overwoekerd door struikgewas dat, van de weg af, alle gebouwen aan het oog onttrok. Het geheel was bij uitstek geschikt voor zijn doel, besloot hij.

De onderhandelingen over de prijs verliepen aanvankelijk moeizaam. Kapinsky had de kosten voor een dergelijk bezit dezer dagen onderschat en bood laag. De veilingmeester noemde een aanzienlijk hoger bedrag, tussen dat van Kapinsky en de werkelijke waarde, maar iets waar zijn cliënt 'misschien wel oren naar had'. De cliënt bleek een advocaat te zijn, die namens de in het buitenland woonachtige familie sprak. Na wat loven en bieden leek men het eens te worden, maar Kapinsky aarzelde nog. De veilingmeester vreesde alsnog zijn koper te verliezen. 'Het huis is gemeubileerd, de keukenapparatuur vrijwel nieuw. Mijn cliënt is bereid hiervoor geen extra kosten in berekening te brengen.' Kapinsky zei niets. 'En het pand wordt natuurlijk van onder tot boven schoongemaakt door een professionele schoonmaakploeg, terwijl een hoveniersbedrijf het terrein eromheen wat toegankelijker zal maken.'

Handen werden geschud, papieren getekend, een aanbetaling gedaan. Kapinsky kon zijn geluk niet op. Twee leveranties bij Carol waren meer dan genoeg om dit alles te betalen, overwoog hij.

Een maand later werd er verhuisd, Josef op een late avond achter in Kapinsky's auto. Kapinsky had veel tijd besteed om Josef te leren hoe hij de telefoon moest gebruiken. Hij had hem gewaarschuwd het huis niet te verlaten als Kapinsky niet thuis was en hem meteen te bellen op zijn directe nummer in het lab als er iemand langskwam. Overdag zou hij Josef regelmatig bellen en zo hielden ze contact.

Op hun eerste avond thuis zaten Kapinsky en Josef vorstelijk in hun grote leunstoelen op het bordes dat uitkeek over de grasvelden aan weerszijden van de oprijlaan. Josef dronk een milkshake, waar hij dol op was, en Kapinsky gunde zichzelf het uitzonderlijke genot van een glaasje whisky. Hij nam een slokje, liet de smaak tot zich doordringen en keek tevreden om zich heen.

De bomen onttrokken het uitzicht op de nabijgelegen voorstad. Rechts verrees de steile wand van de Duivelspiek vanuit de stad, die baadde in de roze gloed van de ondergaande zon. Aan de linkerkant was de kegelvormige piek van de Leeuwenkop en recht vooruit ontrolde de stad zich in de richting van de zee. De Tafelbaai strekte zich uit naar het noorden en was zo glad als een spiegel. 'Ruimte, afzondering, beschutting – precies wat de advertentie zei. Hè, Josef?' Hij keek naar Josef, die gromde van plezier en melk van zijn kin veegde. Kapinsky's huid tintelde van opwinding. Dit werd het huis van Dr. Lodewyk Kapisius. Hier zouden zijn kinderen opgroeien en worden voorbereid op het belangrijke werk dat hij voor ze had gepland.

De veranderingen in Kapinsky's dagelijkse leven waren niet onopgemerkt voorbijgegaan aan de mensen op de onderzoeksafdeling, maar men was het erover eens dat het een goede zaak was. Hij was te veel met zijn dieren bezig geweest, had op een gegeven moment genoeg gekregen van het wonen op het lab en was naar aangenamer oorden vertrokken. Hij zei dat hij het oude Buchinsky-huis in de heuvels had gehuurd en dat was misschien wel een goede plek voor zo'n rare snuiter, vond men.

Barnes, die zijn middagpost zat door te nemen, was ook blij met de veranderingen van zijn collega. Die oude rakker begint bijna menselijke trekjes te krijgen, dacht hij. De telefoon ging en onderbrak zijn gedachten.

Het was Fiona. 'Dokter Hobbs aan de lijn, dokter Barnes,' zei ze koeltjes, en verbond door. Vroeger zou ze haar hoofd om de hoek van de deur hebben gestoken en hem bij zijn voornaam hebben genoemd, dacht hij.

Hobbs vroeg of hij naar de intensive care kon komen om naar een patiënt te kijken, een man van zesenveertig die in een cardiogene shock verkeerde.

Barnes ging meteen op weg. In de lift vroeg hij zich af wat hij aan Fiona moest doen, maar liet deze gedachten al gauw varen. Er waren belangrijker dingen aan de hand. Karen stond op het punt hun zoon te baren.

De patiënt lag vrijwel in coma. Barnes bladerde door de notities op het klembord: de cardioloog had geprobeerd de bloedsomloop te stimuleren door een pompje aan te brengen in de neergaande aorta, dat iedere hartslag een duwtje gaf. Het probleem was dat de patiënt vaak extra hartslagen had, die het ballonpompje ontregelden, waardoor het weinig hielp.

Barnes vloekte binnensmonds. Hij had in de afgelopen vier maanden maandelijks aanvragen ingediend voor het apparaat dat dit probleem had kunnen verhelpen. De financieel directeur had, zoals gewoonlijk, gezegd dat hij geen geld had.

Hij zag dat de cardioloog al bloed naar het lab had gestuurd voor weefseltypering. Zodra de resultaten bekend waren had Jan Snyman dokter Kapinsky gebeld, aangezien het hier een noodgeval betrof en er geen menselijke donor ter beschikking was. Na de resultaten te hebben bestudeerd had Kapinsky het hartteam laten weten dat het hart van de baviaan in kooi nummer vier precies was wat ze zochten.

Toen Barnes dit las ging er ergens een belletje rinkelen. Was dat niet de baviaan die zo kwaadaardig was geworden?

Kapinsky bevestigde zijn vermoeden.

'Maar Boots houdt vol dat deze baviaan net zo gevaarlijk is als de man van wie we het hart hebben geïmplanteerd. Hebben we niet wat anders?' vroeg hij.

'Jezus, Rodney, begin jij nu ook al? En om je vraag te beantwoorden, nee, we hebben geen beter hart. Ik heb een laboratorium hier, geen huwelijksbureau.' Kapinsky lachte en hing op.

Barnes dacht na over wat hem te doen stond. Kapinsky had natuurlijk gelijk. Het feit dat de schoonmaakploeg van de dierenruimte bang was voor dit beest vanwege de lugubere verhalen van Boots, had natuurlijk geen enkele invloed op de geschiktheid van dit hart. Dat het hart van een moordenaar kwam, was irrelevant. Het belangrijkste was dat de weefselstructuur van dit hart bij uitstek geschikt was voor zijn patiënt. In het lab was Kapinsky intussen het lachen vergaan. Barnes' telefoontje had hem een idee aan de hand gedaan hoe hij het probleem Samuel Mbeki op kon lossen. Hoe meer hij erover nadacht, hoe meer hij het gevoel had dat dit de oplossing was om voor eens en voor altijd van die man verlost te worden.

De telefoon ging. Het was weer Barnes. Hij had zijn besluit genomen. 'Hou Boots tegen, die mag nog niet naar huis. Zeg dat hij die baviaan op de operatietafel legt. Ik kom naar jullie toe om het hart weg te halen en Hobbs prepareert dan intussen de patiënt hier in het ziekenhuis.'

'Prima. Hoe laat kunnen we je verwachten?' Kapinsky probeerde achteloos te klinken, hoewel de adrenaline zijn hartslag al had versneld.

'Eens kijken. Het is nu halfzes, en het kost minstens drie uur voor alles hier op orde is en al het papierwerk is gedaan. Laten we zeggen, halfnegen.'

Kapinsky verzekerde hem dat alles klaar zou zijn, legde zachtjes de hoorn neer en stond een tijdje voor zich uit te kijken. Hij wachtte tot hij weer een beetje was gekalmeerd, dit moest eruitzien als een doodnormale procedure. Hij moest die zwarte stomkop niet opjagen voor hij de val kon dichtgooien. De operaties van deze middag hadden veel langer geduurd dan voorzien. De dagploeg was al naar huis, maar Kapinsky wist dat Samuel nog in de operatiekamer was, om op te ruimen, en nog zeker een uur werk had. Hij ging naar zijn kantoor om na te denken en een plan te maken. Na een halfuur ging hij naar de operatiekamer.

'Boots! Blij dat je er nog bent,' zei Kapinsky glimlachend.

Samuel verbaasde zich over deze ongebruikelijk vriendelijke houding van Kapinsky en voelde zich weinig op zijn gemak. Hij stopte zijn werkzaamheden en nam een afwachtende houding aan.

'De baas heeft net gebeld. Ze moeten vanavond een spoed-transplantatie doen en hij vroeg me jou te vragen een baviaan te prepareren. Hij komt later zelf om je te helpen het hart eruit te halen.'

Nerveus vroeg Samuel, 'Welke baviaan? Een van de transgene bavianen of...'

'Nee, die zijn te waardevol,' onderbrak Kapinsky hem. 'Deze keer gebruiken we een van de bavianen waar jij voor zorgt.'

'Maar ik dacht dat de baas had gezegd deze harten niet te gebruiken tot we er zeker van waren...'

Weer onderbrak Kapinsky hem halverwege de zin.

'Ik ben hier niet gekomen om de kwaliteiten van de donor met je te bespreken. Dat soort dingen beslissen wij. Jij moet alleen maar doen wat ik zeg.'

Er liep een koude rilling langs Samuels rug, maar hij besloot zijn mond te houden. Kapinsky vervolgde: 'Ik ga nu naar het dierenverblijf om naar de donor te kijken. Intussen ruim jij hier verder de rommel op en maak je de boel klaar voor de volgende operatie.'

Kapinsky vertrok en Samuel vroeg zich af welke baviaan ze hadden uitgekozen. Als het in vredesnaam maar niet 'de Moordenaar' was.

Op weg naar het dierenverblijf ging Kapinsky eerst langs zijn kantoor om de stevige ijzeren staaf te pakken die hij altijd als wapen bij zich had tijdens zijn vrijdagse uitstapjes. Hij gaf hier de voorkeur aan boven een vuurwapen, want hij was snel in het gebruik, even dodelijk en er was geen vergunning voor nodig, waardoor de eigenaar niet kon worden achterhaald. Hij wilde er niet mee worden gezien, glipte langs de brandtrap het gebouw uit, en via de buitendeur het dierenverblijf in het souterrain binnen.

De kooien in deze afdeling waren gemaakt van ijzeren spijlen van ongeveer een halve centimeter dik, op vijf centimeter van elkaar, in een solide metalen frame. De bodems waren bedekt met stalen plaatgaas, zodat de kooien schoongespoten konden worden, en uitwerpselen en voedselresten konden worden weggespoeld zonder dat de deuren open hoefden. Iedere kooi was veilig vergrendeld met een sterk slot.

Alle dieren trokken zich achter in hun kooien terug en keken Kapinsky tijdens het voorbijlopen onderzoekend aan. Hij stopte bij de op een na laatste kooi aan de rechterkant. De grote mannetjesbaviaan daar had zich ook teruggetrokken, maar Kapinsky kon de haat en de woede in zijn gezicht duidelijk zien. Toen Kapinsky een stap dichterbij kwam, sprong het beest met een angstaanjagende krijs naar voren en greep met beide handen de tralies van de kooi beet. Hij rukte daar zo hevig aan dat de zware metalen constructie op zijn wielen heen en weer begon te bewegen.

Kapinsky keek. Dit was kooi nummer vier. 'Vanavond kun je je moordgevoelens botvieren, schoonheid,' zei hij tegen de baviaan.

Eerst gaf Kapinsky een harde klap tegen de vingers van de aap die om de spijlen klemden, zodat deze terugsprong en achter in de kooi ging zitten. Toen stak hij de ijzeren staaf in het slot en brak dat, met een stevige klap naar beneden, open. Hij deinsde meteen achteruit, de ijzeren staaf ter verdediging voor zich, voor het geval het beest voortijdig naar buiten kwam. Maar in kooi nummer vier bewoog niets. Toen Kapinsky het dierenverblijf verliet, deed hij de deur achter zich op slot. De val was gezet.

In de operatiekamer had Samuel alle instrumenten klaargelegd en alles wachtte op de donorbaviaan.

'Heeft dokter Barnes nog niet gebeld?' vroeg Kapinsky.

De zwarte man schudde het hoofd.

'Dan bel ik hem wel om te zien wanneer hij komt. Als jij dan vast naar de dieren gaat en de donor wat ketamine geeft. Ik kom zo om je te helpen het beest naar de operatiekamer te brengen.'

'Maar u heeft nog helemaal niet gezegd om welke baviaan het gaat,' zei Samuel met ingehouden adem.

Kapinsky haalde een papiertje uit zijn zak, en deed net of hij dat bestudeerde, alvorens hij antwoord gaf. 'Volgens de comptabiliteitstesten gaat het om die in kooi nummer vier.'

'De Moordenaar,' kreunde Samuel, voordat hij een injectiespuit pakte en vulde met wat ketamine-waterstofchloride.

Kapinsky ging terug naar zijn kantoor en belde Barnes.

'Ah, Louis. Ik stond op het punt je te bellen. De patiënt is tien minuten geleden overleden en we konden zijn hart niet meer op gang brengen.'

Kapinsky's eigen hart sloeg een slag over. Deze kans mocht hem niet ontnomen worden. 'Maar Samuel is al bezig de baviaan te verdoven.'

'Zeg dan dat hij daarmee ophoudt!'

Maar Kapinsky deed niets om de zwarte man tegen te houden op zijn weg naar de Moordenaar.

Toen Samuel de ingang van het dierenverblijf bereikte, repeteerde hij de situatie nog een keer. Alle kooien waren uitgerust met een achterwand die naar voren kon worden geschoven, zodat het dier binnenin zodanig tegen het voorhek werd geduwd dat het niet moeilijk was het een intramusculaire injectie te geven. Ergens was hij wel blij dat de keuze op nummer vier was gevallen. Als zijn theorie klopte, zou het beest kalmeren nadat het hart van de moordenaar was verwijderd, en met alleen zijn eigen hart weer dat rustige, beminnelijke dier worden dat het voor de operatie was geweest. Maar, bedacht hij zich ineens met een schok, hoe zat het dan met de patiënt die dit hart vanavond kreeg? Zou die dan ook een moordenaar worden? Zou de baas daar ooit over hebben nagedacht? Misschien moest hij teruggaan en dokter Barnes daarover opbellen.

Maar dokter Kapinsky had hem net gezegd zich niet overal mee te bemoeien. Samuel ging het dierenverblijf binnen, maar deed de deur niet achter zich op slot. Binnen heerste een verwachtingsvolle stilte. Hij liep de gang tussen de kooien door, naar nummer vier.

Het dier, met zijn gebruikelijke kwaadaardige blik, zat in elkaar gedoken achter in de kooi. Samuel pakte de hendel en begon de achterwand van de kooi naar voren te bewegen. De Moordenaar verzette zich en hij had al zijn krachten nodig om het beest naar het voorhek te duwen. Langzaam maar zeker nam de weerstand af en kwam het dier steeds dichterbij.

Toen Samuel hem bijna klemvast had, zag hij het vernielde slot. Hij wilde schreeuwen, maar kon geen geluid uitbrengen. Als een opgejaagde prooi van een roofdier rende hij de gang door naar de deur van het dierenverblijf. Halverwege hoorde hij de galm van metaal tegen metaal toen de kooideur openknalde, en vlak daarna viel hij met een klap op zijn gezicht door het gewicht van het beest dat hem op zijn rug sprong. Door de kracht van zijn val schoot de injectiespuit uit zijn handen, en rolde onder een van de kooien.

Samuel wist dat dit het einde betekende. Hij voelde de lange tanden wegzinken in zijn nekspieren. Hij bad dat de dood snel zou toeslaan. Dat hij niet stukje bij beetje aan flarden zou worden gescheurd, zoals een meute wilde honden hun slachtoffer afmaakt.

Plotseling liet het dier hem los. Samuel draaide zich op zijn rug, toen grepen de krachtige harige handen hem bij de keel. Kortstondig blikte hij in de ogen van de Moordenaar. Beelden uit zijn verleden schoten voorbij, toen hij langzaam voor altijd wegzakte in de donkere vallei van de bewusteloosheid.

Kapinsky had koffie gezet. Hij zat achter zijn bureau en genoot van zijn bakje, in afwachting van de dingen die kwamen.

Het was nu twintig minuten geleden dat Samuel met de spuit met ketamine was vertrokken. Aangezien hij niets hoorde, kon hij er wel van uitgaan dat die rotzak dood was.

Gewapend met dezelfde ijzeren staaf die hij al eerder had gebruikt en een injectiespuit met een nieuwe lading verdovingsmiddel, ging Kapinsky op weg naar het dierenverblijf. Tot zijn verbazing constateerde hij dat de deur niet op slot was, en stopte de sleutel die hij had meegenomen in zijn zak. Hij duwde de deur op een kier en gluurde naar binnen. Samuel lag bewegingloos op zijn rug, halverwege de gang, en de Moordenaar zat op zijn blote buik. Het beest had daar een groot stuk vlees weggescheurd en zijn bek en handen waren rood van het bloed.

Maar de Moordenaar was blijkbaar nog niet tevredengesteld. Hij draaide zijn kop in de richting van het geluid bij de deur, liet Samuels lijk waar het was, en stormde de gang door. Kapinsky sprong achteruit en knalde de deur dicht. Het was duidelijk dat hij het dier moest verdoven en daarna doden, maar dat kon alleen maar met een verdovingspistool.

Met bevende handen – ook hij had de haat en de moordlust in de ogen van de killerbaviaan gezien – laadde hij het pistool dat in de noodkastje buiten de dierenruimte lag. Daarna luisterde hij aan de deur. Hij hoorde het gegrom van de Moordenaar op enige afstand en wist dat hij weer bij zijn prooi was. Kapinsky besefte dat hij maar één kans had, maar als hij raak schoot zou het dier binnen enkele minuten onder zeil zijn. Als hij miste zou hij het dier met zijn staaf te lijf moeten – anders kreeg hij problemen met de politie.

Hij duwde de knop heel zachtjes omlaag en deed de deur op een heel klein kiertje, net genoeg om naar binnen te kijken. De baviaan was te druk bezig met Samuel om zich bewust te zijn van het dreigende gevaar. Kapinsky had geluk. Hij zag dat het beest zich vooroverboog, met zijn achterste in zijn richting, waarbij zijn billen een uitstekend doelwit vormden. Hij wurmde het pistool door de deuropening, richtte en vuurde. Met een zucht van opluchting zag hij hoe het pijltje doel trof en de baviaan opspringen toen de naald zijn vlees binnendrong. Voordat de Moordenaar zich kon omdraaien had Kapinsky de deur dichtgetrokken. Hij keek op zijn horloge en besloot het verdovingsmiddel vijf minuten de tijd te geven zijn werking te doen. Hij merkte dat hij stond te beven en te zweten. Hij moest snel denken. Tot nog toe had hij nog niet verder gepland dan Samuel naar het dierenverblijf te sturen, in de wetenschap dat het slot van de kooi was vernield. Maar hij wist natuurlijk niet hoe dat zou aflopen. Nu had hij zijn doel bereikt. De zwarte schoft was dood en nu wist alleen hij nog maar van het bestaan van Josef.

In het komende uur moesten een paar belangrijke beslissingen worden genomen. Moest hij de baviaan afmaken of gewoon weer in zijn kooi stoppen? Moest hij het ongeluk vanavond rapporteren of daarmee tot morgen wachten? Kapinsky besloot de dingen stap voor stap te doen. Hij keek weer op zijn horloge. Het was tijd om aan het werk te gaan.

Hij deed de deur open en keek naar binnen. De Moordenaar lag dwars over het lijk van Samuel. Hij kon nu zonder verder gevaar worden aangeraakt. Kapinsky pakte zijn ijzeren staaf en liep naar de twee lichamen.

Het had geen zin de zwarte man te onderzoeken: de gescheurde uiteinden van zijn slagaders waren duidelijk zichtbaar in de gapende wond in zijn hals. De baviaan lag versuft, maar als Kapinsky niet iets ondernam zou hij weer bijkomen uit zijn verdoving. Eens had hij zonder twijfel voortreffelijk zijn diensten kunnen bewijzen als donor, maar Kapinsky kon de haat die hij in de ogen van het dier had gezien niet vergeten. Had Samuel achteraf dan toch gelijk gehad?

Met dodelijke precisie gaf hij een reusachtige klap op de slaap van de baviaan, een klap waarvan Kapinsky wist dat hij die niet zou overleven. Hij hoorde dat de ademhaling onmiddellijk stopte en wist ook dat het hart over een paar minuten zou ophouden met functioneren.

Kapinsky liet de twee lijken liggen waar ze lagen, liep het dierenverblijf uit en sloot dat op de gebruikelijke wijze af. Hij keerde terug naar zijn lab en besloot Barnes te bellen. Er was geen antwoord. Barnes was waarschijnlijk op D7, bij Karen. Zou hij hem daar oppiepen, of de politie bellen? Als hij nu de politie erbij haalde, zat hij de hele nacht hier op het instituut om allerlei stomme vragen van die hufters te beantwoorden, maar hij wilde eigenlijk graag naar huis om Josef te vertellen wat er vanavond allemaal was gebeurd.

Hij stond op uit de stoel waarin hij zat, deed de lichten uit en verliet het gebouw. Samuel was dood, de Moordenaar was dood en als dat nu werd gemeld, leidde dat er alleen maar toe dat de nachtrust van iedereen werd verstoord.

HOOFDSTUK 27

De volgende ochtend haastte Kapinsky zich naar de faculteit, maar hij raakte vast in het verkeer vanwege een ongeluk. Toen hij aankwam, verbaasde het hem niet dat het hele lab in rep en roer was. Er liepen allerlei mensen heen en weer, geschokte stafleden, politie-ambtenaren en allerlei lieden waarvan hij vermoedde dat het journalisten waren, gezien de notitieblokjes en microfoons die ze bij zich hadden. Hij wurmde zich door een kluit mensen heen, die zich verdrongen rond een asgrauwe Rodney Barnes.

'Daar ben je eindelijk!' schreeuwde Barnes. 'Waar was je in godsnaam, Louis? We hebben je vanaf halfacht vanochtend proberen te bereiken, maar je beantwoordde noch je telefoon, noch je pieper.'

'Ik was gewoon thuis en er is voor zover ik weet niets verkeerd met mijn telefoon,' zei Kapinsky strijdlustig, 'maar ik heb mijn pieper inderdaad gisteravond in het lab laten liggen. Maar de grote vraag is waar was *jij* toen ik Samuels dood wilde melden?'

Er heerste even een doodse stilte. Die onderbroken werd door een politiebrigadier die zei: 'Meneer, als u zo goed zou willen zijn...'

Kapinsky haalde zijn schouders op. Hij had de tijd dat hij in de file stond gebruikt om zijn tekst te repeteren en zich voorgenomen gewoon zichzelf te spelen. 'Toen jij me gisteravond liet weten dat de operatie niet doorging, heb ik het dierenverblijf gebeld, tegen Samuel gezegd dat hij de baviaan niet hoefde te prepareren en terug moest komen naar de operatiekamer. Toen hij niet kwam opdagen en ook de telefoon niet meer beantwoordde, ben ik gaan kijken wat er aan de hand was. Ik vond hem dood op de grond liggen en trof een op hol geslagen, dolle baviaan aan. Een van de kooideuren stond open en ik ging ervan uit dat het beest was uitgebroken en hem had aangevallen...'

Barnes onderbrak hem. 'Je bent daar in je eentje naar binnen gegaan, terwijl je wist dat het dier gevaarlijk was? Waarom heb je niemand om hulp gevraagd?'

'Ik wist dat iedereen naar huis was en ik wist niet of Samuel nog leefde, dus ik moest snel handelen.'

Tijdens een doodse stilte, slechts onderbroken door het pengekrabbel van de journalisten, vertelde Kapinsky zijn ademloze toehoorders hoe hij het verdovingspistool had gebruikt om het dier te kalmeren. 'Toen ik constateerde dat de arme Samuel dood was, verloor ik helaas mijn zelfbeheersing, pakte de ijzeren staaf die Samuel blijkbaar had meege- nomen, en heb het rotbeest afgemaakt.' Hij draaide zich in de richting van Barnes. 'Ik heb jou toen meteen gebeld, maar bij je thuis nam niemand op.'

'En waarom heeft u de politie dan niet ingelicht?' vroeg de brigadier.

'Waarvoor?' snauwde Kapinsky. 'Ik had jullie werk al gedaan. Ik had de schuldige gevangen en terechtgesteld. Wat hadden jullie gister- avond meer kunnen doen, wat vandaag niet kan? En als jullie het niet erg vinden, wil ik nu graag weer aan het werk.'

Nu stapte Samuels oude makker Victor naar voren, zijn gezicht ver- trokken van verdriet. 'Baas, Boots heeft altijd al gezegd hoe hij die baviaan haatte. Iedereen wist dat hij doodsbang was voor het dier. Denkt u dat hij misschien geprobeerd heeft het te vermoorden?'

'Het zou best kunnen, maar we zullen het nooit weten,' zei Barnes. Hij wendde zich tot de brigadier en stelde voor naar een van de kantoren te gaan voor het opnemen van de verklaringen. Tegen alle anderen zei hij dat ze zonder verder tegenbericht weer aan het werk konden gaan. De brigadier liep achter Barnes aan, maar zei over zijn schouder tegen Kapinsky, 'Van u wil ik een gedetailleerde verklaring.'

En wat de dood van de zwarte hulp in het dierenverblijf betreft, bleef het daar verder bij. Kapinsky werd ernstig berispt dat hij er niet meteen melding van had gemaakt, en tijdens een bijeenkomst een paar dagen later van Barnes en de decaan van de medische faculteit werd gecon- cludeerd dat het tragische ongeluk aan niemand anders te wijten viel dan aan Samuel zelf. Het verslag over Samuels begrafenis in zijn town- ship besloeg drie regels op de achterpagina van de krant.

Barnes had Samuel altijd een buitengewoon begaafd vakman gevon- den, en een belangrijk lid van het onderzoeksteam. Nu hij er niet meer was liep een aantal projecten van het lab in het honderd.

Kapinsky miste hem niet: hij vond Samuels dood een zegen. Alleen Karen stond hem nog in de weg. Al zijn plannen voor de donorpool waren in de ijskast gezet en door allerlei belachelijke experimenten vervangen, vanwege Barnes' angst dat Karen zelf een donor werd, maar hij moest wachten tot het kind geboren was, voordat hij zich verder met haar kon bezighouden.

Hij kreeg steun vanuit onverwachte hoek: de ziekenhuisdirectie. Alle onderzoeksprojecten die door de drie leden van het hartteam waren ondernomen, draaiden uit op onfortuinlijke mislukkingen. Alex Hobbs kon de huidkanker niet met de Hongaarse kruiden genezen en zelfs niet vertragen. Hij sneed de plek uiteindelijk weg en sloot de wond met een huidtransplantaat.

De amomycine bleek geheel ondoeltreffend bij de bestrijding van de gramnegatieve infectie. Des Louw moest zijn toevlucht nemen tot een grote verscheidenheid aan antibiotica om uitbreiding tegen te gaan, en moest het been amputeren om de oorspronkelijke bron kwijt te raken.

Jan Snyman ondervond herhaaldelijk dat de hartritmestoornissen veroorzaakt door ischemie en beta-stimulatie niet door AZS werden genezen. De gevoeligheid verdween alleen als de ballon in de hartslagader leegliep en de bloedtoevoer werd hersteld.

Gedurende enige maanden accepteerde de ziekenhuisdirectie alle extra onkosten van zaal D7 met opmerkelijke lankmoedigheid, maar daarna ging dokter Webber met dokter Barnes praten. Op vriendelijke maar besliste wijze wees hij dokter Barnes op het feit dat zaal D7 bedoeld was als bank voor menselijke donors. Alle onderzoeken moesten in het verlengde daarvan staan. De experimenten die Barnes' groep nu met weinig succes had voltooid hadden niets gemeen met het oorspronkelijke plan. Het ziekenhuis was er tenslotte voor het heil van de patiënten en niet om nieuwe medicijnen uit te proberen. Hij stond erop dat de bewoners van de Zaal voor de Levende Doden van nu af aan uitsluitend werden gebruikt als donors voor ogen, harten, longen, nieren en levers.

Na dit gesprek zag Barnes al zijn toekomstplannen in rook opgaan. Hoe kon hij ooit toestaan dat Karens prachtige blauwe ogen werden verwijderd? Hoe kon hij haar opofferen voor het gebruik van haar vitale organen? Hij had de kwestie van de zwangerschap en het ongeboren kind niet aangeroerd, maar ze zouden haar toch niet laten doodgaan terwijl zich een leven in haar lichaam aan het ontwikkelen was? Hij had nog wel wat tijd.

Barnes zijn leven was veranderd. Hij trok zich steeds meer terug en kwam nog maar zelden in de operatiekamer. Wel legde hij langdurig zijn hand op de buik van de aanstaande moeder en trok een gelukzalig gezicht als het kind schopte of zich draaide. Met de hulp van een zuster uit het ziekenhuis besteedde hij dagen aan het inrichten van een kinderkamer in zijn appartement, en hij huurde een geschoolde verpleegkundige in om voor het kind te zorgen als het naar huis kwam.

Deze ongewone aandacht voor het ongeboren kind was de staf van D7 wel opgevallen, maar niemand durfde te vragen waarom Barnes tijdens zaalrondes altijd sprak over Karens kleine jochie. Iedereen deed net alsof het vanzelf sprak dat hij, omdat zij de moeder was, zich wel verplicht voelde om voor het kind te zorgen.

Barnes werd gewekt door het schrille geluid van de telefoon. Het gebeurde tegenwoordig niet vaak meer dat hij 's nachts werd gebeld, aangezien hij nog maar zelden opereerde, en de staf van de intensive care bij complicaties altijd de dokter belde wiens patiënt het was. Hij ging rechtop zitten en tastte in het donker om zich heen naar het toestel.

'Ja, wat is er?' vroeg Barnes, zonder te groeten.

'Het spijt me u lastig te moeten vallen, dokter, maar dokter Kapinsky heeft gezegd dat ik u moest bellen.'

'Waarover?'

'Ze bloedt, dokter.'

'Wie bloedt?' Hij herkende de hoge stem van de verpleegkundige die hij een paar uur geleden op zaal D7 had achtergelaten.

'Karen bloedt,' zei ze.

'Hoe kan ze nou bloeden? Ze is helemaal niet geopereerd!' vroeg Barnes, verbaasd.

'Nee, dokter Barnes, ze bloedt uit haar vagina. Bij het afzuigen merkte ik dat ze onder het bloed zat.'

Barnes wist uit zijn studentendagen nog genoeg over verloskunde om te beseffen dat Karen en de baby in groot gevaar verkeerden – Karen vanwege de bloedingen en de baby omdat hij zeven weken te vroeg was. 'Zuster, zorg dat ze rustig blijft. Ik ben er over een paar minuten.'

De zuster hing op en vroeg zich af hoe je moest zorgen dat een dode persoon rustig bleef.

Barnes legde de hoorn neer, pakte hem weer op en belde Millers nummer. Een slaperige stem antwoordde, 'Aubrey Miller.'

'Karen is gaan bloeden,' riep Barnes. 'Wat denk je dat er verkeerd is gegaan?'

Miller hoorde hoe opgewonden Barnes was. 'Rustig nou maar, Rodney. Vertel eens precies wat er aan de hand is. Wat is haar polsslag, hoe is de bloeddruk en hoeveel bloed heeft ze verloren?'

'Ik weet het niet. De zuster heeft me net thuis gebeld en gezegd dat Karen was gaan bloeden. Denk je dat ze het redt?'

Dokter Miller was niet van zins een prognose te geven op basis van zulke schaarse informatie. 'Ik zie je op D7, Rodney, en daar zullen we de situatie bekijken.'

'Oké, maar haast je alsjeblieft,' smeekte Barnes, en hing op.

Hij reed in recordtijd naar het ziekenhuis, rende de gang door, de trappen op en kwam buiten adem in D7 aan. Aubrey Miller was Karen al aan het onderzoeken.

'Wat vind je ervan?' hijgde Barnes.

'Laat me nu eventjes, ik ben zelf net binnen.'

De aanstaande vader liep door de gang op en neer, terwijl de verloskundige de patiënt onderzocht. Na vijf minuten riep hij Barnes binnen.

'Ze heeft niet veel bloed verloren en het bloeden is gestopt.'

'En de baby?' onderbrak Barnes.

Zonder op zijn vraag in te gaan, vervolgde zijn vriend: 'Haar bloeddruk is honderdtien over zeventig en de pols vijfentachtig slagen per minuut.'

'En de baby?' smeekte Barnes.

'Het kind is prima in orde. De foetale hartslag varieert tussen honderdtwintig en vijftig, afhankelijk van het samentrekken van de uterus.'

'Het samentrekken van de uterus – dus het kind komt eraan,' riep Barnes op hysterische toon.

'Rustig, Rodney, alles is onder controle. De weeën zijn valse baringsweeën, waardoor de baarmoederhals niet wordt verwijd.'

'Maar waarom bloedt ze dan?"

'Je herinnert je nog wel dat ik bij de laatste echoscopie heb gezegd dat de placenta nogal laag lag.'

'Ja, maar je hebt ook gezegd dat dat geen probleem hoefde te zijn.'

'Dat is zo, maar nu een lager gedeelte van de baarmoeder te maken heeft met valse baringsweeën moet een klein stukje van de placenta zijn losgeraakt, en dat veroorzaakt de bloeding.'

'Je had dus ongelijk!' riep Barnes.

Miller besefte dat zijn vriend niet helemaal zichzelf was. 'Rodney, iedereen maakt fouten.'

'En wat doen we nu om deze fout te herstellen?' Barnes kon aan niets anders meer denken dan aan het gevaar waarin Karen en haar zoon – hun zoon – verkeerden.

'Het enige wat we kunnen doen, is wachten. Er is op het ogenblik geen direct gevaar voor de moeder of het kind.'

'Wachten waarop? Tot ze weer gaat bloeden?'

'Ja, of niet meer gaat bloeden,' antwoordde Aubrey voorzichtig. 'Ik kan nu een keizersnede toepassen, maar ik had het liefst dat het kind zo veel mogelijk volgroeide. Iedere dag die we kunnen wachten nemen de kansen af dat er na zijn geboorte complicaties optreden.'

'Wat voor soort complicaties?' Barnes was een beetje gekalmeerd en sprak wat rustiger.

'Het probleem met te vroeg geboren baby's is dat hun longen zich niet volledig hebben kunnen ontwikkelen en bevattelijk zijn voor allerlei aandoeningen. Ik stel voor dat we Karen wat cortisone geven, wat de risico's voor ademhalingsmoeilijkheden na de geboorte beduidend zal doen afnemen.'

'Prima.' Barnes wendde zich tot de zuster en was weer de plichtgetrouwe arts. 'Zuster, u bewaakt haar met uw leven. Ieder halfuur pols en bloeddruk meten. Let op bloedingen en bel me zodra zich ook maar de kleinste verandering voordoet in haar vitale functies.'

Hij ging op weg naar buiten, draaide zich om en zei: 'O ja, en tel de foetale hartslag ieder halfuur.'

De twee artsen verlieten de zaal. In de gang stond Barnes stil. 'Vind je niet dat we meteen moeten opereren? Het leven van de moeder is toch belangrijker dan dat van het kind.'

Miller had al een paar weken lang gemerkt dat Barnes Karen als een levend mens beschouwde. Hij zou waarschijnlijk voorstellen de keizersnede uit te voeren onder epidurale anesthesie.

'Er bestaan twee verschillende opvattingen over wanneer een patiënt met een placenta previa te opereren. De ene propageert dat te doen zodra de moeder gaat bloeden, de andere, die ik huldig, vindt dat je zo lang mogelijk moet wachten.'

'Waarom zou je willen wachten?'

'Dat heb ik al gezegd. Hoe langer we de geboorte van het kind kunnen uitstellen, hoe beter de kansen voor de baby zijn. Luister, Rodney, als het nodig is kunnen we Karen binnen een halfuur in de operatiekamer hebben. In situaties waar een minder goede zorg is, en niet meteen kan worden geopereerd, vind ik ook dat er eerder moet worden ingegrepen.'

Karen werd zorgvuldig in het oog gehouden, terwijl Barnes het ziekenhuis verliet en naar huis ging om te douchen, zich te scheren en andere kleren aan te trekken.

De vrijdagavond-expedities naar Carols huis waren voorbij. Susan Bates was des duivels. Ze had blijkbaar geen greep meer op Kapinsky en kon hem, wat ze ook deed, niet meer verleiden tot hun SM-sessies. En nu Kapinsky haar niet langer meer wilde bezoeken, zou zij tot overmaat van ramp gedwongen worden de gevaarlijke rol van drugskoerier te moeten gaan spelen. Dat wilde ze koste wat het kost voorkomen. Er moest iets veranderd zijn in het leven van Kapinsky, dacht ze. Het kon geen andere vrouw zijn, tenzij hij een andere meesteres zou hebben ontmoet en dat lag niet voor de hand – ze kende iedere perverse persoon in deze godvergeten stad en zou dat allang in het gay-roddelcircuit hebben gehoord. Kapinsky's naam kwam gewoon niet in dat wereldje voor. Voor hij Susan had ontmoet was hij heel voorzichtig geweest en hun professionele belangen waren zo verstrengeld dat het voor hen beiden beter was als dat zo bleef. Hun arrangement met Carol was perfect geweest, en nu vormde de rotzak met zijn merkwaardige gedrag een bedreiging voor hen allemaal.

Hun klanten werden ook steeds veeleisender en een wekelijkse bestelling was voor een aantal van hen niet meer voldoende. Carol had ervoor gezorgd dat er minstens drie verdelers waren tussen henzelf en de klanten, wat de risico's had verkleind, maar ze bleef de druk toch voelen. Er moest iets aan Kapinsky worden gedaan.

In het oude huis op de heuvel leidde Kapinsky een leven dat nog nooit zo goed was geweest. Hij ging elke ochtend met Josef joggen langs de bospaadjes aan de voet van de berg. Op dat uur van de dag was nog niemand op en ze wandelden en klommen iedere dag over de heuvels tot de zon opkwam. Kapinsky stond versteld van het tempo waarmee Josef zich ontwikkelde van een goedgebouwde jongeman tot een grote, krachtige kerel met grote brede schouders en machtige dijen. Het leed geen twijfel dat hij een aantal eigenschappen van zijn moeder had geërfd, zoals een ongelofelijke behendigheid bij het rotsbeklimmen en zijn voortdurende waakzaamheid.

Zijn taalvaardigheid liet te wensen over. Hij en Kapinsky begrepen elkaar uitstekend, maar dat had ook veel te maken met lichaamstaal. Gecompliceerde situaties gingen aan hem voorbij, maar simpele opdrachten voerde hij met succes uit. Kapinsky had zich erbij neergelegd dat zijn zoon, in menselijke termen, geestelijk was achtergesteld, maar dat weerhield hem niet het kind met passie te beminnen. Josef beantwoordde die liefde met een grote aanhankelijkheid. Hij kuste en omhelsde zijn vader met een warmte die Kapinsky nog nooit van een ander mens had ondervonden.

Soms moest Kapinsky denken aan vroeger, aan de rol die zijn vader in zijn leven had gespeeld en zijn schuldgevoel dat hij niets had kunnen doen om de dood van zijn ouders te voorkomen.

Ook dacht hij nog wel eens aan Susan Bates, hoe hun sadomasochistische seksspelletjes hem hadden geholpen van zijn seksuele frustraties af te komen, maar hij besefte dat hij daar nu heel goed buiten kon.

Op een dag, na een stoeipartij met Josef, lagen ze beiden op hun rug in het gras uit te blazen. Ineens voelde Kapinsky een grote vrede over zich komen. Zijn hele leven had hij een minderwaardigheidsgevoel gehad tegenover zijn vader. Maar zijn vader was er niet meer, hij was nu zelf vader. Zijn gevoel van bevrijding was zo overweldigend dat hij zichzelf omhelsde, en verbaasd was dat de aarde niet bewoog.

De weken verstreken. Barnes had het opgegeven net te doen alsof hij zijn afdeling leidde. Opereren deed hij niet meer, hij bleef weg bij de instructieve zaalrondes en concentreerde zich bijna volledig op D7 en Karens vergevorderde zwangerschap. Directeur Webber riep hem twee keer op het matje en suggereerde uiteindelijk dat hij met verlof moest gaan.

Barnes was razend. 'Dokter Webber, u weet heel goed dat ik mijn patiënt in D7 niet in de steek kan laten. Ze staat op het punt te bevallen en heeft in deze kritieke fase alle hulp nodig die ze kan krijgen. Het moet u opgevallen zijn dat we de afgelopen twee maanden op geen enkele wijze de normaal lopende uitgaven hebben overschreden. Alle andere kosten worden door sponsors gedekt.' Hij stond op, leunde toen zo dreigend over het bureau dat Webber terugdeinsde, en gromde: 'Dus kom nu niet aan met dat gezeur over dat verdomde budget – ik heb dat niet eens nodig,' en hij knalde de deur achter zich dicht.

Webber zat een tijdje na te denken, pakte toen de telefoon en drukte een nummer in. 'Dokter Webber hier, wilt u mij doorverbinden met de decaan, alstublieft?' vroeg hij de receptioniste. Barnes was duidelijk doorgeslagen, dacht hij, terwijl hij zat te wachten. Dit was een beslissing van de Raad, en de verantwoordelijkheid van de voorzitter. Barnes werd tot ver over de grenzen hoog aangeslagen en de media zouden – ongeacht hoe het werd aangepakt – van dit verhaal smullen.

Barnes vertelde Karen over het incident en verzekerde haar dat hij niet toeliet dat haar of de baby ook maar iets zou overkomen. Indien nodig zou hij haar verhuizen naar een privé-kliniek in de stad. Ze hoefde nog maar eventjes, en maakte een ontspannen indruk, vond hij. Hij bleef tot het einde van de dag bij haar en vertrok toen de nachtzuster in dienst kwam.

Hij was moe toen hij thuiskwam, maar blij dat er een besluit was genomen. Nog één woord van Webber en hij haalde Karen weg uit het ziekenhuis, nadat hij de decaan zijn ontslag zou hebben aangeboden. Karens ouders hadden hem een volmacht gegeven en de ziekenhuisdirectie kon hem juridisch niets maken. Barnes trok zijn kleren uit en sliep op het moment dat zijn hoofd het kussen raakte.

Hij was niet de enige die een besluit had genomen. Susan Bates, bol van frustratie, wist wat haar te doen stond. Ze ging onverwachts bij Kapinsky op bezoek om te kijken wat er aan de hand was. De rotzak had haar nog nooit eerder zo laten zitten, dus moest hij op een andere manier aan zijn gerief komen.

Ze kleedde zich zorgvuldig voor de hoge doorkijkspiegel in haar slaapkamer en wist dat Carol aan de andere kant toekeek. Carol en God weet wie nog meer, dacht ze, en voelde haar hartslag versnellen. Ze klemde de harmonica-vormige jarretelgordel rond haar middel, voelde het koude metaal tegen haar huid, trok de netkousen aan en klipte ze vast aan de leren ophouders. Daarna kwamen de hooggehakte zwarte knielaarzen, voordat ze een stap achteruit deed om het effect te bestuderen. De jarretelgordel omlijstte haar schaamhaar voorbeeldig. Nu haar borsten. Voorzichtig kleurde ze haar tepels rood, zodat ze afstaken tegen de melkkleurige huid eromheen. Haar onderarmen verdienden wat accent, besloot ze, en ze gespte een stel met koper afgezette leren armbeschermers om. Ze draaide een paar rondjes voor de spiegel en keek over haar schouders naar haar strakke billen. Tevreden hulde ze zich in een lange bontmantel. Toen ze klaar was, voelde ze hoe nat ze begon te worden. Het aantrekken van haar meesteressenkostuum maakte haar geil en de wetenschap dat ze intussen werd bekeken nog geiler.

Ze bedacht wat ze voor Kapinsky zou meenemen en koos voor het wurgkoord en de enkel- en polsboeien. De frustratietoer, dat was een goeie! Met zijn polsen achter zich, geboeid aan zijn enkels en dan weer vastgemaakt aan het wurgkoord rond zijn nek, kon hij altijd nog in haar komen, maar zou hij heel langzaam moeten neuken. Elke plotselinge beweging zou het koord aantrekken – en daar kon ze altijd wel voor zorgen, dacht ze, lachend.

Aan de andere kant van de spiegel werd ook gelachen. Susan flitste haar jas open, liet die rondzwieren en showde haar blote billen en borsten, waarna ze een kniebuiginkje maakte. Maar de show was nog niet begonnen, dacht ze, en pakte haar attaché-koffertje. Dit werd een onvergetelijke nacht.

Kapinsky had net zijn dagelijkse stoeipartij met Josef achter de rug. Ze hadden achter elkaar aan het hele huis door gedraafd en waren uiteindelijk in Kapinsky's slaapkamer terechtgekomen. Hij was op.

Josef was nu zo sterk dat ze dit soort spelletjes misschien maar moesten opgeven. Josef was intussen als een blok in slaap gevallen. Normaal gesproken had hij hem naar zijn eigen kamer gebracht, maar dit keer hielp hij hem uit zijn kleren, dekte hij hem toe en deed het licht uit. Tijd om zijn vermoeide spieren wat rust te geven, tijd voor een heet bad.

Op weg naar zijn bubbelbad, in een ronde badkamer aan het einde van de veranda, stopte hij even bij de bar om een fles whisky en een glas op te halen.

Het warme water, dat op temperatuur bleef, borrelde aan alle kanten om hem heen. Hij onstpande zich, terwijl de whisky hem ook van binnen deed gloeien. Tot zijn verrassing merkte hij dat het masserende water een erectie bij hem had veroorzaakt. Het leven was bijna perfect, vond Louis, het enige wat hij nu nog nodig had was een orgasme.

Er viel een schaduw over het bad. Geschrokken draaide hij zich om en zag Susan Bates. 'Hoe ben jij hier binnengekomen?' siste hij.

Met de ene hand hield ze de zwarte bontmantel bovenaan goed gesloten, met de andere droeg ze het attaché-koffertje. Ze glimlachte. Langzaam zette ze het koffertje neer en liet de jas openvallen.

Haar volmaakte borsten sprongen uit het bont te voorschijn, haar harde tepels hoog en trots. Zijn ogen gingen meteen naar beneden. Haar schaamhaar glinsterde nat. 'Ja Louis, een hete kut en helemaal voor jou,' zei Susan en liet de jas op de grond vallen.

Kapinsky wist niet wat hij hoorde. Hij had haar nog nooit eerder mogen neuken. En ook nooit eerder *kunnen* neuken – omdat hij zijn erectie anders pas altijd kreeg na pijn. Maar nu had hij een erectie en een vrouw die hem wilde gebruiken.

Hij klom uit het bad, wat warrig van de whisky. Susan nam haar koffertje, pakte hem bij de hand en leidde hem naar de woonkamer. Op weg naar binnen drukte ze een knopje in bij de telefoon. Zo werden ze tijdens dit kleine intermezzo tenminste niet gestoord, dacht ze. Alle lichten in de grote woonkamer waren aan. Susan keek om zich heen en ging op de grote berenhuid voor de open haard liggen, armen en benen wijd. Ze trok Kapinsky op zich en knipte achter zijn rug het koffertje open. Terwijl hij in spreidstand op haar ging zitten, liet zij het wurgkoord om zijn nek glijden, klikte een boei om zijn rechterpols, trok zijn linkerpols achter hem en klikte de twee boeien samen. Zwakjes probeerde hij te protesteren, maar ze kuste hem op de mond en klikte intussen de andere boeien rond zijn enkels.

Hij ging met zijn heupen rijden, toen hij zich ervan bewust werd dat hij nog helemaal niet in haar was. Ze deed haar benen ver van elkaar en leidde hem naar binnen. Hij begon haar hard te neuken en zij trok aan de boeien zijn benen omhoog en slipte het einde van het wurgkoord door de beveiliging, een handig ding waardoor het koord maar een kant opkon. Met een palletje kon zij het koord dan weer naar behoeven laten vieren.

'Dokter Kapinsky,' zei ze in zijn oor, 'hoe harder de stoot, hoe groter de nood.' Bij elke stoot kwam het koord strakker te zitten, en zijn adem begon in zijn keel te piepen.

'Kies zelf maar,' fluisterde ze. 'Je kunt ademhalen of je kunt neuken, allebei kan niet.'

Ze had hem volledig in haar macht. Ze voelde zich fantastisch en merkte hoe haar hele lichaam zich aan het voorbereiden was op het orgasme. Dit werd de ontploffing van de eeuw. Zo potent had ze zich nog nooit gevoeld.

Karen was weer gaan bloeden. Aubrey Miller had Barnes opgebeld en gezegd dat hij dit keer wel wilde opereren, ondanks het feit dat het voor het kind nog te vroeg was.

'Dus je *had* ongelijk,' liet Barnes zich ontsnappen, toen hij D7 binnenrende.

Miller besloot hem iets te doen te geven om hem wat van het onderwerp af te leiden. Hij betrapte zich erop dat hij de man behandelde als een vader in verwachting, maar waarom niet? Hij gedroeg zich toch ook zo?

'Als de zuster en jij haar naar de operatiekamer rijden, zal ik me intussen wassen,' zei hij en klopte Barnes op de schouder.

Op dat moment liep dokter Ohlsen binnen. Beheerst als altijd knikte hij Barnes toe, wisselde een paar woorden met Miller en ging op weg naar de operatiekamer om zijn narcose-apparaat klaar te zetten. Sinds de dood van zuster Helen de Villiers was ieder bed in D7 zodanig aangepast, dat het met zijn eigen zwarte doos als één geheel kon worden verplaatst. Kapinsky had, met zijn altijd vooruitziende blik, ervoor gezorgd dat iedere doos was voorzien van een eigen, door batterijen aangedreven energiebron, voor het geval de stroom uit zou vallen. De zuster had al een plasma-infuus geregeld. Binnen een paar minuten hadden ze de diverse systemen ontkoppeld en het bed naar de lift gereden. Terwijl ze met Karen onderweg waren naar de operatiekamer, was Miller zich nog aan het wassen. Hij had besloten het bed als operatietafel te gebruiken, waardoor er niet onnodig met haar hoefde te worden gesold.

Barnes en de zuster schoven gecapitonneerde planken onder Karens bewusteloze lichaam, zodat er tijdens de operatie voldoende steun was. De operatiezuster maakte het operatieveld schoon en dekte de patiënt steriel af, waarbij ze alleen de gezwollen buik onbedekt liet. Daarna legde ze alle instrumenten klaar, richtte de lampen boven het bed en ging zich toen ook wassen.

Op de weg terug van de kleedkamer dacht Barnes ineens aan Kapinsky. Die zou razend zijn als ze het kind haalden zonder dat hij erbij was. 'Wilt u dokter Kapinsky bellen en zeggen dat we op het punt staan patiënt Van der Walt van D7 te opereren?' vroeg hij een van de zusters. Ze glimlachte en knikte. Barnes ging naar de operatiekamer en naar Miller en Ohlsen. Miller had het operatieveld al afgetekend. Barnes keek naar Karens blootgelegde buik en zag dat het een verticale incisie werd. Dat kon hij niet toelaten: Karen was zo trots op haar lichaam en zou nooit een litteken willen dat gezien kon worden. 'Nee, Aubrey, zij wil het liefste een bikini-snede,' zei hij snel, voordat Miller de scalpel had kunnen oppakken.

De verloskundige keek verbaasd, leek iets te willen zeggen, maar haalde toen zijn schouders op en maakte een dwarsincisie langs de bovenrand van Karens schaamstreek. Een anesthesist – voor een hersendode orgaandonor? En nu een kosmetische incisie? Hij had de geruchten over Barnes gehoord, maar er geen aandacht aan geschonken. Nu kreeg hij toch wel wat bedenkingen. Maar Miller was een vakkundig chirurg, hij zette alle muizenissen uit zijn hoofd en concentreerde zich op wat hij had te doen.

De zuster kreeg geen gehoor bij Kapinsky thuis, kon hem ook niet bereiken op het lab, en liep terug naar de operatiekamer om dat te zeggen.

Josef ontspande zich toen de telefoon naast zijn bed weer ophield met zoemen. Zijn vader had nadrukkelijk gezegd dat hij nooit moest antwoorden, tenzij hij op een bepaalde manier overging. Deze keer belde hij maar door, dus kon het zijn vader niet zijn.

Vader? Waar was vader? Josef keek om zich heen en merkte dat hij in zijn vaders slaapkamer lag. Hij hoorde ergens een geluid. Het kwam van beneden. Dat gaf hem een goed gevoel. Vader was in de buurt en zou zo naar boven komen om hem, zoals altijd, in te stoppen.

Hij ging weer liggen maar was meteen weer gespannen. Die geur. Er was nog iemand anders in huis. Hij snoof nog eens. Het was een vrouwmens. Nieuwsgierig klom hij uit bed en liep naar de grote overloop, boven aan de trap. De geluiden werden harder. Hij kwam nog wat dichterbij en probeerde te begrijpen wat er aan de hand was. De ene stem was van een vrouw, en kreunde. De andere was van iemand die problemen had en naar adem snakte.

Vader! Hij rende met grote sprongen de trap af en stopte in de deuropening van de huiskamer. Zijn vader probeerde weg te komen van de vrouw die hem vasthield met haar benen, en hem pijn deed. Ze verstikte hem, maakte hem dood.

Op dat moment golfde er een orgasme in Susan op zoals ze nog nooit eerder had meegemaakt. Het leek wel of ze in een ravijn viel. Ze gooide haar hoofd naar achteren en schreeuwde van vervoering.

Josef slaakte zijn waarschuwingskreet, gevolgd door een aanvalsroep. Zijn vader had hem nodig, hij werd gepijnigd door dit wezen dat hem vastgreep en niet wilde laten gaan. Hij sprong over de grote eettafel en landde naast het worstelende stel.

Kapinsky was nog steeds bezig Susan te rammen en vocht voor iedere ademtocht. Josef blafte een 'ga weg'-waarschuwing naar de vrouw, die even ophield met bewegen en zich omdraaide om naar hem te kijken. Hij ontblootte zijn tanden, gromde het aanvalssignaal en hief zijn armen zodat hij nog groter leek. Toen schreeuwde ze zo hard dat zijn oren er pijn van deden.

Susans wereld was in een flits omgeslagen van pure verrukking naar totale verschrikking. Een afschuwelijk monster, half mens, half aap, stond zo dicht bij haar dat ze zijn hete adem in haar gezicht kon voelen. Met zijn tanden ontbloot stond hij op het punt haar naar de keel te grijpen. Ze probeerde, belemmerd door Kapinksky's gewicht, met zwaaiende armen weg te komen. In haar paniek trok ze het wurgkoord steeds strakker aan, waardoor ze Kapinsky's luchttoevoer helemaal afsneed. Hij begon naar adem te snakken, en er kwam een wanhopig gegrom uit het diepst van zijn keel.

Josef viel direct aan. Hij duwde zijn vader van Susan af en liet zijn tanden diep in haar keel zakken. Haar schreeuwen stopte meteen, maar ze rolde zich op, haar benen onder hem en probeerde hem zo weg te schoppen.

Ze rolden door de huiskamer, terwijl Josef grommend brokken vlees van haar lijf scheurde tot ze ophield met bewegen. Even bleef hij zitten naast de bloedende resten, die nauwelijks meer als menselijk waren te herkennen.

Langzaam voelde hij zijn haat verdwijnen, nu hij begreep dat ze geen bedreiging meer was. Toen ging hij naar zijn vader kijken.

Kapinsky lag op zijn zij, zijn gezicht was paars en zijn tong hing uit zijn mond. Jozef tilde hem op en wiegde hem heen en weer. Verbaasd plukte hij aan het koord dat verzonken zat in het vlees van zijn nek en hij probeerde de boeien om zijn enkels los te maken. Hij neuriede zachtjes, knabbelde aan zijn vaders oren en vroeg hem wakker te worden. De vrouw had hem niet gebeten, er waren geen verwondingen en geen bloed. Dit was vreemd.

Josef hield zijn vader nog steviger vast en klemde diens gezicht tegen zijn naakte borst. Dat deed hij wel vaker, bijvoorbeeld als ze hadden gezwommen. Hij vond het leuk om naar zijn vaders lichaam te luisteren. Hij hoorde dan altijd een regelmatig bonkend geluid dat eerst heel snel was en later, tijdens het luisteren, steeds rustiger ging klinken.

Nu hoorde hij niets. Er kwam geen geluid uit zijn vaders mond. Geen geluid uit zijn borst. Niets bewoog, alles was koud. Met zijn vader nog in zijn armen hief Josef het hoofd en huilde om zijn verlies in de nacht. Het geluid droeg ver in de stille zomerlucht, en vloeide langs de muren van het oude huis, een eenzame schreeuw van verdriet en woede, die echode langs de heuvels aan de voet van de berg.

Barnes keek gespannen toe hoe Miller zijn eerste incisie maakte. De komende paar minuten waren doorslaggevend. Als het kind stierf, was er geen reden voor Karen om door te leven, en werd ze gewoon een donor. Als het kind bleef leven, had hij een reden Karen aan het hersenbemiddelingssysteem te houden, omdat je een kind niet liet opgroeien zonder zijn moeder. En hoe zat het met de bavianenhersenen? Hadden die alle benodigde chemische boodschappers geproduceerd voor de normale ontwikkeling van de foetus? Wat te doen als het kind werd geboren met afwijkingen waardoor het niet zou kunnen blijven leven? Een hazenlip, gespleten verhemelte of zelfs een gat in het hart waren problemen die konden worden verholpen, maar als het misvormde hersenen had, of geboren werd als monster zonder hersenen? En waar was die verdomde Kapinsky nou? Die had allang hier moeten zijn. Wekenlang was hij vierentwintig uur per dag oproepbaar geweest en nu was hij ineens niet te bereiken. Misschien had hij ergens anders iets opgevangen, en was hij onderweg, probeerde Barnes zichzelf gerust te stellen.

Hij keek toe hoe Miller zorgvuldig de bloedende plekken op de huid en in de weefsels cauteriseerde voor hij verdersneed. Barnes zag tot zijn opluchting dat het slagaderlijke bloed helderrood was, wat erop wees dat Karens longen in goede conditie waren en het bloed adequaat van zuurstof voorzagen. Met de hulp van de verpleegkundige scheidde Miller de buikspieren verticaal van elkaar en maakte hij een incisie in het buikvlies. Een spreidhaak hield de wond open. Rodney voelde het bloed in zijn hoofd bonken toen hij naar de zwangere baarmoeder keek.

Daar in die holte zat zijn toekomst verscholen. Nog eventjes en Miller zette hun kind op de wereld, zei hij in stilte tegen Karen. Hij deed een schietgebedje dat alles goed zou gaan.

Een golf vruchtwater kondigde het begin van de geboorte aan.

Ohlsen leunde naar voren, net als de anderen gegrepen door de gebeurtenissen. Vier paar ogen staarden naar de incisie in de baarmoeder. Eerst werd een toefje zwart haar zichtbaar, en toen kwam er een volmaakt gevormd mensenhandje te voorschijn.